D1284636

Publicado por:
Nova Casa Editorial
www.novacasaeditorial.com
info@novacasaeditorial.com

Editor
Joan Adell i Lavé
Coordinación
Silvia Vallespín
Portada
Ana Coello
Vasco Lopes
Maquetación
Daniela Alcalá
Revisión
Noelia Navarro
Impresión
PodiPrint

Primera edición: **diciembre de 2019**
Depósito Legal: B 21036-2019
ISBN: 978-84-17589-64-6

ANA COELLO

ATORMENTADO DESEO

ÍNDICE

«Inconsciente sentimiento que nace cuando seduciendo al deseo no se quiere dar más, cuando amar no es lo que se busca alcanzar, cuando jugar es la parte medular, cuando esconderse es lo vital, y así, de ese modo, los demonios no puedan atacar y volver a aniquilar».

Prefacio

Un imbécil. Sí, un absoluto y completo imbécil. ¿Cómo era posible que no pudiera controlarse? ¿Cómo mierdas fue que se comportó como un maldito adolescente? ¿Nada había aprendido en la vida?

No, tal parecía que existían cosas en las que aún no maduraba, pero es que no pudo resistirlo, vaya, ni siquiera recordó que tenía un cerebro dentro de la cabeza que debía utilizar, con mayor razón, justo en momentos como ese.

¡Mierda y mil veces mierda!

Era un imbécil. Caro estaba delicada, no regresaría en varios meses y esa chica de ojos color almendra era su suplente. Rogaba que las cosas no se complicaran, que no creyera que pasarían de ahí porque por mucho que despertara sus sentidos hasta el estúpido punto de sentir una colisión interna, nunca, jamás emprendería algo más serio que eso con nadie. Se lo juró y lo cumpliría.

Deseaba ser el mejor tío, el mejor hermano, nada más. No ataduras, menos compromisos y por supuesto en su puta vida involucrar algo más que el cuerpo y deseo.

Recargó la frente en la puerta del lujoso baño de aquel hotel donde se alojaba desde hacía unos días. Desprovisto de ropa y solo con una toalla enrollada alrededor de la cintura se martirizaba sin cesar.

Por lo menos usó protección. Era un hombre precavido, eso lo aprendió hacía mucho tiempo y aunque no planeaba que sucediera algo así con ella, lo cierto era que no sabía si ocurriría con alguien más.

Pero carajo, su cuerpo era una caldera a punto de reventar cuando la tenía cerca, no se reconocía. Por otro lado, desde que todo aquello ocurrió, tomaba esa clase de encuentros a la ligera, sin prestar atención con quién, ni cuándo, por lo que la meticulosidad en ese punto se acentuó. Lo que jamás previó es que su instinto lo traicionara de esa abominable manera e hiciera lo contrario de lo que debía. En serio era estúpido.

¡Ah! Cerró los ojos con fuerza y se acercó al espejo. Se echó agua al rostro hasta que se encontró frío por completo y es que aún sentía su cuerpo hervir, sobre todo ciertas partes, de tan solo recordar lo que acababa de pasar.

Vibró como nunca, se dejó llevar sin reparos, sin contenerse ni un poco. La tomó así sin más y evocar sus gemidos lentos, ansiosos, sus manos aferradas a sus hombros, su abandono absoluto, solo logró que volviera a echarse agua.

¡Maldita sea!

Respiró hondo y salió de una jodida vez de su escondite. Le dejaría todo muy claro y esperaba que fuera lo suficientemente madura como para comprender que eso era tan solo un encuentro casual que no se repetiría. Sí, eso era lo mejor.

Al hacerlo, no vio a nadie, de hecho, no existía huella de que ahí hubiese ocurrido aquella fiera muestra de pasión. Se vistió aún incrédulo. Salió con el cuello de la camisa sin abotonar y por fuera del pantalón. Se mostraría relajado e intentaría ser contundente.

Recorrió el pulcro pasillo hasta que llegó a lo que era un comedor para seis personas. Ella se encontraba ahí con su ordenador abierto leyendo algo con atención. Vestida nuevamente con ese conjunto casual que la hacía parecer tan terrenal, con su cabello suelto que caía hasta la mitad de su angosta espalda, comía chocolate despreocupada.

La joven elevó los ojos hasta los suyos cuando lo tuvo enfrente, tan solo un segundo. Su indiferencia lo dejó perplejo. Al verla así, fría, entornó los ojos sin poder comprender. Se acercó con las manos en los bolsillos del pantalón listo para una letanía o una serie de quejas, a lo mejor con una probable renuncia o exigencias. Ni hablar, no cedería en ninguna.

—Ya se los envié a Gregorio y al departamento de verificación. Por la mañana sabremos si todo está en regla —hablaba con su típica suficiencia. Evitó abrir la boca debido a la impresión. Era como si lo ocurrido unos minutos atrás simplemente no hubiera pasado. ¿Era eso posible? ¿De verdad actuaría como si nada? La observó terminarse el dulce para un segundo después chupar con desenfado uno de sus dedos, seguro tenía restos de chocolate. Tragó saliva atontado, ese gesto solo sirvió para despertarlo nuevamente y lo peor era que lo hacía sin ese afán, como solía—. Creo que es todo. ¿Necesita algo más? —Se puso de pie y cerró el ordenador relajada. Al ver que no respondía, la joven lo miró expectante. De inmediato reaccionó.

—No, nada. Nos vemos por la mañana —zanjó serio.

—Sí, a las nueve estaré aquí. Buenas noches —confirmó y pasó a su lado dejando esa estela femenina que hacía unos momentos se coló por todo su organismo, para salir sin decir nada más.

Permaneció ahí, de pie, aturdido, asombrado. ¡Guau!, eso sí que era nuevo. Refrescante también. Sonrió negando al tiempo que se frotaba el cuello. Era un alivio saber que no tendría problemas en cuanto a aquel desenfreno, lo complicado era que no deseaba que fuera la última vez.

1

CARÁCTER AGRIO

«Lo siento, Cristóbal, de verdad lo siento... Le juré a mi padre que tampoco serían felices, pero no conté con que tú fueras así, que... te amaría como lo hago. Por eso no tomé posesión, por eso no pude seguir. Ojalá algún día me perdones y comprendas lo mucho que te amo».

Esas malditas palabras lo despertaban, si bien ya no cada noche, desde hacía un año, cuando logró recuperar a su hermana después de toda aquella atrocidad, sí algunas veces. Y es que cada vez que esa mujer aparecía en su mente, así, sin ser solicitada, mucho menos invitada, la ira lo carcomía, el odio y el rencor lo corroían.

El daño que les hizo fue irreparable, sobre todo a ella, a Andrea. Maldición, la odiaba con toda su alma y deseaba eliminar la huella que dejó el paso en su vida. ¿Cómo olvidar que asesinó a sus padres? ¿Cómo dejar atrás las humillaciones, maltratos y vejaciones a las que sometió a su hermana? ¿Cómo sacar de su mente el hecho de que se enamoró de aquel monstruo, que se casó con ella, que... destruyó toda su vida con ese asqueroso plan? Que vivió doce años de mentiras. ¿Cómo?

Se sentó sobre aquella mullida superficie apretando la quijada. A pesar de que tenía aire acondicionado, sudaba. Se frotó el rostro. Ojeó el reloj que tenía sobre la mesa de mármol negra. Las cinco de la mañana. Se dejó caer sobre las sábanas blancas, resoplando. ¿Es que nunca terminaría eso? Ya no la amaba, no desde hacía un buen tiempo, y de hecho ya dudaba lo hubiera hecho en realidad en algún momento, lo cierto era que lo creyó así durante años y parecía estar decidida a recordarle infinitamente los errores del pasado, su debilidad y su estupidez.

Giró el rostro y encendió la lámpara. Ahí, a un costado del reloj, la foto de su Pulga junto con Fabiano, su sobrino. Sonrió dejando de lado aquel malestar que le provocaba pensar en esa alimaña.

Su hermana Andrea había dado a luz a un chico sano y grande hacía un mes. En cuanto supo que ese pequeño llegaría, voló a Córdoba, lugar donde fue el nacimiento, pues su residencia fija era en una hacienda de Veracruz; así que cuatro semanas antes de que Fabiano llegara a este mundo, Matías y ella, se trasladaron ahí para evitar cualquier situación que pudiera requerir mayor infraestructura médica. Así que, sin perder el tiempo, apareció en aquel lugar listo para conocer a su sobrino.

Su cuñado y mejor amigo, mostró una tranquilidad atípica, porque lo cierto era que todo lo concerniente a ella siempre lo alteraba, o, mejor dicho, lo preocupaba, ese hombre vivía para ver feliz día y noche a esa joven que adoraba.

Volvió a sonreír. Eso sí era amor, esos dos pasaron por cosas espantosas y al final, lo que sentían hizo que sus heridas sanaran y no solo eso, sino que fortaleció lo que ya de por sí era de acero.

Un día más y al parecer debía comenzarlo un poco antes de tiempo...

Se levantó sin remedio, sabía que después de esas pesadillas el sueño no regresaba, así que se tomó un vaso de agua y se dirigió a la habitación donde tenía aparatos para ejercitarse y que contaba con esa asombrosa vista a la Ciudad de México, aún oscura, gracias a sus enormes ventanales.

Un *pent-house* en ese altísimo edificio fue su elección cuando vendió aquella casa que le hacía revivir cada dos segundos lo imbécil que fue por confiar en esa mujer. Pero nunca más. A su corazón y su alma jamás volvería a escucharlos, no cuando lo alentaron a, sin saberlo, ser partícipe de la infelicidad del ser que, junto con Fabiano, más amaba; su hermana. No, no confiaba en ellos y eso era lo mejor.

Se cambió de ropa ahí mismo, prendió el televisor y comenzó a trotar en la caminadora mientras escuchaba las noticias en *CNN* Internacional. A las nueve en punto le recibieron el *Jaguar XJ* uno de los empleados del conglomerado que solían hacerse cargo de su vehículo cada mañana, mientras el jefe de su escolta personal lo seguía a distancia reglamentaria.

Saludó al guardia con gesto frío mientras este le abría el ascensor marcando el número al que sabía se dirigía.

—¿Carolina te dijo que carriola[1] deseaba? —cuestionó a Roberto, su escolta. Este asintió a su lado. Esa no era parte de su labor, no obstante, su asistente no era la indicada para la tarea y su jefe de seguridad contaba con personal a su cargo, por lo que gestionar la adquisición de algo como eso no era problema. Ya se encontraban solos. Solía acompañarlo hasta la última planta donde estaba su despacho y ahí se ponía de acuerdo con su mano derecha para empatar las citas del día.

—Sabe que no es fácil esa mujer —bufó—, pero logré que Blanca le sacara la información —confesó con tono serio, aunque orgulloso. Cristóbal sonrió sacudiendo la cabeza. Sí, era testaruda y además de Andrea, que hacía lo que quisiera de él, Caro también era la otra mujer en la que confiaba, pues llevaban años laborando juntos y le demostró siempre ser leal y recta, sobre todo en aquel momento donde todo se desmoronaba, sin remedio, como un castillo de naipes que al soplarle no tarda en caer por completo.

—Si lo sabré yo. Bueno, encárgate de que tenga la más equipada y cómprale, no sé, todas esas cosas para bebés —le pidió revisando su correo electrónico. Era un adicto al trabajo, más aún desde que todo eso ocurrió. Roberto asintió con formalismo. Se llevaban muy bien. Su relación laboral comenzó desde que Mayra, la exesposa de Cristóbal, entró a prisión. Por obvias razones despidió a todo el equipo anterior y ese hombre fue recomendado por Gregorio, su abogado y hombre de absoluta confianza. Así que dos años era el tiempo que llevaba de conocerlo en los cuales, si bien no intimaban, pues él no lo hacía ya con nadie, sí mantenían esa corta distancia que se debía tener con alguien tan vital para su seguridad.

—Cuente con ello. Aunque créame, tiene tiempo.

---

1 Cochecito de bebé.

—Lo sé, pero prefiero que ese pendiente desaparezca. —Así era; controlador, planeador, nada podía salir de ese horario que se estipulaba, de lo que debía y tenía que ser.

—Buenos días —Lo saludó una chica rubia, de rasgos suaves justo cuando entraba a su despacho. Caro, su asistente, a pesar de rondar los seis meses de embarazo se mantenía delgada y aunque fatigada, era la mejor en lo que hacía.

—¿Qué tal la mañana? —preguntó su jefe mientras se servía café en su taza de siempre, que se encontraba a un costado de la entrada de aquel inmenso y moderno lugar.

—Los mismos kilos, pero más cansada —admitió su asistente, sonriente, mientras bebía zumo de naranja que solía llevar para que la presión se mantuviera en sus niveles adecuados, según ella. Cristóbal sonrió negando.

—Creí que todas las embarazadas comían y dormían —expresó bromeando, dirigiéndose a su silla que se encontraba tras un enorme escritorio de vidrio grueso. Ella volcó los ojos, como siempre, y Roberto hablaba por el celular. Rutina.

—En la época de nuestras abuelas, ahora es distinto y lo sabes, Andrea apenas si subió —le recordó fatigada pero sonriente. El hombre se recargó en el respaldo de su mullida silla con desgarbo sorbiendo de aquel líquido caliente que jamás debía faltar en su sistema a esas horas de la mañana y la observó asintiendo. Ella era bonita, agradable y asombrosamente inteligente. Llevaba casi ocho años de matrimonio, a sus treinta y dos años decidió buscar su primer hijo, cosa que trastocó no solo la vida de esa buena y eficiente mujer, sino la propia también.

—Ahora ustedes son las expertas —la provocó enarcando una ceja con burla. Gozaba molestándola.

—Deja mi barriga en paz y comencemos —lo regañó rodando por enésima vez los ojos. El hombre asintió irguiéndose. Solo ella se atrevía a dirigirse de esa forma a él, nadie, en ningún momento tendría ese tipo de contestaciones, pero más de siete años juntos, le daban ese derecho.

Después de quince minutos de breve reunión, su jefe de seguridad los dejó solos. Ambos revisaban en las *tablets* la información sobre la compra de una conocida cadena de hoteles en Quebec. Si todo salía bien, en un par de semanas volarían para allá y el trato quedaría cerrado.

Entre muchas cosas más, Grupo Nord-Sud, —nombre francés que portaba el conglomerado gracias a su abuelo que decidió llamarlo así pues su madre era de aquel país— contaba con cadenas hoteleras de gran nivel. El negocio consistía en buscar hoteles con potencial que tuvieran problemas financieros. Los compraban y los posicionaban nuevamente para venderlos en la bolsa de valores a precios exorbitantes, pero justos.

—Carolina —la nombró cuándo terminaron de ponerse al día. La rubia lo miró esperando la siguiente orden. Al ver el rostro de su apuesto jefe, supo que no era estrictamente laboral lo que le diría—. ¿Estás segura de que podrá? ¿Cuánto tiempo te falta exactamente? —la cuestionó frotándose la masculina barbilla.

La mujer rio sacudiendo la cabeza. Sabía bien a qué se refería o, mejor dicho, a quién. Resopló y dejó la *tablet* frente a ella apoyando su adolorida espalda en el respaldo. El día anterior le hizo la misma pregunta y por supuesto conocía mejor que nadie la respuesta, estaba segura de que incluso mejor que su marido.

—Tres meses, Cristóbal. Los mismos que ayer y anteayer. —Al escucharla entornó los ojos. Ese hombre era de armas tomar, poderoso, firme y de un par de años a la fecha, todo un témpano de hielo. Pero ¿quién lo podía juzgar? Lo que vivió fue atroz, abominable en realidad y peor aún, de conocimiento público, por lo que se tornó, con el tiempo, reservado, toda una caja de seguridad. No obstante, ella no le temía, llevaba siendo su asistente personal desde hacía un buen tiempo en el cual le demostró su incondicionalidad y lealtad en todo momento, cosa que él, su jefe, sabía apreciar después de todo lo ocurrido con aquella monstruosa mujer.

—Tú tienes la culpa de mi ansiedad, esa chica que elegiste, ya sabes... No termina de convencerme —le recordó molesto. Carolina dejó salir un suspiro cansino, perdió la vista en el cielo y otros edificios igual de altos que se ubicaban en aquella impresionante ciudad.

—Es la mejor para cubrirme, además, solo serán tres meses —murmuró conciliadora—. Lo hemos estado discutiendo casi a diario, estará lista. Y después de eso se irá al departamento de Finanzas, ahí hace falta la presencia de alguien así, sabe lo que hace.

—Me lo has dicho, pero no sé. Es... irrespetuosa —declaró arqueando una ceja.

—Y tú no fuiste el más cortés, además, esa es una de las razones por las que decidí que era la indicada; no te dirá lo que deseas escuchar. Necesitas a alguien con iniciativa, no una veleta que se ponga a llorar al primer problema o peor, cuando te molestas.

—¿Estás diciendo que soy un antipático? —preguntó serio.

—A veces y lo sabes... Cristóbal, no me lo hagas más difícil. El proceso para elegirla fue una tortura, dijiste que confiarías en lo que decidiera. Ya la investigaron, sé que ella es la indicada para sustituirme. —El hombre dio otro trago a su café observándola por detrás de la taza con esos asombrosos ojos verdes que podían frenar a cualquiera por la advertencia que de ellos emanaban. Odiaba, temía y aún estaba lleno de ira, de coraje y eso se notaba.

—Bien, no diré más. Será tu suplente, pero a partir del lunes la quiero en las juntas y que entre aquí cuando tú lo haces. Si no la veo interactuar, ¿cómo podré creerte? Dos meses para que conozca mejor el ritmo de trabajo me parece adecuado.

—Es buena idea, de hecho, creo que ya es momento. Lo que debe hacer afuera ya lo domina, e incluso Hugo la ha podido capacitar un poco para el otro puesto. Aprende muy rápido y nunca para.

—Pues eso quedará de lado hasta que tú regreses, no quiero que esté en otra cosa, Jimena y Blanca no podrán con todo, ella debe ser tú si es posible —sentenció. La mujer entornó los ojos.

—En la medida que confíes en esto; funcionará, pero si cada vez que la ves pasas de largo como haces, será complicado y no capacitaré a nadie más. Así que decide —amenazó. Cristóbal se levantó algo enfadado, no comprendía por qué esa chica nueva lo irritaba, lo molestaba, lo... ponía en tensión desde el primer momento que la vio dos meses atrás.

Perdió la mirada en el cielo brillante, la capa de *smog* desde ahí era bastante nítida; una nata oscura cubría la ciudad y, sobre ella, azul coronado por la luz dorada del sol que ya estaba en todo su apogeo. Lo de diario.

—Bien, tú ganas. Y espero que no te estés equivocando —soltó con un deje de ultimátum. Caro negó comprendiéndolo; era desconfiado y asombrosamente hermético. ¡Maldita mujer!, se llevó consigo todo lo que solía ser de Cristóbal, que si bien, no era la felicidad personificada, tampoco era taciturno y duro como lo era ahora.

El resto del día fue ir y venir, llamadas, inversiones, todo igual, sin fallos, sin diferencia, sin error. Así era su vida, así era como debía ser. Para terminar a las nueve de la noche fatigado, listo para nadar en la piscina de su apartamento y dormir hasta el día siguiente si esa «maldita» no osaba aparecer en sus sueños arruinándolo todo como solía.

Salió de su despacho, frotándose el puente de la nariz, con su *tablet* y celular en mano. Ya los empleados se habían ido, incluso Carolina, las siete y media era su hora de terminar turno y si no era indispensable, no le agradaba que nadie se quedara más tiempo del necesario.

El ordenador de su asistente estaba aún encendido y había papeles frente al aparato. Arrugó la frente al percatarse y de pronto escuchó unos tacones marcar con paso ligero su llegada. Elevó la vista.

Ella.

La chica iba con un par de carpetas pegadas a su pecho.

—Buenas noches —saludó la joven, sin temor, con la cabeza alta y mirándolo directamente a través de sus ojos marrones. Cristóbal sintió nuevamente esa sensación molesta. Era bonita, demasiado tal vez, de rasgos finos, no muy alta, delgada y solía llevar su cabello castaño en una coleta formal, pero no apretada y un flequillo casual por lo que se la veía siempre natural, fresca, sencilla.

—Creo que la hora de salida ya pasó —expuso con voz autoritaria. Ella asintió mostrando una mueca que pretendió ser una sonrisa con aquellos labios no muy carnosos levemente pintados de color melocotón. Iba enfundada en un vestido ajustado, aunque recatado, que resaltaba su figura de una manera que lo puso en tensión. Nada nunca parecía alterarla.

—Lo sé, pero Carolina se sentía fatigada y me ofrecí para terminar algunas cosas que eran importantes —explicó con esa voz serena, pacífica, pero cargada de firmeza. Avanzó y dejó las cosas sobre la superficie sin titubear.

Mierda. Esa era lo que lo irritaba, en general todos temblaban, lo veían y hasta se enderezaban, por no decir que se desvivían por agradarlo. Sin embargo, esa mujer pasaba de largo y nunca se mostraba intimidada.

—No me agrada que el personal esté más tiempo del que debe —declaró serio, observándola sentarse frente al ordenador, relajada.

—También lo sé, pero debo terminar y dudo que le parezca buena idea que esto no quede listo para la junta que tiene mañana con la nueva cadena de restaurantes que desea adquirir —argumentó moviendo el ratón de la computadora con delicadeza. Cristóbal apretó los dientes dándose cuenta de que nuevamente se sentía irritado, ni siquiera lo miraba. ¡Carajo!

—Detecto ironía en su tono y debe saber que no me agrada —rugió por lo bajo, contenido. La joven pestañeó elevando la vista hasta él, confundida.

—Jamás me permitiría hacer tal cosa. Le estoy diciendo lo que debo hacer y la razón por la que aún no me he marchado. En cuanto concluya con esto tenga por seguro que me iré —aclaró. Cristóbal se sintió un estúpido. Respiró hondo asintiendo. No haría un problema, estaba agotado, era probable que de verdad no hubiese querido decir así las cosas.

—Estará en esa junta. Así que, sí, espero que quede todo bien. Buenas noches —sentenció. Su nueva asistente no pudo evitar abrir los ojos un tanto asombrada, esa era la primera vez que él le pedía algo. No le temía, pero debía reconocer que era un hombre imponente y aunque no era una mujer insegura o temerosa, hacía que sus sentidos se alertaran de inmediato con su sola presencia. Escondió con rapidez el sentimiento y asintió levemente.

—Buenas noches, señor —se despidió con formalidad. Una vez que dejó de escuchar sus ligeros pero decididos pasos. Soltó el aire y colocó la frente sobre la superficie de cristal. Ese tiempo junto a él sería difícil, peor que eso, una pesadilla, pero no se rendiría. Necesitaba ese trabajo y, además, si lograba sortear su carácter agrio tendría el puesto deseado y las preocupaciones financieras debido a la situación que vivía ya no serían más.

Sonrío optimista. Sí, todo iría bien; era tenaz, inteligente y decidida, estaba preparada y el esfuerzo de sus abuelos lo haría valer a como diera lugar. Por otro lado, la atención médica de su abuela estaba bien cubierta desde que ingresó y eso lograba que vivieran más tranquilas. Podría con ese hombre que, aunque en parte comprendía su conducta, no le quitaba lo pedante.

Sí, era un guapo pedante, bueno, un pedante muy guapo en realidad tonteó un poco.

Sacudió la cabeza reprendiéndose. Ni ella estaba para eso, ni jamás se metería con un tipo como él, recordó torciendo la boca como solía hacer cuando se encontraba pensativa.

2

Sensaciones contradictorias

La casa se encontraba sumida en ese silencio que tan bien conocía, seguro dormía. Dejó sus cosas en los primeros peldaños de las escaleras y se dirigió a la cocina. Se moría de hambre.

El lugar era amplio, aunque viejo, sin embargo, contaba con todo lo que siempre necesitó y más si era sincera. Se acercó al microondas, sonrió. Un plato bien servido estaba justo ahí. Agradeció en silencio y lo puso a calentar el tiempo justo. Cuando el aparato avisó de que la comida estaba lista, la sacó y comenzó a ingerirla de pie con la vista perdida, sin prestar atención a nada en especial. Esa noche debería haber ido a los ensayos, faltar no le agradaba. Eso, junto con su profesión, era lo que más amaba. De pronto la imagen de ese hombre retornó.

Aún podía recordar el día que Carolina se lo presentó; sus palmas sudaban y aunque sabía que el puesto ya era suyo, si él se negaba, nada podría hacer al respecto. Había escuchado un poco sobre su vida años atrás, salió en todos los diarios y cadenas televisivas, fue una bomba mediática gigantesca, de esas difíciles de olvidar por el impacto. Jamás pensó que poco más de dos años después lo tendría justo frente a ella.

Entró un poco temblorosa, aunque disimulándolo a la perfección. Torció la boca y respiró hondo, lo cierto es que casi se detuvo en seco al verlo. Lo conocía de las noticias, pero en serio, nada le hacía justicia, el tipo que tenía enfrente era un modelo de alguna marca famosa; guapo, varonil y con la mirada más escalofriante que jamás hubiese visto, emanaba hielo sin el menor de los esfuerzos. Sonrió como suele y continuó hasta llegar al escritorio mientras su jefe la escrutaba de forma despectiva y sin mucho interés.

—Aquí la tienes, tu próxima asistente, Cristóbal —habló Caro. Él enarcó una ceja asintiendo. La joven extendió la mano a forma de presentación con esa enorme sonrisa pintada en el rostro.

—Buenos días, mi nombre es Kristián Navarro —dijo ligera. Sin estrechar su mano el hombre miró a Carolina riendo con despotismo. La nueva asistente bajó la mano, no comprendía a qué venía eso.

—¿Ese es su nombre, Carolina? —cuestionó. La rubia pestañeó desconcertada, no entendía a qué se refería.

—Sí –respondió intrigada. Él se levantó serio y la señaló con incredulidad.

—¿Kristián? Ese nombre es de chico, así que no me hagan perder el tiempo, ¿cómo se llama? —repitió entornando los ojos mientras se metía las manos en los bolsillos de su pantalón negro.

—¿Perdón? —replicó Kristián. ¡¿Quién mierdas se creía?! Controló su carácter, molesta, no le convenía montar una escena ahí, justo con él. Por otro lado, esa no era la primera vez que alguien le decía algo similar. La experiencia que da años de tolerar estupideces sobre ello logró que se cruzara de brazos y enarcara una ceja, retadora. Cristóbal adoptó la misma postura. Ambos se miraron confrontándose.

—Ese es su nombre, Cristóbal… —dijo Carolina, pálida. Hacía un par de días la contrató definitivamente, pero si hacía memoria no le mencionó cómo se llamaba, pues se refería a ella como: la chica nueva, o la suplente. Maldición. El hombre no movió ni un poco la expresión.

—Siento mucho no tener un nombre más femenino, lo cierto es que no lo pude elegir. Me llamo Kristián Navarro —habló desafiante, pero seria. Cristóbal, al detectar su sarcasmo deseó sacarla de su oficina, es más, de su edificio. Pero el rostro de Caro y la metedura de pata lograron que simplemente asintiera y se volviera a acomodar en su silla.

—Ciertamente hay cosas que no podemos cambiar —señaló con desenfado mirando la enorme pantalla del ordenador. Kristián apretó los puños. Hubiera deseado estampárselos justo en la nariz. No obstante, ladeó la boca tragándose las ganas.

—Indudablemente. —Su tono captó su atención de inmediato.

—Bueno —interrumpió la voz conciliadora de Carolina al darse cuenta de lo que ahí pasaba. Las cosas comenzaron de la peor forma y no tenía tiempo para las muestras de carácter de ambos. Sin embargo, le agradó que la joven no se amedrentara, esa era su prueba de fuego desde su punto de vista y la había pasado con medalla honorífica—. Ahora que ya se conocen y las formalidades están dadas. Kris, puedes ir con Hugo, nos vemos en un rato —pidió con elocuencia. La joven sonrió relajada, asistiendo.

—Un gusto, señor Garza, espero serle de ayuda cuando Carolina no esté. Con permiso. —y desapareció sin voltearse ni una vez, siendo muy consciente de la mirada clavada en su espalda. Ese hombre era irritante, y... su jefe.

Dios, al día siguiente las cosas ya no serían tan sencillas como hasta ese momento. Deseaba con todas sus fuerzas que saliera bien, que Cristóbal Garza no continuara mirándola como si de un bicho se tratase y menos siguiera con su pedantería. Desganada lavó su plato, apagó las luces y subió. Casi medianoche, notó al ver el reloj de la escalera. Bufó.

—Kris... —escuchó. ¡Ay!, la había despertado. Torció la boca y entró a su habitación en el segundo piso, justo al lado izquierdo del último peldaño.

—Hola, Aby... —habló bajito. La mujer mayor se encontraba recostada con la luz de su mesa de noche prendida. Se frotó los ojos, somnolienta.

—¿Acabas de llegar? —preguntó con dulzura, también con preocupación. La joven se acercó y le dio un beso en la frente asintiendo.

—Tenía que terminar algo del trabajo... —le explicó tomando una de sus delgadas manos. La mujer que tenía frente a ella era como su madre, o mejor dicho, su madre. La crio desde que la verdadera desapareció cuando tenía seis años y le dijo que su vida era muy complicada como para hacerse cargo de ella. Entonces sus abuelos la cobijaron y educaron como si de una hija se tratara, acción que agradecería eternamente. Ahora su abuelo no estaba, dos años atrás partió de este mundo debido a un infarto que lo atacó mientras dormía. Jamás hubo una causa, algo que les dijera que eso ocurriría. El impacto de la noticia fue espantoso, demasiado doloroso y para su abuela el fin de su existencia, pues siempre amó a ese hombre con el que se casó tan joven.

—No me gusta que estés tan tarde en la calle, ya lo sabes —le recordó apretando su mano levemente—. Kristián, debes de cuidarte más... —La chica resopló relajada. La seguía tratando como una niña, no lo podía evitar.

—¡Ey! Todo va bien, debía hacerlo, de todas formas, iba a llegar tarde por los ensayos —la animó sonriendo. Su abuela puso los ojos en blanco.

—Esa necedad, ya es mucho lo que haces... —expresó pesarosa.

—No seas exagerada, además, ya sabes que mi trabajo y ayudar a los chicos haciendo algo, me gusta mucho; me hace sentir bien.

Claro que lo sabía, su nieta era imparable. Siempre, desde pequeña, encontró la manera de ocuparse en lo que fuera. Un torbellino, decía su difunto marido cuando la veía bailando frente a la gente de aquella manera que solo ella sabía. Sí, esa era su pasión en realidad, lo supo desde que tenía diez años y pasaba horas con las chicas de la cuadra moviendo su cuerpo con habilidad en la acera o una de las casas después de haber cumplido a la perfección con todos sus deberes. La observaba desde la ventana de su habitación; era coqueta, hábil y se movía con una facilidad asombrosa, pero además su carácter alegre, aunado a esa seguridad que proyectaba, funcionaba de imán por lo que amigos jamás le faltaron. La gente incluso se detenía cuando lideraba a varias chicas más en rutinas completas que le costaba semanas crear. Era muy buena, demasiado. Pero no podía dedicarse a eso de lleno por mucho que lo deseara, ella lo entendió así cuando a los quince llegó la noticia. Sin quejarse, sin chistar de su suerte, decidió enfocar sus energías en algo más y qué bien lo hizo.

Kristián era una joven brillante y excepcional, muy diferente al prángana[2] de su padre y ni que decir de su madre, que no supo ser lo que esa pequeña necesitaba cuando la trajo a este mundo.

—Solo no te exijas de más, yo estaré bien, muñequita —le pidió. Kristián asintió, esa mujer la conocía mejor que nadie y sabía que, desde que enfermó, lo que hacía era para que estuviera mejor, que viviera tranquila. Le debía todo, así que ahora ella sería quien le devolvería lo dado.

—¿A qué hora se fue Dulce? —cambió de tema con esa sonrisa tan suya.

—En cuanto me acosté, vio la novela conmigo y luego se despidió —explicó despacio. Esa mujer era la enfermera que tenía para que la cuidara por el día y regularmente por las noches, pero en esa ocasión avisó que tenía un compromiso. La contrató en cuanto logró dar con ese trabajo que le cayó del cielo gracias a las recomendaciones de Graciela, amiga de Caro y profesora de la maestría.

Charlaron un poco y luego se marchó a su dormitorio. Se puso un piyama de pingüinos morados, se quitó el rímel, se lavó los dientes, preparó su atuendo del día siguiente entreteniéndose un poco en la labor pues por lo que veía era urgente ir de compras; eligió un vestido azul marino de manga corta discreta, cuello redondo y talle formal ajustado. Unos zapatos altos marrón y listo.

Sonrió. Sí, ese iba perfecto para comenzar su verdadero trabajo; lidiar con aquel energúmeno que tenía cara de ángel. Se encogió de hombros divertida y se metió bajo las cobijas soltando un suspiro. Todo iría bien, debía ir bien.

Por la mañana llegó antes que los demás, como solía. Entró a toda prisa no sin antes dejarle al guardia de la entrada ese pastelillo de nuez que le prometió si su equipo de fútbol ganaba el partido del domingo. Mantenía, en el poco tiempo que tenía laborando ahí, una buena relación con

---

2 Pobre.

la mayoría de sus compañeros. Era de carácter fácil, sonriente y siempre muy amable.

Una vez que estuvo en su nuevo lugar de trabajo, comenzó a acomodarlo todo. Las carpetas, verificar que la sala de juntas estuviera lista, solicitar que las copias fueran sacadas de inmediato y que a los del departamento de informática les hubiese llegado la información para que la proyectasen como era debido y de ese modo todo estuviera dispuesto para recibir a los dueños de aquella cadena.

—¿A qué hora llegaste, Kris? —preguntó Caro notoriamente agotada, incluso un poco pálida. La joven sonrió observándola, curiosa.

—Hace unos minutos. Oye, no traes buena cara. ¿Te sientes mal? —indagó dejando de revisar la *tablet*. La rubia asintió frotándose su pequeño abdomen.

—Sí, es solo que no dormí bien, me duele la cadera... —murmuró fatigosa. Kristián enarcó una ceja ladeando la cabeza al tiempo que miraba cómo se sentaba lentamente sobre la mullida silla que se encontraba frente a su escritorio.

—No creo que eso esté bien. Deberías haberte quedado descansando —dijo. Caro rodó los ojos observando lo que había en el ordenador y sonriendo al notar que al parecer ya todo estaba como debía. Esa chica sí que era eficiente.

—Como si eso fuera posible justo ahora, hoy. Cristóbal me mata... Es un día importante —reviró. Kristián torció la boca pensativa.

—Dejé todo listo, tú descansa... Yo me encargo. —Le guiñó un ojo sorbiendo su té. La asistente principal la observó asombrada.

—¿Terminaste? Era muchísimo... —expresó con los ojos bien abiertos. La joven se encogió de hombros frunciendo la nariz.

—No era tanto. Además, sabía lo que tenía qué hacer. —Caro cerró los ojos frotándose el puente de la nariz con los dedos.

—Es un buen hombre, te lo juro... Pero no es ni la sombra de lo que solía. Espero puedas tener paciencia, verás que no es tan duro como parece y aprenderás mucho a su lado —lo disculpó. Kris se ubicó a su lado, en el escritorio, recargando la cadera sobre la superficie de cristal.

—No te preocupes, Caro. Todo irá bien. No soy una niña, haré lo que deba y todo saldrá perfecto. No te agobies, yo creo que eso es lo que te tiene así.

—Puede ser. Pero es mucho trabajo. Demasiadas cosas, pendientes, idas y venidas, en fin. Sé que todo irá como dices —secundó y sonrió acomodándose un mechón tras la oreja—. ¿Estás lista para empezar de verdad? —La desafió frotando su barriga, lo hacía todo el tiempo, cosa que a la joven la enternecía.

—Sí, de hecho, iré a ver las carpetas antes de que llegue para poder entrar a tiempo. —Dicho eso se alejó a paso veloz, pero sereno. Caro negó fatigada. Esperaba que Cristóbal no se lo pusiera difícil, podía ser una pesadilla cuando se lo proponía y rogaba porque el día transcurriera sin errores.

Llegó como siempre, a la hora exacta; nueve en punto. Entró serio, con aquel gesto imperturbable que lo caracterizaba generando miedo y respeto por donde pasara. El equipo que laboraba en la dirección ya se encontraba ahí. Las tres lo saludaron con formalidad para un momento después entrar, sin decir más, a su despacho.

—¿Cómo te encuentras? —le preguntó a Carolina que iba tras él y a la que notó, en cuanto la vio, algo decaída.

—No dormí bien. Pero todo está listo para la junta —respondió. Su jefe sonrió complacido al tiempo que se servía café.

—Lo sé, sabes hacer tu trabajo como nadie —la aduló acercándose a su asiento— Hablando de trabajo... ¿Dónde está la «jovencita estrella»? —La rubia rodó los ojos. Dios, era odioso cuando se lo proponía.

Alguien llamó a la puerta. Roberto abrió con el celular en la mano. Era ella. Sonreía relajada alisándose ese vestido que le quedaba como un guante a su esbelto cuerpo, le llegaba justo por debajo de las rodillas y no mostraba casi nada de piel. Aun así, algo se removió en su pecho. Sorbió su café mirándola por encima de la taza. No lucía ni un poco nerviosa, ni amedrentada, ni nada. Eso lo irritaba, irradiaba tranquilidad, serenidad, felicidad.

—Aquí la tienes —señaló Carolina frotándose la frente—, y fue ella quien lo preparó todo —aclaró notando como la miraba entornando los ojos.

La mujer dejó salir un suspiro cansino. Jamás cambiaría, desconfiaba de todos y no le daba crédito a nadie. Lo cierto era que incluso sentía pena por lo que el futuro le podía deparar si no se daba la oportunidad de volver a sentir, de volver a vivir, de volver a... reír.

—Buenos días. Lamento la demora. Todo está listo para la junta y... —anunció acercándose a ellos un poco dudosa, pero incongruentemente segura.

—Y llega tarde. Son las nueve y cuarto. La junta comienza a las nueve y diez. ¿De acuerdo? —la interrumpió Cristóbal, imperturbable. Kristián se detuvo pestañeando. Guau, ese hombre vivía de mal humor, aunque debía admitir que se veía igual de atractivo que todos los días, solo que en ese momento lo podía ver más de cerca y fresco por la hora que era. Su fragancia masculina viajaba por todo el lugar y fue lo primero que detectó al entrar. Colocó sus manos unidas frente a su cadera intentando esconder su nerviosismo.

—De acuerdo, señor —respondió solemne. Cristóbal apretó los dientes. ¿Por qué siempre que le reviraba detectaba un deje de burla? Era como si le diera por su lado a un pequeño caprichoso que exigía un caramelo.

—Toma asiento. Carolina, dale la *tablet*. Quiero el plan del día y los informes de los departamentos. Los correos, citas y en media hora los documentos que firmar —solicitó enérgico. Kristián tomó el aparato de las manos nerviosas de su mentora y comenzó a mover el dedo con maestría por la pantalla táctil. Con sus piernas cruzadas, su espalda erguida y su cabello recogido de aquella manera, lucía demasiado inexperta, demasiado joven y demasiado... alegre.

Alzó la vista con una sonrisa eficiente, ya tenía todo dominado. Sus ojos chocaron como si un asteroide se estampara de lleno contra la Tierra. La sensación fue fuerte, abrasante y extraña, desconocida en realidad. La piel se le erizó de inmediato, así como fue consciente de hasta la última célula que en su organismo existía.

—¿Encontraste la información? —Deseó saber Carolina removiéndose incómoda en la silla, a su lado. Esos ojos verdes pestañearon rompiendo el contacto de golpe demostrando, por un segundo, sorpresa. Asintió atolondrada para enseguida comenzar a recitar con total conocimiento todo lo que su jefe le exigía. Roberto salió unos minutos después, ya que había recibido la información necesaria, y el trío continuó con su labor.

La asistente no podía creer que dominara a tal grado todo, pero lo agradecía infinitamente pues Cristóbal no chistó ni una sola vez, aunque tampoco la miró, simplemente se limitó a perder la vista en su ordenador y a asentir con rostro inescrutable. Cuando todo estuvo listo ambas se levantaron.

—No quiero errores con esos hombres, sabes que son un hueso duro de roer y por la tarde debo tenerlos en mis manos —advirtió Cristóbal a la rubia.

—Está todo bajo control —intervino Kristián con voz segura. Cristóbal la observó indiferente.

—No espero menos, esa es la razón por la que está aquí. Pueden retirarse —ordenó. Las dos salieron un segundo después.

El hombre permaneció con la vista clavada en la puerta por varios minutos, algo molesto e intentando controlar ese carácter que afloraba con tanta facilidad y mucho más con esa joven que sonreía apaciguada todo el tiempo. No le gustaba su manera, su... ¡Mierda! Lo irritaba y lo atraía en la misma proporción. Negó recargando la cabeza en la mullida silla de piel negra.

Eran unos meses, solo un tiempo y luego no quedaría ni una puta huella de su paso por su vida. Su puesto no interferiría en lo absoluto con la Dirección, así que debía tomárselo con calma, después de todo el que no la soportara no era culpa de esa joven que parecía que nada la perturbaba, sino suya y de su amargura. Aun así, sería difícil, muy difícil, porque su frescura le hacía recordar lo que jamás volvería a ser; un hombre libre desde el centro, capaz de volver a vivir sin más. No, eso nunca regresaría, lo hizo una vez y el precio fue mucho más alto de lo que jamás se podría perdonar.

La junta transcurrió sin fallos, tal como a él le gustaba y gracias a ello Grupo Nord-Sud era dueño de aquella cadena restaurantera.

—Lo hiciste de maravilla, Kris —la felicitó Carolina quitándose una leve capa de sudor de la frente con el dorso de la mano. La nueva asistente asintió sonriendo. Sí, todo fue mejor de lo que creyó. Manejó sin problemas la información y pudo intervenir un par de ocasiones en las que Cristóbal la quiso probar, con éxito, pero al ver a su mentora, su expresión cambió de inmediato.

—¿Qué te sucede? —preguntó preocupada. La rubia estaba pálida y andaba de forma lenta.

—No... no sé, me duele la espalda —logró decir y acto seguido se recargó en un muro abriendo los ojos asustada. Kristián no lo pensó mucho. La aferró por la cintura con fuerza.

—Tranquila... —soltó perpleja. Cristóbal iba saliendo de la sala de juntas cuando vio la escena unos metros adelante. De inmediato se acercó y la tomó en brazos sin problema.

—Me duele —lloriqueó la rubia. El hombre asintió temeroso, mirando ansioso a Kristián que, aunque agobiada, no temblaba. Tenía el celular ya en la oreja y los seguía. Escuchó que solicitaba una ambulancia con voz firme, después, ordenó a Blanca que mojara algún paño y a Jimena que fuese por agua. Carolina aferraba su abdomen gimiendo cuando él la depositó sobre el sofá de su despacho. Kristián se acercó segura, sujetó su barbilla e hizo que la mirase.

—Respira, sígueme. Vamos, Carolina, es importante —ordenó. La mujer asintió con lágrimas en los ojos.

—No quiero que le pase nada, Kris —sollozó. La chica negó con firmeza.

—Nada pasará. Pero ayúdame, anda, respira como yo lo hago —repitió. Y ahí, frente a su jefe, ignorándolo, por un segundo la miró fijamente mostrando una fortaleza asombrosa y guiando a la embarazada a seguir sus pulmones. Las chicas llegaron casi un minuto después, puso el trapo húmedo sobre su frente sin perder contacto visual, dándole la certeza que esa pobre mujer necesitaba en un momento tan complicado. Luego le acercó el agua permitiendo que solo le diera traguitos.

—Busca a su marido y dile lo que ocurre, se irá al hospital Ángeles —habló con suavidad, pero firme. Jimena asintió saliendo deprisa. Caro chillaba, se encontraba muy nerviosa, Kristián miró de reojo a su jefe que estaba a menos de un metro con el celular en la oreja, hablando con Roberto y moviendo los hilos de todo para el ingreso de su asistente; su voz era controlada, fría, sin embargo, no retiraba sus ojos de la rubia.

Los paramédicos llegaron casi enseguida.

—¿Quién la acompaña? —preguntaron, mientras se la llevaban. Todo ahí era una revolución. Cristóbal alzó la barbilla sin titubear.

—Yo iré con ella. —Se giró hacia Kristián, serio—. Quedas al mando, no quiero fallos, señorita Navarro —advirtió. La joven le sostuvo la mirada serena, aunque retorciéndose los dedos debido a su amiga.

—No los habrá —confirmó con aplomo. Él asintió y tomó su saco—. ¿Podría... avisarme cómo sigue todo? —Se atrevió a preguntar en voz baja. El hombre se detuvo dándole la espalda, respiró hondo aún alterado por todo lo ocurrido, pero sobre todo por la forma de enfrentar el asunto de esa mujer que le generaba tantas sensaciones contradictorias.

—Roberto le informará —respondió y salió dejándola ahí, en medio de ese enorme y frío lugar.

Las siguientes horas pasaron entre papeleo, tomar llamadas, reagendar algunas citas y verificar transacciones. El guardaespaldas llamó tres horas después de todo aquello, ya la habían estabilizado e iban de regreso; ella y el bebé estarían bien, pero debía mantener reposo absoluto a partir de ese momento. Al escuchar aquello Kristián se quedó con el auricular en la mano asimilando la noticia. Se lo pegó a la frente cerrando los ojos y llenando sus pulmones de todo el oxígeno posible. Ahí empezaba su labor.

—¿Qué te dijeron? —quiso saber Jimena, agobiada. Colgó sonriendo nerviosa.

—Ella estará bien, pero... no regresará durante el resto del embarazo —anunció. Sus compañeras abrieron los ojos, azoradas. Sacudió la cabeza asumiendo que su trabajo de lleno con ese energúmeno comenzaba en ese mismo instante—. Si desean, al salir pasamos a visitarla, por ahora necesito que confirmes, Jimena, la estadía en Quebec, es en dos semanas, iré yo. Y tú, Blanca, verifica que todo lo referente al seguro de Carolina esté en orden, no queremos sorpresas ahora... —ordenó con suficiencia. Acto seguido se sumergió en el ordenador que desde ese momento asumió como suyo. Las jóvenes la obedecieron sin chistar, ya sabían que ese día llegaría, más nunca que fuese tan pronto.

3
Aniquilante

Cristóbal conducía pensativo. No fue fácil todo lo ocurrido las últimas horas. Se alegraba de que Carolina estuviera bien, aunque no tanto de lo que vendría. Resopló hastiado; esa joven tendría que ser su mano derecha a partir de ese momento y eso le ponía los vellos de punta.

¿Qué tenía que lo ponía tan ansioso? Estaba acostumbrado a las lindas piernas, a esos cuerpos esbeltos, aunque al de esa chica le faltaban curvas. Al darse cuenta por dónde iban sus pensamientos le dio un golpe al volante. Eran unos malditos meses, luego la mantendría muy lejos. Esa sonrisa fresca que solía tener lo irritaba, así como su vitalidad, su suficiencia, por no mencionar su manera frontal de encararlo. Encendió la música y dejó la sexta sinfonía de Chaikovski inundar sus sentidos y lo calmara. Tenía toda la tarde por delante y mucho qué hacer, así que más valía que se relajara.

Al llegar todo lucía tranquilo y en orden. Enarcó una ceja escrutándola con indolencia, pues pese a que las otras chicas se irguieron en cuanto lo vieron, ella permaneció absorta en su labor.

—Señorita Navarro —la llamó. Sus ojos marrones se alzaron de inmediato. Sonreía, qué raro. ¡Agh!, apretó los puños—, debemos ver algunas cosas —indicó y un segundo después desapareció tras la puerta de su oficina.

Kristián resopló al tomar la *tablet* mientras sus compañeras le mandaban con gesticulaciones sus condolencias. Se acomodó el vestido con movimientos divertidos y de nuevo las vio arqueando las cejas. Ambas rieron al notar su actitud fresca, Jimena le guiñó un ojo sonriendo.

Ingresó sin tocar, ahí comenzaba todo.

—Tome asiento —soltó aquella voz glacial sin observarla, leía algo en el ordenador.

—Me dijo Roberto que ya pasó lo peor con Caro y el bebé, pero que deberá guardar reposo. —Cruzó su pierna, lista para acatar órdenes. Cristóbal dejó vagar la mirada hasta ella. No parecía nerviosa, mucho menos asustada, como cualquier otra lo estaría.

—Veo que está muy bien enterada y que también tutea a mi jefe de escolta. —La joven frunció el ceño ladeando un poco la cabeza.

—No sabía que debía hablarle de «usted» y sí, estimo a Carolina, por lo mismo me mantuve informada. —El hombre entornó los ojos recargándose en su asiento, estudiándola con fiereza.

—Gracias a ella tiene este trabajo... Así que espero haga las cosas como las ordene, no admito errores y no soporto la impertinencia. —Kristián asintió sin inmutarse, tranquila.

—Eso ya me lo había dicho, señor Garza, y no, no se me olvida que gracias a ella estoy aquí... —confirmó ligera. Él apretó los puños y la quijada.

—¿No le parece que es un poco insolente? —Se encaró con rabia.

—¿No le parece que me juzga sin conocerme? Solo deseo hacer bien mi trabajo —zanjó seria.

—Para eso se le paga, no para que la «conozca» —refutó.

—Exactamente, y eso pretendo hacer... mi trabajo —reviró. Cristóbal se levantó furioso, ¡¿cómo se atrevía?! Colocó ambos brazos sobre el escritorio y se acercó a ella peligrosamente. Kristián tembló, pero no se lo demostró, no era de las que huían y estaba acostumbrada a tratar con personas «difíciles».

—Escúcheme muy bien, señorita Navarro, porque no lo repetiré, usted es una empleada más y no tiene el puesto asegurado, así que cuide muy bien cómo se dirige a mí, soy el dueño y director general de todo esto, además de su jefe, y no soporto este tipo de atrevimientos —rugió amenazante. La joven entornó los ojos sin soltar su iris oliva, lleno de ira contenida. ¿En serio era tan amargado?

—Sé muy bien quién es usted y el puesto que ocupo, señor Garza, pero usted lo ha dicho; soy su empleada, no su esclava... y tampoco me agrada que me traten como si lo fuera. Lo respeto y pido lo mismo —alzó la barbilla desafiante—. Si dije algo que lo molestara lo lamento, pero usted no ha sido el más cortés conmigo. Y ya que hablamos claramente, le diré que me doy cuenta de lo mucho que lo irrita mi presencia, el que Caro me eligiera, así que si lo que desea es que deje esto, solamente debe decírmelo y nos ahorraremos muchas situaciones incómodas, pero...

—¡Basta! —Bramó irguiéndose más—. Usted se queda aquí y cumple el contrato. No quiero más este tipo de tonterías. ¿Estamos? —sentenció. Kristián deseaba darle un buen golpe justo en la nariz, en cambio, sonrió asintiendo obediente. Era inútil tratar con un hombre así; terco, lleno de odio y duro.

Cristóbal, descolocado por reaccionar de esa manera, a la que ya no estaba acostumbrado, se sentó guardando la compostura. De alguna manera se sentía alerta cuando esa joven estaba a su alrededor. Un maldito interruptor se accionaba y sentía la lengua afilada, lista para atacar. Debía dominarse, hacerlo como lo había hecho durante años, sobre todo los últimos dos. Sentir no servía de mucho, no cuando eso podía herir a los que más amaba, o a sí mismo.

—La agenda hoy de... Informes de los departamentos y negociaciones, está lista. —Kristián comenzó a hablar de forma profesional mientras él la escuchaba.

Lo que restó del día lograron no confrontarse y pasar las horas trabajando de forma sincronizada. Lo cierto es que ambos parecían estar haciendo un esfuerzo para que las cosas fluyeran; miradas, morderse la lengua, escuchar, todo era con la intención de no generar otra discusión.

Por la noche las chicas y ella pasaron por el hospital. Kristián iba a tocar y al hacerlo la puerta se abrió, no alcanzó a retroceder cuando se estampó de lleno con aquel enorme cuerpo.

Los suspiros preocupados de sus amigas le hicieron saber de inmediato que sí, era él.

Cristóbal reaccionó enseguida aferrándola por los brazos para que no cayera, ella reía por algo, distraída obviamente, así que no se percató de nada hasta que tuvo aquel pecho pegado al suyo. Abrió los ojos, atónita, nerviosa, sus rostros estaban a unos centímetros y sentía esos grilletes firmes alrededor de sus antebrazos.

—No lo vi —admitió con la saliva espesa. El silencio ahí fue incómodo y aún más su gesto hostil, contenido.

—Le aconsejo mirar al frente cuando camine —refunfuñó soltándola y alejándose enseguida. Kristián no pudo moverse por un par de segundos. Sentía su tacto sobre sí de forma ardiente, su aliento fresco acarició su rostro y su ancho tórax muy cerca del suyo. Las palmas le sudaban mientras pestañeaba intentando recuperar la compostura. No se impresionaba con facilidad, pero ese hombre lograba con un ademán sacarla de su centro y eso... eso no le agradaba en lo absoluto.

—¿Se habrá enojado? —intervino Blanca con un hilo de voz sacándola de su ensoñación, de sus pensamientos. Kristián giró reaccionando, se encogió de hombros con su típico desgarbo y le sonrió.

—Así vive, así que no será novedad —bromeó aligerando el ambiente, arrancando risas de sus compañeras.

Cristóbal subió al auto, rabioso. ¿Por qué debía topársela ahí también? Peor aún, chocar con ese cuerpo menudo, cálido, lleno de ese olor femenino, suave, ligero, que lo venía persiguiendo toda la tarde. Todavía sentía su aroma en su sistema, su pecho angosto pegado al suyo, su suave piel trigueña bajo sus palmas. Su mirada almendrada lo atrapó sin que lo pudiera evitar, emanaba frescura, vitalidad, alegría. De inmediato su estado de ánimo se sintió embestido por esa actitud tan optimista. Se llevó la mano al puente de la nariz. Esa chica le provocaría dolores de cabeza, lo sabía, lo veía venir, pero no estaba en posición de hacer ningún cambio, no con Carolina así y por otro lado, en las horas de trabajo demostró tener una habilidad y disposición incuestionables, dominaba cada tema, por mucho que intentó hacerle ver que no era así, la joven no cedía y daba las respuestas correctas, acertadas, tenía iniciativa y parecía que su energía era interminable.

Arrancó hastiado, nadar un rato en la piscina del *pent-house* e ingerir algo ligero seguramente lo pondrían de mejor humor después de ese día tan largo.

La mañana siguiente llegó ciertamente más relajado, aunque eso duró poco pues aquella risa sutil lo alertó de inmediato. Apretó los puños y continuó su recorrido con Roberto a un lado. Aquel espacio donde se encontraban las tres chicas se sentía extrañamente alegre, como si tuviese color.

—Buenos días —dijo pasando frente a ellas. Kristián sujetó su *tablet* y lo siguió acomodándose el flequillo y el chaleco gris claro que hacía juego con el pantalón.

Cristóbal siguió su rutina siendo muy consciente de su presencia. De nuevo, en cuanto la escuchó, los interruptores se activaron, pero todo fue peor al verla enfundada en ese pantalón, con el cabello suelto y esa sonrisa que comenzaba a detestar. Su cuerpo, sin previo aviso, quiso reaccionar de una forma estúpida y sentir esas piernas en torno a su cintura se convirtió en urgencia. Apretó los dientes mientras se servía café. ¿Qué carajos le pasaba? Se sentía primitivo, un jodido quinceañero. Se quitó el saco, se acomodó en su asiento y comenzó la junta sin decir más. Un minuto después salió Roberto.

—Estoy abriendo el reporte, ¿me puede explicar que es esto? ¿Modificó el formato? —gruñó notando varios cambios en el análisis diario. Kristián asintió optimista, con esos alegres ojos titilando.

—Caro me dijo que, si lo veía pertinente, lo hiciera. Creo que era necesario, había información que quedaba excluida —explicó. Era cierto, pero que se tomara esa atribución con apenas un día de ocupar el puesto le molestó.

—Entienda una cosa, aquí todo se me consulta primero... No está para tomar decisiones —expresó con firmeza. Ella se levantó sacudiendo la cabeza. Sabía que eso pasaría, pero no tenía problema en explicarle.

Y así lo hizo, dejó su *tablet* sobre su asiento y se acercó a él. Cristóbal no supo qué hacer, campanas de alerta comenzaron a sonar, tanto, que estaba seguro de que se quedaría sordo. ¿Qué diablos hacía? La joven rodeó su escritorio y se colocó a su lado agachándose levemente. Ese maldito aroma se hizo más intenso cuando ella señalaba el monitor y le iba explicando serena lo que había hecho. Controlando todo su ser, logró oírla sin saltarle encima o gritarle.

—Es por eso por lo que lo hice, lamento haberme tomado el atrevimiento, señor Garza, pero esta información es importante tenerla más visible.

Había girado levemente el rostro en su dirección. Ambos quedaron en silencio unos segundos en los que se observaron atentos, estudiado sus facciones con detenimiento, dejando de respirar incluso, notando como el aire ahí se tornaba espeso y la tensión sexual escalaba varios peldaños, moléculas rojizas podían incluso escucharse. De pronto el nudo de la corbata se sentía muy apretado y el chaleco lo sentía ceñido a sus costillas.

El sonido del teléfono los sacó de aquel trance. Kristián fue la primera en reaccionar, de inmediato regresó a su sitio sintiendo las mejillas encendidas, mientras Cristóbal respondía la llamada de su celular.

—¡Pulga! ¿Fabiano te dio un respiro? —Al escucharlo hablar así quedó perpleja, ya no era ese hombre lleno de rabia, de ira contenida, sino dulce y cariñoso, incluso su expresión se suavizó logrando que cada facción resaltara aún más, mostrando a alguien asombrosamente más atractivo, más joven. La saliva se tornó espesa, no lograba recuperarse y las manos le temblaban—. Espera, Andrea. —Su mirada de nuevo hostil se posó sobre ella de forma gélida—. No vuelva a tomarse esas atribuciones, cualquier cambio primero lo discutimos... Puede retirarse —la despidió alzando una ceja con prepotencia. Todas las sensaciones se replegaron guardándose en aquel extraño lugar de donde habían salido y se levantó asintiendo, sonriendo.

—Así será, señor. —Se dio media vuelta y avanzó serena, consciente de su mirada sobre sí. No sabía qué estaba ocurriendo, lo cierto era que no estaba en lo absoluto acostumbrada a sentir esa atracción por alguien, nunca, no así. Necesitaba chocolate, sí, eso era lo que debía conseguir. Así que sin más fue a buscar uno, como cada vez que algo la alteraba.

Por la tarde tuvieron que asistir a un par de juntas, sus intervenciones fueron acertadas, por no decir que sus modales eran irreprochables y con su sonrisa aligeraba de inmediato el ambiente pues rompía el hielo sin problema.

—Parece dominar las relaciones publicas —soltó Cristóbal mientras conducía de regreso a la empresa. Ya eran las ocho, Kristián se moría de hambre, eso sin contar que debía estar a las nueve en el ensayo. Su colonia la tenía mareada, un tanto perdida si era sincera. Giró intrigada.

—No tengo problemas en conversar, a mí sí me gusta conocer gente nueva —refutó esperando su respuesta. El hombre notó el desafío en su voz.

—«¿A usted sí?» A este trabajo no viene a hacer amigos —le advirtió virando a la izquierda, estaban ya a un par de cuadras de la empresa.

—No, pero sé que obtenerlos no está penado en el contrato laboral —refutó. De inmediato la encaró perforándola con sus ojos oliva.

—Tiene una lengua demasiado filosa y debe tener cuidado si no quiere toparse con respuestas descorteses —le advirtió con tono agrio. La chica sonrió importándole poco.

—Y usted no pierde oportunidad para menospreciar lo que hago... Así que lo mismo le digo, el que sea mi jefe no me convertirá en una dejada —reaccionó. De pronto aceleró y de un movimiento aparcó el auto en una acera dejándola muda, nerviosa. Se desabrochó el cinturón de seguridad y se acercó hasta su rostro amenazante. Sus alientos chocaron, sus pulsos se podían escuchar desbocados. Cristóbal observó sus labios, cubiertos por un poco de bálsamo, con cruda lujuria.

—No me sigas provocando —rugió y se acercó un poco más—, nada bueno sacarás de ello... Te lo advierto. —Sus palabras derramaban ácido, aun así, Kristián no se amedrentó ni un poco pese a que sentía el pecho comprimido.

—Solo me defiendo —argumentó con un hilo de voz dejando que su aliento fresco entibiara un poco el alma ardiente de ese hombre que se hallaba casi sobre ella, con ambas manos a los costados de su cadera.

—No te ataco —zanjó clavando su mirada en la suya—. Eres adulta, yo también, nada obtendrás, nada. —La joven tragó saliva con dificultad, lo cierto era que moría por saber cómo se sentían esos labios delineados e impresionantemente masculinos sobre los suyos. Sin embargo, no se reconocía, no entendía lo que le sucedía.

—Solo quiero hacer bien mi trabajo —balbuceó.

—Entonces hazlo y deja de cruzarte por mi camino.

—No lo puedo evitar... Soy su asistente —contraatacó. El hombre entornó los ojos, esa chica no se intimidaba con su presencia, tampoco con sus palabras, eso era completamente nuevo, demasiado.

—Comprendes a lo que me refiero, yo solo sé destruir. Estás advertida. —Se alejó ágilmente y reanudó la marcha del auto como si nada hubiese ocurrido.

En cuanto apagó el motor un par de minutos después, ella descendió sin esperar mientras la observaba andar nerviosa.

—¿Todo bien, señor? —preguntó Roberto a su lado. Cristóbal asintió sin despegar la vista de esa mujer que cruzaba el umbral como si nada le hubiese dicho. ¡Con una mierda! La deseaba, la deseaba demasiado y más valía que encontrara la manera de reprimir eso que bullía cada vez que la sentía cerca. Tenía una cena y aunque sabía que no sacaría de su mente lo sucedido hacía unos segundos, por lo menos no estaría con el humor tan ahogado como en ese momento.

—¡Vamos! —gritó. Un aplauso estruendoso resonó en el salón. La música a volumen alto permitía escuchar las órdenes de Kristián—. Manuel, con más fuerza, así —pidió y le mostró moviéndose con ligereza por el piso recientemente laminado, generando un ruido sordo al mover un pie, luego el otro y desvanecer su cuerpo con rudeza. El muchacho asintió imitándola—. ¡Otra vez, vamos!

Los veinte chicos comenzaron a moverse al ritmo de la música, con una coreografía perfectamente sincronizada mientras ella los guiaba haciendo exactamente lo mismo observándolos desde el enorme espejo que rodeaba el aula de baile en El Centro que logró fundar para crear un espacio sano para los jóvenes en situaciones difíciles. El lugar donde se ubicaba no era una colonia peligrosa, como tantas otras, sin embargo, vivir la tristeza, los vacíos, no era exclusivo de ciertas clases y ella de alguna manera había logrado dar con cada uno de esos muchachos, con amigos que la ayudaron a organizarlo todo y crear un espacio donde se crearan esculturas, pinturas, danzas y salas de lecturas en las que quienes desearan participar pudieran hacerlo.

Durante el día era una especie de escuela para ayudar a tener oficios sencillos: maquillistas, corte, confección, carpintería. Por las tardes y hasta las once de la noche, era exclusivo para el arte y como muy pocos lugares, el gobierno los respaldaba invitándolos a eventos o exponiendo lo que hacían.

No era ella la encargada de todo eso. Una pareja acaudalada y dos mujeres más, exitosas en sus profesiones, habían escuchado de sus labios aquella iniciativa cuando apenas llevaba dos años de universidad. Un profesor oyó sobre el proyecto al presentarlo en su clase. Casi de inmediato movió sus contactos pues le pareció adecuado, certero, loable y consiguió aquella cita para que lo expusiera con gente que podía hacerlo realidad.

Con ayuda de Paloma y Andrés, sus mejores amigos, lo preparó todo y logró que adoptaran la iniciativa. Desde ese día surgió, en ese sitio que, si bien no era marginado, ni de extrema pobreza, un lugar para ocupar a jóvenes de forma productiva y así evitar que se metieran en situaciones comprometidas.

El Centro, además, gracias a la ayuda gubernamental y de labor social de algunos psicólogos y personas que quisieran colaborar, lograba ayudar de forma más eficiente en cada caso, pues unos corrían con mejor suerte que otros.

Kristián ahí encontró una fuga a toda esa energía que corría vertiginosa siempre por su cuerpo y que no podía dejar salir como soñó. Ser la responsable del área de danza mixta era uno de sus más grandes motivos, lo más cercano a lo que deseó. Mover los pies al ritmo de una tonada era como flotar, como ser otra persona y lograr probar las nubes una por una, sintiendo el vapor arremolinarse sobre su rostro y la felicidad envuelta en seda justo en sus manos. Podía crear coreografías casi de cualquier cosa y adoraba empezarlas desde cero.

Lo que más éxito tenía ahí era el *dance pop* con mezcla de otros géneros como rap, cumbia, salsa, en fin, todo lo que diera para moverse sin cesar, pues ambos sexos se atrevían a entrar y ser parte del *ensamble* y era así como creaba grupos grandes, con ambientes llenos de risas y confianza absoluta.

Mientras seguía la rutina, no podía dejar de pensar en sus palabras, por mucho que se sumergió en eso que lograba hacerla olvidar lo que fuera, no podía dejar de evocar su cercanía, la manera en la que su voz se tornó ronca, áspera, la forma en la que su proximidad despertó cada célula de su cuerpo, vaya, si hasta fue consciente de cada cabello, de cada poro. «Solo sé destruir» ¿En serio eso creía? Sacudió la cabeza por milésima vez al ver que uno de sus alumnos perdía la sincronía.

—Gabo, gracias a ti, va otra vez —ordenó. Los abucheos no se hicieron esperar, aun así, obedecieron de inmediato. Todos ahí la respetaban y hacían caso. Kristián simplemente se sentía cómoda y segura en ese lugar que era como su segundo hogar, aunque ese día nada era como solía y eso la tenía demasiado alterada.

Durmió poco. Dio vueltas y vueltas sobre la cama hasta que, bufando, decidió ponerse a hacer algo de provecho. Prendió su *tablet* decidida a trabajar, sin embargo, se encontró tecleando el nombre de ese hombre en el buscador. Más resultados de los que hubiese deseado aparecieron, le dio una mordida al chocolate que sacó del buró y abrió el primero.

Propiedades, fortuna, empresas… Todo lo que fuera cuantificable y contable, ahí se hallaba, no obstante, deseaba saber más. Siguió y siguió, fotos de su hermana, incluso del marido de ella. Y de pronto dio con algo más. Un reportaje independiente, ahí se narraban cosas verdaderamente aberrantes, espantosas y hacían parecer a Cristóbal Garza como un hombre pusilánime, que por una mujer hundió su familia.

Interesada, continuó. Estuvo casado, cosa que ya sabía, y su exesposa pasaría el resto de sus días en prisión por lo que hizo. Desplazándose por el escueto documento, fue de sorpresa en sorpresa. La tragedia azotó una y otra vez bajo su techo sin que lo viera, sin que lo sospechara, sin que previera y esa mujer destrozó textualmente la vida de su hermana que quedó huérfana al igual que él. Muchos años después lograron salir de todo aquello.

Pestañeando una y otra vez, siguió atenta. Se hablaba del juicio, de lo que tuvieron que pasar lo hermanos Garza gracias a esa malévola mujer.

Recordaba aquello, aunque no con total claridad pues su abuelo murió por esas fechas, aun así, ciertamente fue algo que sonó bastante; la mujer moriría en prisión y nadie pudo dejar de hablar sobre el alacrán con el que estuvo casado Cristóbal Garza por más de diez años.

¡Diez años! Se recargó en las almohadas, asombrada. Cerró la *tablet* y le dio otra mordida al chocolate. La mayoría de lo que ahí decía debía ser mentira, sin embargo, ella estaba en prisión, eso quería decir que vivió todo ese tiempo con la mujer que acabó con su familia y no lo supo hasta que todo salió a la luz… ¿Lo de su hermana sería real?

Dios, eso parecía salido de una película de terror, de esas que enchinan la piel. Observó las telas de colores pálidos que se encontraban en el techo, las tenía ahí desde hacía años y le fascinaba verlas colgar en ondas ligeras simulando algodones de colores, la calmaban, la invitaban a soñar, por eso las puso ahí, desde pequeña la energía que poseía la rebasaba y era muy difícil sosegarse.

De pronto vio la envoltura en su mano, se dio un pequeño golpe en la frente. Claro que comiendo chocolate menos lograría pegar ojo. ¡Ah! Eso a veces le ocurría, pero es que ese maldito día no fue nada común y no veía cómo organizar esa marea de sensaciones que sin percatarse ni comprender por qué, despertaron, así, sin más.

Ladeó la cabeza negando. Ni siquiera el estúpido de Gerardo generó algo cercano en su interior. Su piel se activaba como si pétalos la rozaran, sus latidos se asemejaban a los de aquella máquina que perforaba concreto[3] y sus pulmones se convertían en esporas listas para recibir aquel olor impresionantemente masculino. No, Gerardo fue solo algo que para su buena suerte no continuó, pese a que creyó estar completamente enamorada por primera vez en su vida, sin embargo, su actitud después le dejó bien claro qué clase de hombre era; odiaba la cobardía y él fue el vivo ejemplo.

Llegó justo a tiempo a la empresa, el despertador no sonó y gracias al insomnio no se levantó sola, como solía. Saludó al guardia, apresurada. Quedaban cinco minutos para las nueve, su jefe no debía tardar en llegar. No quería otro enfrentamiento como el del día anterior. Acatar órdenes y no dejar salir todo lo que pensaba era la única manera que creía en la que todo se acomodaría, las sensaciones se replegarían y entonces su equilibrio emocional retornaría.

Abrió el elevador al fin, junto con ella varios más ingresaron. Al llegar a su destino lo vio avanzar con su guardaespaldas justo a un lado. Cerró los ojos, relajó su rostro y anduvo unos metros tras ellos de forma casual. Roberto enseguida se percató de su presencia y la saludó inclinando la cabeza educadamente.

—Buenos días —murmuró sonriendo.

Cristóbal no se giró, pero de inmediato fue consciente de su cercanía. La cena terminó a medianoche y, pese a que el par de copas de vino lo relajaron y nadó una hora en la piscina, cuando se tumbó sobre la cama solo pudo evocar la forma en que esa jovencita observó sus labios con deleite. Era evidente que deseaba probarlos y eso... eso fue el motivo por el

---

3 Hormigón.

que poco antes de las cinco de la mañana ya se encontrara haciéndose un café bien cargado en ese solitario lugar donde habitaba.

Ingresaron a la oficina y el día comenzó. Cruzaron las miradas muy poco y todo se mantuvo en un tono formal, cortés, cordial, tanto que Roberto quedó asombrado por unos segundos. De alguna manera después de aquella advertencia las cosas comenzaron a funcionar para ambos.

El resto de la semana se acercaron poco, se hablaron lo indispensable y buscaron no estar uno tan cerca del otro, incluso a las reuniones externas Cristóbal pedía que los llevara el chofer; todo con tal de no hallarse en un espacio tan reducido cerca de ella. No era idiota, las chispas brincaban entre ambos, eso era notorio, sin embargo, agradecía que estuviera intentando lo mismo que él; ignorarlas. Nada sano saldría si se dejaban fluir y daban rienda suelta a lo que de verdad bullía en su interior. Deseo, deseo crudo, primitivo, arrollador y aniquilante, sabía bien que eso era lo que ocurría y más valía que lograra mantenerlo en ese plano pues de otra forma sería muy difícil el trato laboral.

Desde que se divorció había tenido pocas aventuras, nada serio, pero sí sabía que costaba mucho trabajo que las cosas se mantuvieran en el ámbito puramente sexual, pronto llegaban las exigencias, los celos, la posesividad y ese era el momento donde terminaba de tajo con eso que no había. Jamás se involucraría de otra forma con nadie. Así que, si se le ocurría que algo semejante sucediera con su suplente de asistente, seguro que todo sería peor, eso sin contar que seguramente se sentiría con atribuciones y pronto exigiría o exclusividad o algo que le diera más... rendimiento. Sabía bien que el dinero lo movía todo. Por otro lado, confiar... confiar era un lujo de los tontos, así que no lo haría con nadie, jamás.

4

Incalculablemente aniquilador

La noche del viernes Kristián tocó despacio la puerta de la habitación donde aún permanecía Caro internada. Llevaba un globo, junto con unas galletas que su abuela preparó el día anterior y eran deliciosas.

—Adelante —escuchó la voz de su amiga del otro lado. Abrió y lo primero que vio fue a él. Se encontraba a los pies de la cama con los brazos cruzados, serio, y tan impresionante como siempre con uno de esos trajes que seguro estaban hechos a su medida, con esa mirada felina, con su semblante imposiblemente masculino, varonil. ¡No podía ser!

Sonrió amigablemente e ingresó dándose cuenta de que a su jefe le molestaba topársela justo ahí.

—Hola, Kris —saludó la rubia desde la cama, aún pálida, pero decididamente más relajada. Todo iba mejor y al parecer al día siguiente la darían de alta; sin embargo, reposo absoluto sería la indicación.

—Buenas noches —susurró acercándose a ella, dejando las cosas sobre una pequeña mesa.

—Me alegra que vinieras... Justo le preguntaba a Cristóbal cómo iba todo y que esto de estar en cama es de lo más aburrido —se quejó. Solo se encontraban los tres en la habitación ya que cuando su jefe llegó, el marido de la convaleciente aprovechó para ir a ingerir algo.

—No puede ir mejor —apuntó relajada evitando mirar a ese hombre que la mantenía alerta casi todo el día—, así que tranquila y pon buena cara, porque te falta bastante aún y ese bebé debe nacer sano —la reprendió con esa frescura tan singular.

Cristóbal en silencio la observó desde su posición. Los últimos días apenas si se hablaron para algo que no fuera estrictamente de negocios y eso, extrañamente lo ponía peor. Por lo menos cuando usaba su lengua afilada encontraba motivos para atacarla y sacar su ansiedad. Ahora se limitaba a observarla andar de esa forma tan peculiar, sensual incluso, reír sin parar, hablar con conocimiento y habilidad, y jamás parar, porque debía admitir que esa chica tenía muchísima energía y hasta ese momento parecía que la canalizaba correctamente.

—Lo sé —admitió la mujer acariciando su pequeño vientre—. Lamento de verdad que todo se diera así —dijo afligida—, pero sé que todo irá bien en mi ausencia.

—¡Ey! —Colocó Kristián una mano sobre su antebrazo—. Vamos bien. ¿No es así, señor Garza? —Lo encaró al fin esperando su positiva respuesta.

—Las reglas están muy claras, nada saldrá mal —zanjó serio. Carolina enarcó la ceja confundida, ahí pasaba algo, comprendió en cuanto ambos se miraron. Se mordió el interior del labio llenando de aire sus pulmones. Electricidad saltaba, ambos eran conscientes, pero, además, estaba la forma en la que se veían... Dios, solo esperaba que no sucediera nada ahí. Kristián no tenía idea de con quien se estaría metiendo; Cristóbal era un cuerpo sin emociones, vivía para su familia, para el conglomerado, pero el resto, el resto no contaba para él. Ella no saldría avante si le hacía caso al instinto, de eso estaba segura. Kristián era vital, alegre, vivía, adoraba hacerlo, eso lo descubrió a lo largo de esos meses en que la entrenó.

—Así es —lo desafió con firmeza.

—Este, bueno... Me alegra que se lleven bien, serán solo cinco meses, sé que cuando regrese todo irá de maravilla —intervino rompiendo la potente atracción que aquellos dos emanaban. ¿En qué momento ocurrió eso? Cuando se fue no la soportaba y no es que pareciera diferente en ese momento, pero ahora además la veía con amenaza, con... deseo. Pasó saliva agitando la mano de Kris, nerviosa—. ¿Ya has ido a

Canadá? —preguntó intentando aligerar el ambiente—, recuerda que la visa es necesaria. ¿Cómo lo harás?

—A ver, señora, a partir de este momento no quiero que se preocupe más por lo que ahí sucede, de verdad todo va bien. Y con respecto a la visa, sí, ya organicé todo y la tendré a tiempo —respondió. La mujer suspiró aliviada—, así que deja esto ya —le advirtió cariñosa.

—La señorita Navarro tiene razón —intercedió Cristóbal notando que debía hacerlo— tú dedícate a lo que debes, es una orden. —Carolina rio asintiendo—. Elegiste acertadamente, así que de ahora en adelante no se hablará más de la empresa. ¿Estamos? —zanjó. El marido de la rubia apareció un segundo después por lo que ambos decidieron salir de ahí. Una vez fuera Kristián jugó con sus dedos sin saber qué decir, era incómodo el momento.

—Así que... ¿Ya admite que hago bien las cosas? —lo provocó sin poder resistirse a ello al encontrarse de pie frente a él. Cristóbal torció la boca en algo que pudo haber sido una sonrisa, pero que supo, al ver que se acercaba demasiado provocando que su espalda quedara contra la pared, que no. Dejó de respirar y por instinto se humedeció los labios.

—No me provoque. —Quedó a un centímetro de su boca, su aliento cálido la estaba consumiendo—, estos jueguitos no van conmigo, señorita Navarro —murmuró con voz ronca. Lentamente viajó hasta su oreja dejando huella de su paso por su piel—. Aléjese de mí —le advirtió y sin más se fue dejándola ahí, casi hiperventilando. Con las sensaciones disparadas, las palmas sudorosas y ansiosa por saber más de él, por probarlo, por sentir sus manos sobre su piel. Mierda, ¿en qué estaba pensando?

Bufó recargando la cabeza sobre el muro sintiendo bastante calor. Debía dejar eso de una vez, era el tipo más pedante, prepotente y odioso que conocía y ciertamente debía alejarse de él, pero es que... cada vez que lo tenía cerca no podía evitar sacar algún comentario que sabía lo molestaría, y es que era tan sencillo, que la necesidad era casi equiparable a la que se siente cuando se es niño y se desea molestar al quisquilloso del grupo.

—Agh, madura, Kris, no es un mocoso, no juegues con fuego —se regañó, sacó una pequeña botella de agua de su bolso, se la bebió de un trago y cuando sintió que el líquido al fin la refrescaba, salió de ahí.

Llegando a casa se aflojó el nudo de la corbata, bufando. Se frotó el rostro dejándose caer sobre el sofá mirando el techo preso aún de todas esas sensaciones que continuaban circulando por su torrente sanguíneo. Una maldita semana, una jodida semana y no podía dejar de verla, observar cada movimiento, cada delicado gesto. Eso se estaba tornando obseso, la urgencia de sentirla gemir bajo su cuerpo al fundirse en su ser, no lo dejaba en paz, no le daba tregua.

Se sirvió *brandy*, encendió el aparato de sonido y la música clásica inundó sus sentidos mientras reposaba con los ojos cerrados en la sala. El sonido de su risa se filtraba en su mente sin permiso, y ahí, sin nadie a su alrededor, no resultaba tan molesta, al contrario.

¿Por qué la vida le pesaba tanto? ¿Por qué sentir era como pensar en un látigo puntiagudo que sabía aniquilaría lo poco que quedaba de pie? ¿Por qué no supo elegir, interpretar, leer las señales que su hermana le dio tantas veces? Esas preguntas ya eran tan cotidianas como abrir los ojos cada día. Fue un mal hermano, se dejó llevar por el corazón y en el camino se perdió. La odiaba, la odiaba con cada fibra de su ser, pero no tanto como se odiaba sí mismo por permitir que todo eso ocurriera bajo sus narices, dejarla llegar tan lejos.

La quiso, no con arrebato, no de esa manera llena de deseo, loca, vehemente, no, si no como ese apoyo que necesitó, como ese sitio seguro, sereno que es inamovible. La quiso como se quiere a lo que da certeza. Con esa mujer todo parecía poder resolverse y, pese a que peleaban continuamente debido a sus complejos, supo cómo envolverlo con esas palabrerías dulces, llenas de mentira, de veneno. Mayra siempre tan intachable, tan cuidadosa de las formas, impecable, buscaba superarse cada día en ello y eso lo admiraba, pues jamás se daba por vencida, pero sus motivos fueron diferentes a los que siempre creyó y lo que le maravillaba de ella se convirtió en todo lo que ahora aborrecía y aborrecería eternamente.

Era imposible ver a una mujer y no buscarle la careta, no juzgarla y esperar el zarpazo, era impensable imaginar que alguien tuviese verdaderos sentimientos, y si los tenía, le importaba una mierda, los suyos estaban destruidos, humillados y rotos, tan heridos que dar más de sí para alguien que no fuese su familia, no sucedería.

El sábado se enfrascaron con el departamento de estrategias y finanzas, en una junta que duró toda la mañana. Pros y contras de las negociaciones para la compra de la cadena hotelera en Quebec. Kristián escuchaba, al igual que él, los puntos con ojos severos, envuelta en esa envergadura seria, suficiente. Por la mañana, cuando sus miradas se toparon, simplemente les permitieron intercambiar las chispas magnéticas que brotaban sin que pudiesen controlarlas, para luego dejarlo de lado y sumergirse en lo laboral.

Cristóbal intervino poco, la observó cuestionar, debatir y buscar lo puntos débiles que pudiesen surgir en la compra que planeaban hacer. Para él su asistente no era quien ordenaba su día, para eso tenía también a Blanca y Jimena, para Cristóbal ese puesto requería carácter, iniciativa, don de mando y un conocimiento basto de todo y por lo mismo exigía que participara de forma activa en todo lo que sucedía.

Los demás respondían con suma cortesía al ser cuestionados por la castaña, mirándolo de vez en vez a él mientras asentía sereno estudiando cada movimiento de esa mujer que evidentemente manejaba sin problemas la situación y toda la información. Frotándose la barbilla, en la cabecera de la mesa, notó que el jefe de estrategias al fin se molestaba por algo que ella argumentó. Una mirada casi felina ocupó su lugar.

—Kristián, no tienes experiencia en esto —soltó de pronto Lorenzo. La joven se recargó en su asiento ladeando la cabeza con esa sonrisa que la caracterizaba.

—¿Y por eso el ofrecer una opción temporal será la solución que a largo plazo nos dará la confianza para poder lograr la compra total? Es mucho dinero como para ir allá y no ser claros...

—Imposible hacerlo de otra forma, los he estudiado desde que todo comenzó, no admitirán otra manera —argumentó. La joven se levantó, tomó una carpeta, rodeó la mesa bajo la atención de todos y se la dejó justo enfrente.

—Yo también, y resulta que hace un par de años fue la única manera en la que admitieron que una empresa subcontratara todo el personal. El hombre en sus reuniones siempre va a lo que le interesa, y el setenta por ciento de las negociaciones que se han propuesto bajo tu esquema conservador con él no han funcionado, en el ámbito de los negocios ha dejado creer que esa es la manera, lo cierto es que en su vida actúa con el lema de todo o nada... Por otro lado, por su edad y movimientos familiares, la enfermedad de su esposa y la casa que compró recientemente para sus hijas y ellos en Suiza, ese hombre desea retirarse y no hay quien lo suceda. En el tiempo que propones alguien más se dará cuenta y ganará lo que buscamos. ¿Crees que podrías leer esto y luego decirme si estás de acuerdo?

Cristóbal se irguió asombrado de la forma en la que silenció a uno de sus colaboradores más brillantes, con reputación intachable. El hombre, un tanto humillado, ladeó la carpeta clavando su mirada iracunda sobre la suya fingiendo desgarbo e indiferencia.

—Eres novata y Google no da todas las respuestas —la desafió. Kristián se cruzó de brazos sonriendo sin temor.

—Lo dices por ti, ¿cierto? Evidentemente, con eso te quedaste, yo solo leo entre líneas, Lorenzo —refutó. El hombre se levantó rabioso.

—¡Basta! —Detuvo la situación Cristóbal antes de que saliera de contexto, cosa que nunca ocurría ahí—. Lorenzo, lee el informe, nos vemos de nuevo en dos horas aquí todos. Quiero algo definitivo, y te advierto que no debe haber una jodida posibilidad de que las cosas no se den. ¿Entendido? —El aludido asintió molesto—. Bien, pueden retirarse. —Todos los presentes acataron la orden desapareciendo de inmediato, salvo ella—. Acabas de pisar un talón. Lo sabes, ¿cierto? —La cuestionó notando que no se movía de su lugar. La joven giró pestañeando. Sus mejillas estaban levemente sonrojadas y su sonrisa no lograba emerger.

—No era esa mi intención —admitió con sinceridad humedeciéndose nuevamente los labios al percatarse de la forma en la que la escrutaba. Recorría lentamente sus piernas cuidadosamente vestidas por medias oscuras, luego la falda negra que se ceñía hasta arriba de la cintura; se detuvo en su pecho cubierto por una camisa blanca cruzada bastante discreta, elegante, con deliberada lujuria, para luego subir por su cuello y toparse con esa lengua que humectaba su boca. De inmediato atrapó sus ojos almendrados con fiereza mientras Kristián sentía que las piernas le fallaban. Nada nunca fue más erótico e íntimo que eso.

—Se acaba de ganar un enemigo —expresó con voz ronca poniéndose de pie, acercándose lentamente hasta donde se hallaba. Se detuvo a menos de un metro con las manos en los bolsillos del pantalón.

—Su trabajo es interpretar, creo que se confió —murmuró despacio, sintiendo como el aire se hacía espeso, denso.

—Confiar... confiarse... Palabras delicadas, llenas de poder —murmuró acercándose un poco más.

—Dijo que... me alejara –le recordó respirando con mucho esfuerzo.

—¿Y por qué sigues aquí? —la confrontó con indolencia disfrutando de sus reacciones. Kristián sonrió, ladeó la cabeza y lo examinó detenidamente, deleitada por lo que tenía enfrente, por lo avasallante de las sensaciones que creaba sin siquiera tocarla.

—Por lo mismo que usted —admitió con valor.

—Te gusta el fuego —la desafió dando un paso más.

—Solo en las situaciones adecuadas —refutó serena, sin moverse, observando absorta su boca, sus dientes perfectos, su barba bien rasurada, pero que aun así, se asomaba.

—Siempre puede salirse de control.

—Depende de la intensidad. —Sin más la tomó por la nuca y estampó sus labios urgidos contra los suyos perdiendo el control de absolutamente todo.

Como el choque de la primavera con el invierno, de dos galaxias equidistantes, de dos mundos opuestos. El momento del primer contacto fue incalculablemente aniquilador, fuerte, brusco, revelador también. La joven al comprender lo que ahí ocurría, sin dudarlo, se pegó a esa esencia masculina que la atraía como si de su propia energía se tratara. Enrolló las manos en su nuca y se dejó llevar por lo que ahí sucedía. Seda caliente permeaba sus sentidos, las terminaciones nerviosas de sus labios mandaban millones de alertas, de mensajes que no lograba interpretar, cera se derretía sobre su aliento. Esa lengua extraña se enterró en su ser sin miramientos, arrancando un gemido de asombro y placer mientas sentía las manos duras de él apretando su cintura con una posesividad animal. Sus respiraciones agitadas eran lo único que se escuchaba en la sala, el roce de sus ropas. Fundiéndose en ese vertiginoso viaje dejaron vagar sus sabores, la urgente necesidad incrementaba.

Cristóbal lamió con fiereza uno de sus labios, para luego succionarlo y sorprendido notar que sabían a sereno, ese que solo en el campo se puede sentir justo poco antes del amanecer. El cuerpo de la joven, delicado, suave, lo sentía vibrar bajo su tacto, probando con su lengua cada rincón de esa boca que ya no lo dejaba pensar con claridad, su propia esencia, su sabor, las palabras que de ella salían.

La alerta en el celular de Kristián rompió el momento.

Azorado por lo que hizo, la separó abruptamente logrando que casi cayera de bruces. Ella lo observó perpleja.

—Aquí no ocurrió nada, ¿entiende? Esto fue una estupidez –bramó descompuesto. La chica abrió la boca con clara intención de hablar—. ¡No quiero escuchar ni media palabra, señorita Navarro! Y vuelvo a repetirle... Aléjese de mí.

—Entonces usted... —No logró terminar la frase porque el hombre le pegó a la mesa, rabioso, fuera de sí, logrando así que se callara. Se sentía distinto, como si algo se hubiese abierto en su interior y lo tornara nuevamente de alguna manera vulnerable.

—¡Por una jodida vez deje las cosas así! Créame, nada bueno sacará de esto —advirtió caminando a la salida.

—Usted fue quien me besó —soltó nerviosa. Cristóbal se detuvo dándole la espalda apretando los puños sin que ella viese.

—Y no volverá a ocurrir, trabaja para mí, nada más —aclaró y salió de ahí mostrándose frío, imperturbable.

Kristián se llevó los dedos hasta sus labios que aún guardaban su sabor, la fuerza de aquel majestuoso roce. Sentía el estómago sumido, adrenalina expectante circulando por sus piernas, sus brazos, su pecho. Ciertamente eso no debía ocurrir, no era ni lo correcto, ni lo más sano. Aun así, no podía dejar de sentir la potencia de lo que acababa de suceder, fue casi animal, instintivo y no lograba dominarlo.

Se sentó en una de las sillas y respiró varias veces hasta que pudo acomodar un poco el maremoto que experimentaba. Debía pensar fríamente, igual que él. Dejó vagar su mente por cosas que almacenaba en su memoria que la transportaran a momentos gratos. Más relajada tomó sus cosas y salió de ahí lista para las consecuencias de lo ocurrido.

Cristóbal cerró la puerta de su oficina con un movimiento brusco, se quitó el saco, lo aventó a uno de los sofás y avanzó hasta su escritorio colocando ambos brazos sobre la superficie de cristal templado. Resopló colérico. ¿Cómo era posible que hiciera algo así? ¿Cómo carajos permitió que el instinto lo dominara?

Negó iracundo y lo peor era en ese jodido segundo lo único que realmente deseaba era hacerla suya, sentirla vibrar desnuda bajo su tacto, enterrarse tan fuerte que la tierra dejara de girar por una puta vez como solía. Su sabor lo hipnotizó y su entrega rompió la voluntad que siempre había tenido. Un animal, eso se sintió al tenerla pegada a su cuerpo, al probarla sin contemplación, al invadirla y adueñarse de su aliento por unos segundos. ¿Cómo diablos una mujer lo podía prender hasta ese grado? ¿Cómo?

Sacudió la cabeza buscando deshacerse de toda esa estupidez. Trabajar, trabajar era lo que debía hacer. Por la tarde el club lo distraería.

Cuando volvieron a verse un par de horas después, ambos fingieron que nada había ocurrido. Cristóbal buscó algún indicio de que le perturbase su presencia. Nada. Kristián indiferente, atenta a cada palabra dicha, parecía haber olvidado esa ráfaga de pasión por la que se dejó llevar.

—¿Y cómo va todo en el trabajo? —preguntó Andrés al tiempo que besaba la mano de su novia, Paloma. Estaban en un bar no muy lejano de El Centro donde los tres pasaban la mayoría de los sábados por la tarde sumergidos en miles de actividades, en esa ocasión tocó hacer limpieza. Organizaban comitivas para mantener las instalaciones en buen estado, así que dirigían la situación junto con otros maestros en medio de risas, conversación informal, bromas y muchas veces baile.

Ahí todo era tan relajado que era ella sin temores ni caretas. Vestida con unos *jeans* cualquiera y una blusa de tirantes, con la espesa melena sujeta en un moño alto de lo más desgarbado, bufó, dándole un trago su bebida. No conduciría así que se podía dar ese lujo, aunque lo cierto era que no le gustaba abusar. Su abuela ya debía estar dormida después de jugar canasta con un par de amigas de la colonia como le dijo que haría, solía ocurrir que pasaban ahí la tarde y en ocasiones la noche. A veces se quedaba con ellas, pero la mayoría de las ocasiones se encontraba en El Centro ocupada en algo.

—Fatal —rezongó meneando su vaso. Ambos se miraron extrañados. Kris era positiva y era casi imposible escucharla hablar de esa manera.

—¿Por? Hace una semana decías que todo iba perfecto —le recordó su amiga metiéndose un cacahuate japonés en la boca y luego otro a su novio con dulzura. Kristián dejó vagar la mirada por ese lugar que tan bien conocía, un tanto oscuro, con mesas de madera gastada, altas, *rock* de fondo y gente yendo y viniendo. Pese al bullicio no lograba dejar de evocar su tacto ardiente en su cintura, su aliento fundiéndose con el propio. Les narró muy por encima lo que ocurría, no obstante, la conocían de sobra los dos, más Paloma que él, pues eran prácticamente vecinas desde siempre.

—Es tu jefe, ve con mucho cuidado, puede estropearse todo por lo que has luchado —le pidió preocupada. La chica suspiró hastiada.

—Lo sé, lo sé, pero es que ¡Agh!, si estuvieran ahí; me ataca, sé que no me tolera, pero luego están las miradas y...

—¿Y...? —preguntó Paloma acercándose un poco intrigada. Kristián no hablaba de hombres desde que aquel imbécil huyó. Después de eso, salió con un par que en la primera cita desechó y no lo había vuelto a hacer. Lo cierto era que con todo lo que tenía encima y todo lo que hacía, no tendría ni tiempo, aunque no dejaban de lloverle invitaciones.

—Y... no me regañen —les advirtió sonrojada, ambos negaron curiosos—. Hoy me besó. —Su amiga casi escupe la bebida mientras Andrés se echaba para atrás con los ojos abiertos y las manos en la nuca.

—¡Dime, por favor, que no lo golpeaste como imagino! —exclamó el chico. Kristián entornó los ojos para luego reír quedamente. Un par de veces ya había hecho eso precisamente a unos tipos que se propasaron, y ella, acostumbrada a chicos revoltosos que en varias ocasiones le enseñaban nuevos movimientos de combate, sabía bien cómo dejarlos doblados de dolor. Negó culpable.

—Peor, Andrés, yo... yo lo seguí y... —Paloma abrió los ojos de par en par.

—¿Te gustó? —La joven asintió mostrando los dientes.

—No sé cómo explicarlo, hay...

—Deseo... —completó él, serio. Kristián era una chica valiente, con mucho coraje y bravura, pese a las adversidades siempre mostraba buena cara y seguía, esperaba que eso no complicara su situación actual, pues ese puesto era su sueño.

—Sí —admitió—, sé que no debo dejarme llevar, que no debo verlo así, que solo serán unos meses... —se buscó convencer. Paloma acercó su mano a la suya y la apretó levemente.

—No lo desafíes, nada bueno saldrá de eso. El deseo no combina con el trabajo, olvida lo que pasó y sigue. ¿O acaso te acosa? —La joven soltó la carcajada negando.

—No, qué cosas dices, no soy tan estúpida, es solo que... me pone nerviosa, me altera. Si lo conocieran me comprenderían —confesó a sus mejores amigos observando expectante sus reacciones.

—Yo lo he visto alguna vez en periódicos, o revistas y bueno... la verdad es que sí, estás en un buen lío, amiga —admitió. Andrés fingió molestia por las palabras de su novia.

—Te aconsejo no entres en un juego de ese tipo, no eres así, mantenerlo en un plano sexual no es tu estilo, esas son cosas peligrosas, situaciones que jamás terminan bien, pero además ese hombre te lleva mucha experiencia por delante, eso sin contar la edad, los millones y todo lo que pulula a su alrededor con lo ocurrido hace unos años. Te aseguro que debe ser un jodido mujeriego y un grandísimo hijo de puta prepotente y nada le ha de atemorizar, así que no hagas algo que seguro te costará caro —dijo Andrés, con suficiencia. Paloma asintió estando de acuerdo.

—Aunque hay que aceptar que está muy bien, y no puedo creer que te besó —reviró riendo su amiga. Andrés negó molesto por lo que escuchaba.

—Te lo estoy diciendo ahora que puedes retroceder, luego no sabrás cómo salir de ello y para él no significarás nada. Tenlo presente, seducirte solo será una aventura más en su vida. —Las dos lo observaron serias.

—Eres un aguafiestas —lo regañó su novia haciendo un puchero.

—Soy realista, y compórtense como adultas, ambas —exigió arqueando una ceja—. Mejor dime cómo va tu abuela... ¿Ha habido alguna novedad? —preguntó interesado. La joven se entristeció de inmediato. Paloma le dio un puntapié por lo que acababa de decir.

—No, supongo que en parte eso es bueno.

—Verás que seguirá bien —la alentó Paloma, triste, también adoraba a esa mujer.

—Eso espero... —Un par de chicos se acercaron, amigos de El Centro. La conversación cambió de rumbo y comenzaron a reír por tonterías sin sentido como solían.

El domingo fue de compras parte de la mañana, y por la tarde, en compañía de su abuela, eligió lo que llevaría de equipaje. El vuelo salía el sábado por la mañana, la reunión sería por la noche en una cena privada donde podrían conversar sobre lo que deseaban comprar.

—¿Seguro que estarás bien? No quiero dejarte, Aby –suspiró sentada a su lado en la cama. La mujer sonrió sujetando su mano con ternura mirándola a los ojos.

—Yo soy la mayor aquí, no lo olvides. Sabes que todo irá de maravilla. Dulce no se moverá de la casa y los chicos vendrán todo el tiempo —se refería a Paloma y Andrés— así que despreocúpate... Son solo tres o cuatro días. Tú tranquila, disfruta, conoce y aprende. ¿Sí? —Kristián asintió observando sus dedos delgados unidos a los suyos. Desde que recordaba la tenía a su lado, era su madre, en casi todos los sentidos, la amaba por sobre todas las cosas y desde que ese cáncer fue detectado, ya nada volvió a ser lo mismo. Esa mujer vital poco a poco se extinguía frente a sus ojos, cosa que la llenaba de dolor, de aprensión. La quería a su lado, viva, sana y parecía que todo aquello no era posible—. Ey, muñequita, no pongas esa cara...

—Lo siento —sonrió con ternura—, estoy un tanto nerviosa por todo lo que está ocurriendo y solo espero hacerlo bien allá —mintió en parte, pues lo cierto era que también eso la preocupaba.

—Kris, eres inteligente, capaz y muy buena en lo que haces, lograrás pasar esta etapa... La vida es así; a veces nos pone frente a nosotros los peores miedos para que los enfrentemos y de ese modo poder avanzar. Sé qué harás las cosas mejor que bien, excelente es la palabra.

—Eres mi abuela —le recordó riendo al tiempo que acunaba su mejilla con amor.

—Y tú la mejor nieta que pude tener. Persigue tu sueño, sé que tu futuro está ahí, ya lo verás —aseguró. La joven llenó de aire sus pulmones. Eso si ese hombre de iris oliva, tacto de acero y olor terriblemente masculino no lo estropeaba todo. De pronto se levantó haciendo a un lado su imagen que ya de por sí no la dejaba en paz, agarró una falda color miel y se la mostró junto con una camisa celeste.

—¿Te gusta? —quiso saber con ánimos. La mujer mayor asintió entretenida nuevamente.

—Creo que con esos zapatos irá de maravilla —le aconsejó señalando unos del mismo color que la prenda inferior.

—Me agrada tu sentido de la moda —los agarró Kristián riendo.

—Veo mucha televisión —admitió alegre.

Por la mañana del lunes todo funcionó como siempre; exacto y sin fallos. Kristián estaba decidida a no mostrar nada de lo que en su interior bullía. No obstante, era difícil tenerlo cerca ya que, aunque no hablaban mucho, sí podía sentir las partículas de ansiedad brotar por todos sus poros. Nada cómodo si era sincera, pero debía soportarlo, no haría una estupidez y ese hombre era el vivo ejemplo de la amargura, así que más le valía alejarse, poner la distancia justa.

—Me debes un *brownie*, lo siento —soltó con desenfado mientras se metía en la boca un trozo de carne en la cafetería de la empresa donde los empleados que no tenían puestos ejecutivos comían. A diferencia de sus compañeros de mesa, con los que solía departir a esa hora, ella podía estar en cualquiera de los dos comedores, divididos por ventanas y un medio muro, pues del otro lado todo era más serio y formal, cosa que la aburría y evitaba, por no mencionar que era el sitio donde comía él, su jefe, acompañado regularmente por los gerentes de los diferentes departamentos.

—¿Cómo mierdas falló ese penal? —se lamentó Carlos, un chico con el que solía hacer apuestas de postres y que adoraba el fútbol tanto como ella.

—Porque es malo, ya te lo dije... Así que mañana por la mañana lo quiero en mi escritorio —sentenció seria.

—Eres implacable —se quejó divertido mientras los demás reían. La joven se encogió de hombros.

—Ya sabes, sin nuez —advirtió. El chico le dio un pequeño empujón amigable.

—Abusas...

—¿Quién te manda esta de parte de ese equipo? Apestan y lo sabes. —Pronto comenzaron la discusión de siempre, pues los demás, tanto chicas como chicos, se metieron, sin poder evitarlo, a defender cada uno sus puntos.

Desde su mesa podía verla a lo lejos. Reía, para variar, pero además su trato era de mucha confianza con ese hombre. Dejó los ojos a media asta sin perder detalle. Era una coqueta, disfrutaba embelesando y confundiendo a los hombres, pero eso no era lo peor, sino que él hubiese caído con esa facilidad ante una mujer así. Todas eran iguales y esa... seguro iba buscando mucho más que algo ardiente.

Al entrar para entregarle unos documentos una hora más tarde, los dejó sobre su escritorio informándole de qué eran, con esa suficiencia y su clásica sonrisa. Cristóbal se sentía inexplicablemente rabioso, molesto. La observó con dureza desde su lugar.

—Después de todo, el fuego sí es su fuerte, ¿cierto? —murmuró con tono gélido. Kristián pestañeó sin comprender. El hombre se levantó con agilidad y lentamente fue rodeando el escritorio hasta terminar frente a ella ladeando la cabeza con indolencia. La joven pegó ambas manos a la superficie de cristal, desorientada. Así de cerca el olor se volvía más intenso y sentía la urgente necesidad de aferrarlo por el saco y besarlo. Se humedeció la boca, pestañeando. Él estudió el gesto asintiendo levemente—. Esa es la manera...

—Podría explicar —consiguió decir notando que se acercaba un poco más y que las palmas le sudaban como si bajo agua se encontraran. ¿Por qué hacía eso?

—Yo no me quemaré, eso te lo aseguro. —E invadió sus labios arrancando un gemido de sorpresa y también de alivio.

Olía jodidamente bien, a esencia femenina, nada sofisticado, simplemente delicada, agradable, suave. Su aliento de nuevo lo hipnotizó y se encontró prácticamente sobre ella aferrando su rostro, con la otra mano rodeando su cintura e ir descendiendo mientras ella lo apresaba por la cabeza con ambas manos dejándose llevar por la pasión que parecía un tsunami terminando con cualquier atisbo de cordura que pudiese asomarse dentro de su mente. Esta vez ella no pudo resistirse y absorta en las sensaciones avasallantes lo invadió sin remilgos. Sus lenguas al encontrarse simplemente no pudieron evitar saborearse, sus rostros se movían frenéticos ante la urgencia y necesidad, llegaron a un punto en que sus cuerpos ni siquiera podían diferenciarse.

Unos golpes en la puerta los hicieron reaccionar, solo que esta vez ella fue más rápida, lo hizo a un lado pues prácticamente la tenía sentada sobre la superficie, se alejó nerviosa sin mirarlo, se arregló la ropa, el cabello y se acercó a la puerta sin girar.

—Pasa, Lorenzo. —Y salió sin decir nada. Cristóbal daba la espalda aún con la respiración irregular, el pulso alocado y los dientes apretados. Nada de lo que ahí estaba ocurriendo era lo correcto, su conducta nuevamente era inmadura y ahora no tenía el pretexto de la edad.

—¿Qué sucede? —preguntó rodeando su escritorio y sentándose nuevamente. Ella ya no estaba.

5
Apetito

Más tarde lo tuvo que acompañar a una cita. En silencio mientras el auto serpenteaba la ciudad, ambos miraban por la ventana, iban de regreso.

—Debemos hablar —soltó ella de pronto. Cristóbal sin girar asintió.

—En la empresa, ahora no es el momento —zanjó con voz glacial. Ella solo asintió.

Al entrar, Kristián cerró la puerta y avanzó mientras él la ignoraba deliberadamente.

—Sobre lo que ocurrió... —empezó, pero su jefe se detuvo poco antes de rodear el escritorio.

—No sucederá de nuevo —expresó sin mirarla, dándole la espalda—, así que no piense que por esas tonterías algo cambió. —Kristián avanzó decidida, molesta. Ese hombre la exasperaba tanto como la prendía. Se ubicó frente a él dejándolo perplejo, aun así, no demostrándolo.

—Eso espero, señor Garza —elevó su barbilla seria—, porque también le aseguro que no saldré quemada —dicho esto lo rodeó y caminó a la puerta con decisión.

—Entonces guarde su distancia —musitó irritado. Ella no pudo más, regresó y se plantó nuevamente frente a él. Se acercó hasta quedar uno centímetros y así poder alzar el rostro y verlo a los ojos fijamente.

—No me gustan estos juegos y no soy yo quien lo anda besando cada vez que tengo oportunidad, así que le aconsejo que sea usted el que «guarde su distancia» —lo desafió con dureza.

—¿Me está dando una orden, señorita Navarro? —Su manera de enfrentarlo le resultó divertida, ya pocas cosas lo lograban.

—Tómelo como quiera, solo no se acerque más de lo que debe —advirtió. Cristóbal no pudo ante el reto que encerraban sus palabras. La tomó por la cintura pegándola de un solo movimiento a su cuerpo ansioso de su ser. Kristián abrió los ojos al sentir el deseo que en él despertaba.

—Yo doy el paso, pero usted parece disfrutarlo —soltó con cinismo.

—Es un soberbio —escupió enojada y agitada, su enorme cuerpo la tenía bien sujeta, demasiado cerca como para pensar con claridad.

—Y usted una provocadora... —murmuró cerca de sus labios—, así que ya sabe —y la soltó de pronto—, no se acerque, es lo mejor para los dos. —La mujer lo observó seria por unos segundos, sus miradas chocaban como si de dos mundos en confrontación se tratara.

—Definitivamente lo es —confirmó y se alejó con los puños apretados deseando con todas sus fuerzas estamparlos sobre ese asombroso rostro.

El resto de la semana fue complicado, cada vez buscaban más la lejanía, por lo que las reuniones matutinas se estaban convirtiendo lentamente en un pequeño calvario para ambos; ningún momento a solas se permitían, pero si este se daba, ella evitaba sus ojos todo el tiempo, al igual que él, pues quedar atrapado en ellos implicaría perder el poco autocontrol que conservaban. Aun así, sin percatarse, como dos volcanes, la lava se iba arremolinando en su interior y cada hora buscando ignorar lo que sucedía, esa atracción atípica, extraña, demasiado fuerte, crecía a pasos agigantados.

Cristóbal no podía evitar observarla desde el comedor, siempre sonreía, intercambiaba palabras con todos de forma relajada, fresca. Era difícil verla seria, o a quienes estaban a su alrededor. Esa chica emanaba alegría y la contagiaba. Pero eso no era lo que soñaba cada noche, sino ese cuerpo gimiendo, jadeando y rogando más. Lo excitaba de una manera absurda, simplemente escuchar su risa lo encendía como una caldera a punto de explotar. Había mucho en ella que deseaba someter, conocer y descubrir, pero, sobre todo, apagar, sí, como si de un incendio se tratase.

La necesidad por su cuerpo, esa fingida felicidad que estaba seguro era una treta para conseguir lo que verdaderamente quería.

Todos tenían un pasado, ella debía tener el propio y sabía que podía acceder a él cuando quisiera, pero la confidencialidad era una de las cláusulas del contrato firmado con Roberto y su equipo. Él investigaba a todo aquel que estuviese cerca, sin embargo, era información que no pedía nunca, no le parecía ético. Solo Gregorio y su guardaespaldas la manejaban.

—El auto pasará por usted a las ocho de la mañana, señor Garza —le informó Blanca cuando llamó a las tres mujeres para coordinar su ausencia el viernes por la tarde.

—Bien, espero su cooperación como siempre —habló con tono formal.

—Ya Kristián dejó todo listo, esperamos su viaje sea de provecho —dijo Jimena cuando la reunión concluía.

—Gracias, debe serlo. Ahora pueden retirarse. —Las tres hicieron ademán de levantarse—, usted espere, señorita Navarro —pidió. Un tanto más nerviosa de lo común asintió. En silencio esperaron a que estuvieran solos.

—Ha demostrado mucha eficiencia este par de semanas, este negocio que cerraremos implica muchos millones, no quiero errores, no quiero fallos y todo debe salir a la perfección... Ya revisé la información que me hizo llegar, está completa y en orden, así que veamos qué tan bien lo hace. —El desafío que leyó en sus palabras la hizo clavar los ojos fijamente en los suyos. Ambos fueron conscientes de cada molécula que viajaba en el aire.

—Lo haré bien —zanjó decidida.

—¿Nada la amedrenta? —Se encontró preguntando sin soltar su mirada marrón. Kristián ladeó la cabeza reflexiva.

—La cobardía, nada más —susurró. Cristóbal cerró los puños para de inmediato aflojarlos—, ¿puedo retirarme? —quiso saber serena, sonriendo con cinismo.

—No se confunda conmigo —le advirtió en todo gélido—, no sabe nada de mí pese a lo que ha escuchado.

—Tampoco deseo saberlo —expresó sujetando con firmeza la *tablet*. Cristóbal notó el gesto, triunfante.

—Así que además de eficiente, embustera. Bien... debe saber que yo además de la cobardía no soporto las mentiras... Así que espero que su capacidad sea verdadera y lo demuestre en donde debe. Buenas tardes —terminó posando la atención en su computadora. Kristián quería romperle de una buena vez la nariz. La retaba todo el tiempo, la pinchaba y luego hacía eso. Logró controlarse, se levantó y con la manija de la puerta en la mano se detuvo.

—Usted tampoco sabe nada de mí —expresó serena y salió dejándolo estático observando estupefacto el espacio que acababa de abandonar. No sabía qué le ocurría con ella, además del deseo, pero esa atracción que sentía solo le hacía sentir ganas de fastidiarla, de borrar su fresco gesto que hacía que brillara sus ojos como si de chocolate derretido se tratara.

El vuelo privado transcurrió en medio de una reunión entre los tres para coordinarlo todo. Al llegar, Kristián se manejó con un perfecto inglés. Tenía todo listo y sin el menor contratiempo, en conjunto con Roberto, con el cual sonreía o reía de cualquier tontería, iban generando orden por donde pasaran.

Ya en el auto la joven no pudo evitar perderse en las calles adoquinadas, las construcciones maravillosas, era como estar en una villa ideal; casas de dos aguas, lindos paisajes, todo era como salido de un cuento. El clima era agradable, pues julio era un mes ahí que incluso hacía calor húmedo en ciertos momentos.

La comitiva llegó sin contratiempo a un hotel con gran prestigio en el mundo. De inmediato los recibieron, la *suite* presidencial, así como parte de los cuartos de la siguiente planta que fueron alquilados por el conglomerado. Todo sin problema.

El equipo de seguridad entró primero a la habitación, cómo notaba Kristián que era el protocolo, mientras ambos aguardaban en silencio en el *lobby*, en un área privada.

—¿Nunca había visitado Canadá? —preguntó él, observándola. Imaginaba la respuesta, pero quería que lo mirase directamente. Ese día llevaba un atuendo más informal, al igual que él; unos *jeans* ajustados, zapato alto, una blusa clara de botones al frente que la hacía lucir sofisticada y un moño desgarbado demasiado sensual para su gusto. Se veía realmente asombrosa. La joven lo encaró intrigada esperando encontrar en sus ojos una doble intención, la antelación de un nuevo ataque. Sonrió negando al ver que no era así, de alguna manera supo que lo preguntaba con genuino interés—. Se ha perdido un gran lugar. Si desea, tiene la tarde libre para conocer un poco de los alrededores, Quebec es pequeño, pero creo que le gustará —admitió con suavidad. Tanta condescendencia la desconcertó.

—Venimos por trabajo —le recordó confundida.

—Si no quiere ir sola, solo debe pedirlo —se encontró diciendo sin pensarlo. La chica sonrió relajada y sacudió la cabeza haciendo un gesto curioso con las cejas.

—¿Usted iría conmigo? —cuestionó incrédula Cristóbal colocó los codos sobre sus rodillas estudiándola con atención.

—¿Desea que le dé un pequeño *tour*, señorita Navarro? —preguntó con ese iris oliva fija en ella. La joven soltó una pequeña carcajada negando.

—¿Es en serio? —La frescura con la que hablaba, sus ademanes, su incredulidad, solo lograban que ablandara su gesto asomando una muy pequeña sonrisa, la primera que le veía desde que lo conoció, bueno, la primera dirigida a ella, pues cuando hablaba con su hermana, cosa casi diaria, su rostro se iluminaba y ese hombre de piedra que solía ser se humanizaba viéndose aún más atractivo, deseable, impresionante.

—Serán un par de horas, tenemos la cena más tarde... O prefiere ir sola —la desafió enarcando una de sus oscuras cejas.

—Un *tour* está bien —admitió sin soltar sus ojos.

—Señor, todo está listo. —Apareció Roberto, rompiendo con la intimidad que ahí se gestaba. Se levantó asintiendo.

—La veo en quince minutos aquí —apuntó y siguió a su escolta caminando con desgarbo. Kristián lo observó desde su lugar sonriendo alegre. Ese hombre la subía y bajaba en segundos y lo peor era que, aunque muchas veces la irritaba, otras tantas, sentía cosas demasiado extrañas. Era guapísimo, y vestido así; con esos *jeans* oscuros, la camisa tipo polo, casi del mismo color que sus ojos, se veía más joven, más accesible, asombroso era la palabra, ancho, grande, fuerte y con una seguridad intimidante.

Justo a tiempo se encontraron dónde quedaron.

—¿Preparada? —quiso saber él al ver que se había mudado el calzado por uno más cómodo haciéndola ver más pequeña.

—Sí —admitió emocionada, gesto que le agradó. La llevó por un sendero que comunicaba el hotel a aquel sitio donde por la noche se verían. Caminaron por el muelle entre un poco de vapor que de este salía.

—¿Desea tomar algo? —preguntó con elocuencia. La joven se acercó a un quiosco que vendía helados.

—¿Quiere? —habló saboreándolo. Cristóbal negó siguiéndola, cuando iba a pagar, él se adelantó.

—¿Me está invitando? —lo desafió con el cono en la mano. La observó con la quijada tensa, parecía ingenua, tremendamente mujer, vibrante. Durante todo el trayecto hablaron poco, se limitaron a ir caminando, observándolo todo.

—Un helado no implica nada —soltó, acabando con la tranquilidad. Kristián se encogió de hombros y comenzó a comérselo. No entraría en esos cambios de humor que le solían suceder. Anduvo hasta el límite donde se hallaba una baranda de hierro pintada de verde y perdió la vista en el mar. Un segundo después él apareció a su lado, con una distancia prudente.

—En serio es bello —murmuró perdida en la inmensidad. Cristóbal asintió con los codos recargados en la baranda.

Ya no lograba apreciar esas cosas, no de esa manera, no como solía. Para él ese era un sitio más, un lugar en el cual hacer negocios y aumentar su ya de por sí enorme fortuna. Esa capacidad desapareció por completo cuando todo aquello ocurrió, cuando esa pesadilla lo envolvió y resultó él ser tan responsable como aquella maldita mujer de la infelicidad de su vida, de las personas que más amaba. Ella vivía en prisión, y él... también. Pero incluso antes ya no era un hombre que fuese contemplándolo todo. Mayra era tan difícil de apantallar, que por mucho que hiciera, se mostraba siempre tan imperturbable, con sus elegantes modales, con esa contención de emociones... Era fría, una dama, decía, y esas ganas de ser mejor por él, según repetía una y otra vez, lograban que jamás la criticara.

Apretó los puños al darse cuenta de todo lo que perdió, de lo que dejó. Su juventud, su vida, la capacidad de sentir, su... alegría, todo. Observó a Kristián. Tenía los ojos cerrados, con su helado de chocolate ya casi a la mitad, con sus cabellos sobre el rostro moviéndose delicadamente presos del viento que ahí hacía y que parecía no molestarle. Disfrutaba, de verdad disfrutaba lo que la vida le daba, el hecho de poder estar ahí. Era demasiado mujer, su cuerpo lo sentía, su hombría rugía.

—Debemos irnos —rompió el momento con voz dura. Ella abrió los ojos y lo observó mientras que con su delicada lengua probaba un poco más de su helado. La excitación casi lo golpea sin piedad, no lo hacía con esa intensión, eso era evidente, aun así, lo provocaba.

—Ni hablar, creo que mañana tendremos un poco de tiempo... —murmuró con gesto desilusionado y pasó a su lado concentrada en su alrededor. Caminó la mayoría del trayecto de regreso un paso atrás. Todo contemplaba y todo la asombraba, no parecía necesitar a nadie para gozar lo que sus ojos captaban y él lo único que podía era verla.

Por la noche se encontraron en la recepción a la hora establecida. Iba enfundada en un vestido negro de encaje que dejaba al descubierto los brazos, que le llegaba unos centímetros por debajo de las rodillas y con calzado nuevamente alto. Otra vez la mujer estilizada, pero que pese a ello le encantaba. Su cabello lucía con un desgarbo elegante, suelto, con suaves ondas y el flequillo delicadamente acomodado cubriéndole la frente. Lo saludó con un ademán y se encaminaron hasta el auto.

Ya en el trayecto se habló solo de negocios. El restaurante se ubicaba justo en una parte privada de un hotel muy conocido en Quebec, de construcción majestuosa simulando un castillo de antiguas épocas, justo frente al muelle donde pasearon horas atrás, allí los esperaban.

—Si lo logramos, mañana te mostraré todo lo que quieras de este lugar —propuso él al bajar del elegante auto.

—Entonces estaré lista temprano —aseguró aceptando el reto.

La reunión transcurrió mejor de lo que pensaron. Entre ambos, en menos de dos horas, prácticamente lograron, con la estrategia que ella misma propuso la semana anterior, la compra de la cadena. Era una pareja adulta, junto con cuatro accionistas más. Todo se llevó en un tono casual y gracias a la ligereza de Kristián, que de inmediato relajó el ambiente, pronto se encontraron aceptando que estaban ya planeando su retiro. Cristóbal no pudo más que admirar sus formas, Caro era buena, pero decididamente esa mujer era atrayente en más de una manera y lograba bajar las defensas de las personas en minutos. Por lo menos no era el único, admitió para sí.

Música suave comenzó a sonar, un violín, junto con piano. Las parejas se levantaron sonriendo después de ingerir el postre y comenzaron a bailar delicadamente al lado de los músicos. Todo era muy elegante, sobrio, no obstante, los anfitriones hacían sentir el ambiente relajado, informal.

—Acompáñenos —instó a Cristóbal uno de los accionistas. No tuvo más remedio que tenderle la mano a Kristián, quien lo miraba claramente turbada. Serio la arrastró hasta donde se ubicaban las otras parejas. Cuidando mantener la distancia colocó una palma sobre la parte baja de la espalda y sujetó su tibia mano, todo bajo la mirada expectante de ella. De forma delicada comenzaron a moverse.

Sin percatarse se fueron acercando hasta que sus rostros quedaron a escasos centímetros. Sus respiraciones se tornaron espesas, soltaron sus manos. Ella ubicó la suya sobre su hombro con mayor confianza, mientras él acunaba su cintura con familiaridad. Su aliento se sentía cada vez más cercano, ansiosos, preocupados de lo que ahí ocurría, sin poder esconder o contener lo que parecía suceder. El trance en el que se aventuraron traspasó los límites de cualquier sensación. Sus ojos parecían conectados por un hilo simple, fuerte, intercambiando expectación, antelación, deseo. La joven humedeció sus labios, consciente de su cuerpo como nunca y es que él lo despertaba.

La música terminó, perplejos se separaron. Kristián giró recordando donde se encontraba. Sonrió tranquila mientras él regresaba a ese gesto frío, lejano, inalcanzable.

—En cuanto recibamos la información la revisamos, quiero que esto se cierre el lunes a más tardar —indicó Cristóbal. Kristián asintió a su lado, en el auto—. Hizo muy bien su trabajo, señorita Navarro —tuvo que admitir sin remedio.

—Gracias... —murmuró serena. No tenía mucho sueño, pero el par de copas de vino la relajaron, eso sin contar que sentía cada terminación de su cuerpo brincar y gritar sin cesar. Era incómoda la sensación, en realidad, tanto que apretaba los dientes.

—La veo mañana a las diez en el *lobby*. Cumpliré mi palabra, en cuanto llegue lo que necesitamos, trabajaremos en ello. —La joven giró sonriendo complacida. Cristóbal no la miraba, no podía, si lo hacía le importaría un carajo que vinieran en un auto, que no estuvieran solos y que ella fuera quien era.

Por la mañana ya la esperaba sentado mientras leía las noticias en el celular. Apareció sonriendo. Su melena sujeta de forma coqueta, *jeans*, calzado cómodo y blusa de algodón sin mangas color coral. Se veía tremendamente joven, y tremendamente hermosa.

—Lamento haber tardado —se disculpó mostrando los dientes—, no lograba entrar a la ducha —se sinceró. Cristóbal enarcó las cejas poniéndose de pie.

—¿Cómo que no lograba entrar a la ducha? —repitió desconcertado. La joven resopló quejosa. Ese gesto casi lo hace reír, no había drama en sus palabras.

—Sí, se atoró, tuve que llamar a recepción, lo arreglaron y ahí perdí tiempo... Pero ya está solucionado —explicó con simpleza. Él asintió asombrado ante su forma tranquila de narrarle lo sucedido.

—Es imperdonable que en un hotel como este sucedan esas cosas... —musitó molesto. Ella se encogió de hombros.

—Son errores, solamente. Además, ya lo solucionaron. ¿A dónde iremos? —cambiando de tema. Cristóbal no discutiría, no con ella, no viéndola así; tan entusiasmada, lista para la aventura.

—Sígame –la instó serio.

Pasaron el día conociendo lugares que admiraba sin cesar, ese sitio era realmente hermoso, las construcciones majestuosas, no paraba de fotografiar y reír. Cristóbal se limitaba a ir a su lado sin hablar mucho, solo explicando algunas cosas.

—Es hermoso, de verdad... No sé, es tan alegre, es como si lo hubieran sacado de algún cuento. ¡Me encanta! —admitió. Él se detuvo contemplándola, era verdaderamente vital, receptiva y su alegría bullía tanto que casi sentía que lo contagiaba.

—Hay lugares aún más impactantes —habló serio. Kristián enarcó una ceja metiéndose a la boca un trozo de galleta que había comprado por ahí.

—Pero estamos aquí... y lo que tengo frente a mí me tiene fascina —declaró entusiasta. Cristóbal no supo interpretar sus palabras, era pícara en realidad, sarcástica y si no se sintiera consumido por dentro, se reiría con ella en todo momento. Metió las manos en los bolsillos del pantalón, reservado.

—¿Tiene hambre? —quiso saber dejando de lado la conversación. La joven asintió de inmediato. Era esbelta, bastante, pero ya había perdido la cuenta de las veces que se detuvo a comprar algo para ingerir, por lo que juró le diría que no. Sin remedio la llevó a un sitio muy cercano al muelle, las mesas daban a la callejuela que todo el tiempo se encontraba transitada.

Comieron, conversando sobre temas que sabían no los ponían en riesgo. Kristián se sentía atrapada cada dos segundos por su mirada y le costaba hilar una idea con otra, mientras él no podía evitar admirar cada ademán, cada gesto. La entrepierna le exigía más, pero no era la adecuada para desfogarse, algo tendría que hacer, no dejaría que las cosas llegaran a ese lugar que intentaba evitar. Lo cierto era que cuanto más tiempo pasaba con esa chica de sonrisa fácil y contagiosa, menos podía pensar en estar con alguien más.

La alerta de los documentos vibró en el celular de ella cuando devoraba un enorme postre.

—Ya los mandaron —anunció seria, expectante.

—Bien, ahora vamos a revisarlos... Debe estar todo en orden hoy mismo. —Media hora después llegaban al hotel. Dentro de la *suite*, en el elegante comedor, comenzaron a trabajar sin parar.

La noche ya estaba sobre ellos unas horas después. Kristián se levantó con las piernas algo entumidas, todo parecía estar como lo deseaban. Se alejó un poco mientras él revisaba una cláusula del contrato, la observó por encima del aparato andar hasta su bolso y sacar una barra, seguro era chocolate. La joven giró ladeando la cabeza con una sonrisa.

—¿Quiere? —preguntó regresando nuevamente hasta donde se hallaba hacía unos segundos. Lo abrió delicadamente al tiempo que Cristóbal negaba intrigado.

—¿Come todo el día? —deseó saber notando que le daba la primera mordida casi deleitándose. Kristián asintió ladeando la boca.

—Casi, creo... No sé, nunca puedo estar quieta y eso supongo que me provoca apetito —confesó. El hombre alzó las cejas sorprendido. Un tanto sediento también se incorporó y tomó una botella con agua que estaba sobre la barra de la moderna cocina a poco menos de un metro de la joven.

—Me parece que no es sano ingerir tanta golosina —apuntó con tono extraño. Ella rio sacudiendo la cabeza. Siempre tan correcto y eso de alguna forma también la atraía.

—¿Le preocupa mi salud? —se burló recargando su esbelto cuerpo sobre el respaldo de la silla. Cristóbal dejó salir el aire contenido de sus pulmones, alargó una mano sin poder ni querer ya evitarlo, sujetó su muñeca y la pegó a su cuerpo. La joven no se esperó esa reacción y soltó un gemido de asombro al sentirlo así, tan cerca. Abrió los ojos de par en par, de inmediato su olor la llenó y la ansiedad por probar sus labios la embargó. Respiró agitada, con las pupilas dilatadas.

—Eres provocadora, y lo sabes. —Escuchó aquella voz ronca, varonil. Kristián alzó la mirada hasta topar con la suya incisiva, llena de lujuria, de pasión amedrentadora. Pasó saliva pestañeando.

—Solo estoy comiendo chocolate —le informó con simpleza, aunque con el corazón en pausa.

Cristóbal negó, toda la jodida tarde la estuvo observando, admirando, contemplando, deseando con ansiedad tocarla, sentir su piel. Se contuvo, lo logró a pesar de que resultaba un esfuerzo monumental, uno que jamás había tenido que hacer, ni siquiera de adolescente. Pero todo se fue al carajo en cuanto se metió ese chocolate en la boca y lo mordió sensualmente. Mierda, lo encendió como a un puto volcán que había estado queriendo hacer erupción desde que la vio por primera vez. No, ya no podía más, su cabeza se nublaba por la ansiedad de poseerla, de ir más allá, de comprender que lo que veía y sentía no era normal. Quería hacerla suya, enterrarse en su interior una y otra vez hasta que las neuronas reventaran, hasta que su nombre olvidara.

—Te deseo, te deseo ahora, Kristián... —rugió con firmeza. Esa era la primera vez que la llamaba por su nombre y el cómo lo articuló le pareció afrodisíaco. Acto seguido tomó su nuca y la besó fieramente.

6
DIABÓLICAS LLAMAS

Kristián dejó caer la barra sin percatarse y desesperada por sentirlo más cerca, se aferró a su cuello pegándose más, respondiendo a ese roce brutal, animal, casi violento. La mano libre de Cristóbal bajó hasta su cadera, para de inmediato buscar su trasero y acercar su pequeño cuerpo a su dolorosa excitación. Sí, ella era la responsable, ella debía saberlo. La chica respondió soltando un jadeo de aceptación. Un segundo después la elevó de un solo movimiento y continuó besándola, dejando salir al fin todo lo contenido por semanas, esa adrenalina deseada, esa marea de placer que sabía que lo quemaría, pero que no importaba; no cuando sentía sus piernas rodeando su cintura, sus labios suaves respondiendo salvajemente a sus arremetidas, cuando podía sentir su temperatura subir a un ritmo vertiginoso.

Respirar fue casi imposible, un reto para ambos, sin embargo, ninguno despegaba su boca. Avanzó con ella a cuestas deteniéndose en cualquier muro que se atravesaba para tocarla un poco más, para despeinar su cabellera, para sentir sus pequeñas manos viajar por todo su rostro, su aliento fresco deliciosamente achocolatado clavarse hasta el centro de su garganta. Gemidos, jadeos, placer, era lo único de lo que ambos eran conscientes. No, ya no podía ni quería pensar, necesitaba sentirla, hundirse de una maldita vez en su ser.

La cama en su espalda no logró espabilarla, necesitaba de él, necesitaba sentirlo, olerlo, perderse en su hombría, en las miles de cosas que despertaba en su interior. Se sentía caliente, desesperada. Fluidos iban y venían, crecía una dolorosa ansiedad en el vientre por sentirlo unido a ella de esa manera en la que solo un hombre puede hacerlo con una mujer. Cristóbal se quitó la camisa y subió la de ella con habilidad. Sus respiraciones era lo único que se escuchaba.

Ardientes miradas, caricias eléctricas. El toparse con ese sostén oscuro lo puso aún peor, ella sonrió satisfecha buscando de nuevo sus labios. Si le hubiesen pedido realizar una simple suma, Cristóbal no lo habría ni intentado y es que Dios, su piel suave, trigueña, firme aunado a esos minúsculos, pero adorables senos encerrados, enjaulados lo pusieron mal, tan mal, que un gruñido repleto de aceptación apareció por su garganta, aferró su cabello y la hizo hacia atrás mientras Kristián sujetaba con rudeza su ancha espalda. Sus labios probaron su quijada, su mentón, sus pómulos y su lóbulo mientras rodaban sobre la cama, conociéndose.

El turno de ella llegó y con perversa delicia lamió la comisura de su boca, de su barba incipiente. Cristóbal, sin conciencia, dejó que sus dedos desabrocharan el sostén. Se lo quitó sin miramientos. La chica se encontraba a horcajadas sobre él. Al ver sus redondos pechos, perdió toda proporción, la tomó por la cintura como si se aferrara a una tabla de salvación y los probó logrando que se arqueara magistralmente al sentir sus labios succionando, torturando y humedeciendo sus montículos.

—Cristóbal —musitó tan bajito que parecía que había sido el aire. De un movimiento la colocó de nuevo bajo su cuerpo, desabotonó su pantalón y se lo quitó rápidamente mientras Kristián intentaba hacer lo mismo con el suyo. Pronto quedaron completamente expuestos, pero eso no sirvió para detenerse, al contrario, se aniquilaron con mirada llena de asesina ansiedad. Sin perder tiempo se protegió sin parar de tocarla, averiguando si su interior estaba listo. Al sentir sus dedos hundirse sin permiso, sin delicadeza, con loca pasión, se arqueó aún más sobre la superficie. —Dios —murmuró dejando salir un grito al tiempo que aferraba las sabanas, echaba su barbilla hacia atrás y sentía su cuerpo derretirse con aquella invasora exploración. Qué era todo eso.

Un segundo después fue consciente de su cercanía y enseguida lo sintió entrar a su cuerpo, sin control, sin suavidad. De nuevo un grito lleno de asombro brotó de su boca al ser consciente de lo bien que se sentía al fin tenerlo así, unido a ella.

Cristóbal se sentía poseído por un ser primitivo y es que verla así lo ponía peor. La joven buscó su boca, la besó de inmediato mientras iba y venía con movimientos fuertes en ese apretado y húmedo lugar del que no deseaba salir jamás. Fuerte, sin piedad, se enterró con mayor frenesí, dejando salir sonidos guturales.

El sudor los cubría, el placer los perdía, las sensaciones los trastornaban.

Kristián los hizo girar, de inmediato se sentó y continuó sus embestidas recias, urgentes, besando su cuello, mientras ella, perdida, se dejaba llevar aferrada a sus hombros sintiendo que si no lo hacía caería sin más.

De pronto, casi sin poder dar crédito, miles de terminaciones explotaron entre los dos. El grito de la mujer con la cual experimentaba un placer indescriptible le hizo saber que ambos estaban llegando. Cada vez más fuerte, más duro, más rápido y de repente un beso lleno de delirio para enseguida sentir que la fuerza los abandonaba.

Un segundo más continuaron así, consumidos, satisfechos. Se separaron apenas si lo necesario respirando como dos locomotoras a toda presión, se miraron fijamente recuperando poco a poco la cordura, comprendiendo lo que ahí había ocurrido, siendo conscientes del error que acababan de cometer. Cristóbal negó cambiando su expresión de placer por una de rabia.

—Debo... —su tono gélido regresó.

La joven asintió un tanto perdida y se hizo a un lado, nerviosa. Un segundo después él desapareció en el baño. Observó la puerta atónita, impresionada, conmocionada. Se llevó las manos al rostro sacudiendo la cabeza. Era una idiota, ¿qué carajos había hecho?

—¡Agh! —Se levantó, buscó su ropa esparcida por toda la habitación. Se vistió sin perder el tiempo, se alisó el cabello, respiró varias veces esperando nerviosa que él saliera de ahí en cualquier momento y la situación se tornara tan incómoda como irreal.

No, no debió ocurrir, no debió dejarse llevar. ¿Qué acaso era una adolescente, una estúpida? Ese hombre era su jefe. Maldita sea, cómo pudo ocurrir algo así. Se sentía molesta consigo misma sin poder dejar de sentir aún su piel tensa, sus músculos duros, su ser clavado entre sus piernas.

Frotándose molesta y todavía con el rostro un tanto tembloroso, salió de ahí. Fingiría que no ocurrió nada, que... todo seguía como estaba, que... entre ambos no había pasado algo tan asombrosamente ardiente. Sí, eso haría, era lo mejor.

Cuando lo escuchó salir ya se encontraba mandando unos correos que quedaron pendientes antes de... *eso*. Sus terminaciones todavía las sentía ajenas, demasiado acaloradas. Continúo con el chocolate que hacía unos minutos acabó en el suelo y lo mordisqueó perdiéndose en la pantalla. Jamás pensó sentir algo semejante, dejarse llevar por la pasión de esa forma, pero ni siquiera se había percatado de nada hasta que él se alejó. ¡Dios, cómo lo deseaba! Y si, para su jodida mala suerte había sido mucho mejor de lo que pensaba.

Cristóbal apareció unos minutos después, al verla así, indiferente, entornó los ojos sin poder comprender. Se acercó con las manos dentro de los bolsillos del pantalón, listo para una letanía o una serie de quejas, a lo mejor con una probable renuncia o exigencias. Ni hablar, no cedería en ninguna.

La joven elevó la mirada hasta la suya cuando lo tuvo enfrente, tan solo un segundo. Escondiendo con mucho esfuerzo todo lo que sentía. Su frialdad lo dejó perplejo.

—Ya se los envié a Gregorio y al departamento de verificación. Por la mañana sabremos si todo está en regla. —La escuchó con su típica suficiencia. Evitó abrir la boca debido a la impresión. Era como si lo ocurrido unos minutos atrás simplemente no hubiera pasado. ¿Eso era posible? ¿De verdad actuaría como si nada? La observó terminarse el dulce para un segundo después chupar con desenfado uno de sus dedos. Pasó saliva atontado, ese gesto solo sirvió para despertarlo nuevamente y lo peor era que lo hacía sin ese afán, como solía—. Creo que es todo. ¿Necesita algo más? —Se puso de pie y cerró el ordenador relajada. Al ver que no respondía, la joven lo miró expectante. De inmediato reaccionó.

—No, nada. Nos vemos por la mañana —zanjó serio.

—Sí, a las nueve estaré aquí. Buenas noches —confirmó y pasó a su lado dejando esa estela femenina que hacía unos momentos se coló por todo su organismo, para salir sin decir nada más.

Permaneció ahí, de pie, aturdido, asombrado. ¡Guau!, eso sí que era nuevo. Refrescante también. Sonrió negando al tiempo que se frotaba el cuello. Era un alivio saber que no tendría problemas en cuanto a aquel desenfreno, lo complicado era que no deseaba que fuera la última vez.

Kristián, al cerrar la puerta de su habitación, escurrió su espalda por la madera, para caer al suelo negando una y otra vez. Se enojaba, sonreía y sacudía la cabeza intentando que lo ocurrido ya no permaneciera un segundo más en sus recuerdos. Era inútil, aún podía escucharlo, sentirlo, olerlo y peor aún, deseaba tenerlo nuevamente así, solo para ella, de esa manera urgente, ardiente y fuerte. Se dio una ducha fría, no funcionó. Lo peor era sentir que la energía ahora bullía en su interior más que antes pese al pasional encuentro. Se puso unos pantaloncillos deportivos, calzado cómodo e informal y después de llamar a su Aby, salió de ahí. No podía permanecer un minuto más en esa habitación que la enclaustraba. Deambuló por ahí evocando el momento más ardiente de toda su vida. Una ligera lluvia la humedecía apenas, no le importó, continuó conociendo, admirando y enfriando al fin su cabeza.

Regresó dos horas después mucho más tranquila, sonriendo nuevamente. Jamás lo repetiría, no si quería conservar su trabajo y si bien la pasión la descubrió en el mismo instante en que se acercó por primera vez, debía actuar como una mujer, no como una quinceañera. Muchísimo estaba en juego como para dejarse llevar por un momento de calentura, bueno, no era calentura nada más... ¡Ah! Daba lo mismo, no ocurriría nunca más. Punto. Asunto terminado.

Por la mañana llegó puntual a la *suite*. Roberto le abrió en cuanto tocó.

—Buenos días, Kristián, ¿dormiste bien? —preguntó con su cortesía habitual. La chica le sonrió tendiéndole un panecillo que ordenó en su desayuno y había visto en algunas ocasiones al hombre ingerir. Este lo tomó comenzando a acostumbrarse a esos detalles que la joven tenía. Conocía todo sobre su vida, por lo que ese tipo de gestos no lo sorprendían, a Kristián le gustaba dar, eso era lo que la motivaba, lo que de verdad la hacía feliz. Bueno, eso, y bailar, pero jamás podría dedicarse a aquello que hacía de mil maravillas, él mismo lo corroboró cuando la investigó meses atrás.

—Bien, espero te guste —dijo con tono ligero y entró, lo cierto es que su interior temblaba.

—Sabes que sí —respondió. Cristóbal apareció de pronto por el pasillo. Ambos se detuvieron por un instante. Las miradas clavadas, el cuerpo tenso, algo había cambiado entre ellos dos, comprendió el escolta mordiendo su pan, enarcando una ceja.

—Buenos días, señor —murmuró ella con indiferencia gélida. Un segundo después depositó sus cosas sobre la mesa de trabajo y se acomodó.

Cristóbal la observó contenido. Iba con un vestido más formal y zapato alto, de nuevo su envergadura eficiente ahí, en medio de ambos, como claro recordatorio de lo intocable que era, del error que cometieron la noche anterior. Toda la jodida noche dio vueltas en la cama, ansioso. Había hecho una estupidez y odiaba no saber las consecuencias que esto le traería. El control era su obsesión, perderlo lo hacía sentir más miserable, irritado, vulnerable.

Se sentó a su lado con una botella de agua en la mano.

—¿Comenzamos? —ordenó. Kristián asintió sin encararlo. Tres horas después ya tenían todo en orden—. Bien, por la noche firmamos. Confirme la velada... —Durante todo ese tiempo mantuvieron la misma lejanía; hablaban lo necesario y prácticamente no se miraron.

—Ahora lo hago —confirmó y se levantó dejándolo en la mesa revisando algunos pendientes del conglomerado. Con disimulo la observó andar. Su espalda era angosta, pero estilizaba y recordaba sin problema la textura femenina de su piel. Su cabello iba recogido en una coleta suelta, dejando algunos mechones, además de su flequillo, sobre su rostro, sus piernas bien trabajadas parecían brillar, eran tremendamente sensuales, ella, su cuerpo, sus jadeos, sus gemidos y su interior ardiente.

Todo en conjunto era una bomba de tiempo que alteraba cada una de sus malditas terminaciones nerviosas.

Comieron ahí mientras trabajaban y se comunicaban a México y otros lugares. Hora y media antes de la cita, Kristián se escabulló pues debía darse una ducha y arreglarse un poco.

Se encontraron en el auto donde ya él la aguardaba. En silencio transcurrió el trayecto. Al llegar se miraron por un momento con fuerte ansiedad, sus cuerpos se encontraban atrapados en esa absurda e increíble tensión, como si dos resortes fueran estirados para lados contrarios. El contacto terminó al abrirles la puerta. En el interior todo salió cómo esperaban o mejor aún pues los vendedores se mostraron cálidos y complacidos con el trato.

—Espero que siempre conserve esa sonrisa, Kristián —dijo uno de los hombres cuando se despedían. La joven asintió alegre. Cristóbal, aun sabiendo que estaba casado, no le gustó la familiaridad con la que se manejaba. De inmediato y sin pensarlo se ubicó a su lado, tocó apenas en un roce su cintura.

—Y usted disfrute su retiro, se lo ha ganado —completó él tendiéndole la mano, serio. La joven al sentir su mano ahí dejó de pensar, de ver todo a su alrededor y solo fue consciente de esa palma cálida sobre sí. Pasó saliva fingiendo serenidad.

Media hora después subían por el elevador en medio de un eléctrico silencio. En el piso de ella se detuvo el aparato, salió con prisa y, sin pensarlo, él fue detrás dejando a Roberto en el interior.

—¿Coquetear es parte de tu estrategia? —la confrontó en el pasillo al darse cuenta de que pese a saberlo ahí, no se detuvo. Qué mierdas le ocurría con esa mujer. Kristián respiró hondo y lo encaró entornando los ojos.

—¿Cuál estrategia? —respondió contenida. Cristóbal, con las manos en los bolsillos del pantalón, dio un par de pasos más para quedar a menos de un metro de ese cuerpo que lo enardecía.

—La estrategia que usas para conseguir lo que quieres —soltó amargamente. La joven se cruzó de brazos y recargó su peso sobre una pierna, estudiándolo. No se iba a dejar amedrentar, ni por él, ni por nadie.

Aunque la realidad era que sí se sentía extraviada con esa marea de deseo que la comandaba al tenerlo cerca.

—¿Tanto miedo te doy? —lo desafío. Cristóbal, enardecido, no pudo más, la tomó por lo brazos y la pegó a su cuerpo.

—No sabes quién soy y la que debería temer eres tú —rugió mirando sus ojos y labios a la vez. Ella no se doblegó y pese a sentir esa lujuria incitadora, no apartó su mirada.

—Yo vivo, no temo... Podrías intentarlo —musitó exaltada. Sin más él estampó sus labios sobre los suyos mientras la guiaba a un muro para no darle opción a escaparse. La probó con maldita demencia mientras ella aferraba las solapas de su traje para que no se alejara y le permitía adentrarse sin problema. Al percatarse de lo que hacía se separó abruptamente sin alejarse.

—De mí no obtendrás nada —le advirtió con voz ronca. Kristián sonrió lánguida.

—Ni tú de mí... Solo te deseo —admitió con cruda sinceridad. No tenía idea de cómo era que salían esas palabras osadas, llenas de ansiedad, sin embargo, a quién engañaba, sí, lo deseaba, muchísimo, casi de forma dolorosa.

—Entonces pensamos igual —comprendió con frialdad.

—Parece que sí, al fin —lo retó con ambas manos aún sobre su traje.

—Bien... —apuntó y se dio la media vuelta alejándose. Kristián lo observó perpleja, las piernas le temblaban, su respiración se sentía pesada y el pecho latiendo de forma desigual. Se llevó una mano justo ahí sin comprender nada de lo que ocurría, de lo que él pretendía. Entró a su habitación deseando un momento de calma, de ansiada soledad. Se quitó los zapatos, se desabrochó el vestido resoplando. Al día siguiente regresarían y ya nada era cómo debía.

El teléfono de la habitación sonó. Lo observó como si quisiera fulminarlo. Solo imaginaba a una persona marcando a esas horas. Descolgó sentándose sobre la bracera del sofá.

—¿Sí?

—Sube —ordenó su jefe con voz ronca. Dejó caer la cabeza hacia atrás negando. Ni en sueños. Lo ansiaba, pero no se pondría en esa posición.

—Baja —reviró y colgó asombrada de lo que acababa de hacer. Sus pulmones comenzaron a trabajar a toda velocidad y su pulso se disparó. ¿Qué acababa de hacer? Se dejó caer en el asiento, bufando. Ese trabajo no duraría mucho, ya lo veía venir y todo por su calentura, por esa jodida atracción que la mantenía en vilo, que la hacía desear, sentir, imaginar cosas que nunca con nadie siquiera cruzaron por su piel, por su mente. No iría, obviamente, pero al día siguiente o muy pronto las consecuencias a ese arrebato la alcanzarían.

Se levantó alterada. Necesitaba aire. No podría dormir, lo sabía. Subió la cremallera de su atuendo, se puso unos zapatos bajos, tomó su bolso y abrió, decidida a pensar qué haría si todo en Grupo Nord-Sud terminaba mal, como vaticinaba. Casi soltó un grito cuando lo vio ahí, de pie, como un caballero proveniente del infierno, observándola con el ceño recto, un par de botones de la camisa abiertos, las mangas casi sobre su antebrazo y la camisa mal fajada.

—Entra —dijo él con voz críptica, llevaba sus manos en los bolsillos del pantalón y su aliento derramaba un leve olor a *brandy*. Colocó su bolso frente a su cadera ladeando la boca, estudiándolo.

—¿Qué desea? —preguntó buscando de una maldita vez marcar esa línea que estaba más que borrada. Cristóbal negó con sarcasmo, abrió más la puerta y entró sin invitación. Kristián solo giró para obsérvalo.

—¿A dónde ibas... o debo preguntar con... quién? —farfulló serio a un lado de una silla en el angosto recibidor.

—¿Y yo debo responder? Trabajo para usted, nada más —zanjó ansiosa por terminar con esa locura. Cristóbal parecía rabioso, lleno de coraje y bastante desesperado. De un movimiento se acercó, cerró la puerta y la pegó a la pared quitándole el bolso para soltarlo en algún sitio.

—Me alegra lo tengas tan claro, porque eso no cambiará... —añadió. La joven al ver venir su beso se hizo a un lado. No se sentía dueña de sí, aun así, debía dejar las cosas claras ser la de la última palabra.

Cristóbal abrió los ojos consumido por su propia excitación, por la marea roja que lo quemaba. Ella lo deseaba, lo quería, lo miraba con sus labios semiabiertos, con sus ojos avellana desbordados de impaciencia.

—Me alegra que tú seas el que lo tiene claro, solo trabajo para ti —murmuró tomando su cuello para enseguida devorarlo como ambos deseaban. Su loción se coló en su sistema tan rápido como la sensación cálida de su cuerpo diabólicamente perfecto, fuerte. Algo en su mente la empujó a dejarse llevar, a solo sentir, a vivir algo que sabía no sucedería con nadie más, no de esa forma por lo menos.

El hombre rugió tomando el control, bajando sus manos hasta su trasero apretándolo para que fuera consciente de lo que generaba en su cuerpo. Kristián gimió y notó cómo su enorme mano subía su vestido sin dificultad y la elevaba mientras ella enredaba las piernas torno a su cadera. El beso era tan exigente, tan absorbente. Sus alientos haciéndose uno, sus sentidos actuando al unísono. Su ansiedad liándose en contra de ambos y el deseo alarmante sometiéndolos sin el menor de los problemas.

Dieron con un sillón. Descendió lentamente de aquel colosal cuerpo con la mirada inyectada de apetito. Las partículas de lo que irradiaban no les permitían ser conscientes de lo que nuevamente sucedería. Sin perder el tiempo y con movimientos absolutamente provocativos que jamás había usado con nadie se desprendió del vestido.

Él intentó tocarla, ella retrocedió señalando con el dedo su camisa. Cristóbal se despojó de todo en un segundo. Sin demora la tomó por la cintura, le quitó el sostén y la probó ahí, de pie. Aferrando su cintura con una mano, mientras que con su boca humedecía uno de sus pechos y el otro lo estrujaba sin piedad. La chica se arqueó con la boca seca, con las terminaciones nerviosas sensibilizadas al máximo.

Con lentitud su aliento fue abandonando esa parte de su anatomía para descender. Aferró su cabeza comprendiendo lo que vendría. Negó temblorosa. Lo único que consiguió fue que su braga desapareciera y él la recostara al límite del sillón para probarla sin contenerse. Kristián dejó salir un grito ahogado al sentir su exploración. Quería que parara, quería que siguiera. Dios, no sabía lo que quería, pero se sentía tan jodidamente bien que no lograba salvo gemir y quejarse cuando la torturaba deliberadamente. Más de una vez aferró su cabellera buscando que se alejara. Colapsaría, pero lo único que conseguía era que sus dedos se hundieran más, que su lengua fuese más exigente. Eso era una locura.

Sin poder contenerse su respiración fue aumentando, su pulso iba en vertiginosa subida y una llamarada rojiza apareció dejando salir de una vez todo lo que su cuerpo preso de esa seducción guardaba, contenía. Gritó arañando la superficie del sillón, arqueándose sudorosa.

De pronto, su aliento inundó sus labios, su sabor la hizo volver.

—No traigo protección —gimió dolorosamente Cristóbal. La joven apenas si podía respirar, con los ojos cerrados y humedeciéndose los labios asintió.

—Yo sí. —Apenas un segundo después fue consciente de que él se enterraba tan profundo que volvió a doblarla y gritar de placer al sentirlo de aquel mágico modo.

Fuerte, gruñendo, gimiendo. Pasión y lujuria era lo único que circulaba ahí. Casi en el aire, con él sujetando su cintura, enterrándose cada segundo más. Sujetó sus hombros al percatarse de que si no lo hacía caería al piso pues se hallaban justo en la esquina del sofá mientras él cargaba todo su peso y por lo mismo se hundía con mayor arrebato.

La transpiración, los jadeos y el choque de sus cuerpos era lo único que se escuchaba. Se acercaba por segunda vez, en minutos, a ese planeta lleno de sensaciones y colores nunca explorado, lo veía venir. Se aferró con más fuerza a él, buscó sus labios pues el hombre lamía su cuello, mordisqueaba su hombro, su lóbulo, mientras ella solo podía sostenerse. Al comprender lo que deseaba hizo que descendieran por el sillón y sin detenerse la besó con esmero. No tardaron en llegar y al hacerlo, absorbieron sus gritos sin soltar sus labios, sin dejar de probarse, de jugar con sus alientos. La explosión llegó arrasando con todo a su paso, como si un proyectil aniquilara toda una ciudad.

Unos segundos después aún continuaba sobre ella, buscando, de alguna manera, regresar a ese punto al que debía, deseando hilar un pensamiento con otro, el que fuera. Pero era casi imposible, se sentía al límite de sí mismo, jamás había estado con alguien de una forma tan arrebatada, tan pasional, tan llena de placer y sensualidad. No tenía idea de por qué carajos no le dijo lo que iba a decirle, por qué terminó nuevamente enterrado en ese lugar ardiente, húmedo, que como seda caliente lo envolvía y lo apretaba a tal punto que perdía la proporción, incluso la cordura.

Se irguió un poco juntando el valor. Kristián tenía los párpados cerrados, respiraba con dificultad y su bello rostro tenía adherido algunos mechones gracias a la transpiración. Apretó los dientes.

—Si vas a irte, hazlo ahora... —murmuró sin verlo. Eso era precisamente lo que pensaba hacer pero que ella se lo dijera, lo irritó como si a una locomotora le hubiesen echado carbón de más. Cabreado se irguió al tiempo que la levantaba también. La chica dejó salir un gemido de asombro, abriendo los ojos como dos lunas llenas.

—Tú no pondrás las reglas de este juego —replicó decidido. La joven lo observó un tanto intimidada, apenas si podía estar de pie, pese a estar acostumbrada al ejercicio, jamás había explorado sus músculos de esa manera salvaje, primitiva.

—¿Estamos jugando? —preguntó intentando alejarse. Ambos aún estaban desnudos y sus cuerpos seguían desprendiendo esas malditas chispas sin cesar. Eso ya se había salido de control. Percatarse de ello ahora sí logró amedrentarla.

—Te dije que yo no saldría quemado, que solo sé destruir y pese a eso... estamos aquí. No me escuchaste —la regañó soltándola de repente. La mujer casi cae. Cristóbal entró al baño un segundo y salió con el bóxer puesto, de inmediato comenzó a vestirse dándole la espalda. Por pura dignidad ella hizo lo mismo.

—Yo no empecé esto —refutó abrochándose el sostén, ya con las bragas negras puestas. El hombre se irguió con la camisa blanca, inmaculada, en una mano. La estudió de arriba abajo como quien ve algo que deseara poseer para disfrutarlo solo un rato.

—¿Eres la víctima? —se burló poniéndose su prenda con desgarbo, con indolencia. La joven ladeó la boca sonriendo de pronto.

—En este «juego», como nombras a esto que hemos hecho, solo puedo perder una cosa... y no es precisamente ni mi orgullo, ni mi dignidad, mucho menos mi autoestima, señor Garza... —argumentó con suficiencia. Él arqueó una ceja mientras se abotonaba la camisa.

—¿Ah, no? —Kristián se acercó despacio, sin quitarle los ojos de encima. Su andar era tan sutil, tan elegante que se encontró nuevamente apretando los dientes. Esa chica era ardiente.

—No, así que... le aconsejo pensarlo bien la próxima vez que se acerque a mí para...

—¿Seducirte? —bromeó con sarcasmo, buscando terminar con esa estupidez que le costaría caro. La joven negó seria.

—No, para seducir este deseo —corrigió. Cristóbal la tomó por la cintura posesivamente. Harto.

—Te gusta tenerme entre tus piernas —musitó casi sobre su boca. Deseaba que saliera corriendo de una maldita vez, que estampara su palma justo en su mejilla, montara una escena y así... así ese jodido apetito que tenía por cada rincón de su cuerpo terminara. La joven bajó su cabeza anclándose de su cuello.

—No más de lo que a ti tenerme de esa manera —respondió alejándose de pronto—. No soy estúpida, tampoco una niña, nos atraemos —y los señaló a ambos—, fin de la historia. Pero mi trabajo es lo más importante y no estoy dispuesta a perderlo...

—No lo perderás... —espetó regresando a ese gesto frío, convirtiéndose nuevamente en ese hombre—, no por esta tontería. -Caminó rumbo a la puerta lleno de rabia, de coraje. Se estaba poniendo en un punto vulnerable y eso no sucedería, con nadie, jamás.

—¿Para esto querías que fuera a tu habitación? —preguntó irritada, aunque también intrigada.

Él se detuvo con la mano en la manija. Por supuesto que no, iba a hablar claramente, a terminar eso que no había empezado, a ir al grano y así ambos supieran que no debían cruzar esa línea, no otra vez. Pero toda esa jodida resolución se vino abajo cuando primero; lo desafió, y segundo; notó que iba a salir. La necesidad primitiva de poseerla de nuevo lo arrastró sumergiéndolo tan hondo que ya no supo lo que hacía, incluso sin pensar que no llevaba consigo la jodida protección. Era todo un imbécil.

—Mañana nos vamos a las once. Tiene la mañana libre —dijo.

Lo vio salir, para después escuchar el clic suave de la cerradura. Varios minutos permaneció ahí, de pie, en ropa interior. ¿Cómo debía manejarse ante todo eso? ¿Qué debía hacer? Se llevó la yema de su dedo índice hasta su labio inferior. Besaba malditamente bien, casi como si las plumas suaves de un ave la acariciaran y a la vez como si poseyera en su boca las diabólicas llamas del infierno.

Dejó salir un suspiro. Ya no le apetecía salir, de hecho, se sentía demasiado cansada gracias a lo que acababa de suceder, a todo lo ocurrido en ese extraño viaje. Se dio una ducha lo más rápido que pudo, incluso el agua sobre su piel la perturbaba. En cuanto tocó la almohada, se perdió en la inconsciencia, ya no quería pensar, lo que tuviera que ser, sería y ella, por estúpida, tendría que asumir la consecuencia.

7
Juguemos

Por la mañana Cristóbal decidió permanecer en su habitación trabajando, haciendo algunas llamadas y logró incluso una videollamada con Andrea, cosa que lo alegró bastante, más aún porque pudo ver a Fabiano despierto mientras ella lo mantenía pegado a su regazo. Eran tan dulces, tan perfectos. Hablaron más de una hora. De esa manera logró que toda lo que en su mente había se diluyera y dejara de tener relevancia. Después de todo, lo único que realmente le importaba estaba justo frente a sus ojos y lo que sucediera fuera de ello, era insignificante. Aun así, durante la madrugada decidió que, si no podía ponerle freno a lo que entre ambos bullía, tendría que hacer algo al respecto. Ya averiguaría qué.

Kristián optó por regresar a algunos sitios que le agradaron. Le compró un detalle a su abuela y también a sus amigos. Se sentía extraña, pero nada evitaría que disfrutara lo que a su alrededor tenía, jamás se lo permitió, en ese instante tampoco. Si el deseo no disminuía entre ambos, tendría que hacer algo al respecto. Ya averiguaría qué.

En cuanto subió al auto, horas más tarde, su colonia viajó hasta el centro de sus pulmones arremolinándose en su estómago para de pronto emerger en su piel erizada. Él miraba hacia afuera con gesto ausente, parecía incluso que no se había percatado de su presencia.

—Buen día —saludó cortés. Acomodándose en el asiento de piel de forma pausada. Él asintió con la cabeza, pero no giró. Torció la boca notando que había amanecido mudo. Debía ser muy difícil vivir de esa manera, sin dejarse fluir, contenido, con ira y rabia manifiesta siempre, desconfiado, juzgando. Sí, de todo eso se había percatado en el tiempo que llevaba laborando a su lado. Era un hombre que no se abría, que no parecía tener la menor intención de hacerlo jamás y sabía un poco de sus razones, sin embargo, la intrigaba y la atraía en demasía, tanto que sin esfuerzo evocaba su cuerpo grande, sobre el suyo.

Su celular sonó, sin perder tiempo se entregó al trabajo. En ese ámbito se sentía segura y podía olvidar todo sin pensar en nada. Lo cierto era que ansiaba llegar a México, ir a El Centro y de esa manera dejar a un lado verdaderamente lo que en su cuerpo y mente acontecía.

Durante el viaje hablaron lo necesario. Frío profesionalismo fue lo que reinó.

—Mañana, a primera hora, mande a certificar los documentos. Buenas noches, señorita Navarro. —Subió a un enorme auto negro que ya lo esperaba en el hangar y sin mirarla una sola vez cerró la puerta. La joven pestañeó torciendo los labios. Casi sentía helada su piel, como si un hombre de hielo fuese ese con el que había compartido ardientes momentos. Otro auto apareció, era el suyo, subió después de darle su equipaje al chofer y en silencio observó cómo serpenteaba la enorme Ciudad de México. Saludaría a su abuela, dejaría sus cosas y se iría a desfogar, sentía que las piernas, las manos y la cabeza le cosquilleaban, necesitaba dar fuga a lo que la estaba aturdiendo, alternado, incendiando.

Bailó por más de una hora en aquel lugar, ya no había nadie salvo Paloma que verificaba algo en el ordenador y que estaba acostumbrada a verla hacer eso desde que tenía uso de razón. Algo estaba alterando a Kristián, llevaba más de una hora y media ahí, dando piruetas y dejando salir lo que su mente no le permitía. Con los brazos cruzados la estudió desde una esquina al desocuparse. Lo hacía hermoso y era una lástima que no pudiera dedicarse a ello.

—Ya casi es medianoche, me parece que es suficiente —soltó apagando la música de pronto, a veces era necesario frenarla. Su amiga se detuvo girando sudorosa. Resopló tomando agua de la botella—. ¿Ya me dirás qué te pasa? —la interrogó. Kristián se recargó en un muro dejando salir un suspiro—. Tu abuela no es, estuve con ella por la tarde... ¿Qué pasó en ese viaje, Kris? —La trigueña negó encarándola. Era su mejor amiga, no le salía nada bien mentir.

—Me acosté con él —soltó mostrando los dientes. Paloma se irguió abriendo los ojos de par en par comprendiendo de inmediato a quién se refería.

—¡Joder! —exclamó tapándose los labios, paralizada.

—Sí, sí, ya sé y no digas nada —Le pidió pasando a su lado y tomó su mochila. Su amiga la detuvo por el brazo.

—No, no, no. No puedes soltar eso y después pretender irte. ¡¿Cómo que te acostaste con ese hombre?! ¡Estás loca! —Su gesto iba de la diversión, asombro, a la preocupación. Kristián se sentó en una banca cercana negando.

—No pienso, Paloma, simplemente no pienso cuando está a mi lado, cuando me ve... —susurró entre asombrada y en medio de una ensoñación, que solo él generaba. La otra joven comenzó a dar vueltas por el lugar, desconcertada—. Mi cuerpo actúa y es como si mi cerebro se declarara en huelga, lo juro. Sabes que yo no soy así y también que suena patético, pero es justo lo que sucede —admitió turbada.

—Andrés te dijo algo que yo comparto; tú no eres de un revolcón, no saldrás bien de esto. Además, es tu trabajo, lo que querías, pensé que te gustaba. Digo, el hombre es un maldito *playboy* que provoca las ideas más ardientes, pero de eso a que pierdas la puta cabeza y te acostaras con él... Kris —se sentó a su lado nerviosa—, perderás —murmuró despacio.

—No perderé —zanjó levantándose y enseguida se colocó la chamarra. Ahora parecía algo molesta—. No sé por qué eso es lo único que he escuchado los últimos días, ¿qué tal si el que pierde es él? No es el único trabajo en la ciudad y yo sé lo que hago, me gradué con honores, he trabajado y estudiado mucho, pero además... vivo, Paloma, y no permitiré que nada me hunda.

—¿Qué intentas decir? ¿Qué él no? —intentó saber intrigada.

—Quiero decir que no me interesa, qué su vida me importa un carajo...

—¿Es solo deseo? ¡Vamos, Kris! —Le dio un leve empujón cuando tomaba también sus cosas para que salieran juntas.

—Eres una metiche —reviró sonriéndole y le regresó el empujón, conocía su tono—. El día que lo tengas enfrente sabrás de qué hablo, y sí, es solo deseo, jamás podría sentir algo más por un ser tan amargado, tan frío, tan...

—Ya, ya, ya entendí, el tipo es insoportable, pero es guapísimo y sabe lo que hace como para que mi casi hermana esté entrando en un juego de ese tipo —terminó con picardía. Kristián negó soltando una carcajada, de nuevo esa palabra.

—No nado en experiencia, pero... ¡Oh, sí! Ese energúmeno sabe lo que hace —admitió mostrando los dientes. Paloma se abanicó el rostro—. Estás insoportable, ve con tu noviecito que yo mañana tengo que madrugar.

—Y ver a ese espécimen frío pero ardiente —bromeó. Kristián rodó los ojos—. Ya vete, pero no te salvarás de los detalles —advirtió con las manos en la cintura, entornando los ojos. La joven negó riendo.

—Estás loca, yo no te los pido de ti y Andrés —le recordó riendo, sus autos estaban estacionados uno al lado del otro.

—Porque te aburrirías, somos una pareja normal, Kris —se defendió sacando las llaves de su bolso.

—¿Y por qué crees que lo que hice fue diferente, Palomita? Un hombre y una mujer, nada más —le quitó la alarma al auto y se despidió con la mano.

—¡Esa no me la trago, ese parece un dios! —escuchó que le gritaba divertida. Rodó los ojos y condujo hasta su casa. Ni él era un maldito dios, ni ella una niña estúpida.

Cuando Cristóbal pasó frente a su escritorio apenas si la miró. Bien, pensó, así sería más sencillo, lo que sucedió allá, moriría allá.

—¿Mandó los documentos? —quiso saber sin despegar los ojos del monitor al quedarse solos.

—Conozco mis funciones, señor Garza. —Sabía que tan solo debió decir «sí», pero es que notar la indiferencia con que se manejaba ya resultaba patético. Evitaba su mirada deliberadamente hasta el punto de ser grosero, le respondía a tirabuzón y hablaba de forma ruda. Por mucho que lo sucedido fuera un grandísimo error, tampoco debía comportarse como un patán o un chiquillo de diez años, por lo mismo no pudo evitar provocarlo un poco.

Ese jodido aroma llegó a su nariz desde que pasó frente a ella unos minutos atrás. Aquella noche, después de tener relaciones de forma enloquecida, solo en la oscuridad de su habitación, decidió mandar todos esos pensamientos referentes a su piel, aliento y demás, a un baúl donde los mantuviera bien guardados. No valía la pena que la poca paz que tenía se viera trastocada por esa diablesa de cabello marrón y ojos chispeantes. En otro momento, quizá, ahora... ni hablar. Sin embargo, estaba costando demasiado. Esos juegos le parecían ridículos, absolutamente absurdos, no obstante, la deseaba, moría por tenerla nuevamente como ese par de ocasiones. Esa mujer lo hacía sentir ardiente, calentaba hasta su última hormona y era condenadamente difícil arrancar su imagen arqueándose mientras la provocaba como un animal en celo.

—Puede retirarse, señorita Navarro —habló con voz pausada—. Quiero todo listo para la junta con Gregorio hoy por la tarde —pidió. Kristián apretó los labios asintiendo, ni siquiera la miraba. ¿Hasta dónde llevaría esto?

—Bien, así será —avaló y salió un segundo después. En cuanto la puerta se cerró Cristóbal soltó la tensión acumulada. Se recargó en su mullida silla resoplando. Poco menos de cinco meses para que eso acabara y ya sentía que no lo lograría. Negó sonriendo levemente al recordar su tono mordaz de hacía unos segundos. Esa chica era dinamita, en más de un sentido, admitió para sí, por lo mismo no debía tenerla cerca.

La semana trascurrió así; ella entraba, dejaba su maldito olor en todo el despacho, hablaba lo necesario, trabajaba como pocas, hábil hasta dejarlo realmente impresionado, para después, en el comedor observarla reír abiertamente, comer con apetito, parecer una joven despreocupada, soñadora, feliz. De todo lo vivido durante el día a su lado, esas eran las partes que más trabajo le costaba presenciar, las que más hacían que la deseara. Ella derrochaba alegría y al poner mayor atención a sus movimientos, notó como se relacionaba con todo el personal sin problema. ¡Carajo!

El jueves por la mañana, después de haber cerrado un trato con una pequeña cadena de comida rápida para adquirir algunas franquicias, se sintió extrañamente agotado. Kristián lo mantenía en tensión, esa jodida junta la manejó con un dedo y los imbéciles con los que trataron la observaron como si de un maldito caramelo se tratara, y no podía culparlos, era bellísima de una manera muy natural, pero su seguridad embrutecía, su forma de emplear cada palabra y esa jodida manera de sonreír con complicidad la convertían en una mujer irresistible.

¿Estaría sola?, ¿tendría una pareja?, ¿con quién viviría?, ¿tendría algún interés en alguien?

Al comprender por dónde iba su mente apretó los puños, rabioso. ¡Qué carajos le importaba! Sin embargo, esas eran preguntas que al percibir cómo contemplaban, comenzaron a emerger como un torrente sin contención. Llegó hasta la cafetería, salió por una puerta trasera a la enorme terraza de ese altísimo edificio para tomar un poco de aire. Observó la ciudad aflojándose un poco el nudo de la corbata. Se estaba consumiendo, lo sabía y era ya ridículo. Pasó varios minutos así, pensando, cavilando, evocando su miserable pasado, las circunstancias por las que ahora se sentía vacío, cubierto de hielo por cada rincón de su ser. Más de dos años y el odio por su proceder, pese a terapias, seguía ahí.

Giró, un poco más despejado, al hacerlo, a través de los enormes cristales, la vio. Compraba algo, un dulce seguramente, eso era lo que solía comer cuando según ella nadie se percataba, tenía algo de infantil que lo mantenía en vilo. De pronto un joven, que no tenía idea de en qué departamento laboraba, se acercó. Ella le dio un abrazo caluroso y luego le tendió lo que acababa de adquirir, no definía muy bien qué era, pero sí cómo el chico sonreía feliz y la cercanía con la cual se manejaban.

Entró rabioso sin ser visto. Bajó hasta su oficina, ahí hizo un par de llamadas y espero... ¡Al infierno! ¡Ahí terminaría, pero le importaba un carajo!

Kristián llegó sonriendo a su escritorio minutos más tarde, desconociendo que él, el responsable de su insomnio, la había estado observando sin que se percatara.

—Lauro quedó feliz, obviamente sospechó que era tuyo, Blanca —soltó con picardía. La joven le pidió llevase un pequeño pastel que dejó en los refrigeradores de la cafetería a ese chico de forma anónima... Ambos salían desde hacía un mes, ese día era su cumpleaños y su compañera le pidió a Kris, al verla dirigiéndose hacia allá, que se lo diera. El hombre se llevaba bien con ella y quería sorprenderlo, cosa que logró.

—Gracias, Kris... —Su semblante preocupado la desconcertó—. El jefe quiere verte, parece muy enojado. ¿Sucedió algo? —preguntó agobiada. Kristián frunció el ceño, la junta había salido más que bien, ahora qué lo tendría de mal humor. Su relación se había mantenido en el límite de la cortesía y de la frialdad también, eso la hacía sentir extraña, sí, perdida incluso, pero él parecía manejar el asunto de la indiferencia sin problemas. Lo cierto es que las chispas entre ambos brotaban sin proponérselo, sin embargo, apeló a toda su madurez y de alguna manera agradecía que las cosas quedaran ahí, en un plano estrictamente profesional.

—No que yo sepa, pero no creo que se necesite mucho para que se ponga así —admitió aligerando el ambiente y haciendo reír a sus dos compañeras. Siempre tenía esa chispa fresca y eso provocaba que todo fuera incluso divertido.

Tomó su *tablet* y entró sin tocar.

Cristóbal veía una de las pantallas donde la bolsa de valores proyectaba su estado. Siempre se encontraban encendidas con la información al momento.

Alto, imponente, con sus manos tras su cadera, atento.

—Quería verme —musitó fingiendo serenidad. Ciertamente lucía tenso.

—Tome asiento —ordenó sin girar. La chica asintió y obedeció—. Frente a usted hay un sobre blanco, ábralo —pidió sereno. Kristián lo hizo. Una tarjeta estaba ahí. Era una dirección escrita con su letra, la colonia no era lejana, pero no comprendió de qué iba. Arrugó la frente, le dio la vuelta intrigada, al ver lo que decía abrió los ojos asombrada. Su corazón se detuvo, así como sus pulmones.

«Juguemos».

—¿Q-qué? —logró decir, atónita. Cristóbal ya la miraba con indolencia.

—Ese edificio lo tengo desde adolescente, es pequeño, nada llamativo, lo acabo de remodelar, el ático está ya acondicionado. ¿Hoy, ahí? —soltó acercándose, esperando alguna reacción. La joven se levantó, azorada. Su cuerpo despertó enseguida, aun así, le pareció insólito.

—¿Es en serio? ¿Quiere que usted y yo...? —no pudo terminar porque el hombre se ubicó frente a ella y sin frenarse ni un poco la tomó por la cintura de un solo movimiento y la pegó a su cuerpo. Kristián dejó salir un respingo al notar su excitación, sus ojos verdes dilatados, clavados en los suyos.

—También lo quieres... —refutó. La joven se humedeció los labios sintiéndolos de pronto muy secos, la saliva incluso se había tornado espesa y su enorme pecho emanaba ondas de calor que recibía de forma directa.

—¿Quiere acostarse conmigo nuevamente? —soltó sin filtro. Odiaba ir por las ramas, más aún con él que nunca sabía lo que en su mente un tanto torcida ocurría. Cristóbal enarcó una ceja, indolente.

—Sexo, yo no me acuesto con nadie, Kristián —aclaró. Su forma de nombrarla la hipnotizó, de alguna manera lo decía sensual, casi con lujuria impresa en cada letra. La piel se erizó de inmediato.

—Entonces habrá reglas —interpuso deleitándose con su aliento, con su loción, con sus palmas bien aferradas a su cadera, ahora. Ella tampoco planeaba ir más allá, no con alguien tan frío, tan seco emocionalmente, sin embargo, una aventura con ese colosal hombre era algo que la jalaba desde el estómago y que moría por probar, pese al temor que definitivamente sí rondaba por todo su sistema.

—Es un juego, claro que las habrá, las discutiremos ahí —declaró serio.

—Hoy no puedo... —murmuró respirando agitada. La quijada de Cristóbal se tensó.

—Su novio —la desafió mostrando los dientes y mirándola como solo Satanás podría hacerlo.

—Mi vida —manifestó alzando una ceja, jamás se dejaría dominar y eso debía dejarlo claro desde ya—. Mañana —aceptó sin más.

No tenía una jodida idea de lo que estaba haciendo, pero al diablo, ese hombre la estaba incendiando cada noche y ya no podía esconderlo, no con él tan cerca, con sus labios duros a un par de centímetros. Parecía una criatura proveniente del infierno y tan tentador como el que más. No, no podía contenerse, no quería. No tenía idea de lo que el destino tenía preparado para ella, pero desde hacía mucho tiempo decidió que tomaría lo que la vida le diera mientras no hiriera a nadie, eso no perjudicaría a un tercero simplemente porque para ambos no existían.

El hombre asintió con dureza.

—Bien, mañana tendrá aquí la llave —la apretó un poco más con una mano, con la otra aferró su cuello y lamió con lujuria sin cerrar los párpados la comisura de su boca—. Hasta ese momento, deje de provocarme —ordenó con advertencia. Kristián sonrió negando levemente, de verdad solo él se entendía, pero le importaba poco.

—Hasta ese momento, usted deje de acercarse —mordisqueó osadamente uno de sus labios y se alejó—. Así que... ¿Necesita algo más? —Su sangre viajaba vertiginosa por todo su cuerpo. Era como estar justo en la punta de un juego mecánico que estaba a punto de caer libremente. La adrenalina se arremolinaba en su estómago y la expectación crecía tanto como el deseo fiero de volver a tenerlo dentro de ella, de forma urgida, bestial, sin control. No tenía idea de qué le ocurría con él, pero no pensaba con coherencia, con cordura.

—Puede retirarse —musitó su jefe observándola de arriba abajo con abierta lujuria, desnudando con sus duros ojos verdes ese cuerpo que ya conocía y moría por volver a probar, a torturar, a adentrarse.

Al salir las mejillas las sintió calientes y las piernas le temblaban. ¡Dios, qué había hecho!

—¿Todo bien, Kris? —ambas compañeras la observaban expectantes. Asintió sin poder articular palabra, solo sonrió y se sentó en su escritorio. Una energía peculiar circulaba por sus piernas, por su vientre, por sus manos. Cerró los ojos un segundo, podía escuchar a su corazón andar más rápido de lo normal. Debía relajarse. ¿Realmente quería entrar en algo como eso? ¿Podría con lo que implicaba? No tenía idea, pero de solo pensarlo hacía combustión y a lo mejor si la necesidad que evidentemente ambos sentían se saciaba, pronto pasaría esa faceta y podría continuar con su vida y planes.

Durante la reunión poco se miraron, así como lo que restó de la tarde, sin embargo, más conscientes que antes de su ansiedad, cuando sus ojos chocaban algo ardía en el interior de ambos y millones de mensajes cargados de seducción emanaban.

Kristián llegó a El Centro hecha un manojo de nervios, desesperada por dejar salir de una vez todo eso que no encontraba escape. El ensayo estuvo fuerte, no les dio tregua, además la presentación al Concurso de Arte y Cultura que el gobierno montaba cada año se acercaba y debían dar lo mejor pues incluso algunos directores de academias asistían para otorgar becas o simplemente ganar un premio que consistía en donaciones mayores para el lugar. Solían quedar en los primeros sitios y en dos ocasiones en primer, incluso ya le habían ofrecido a ella trabajo y patrocinadores por si deseaba dedicarse de lleno a ello. Negando sin remedio, lograba que los chicos fueran los que salieran beneficiados de aquellas propuestas. Negociadora por excelencia, conseguía regularmente lo que se proponía, pese a no poder dedicarse a lo que realmente le apasionaba.

—Casi rompen la duela —soltó Andrés al verla tomar agua después de que los chicos salieran de ahí. Eran las once.

—No exageres —musitó quitándose el sudor con una toalla.

—Paloma me contó todo... —Kristián entornó los ojos torciendo los labios, se lo imaginaba—. No te daré un sermón, es tu vida, pero piensa muy bien lo que harás. Esa clase de cosas rara vez termina bien para alguien que no es experto en esos juegos. —La joven respiró hondo.

—Por algo se empieza —musitó despacio. Andrés negó riendo, pasándose una mano por la cabellera oscura. Kristián era indomable, de mente inquieta y no solía limitarse.

—Tú no eres así...

—Lo deseo, eso es todo, eso no me convierte en una cualquiera; si es lo que tratas de decir —replicó seria.

—Jamás diría algo tan machista, me conoces —la encaró estudiándola—, pero no dejar el corazón en cada cosa que haces, Tián, no es lo tuyo. Tú vives, vives con intensidad, no quiero que te lastimen.

—No será la primera vez —refutó cruzándose de brazos—, y además, un hombre así ni en sueños podría pensarlo para algo más.

—Porque jamás te vería como algo más... —aclaró. Kristián se acercó un tanto irritada, adoraba a sus amigos y sabía que deseaban protegerla, ella misma sabía que debía hacerlo, pero su cuerpo no pensaba igual y era dificilísimo luchar contra ambos.

—¿Y qué te hace pensar que yo quiero algo más de lo que él quiere? —Negó con su dedo índice—. Él me desea, yo lo deseo, no hay absolutamente nada más. Recuerda el asunto de la equidad, ya no estamos en el siglo diecinueve.

—Sabes que no es por ahí, te quiero y me importa tu bienestar. Solo cuídate —le suplicó al verla alejarse. Ya un imbécil le había roto el corazón cuando más vulnerable se encontraba, partirle la cara no bastó, no con lo bajo y cobarde que fue.

—Lo haré, Andrés, no te preocupes.

Y desapareció dejándolo ahí, agobiado. Kristián estaba adentrándose en un terreno desconocido, solo esperaba que esa asombrosa inteligencia que portaba la ayudase a no salir herida, de nuevo.

Inmersa en sus pensamientos durmió poco, no era raro, pero en esa ocasión no era su recurrente exceso de energía, sino lo que sucedería al día siguiente. Temía por su trabajo, pero tampoco por eso iba a dejarse manejar. Por otro lado, la intriga de eso que le ofrecía podía con ella más que su conciencia, que esas campanas de alerta que resonaban una y otra vez advirtiéndole el peligro inminente. Si entraba en ello... qué sucedería después, ¿de verdad podría separar el corazón de su cuerpo? No tenía idea, pero ese hombre lo pensaba casi todo el tiempo, y no diciéndole dulces palabras, sino brindándole un placer que jamás creyó que se pudiera experimentar, un derroche de pasión que era inimaginable. Bufó torciendo la boca. En qué líos se metía.

Por la mañana todo transcurrió como solía, con la variante de que al quedar solos él le tendió una sencilla llave que llevaba colgada el número del apartamento y una tarjeta plástica.

—El sitio es algo pequeño, escondido, pero te mandaré la ubicación. Deja tu auto en el estacionamiento subterráneo, hay dos lugares. Con eso —y señaló lo que le dio—, tendrás acceso y el elevador te llevará justo al piso siete, donde está el estudio, es la única puerta —explicó. Ella asintió seria, observándola detenidamente.

Cristóbal apretó los puños, sabía que lo que estaba por hacer, que lo que proponía era bajo, no debía, no tenía derecho, sin embargo, ella no lucía atemorizada, tampoco insultada. Lo deseaba, tanto como él, ambos buscaban saciar eso que circulaba cuando se tenían cerca, y en su caso, cuando no, también. No podía ofrecer más, jamás, a nadie, así que idear todo aquello fue la única salida que encontró para que las cosas fluyeran de una maldita vez entre los dos. Ese ático era ideal, nadie los vería, seguro, y tenía lo indispensable para poder dar fuga a lo que en su interior bullía. Pero toda esa resolución cayó al verla así, reflexiva, con aquel objeto en su mano. A lo mejor no debió intentar llevar las cosas por esos rumbos, no con alguien que claramente no estaba acostumbrada a ese tipo de situaciones.

—Si no está segura, no tiene que hacerlo... Ya le dije que tu trabajo no peligra, no soy tan bajo —murmuró guardando su ansiedad. La chica elevó sus ojos avellana. Una singular corriente lo sacudió. Torció la boca ladeando la cabeza levemente.

—Ahí estaré —declaró con firmeza y se levantó sin decir más.

El hombre la observó frotándose la frente. ¿Por qué la deseaba de esa jodida manera? Desde adolescente no había experimentado esa ansiedad por alguien y juró que no volvería a ocurrir, se equivocó, esa chica, si no se cuidaba, lo manejaría con un solo dedo, así que era mejor someter las sensaciones y darles fuga de una maldita vez para no estar vulnerable ante el deseo.

8
VIVIR

Dio sin problema con el lugar. Su jefe se había marchado a las siete, pero ella aún tenía cosas que hacer, por lo que hasta no avanzar no salió de ahí, una hora y media después. El tránsito, como era de esperar, la demoró, sin embargo, llegó quince minutos después de la hora estipulada ya que no estaba lejos de donde eran las oficinas.

Con las palmas sudorosas y el corazón martilleando siguió las instrucciones. Se asombró al ver que no era una torre a todo lujo, aunque sí lucía prácticamente nueva. Se hallaba algo recóndito, además, se ubicaba en una calle cerrada que no daba mucha opción a la circulación.

Divisó el auto de Roberto, evidentemente, él sabía que iría y eso, sin poder evitarlo, coloró sus mejillas. Resopló logrando así que su flequillo se moviese. ¡En qué cosas se metía!

Dejó su coche al lado del suyo. Encontró sin problema el elevador y subió. Esperó en silencio torciendo la boca de un lado al otro. La expectación, nervios y ansiedad, no ayudaban en nada, al contrario, en dos ocasiones estuvo a punto de detener el aparato y regresar a la seguridad de su vida, de lo que sí conocía, sin embargo, al evocarlo, al imaginarlo de nuevo tan cerca, el calor subía y la cabeza dejaba de pensar pues el cuerpo la dominaba por completo.

El ascensor se abrió, respiró hondo y avanzó. La puerta era de madera oscura. Elevó la mano, iba a tocar, pero recordó la llave que portaba. La sacó del bolso y sin pensarlo mucho la introdujo haciéndola girar. Su pulso se disparó al escuchar la suave música en el interior. Entró con cautela. El sitio no tenía nada de austero, notó.

Del lado derecho, ventanas de piso a techo cuadriculadas con herrería negra, un metro adelante, una diminuta cocina del lado izquierdo y justo enfrente, una sala con dos sillones para dos personas y una banca recargada en las ventanas que daban a una terraza iluminada de manera íntima.

Pasó saliva sintiéndose de pronto como una niña. Todo estaba perfectamente decorado por expertos, eso era evidente, no obstante, ese sitio no tenía el alma de nadie. Lo vislumbró afuera, hablaba por el celular y llevaba una copa en la mano. Dejó el bolso en la pequeña barra de la cocina.

No tenía nada que hacer ahí, se dijo observándolo todo, encontrándolo demasiado frío, incluso inundado de colores cálidos. La cama estaba justo tras una simulación de muro que daba a lo que era la sala. Las palmas le sudaron al recordar por qué estaba de pie en ese sitio.

—¿Reconociendo el terreno? —Su voz logró que diera un respingo. Giró pestañeando. Él se hallaba justo en la entrada de la terraza con la camisa abierta de los dos primeros botones y sin corbata. Enseguida la sangre bombeó como desquiciada.

—Es bonito —musitó sin moverse. El hombre dejó vagar la mirada por todo el lugar como si no lo hubiese notado.

—Pensaba rentarlo... Es como cualquier otro sitio —comentó midiendo sus reacciones. Pese a que siempre parecía relajada, le agradó verla por primera vez algo tensa. Eso era nuevo—. ¿Quieres un poco de vino? —le invitó acercándose. Kristián asintió sin perder detalle de sus movimientos. Un segundo después le tendió la copa. En cuanto el líquido entró, su sistema se lo agradeció, lo necesitaba.

—Así que no es el lugar donde... —Cristóbal rio, dando un trago a su bebida.

—No, pero no creo que eso te incumba —acotó. Ella, en respuesta, arqueó una ceja y se sentó en la bracera del sillón color perla sonriendo con desgarbo. Tenía razón.

—¿Tan rápido llegaremos al momento de las reglas? —preguntó cauta. El hombre, con movimientos felinos, se acercó acechándola.

—Te deseo, me deseas... No hay más.

—No habrá más —soltó la joven de nuevo bebiendo. Ya estaba a menos de un metro de distancia.

—Es libre de hacer de su vida lo que le plazca, yo también.

—Hablémonos de «tú» cuando estemos solos —propuso de pronto. Él rio asintiendo—. Lo que aquí suceda no intervendrá en lo laboral.

—Bien.

—Y si esto termina hoy o en una semana, porque alguno de los dos ya no desea «jugar», no habrá represalias... —propuso. Cristóbal terminó con los centímetros que los separaban, le quitó la copa con parsimonia y la observó.

—Aquí no está empezando nada, Kristián, es sexo... nada más. Y si continúa, o no, tu bendito trabajo no se verá involucrado. ¿Está claro ya? —La joven asintió respirando cada vez con mayor dificultad pues él iba descendiendo con deliberada lentitud, tanto que sentía la estaba seduciendo.

—No quiero sentir que lo decides todo —murmuró logrando que se detuviera, ya casi sobre su rostro. La miró sin comprender—. No deseo que seas el único que marque la pauta —explicó embelesada con su boca dura, su aliento a licor.

—¿Qué propones? —quiso saber al verla casi derretirse y, aun así, no dar su brazo a torcer.

—Que... —pasó saliva y elevó los ojos— si hemos de vernos nuevamente, aquí lo acordemos. No dispondrás de mi tiempo, ni yo del tuyo.

—¿Eres una mujer muy ocupada o una feminista que no soporta al sexo opuesto? —La cuestionó intrigado.

—Soy igual que tú —lo desafió sin temor—, no me gusta que me digan, ni me ordenen fuera de lo estrictamente laboral —expuso con simpleza. Él volvió a reír, ahora de manera más genuina y al ver su expresión casi deja de respirar, se veía más joven, más... hermoso.

—Bien, un poco de ambas, entonces. No planeo inmiscuirme en tu vida, Kristián, ni permitiré que lo hagas en la mía. Nos vemos cuando deseemos, y ya, así, sin nada más —replicó. Ella ladeó la cabeza con picardía.

—O sea que no importará si yo te cito aquí —interrogó intrigada. Cristóbal se estaba entreteniendo como hacía mucho no le pasaba. Le gustaba su manera, su cabeza, sus ocurrencias.

—Haz la prueba en otra ocasión y sabrás —la desafió. Ella soltó la carcajada.

—Lo haré. -Y de inmediato, sin que lo viera venir, el hombre invadió su boca con desenfreno. Al sentir su ansiedad igualar la propia, dejó salir un gemido de aceptación. Lo tomó por el saco y lo saboreó desesperada. Su aliento, tal como lo recordaba, colonizó de nuevo sus sentidos, derramando ese cosquilleo por toda su piel, sumergiéndola en ese estado en el que nada importaba salvo su enorme cuerpo tan pegado al suyo.

Desabrochó los botones de su camisa mientras sentía aquellas manos bajando la cremallera de su falda. Lentamente las prendas fueron saliendo de sus cuerpos entre gemidos y jadeos.

En cuanto la tuvo con ropa interior la alzó para que enredase sus piernas en torno a su cadera. Avanzó con ella a cuestas sin poder esperar mucho más. Esa semana fue estúpidamente agónica, desesperante. La necesitaba de una jodida vez, ya, en ese momento. La piel de la chica encrespada, arqueándose, dejando salir aquellos suaves quejidos que lo idiotizaban.

En cuanto la colocó sobre la cama mandó al infierno las últimas prendas que los separaban. Con habilidad llevó el rostro hasta sus senos y comenzó aquella tortura con la que comenzaba a familiarizarse; lamiendo, mordisqueando, jugando con su lengua. Pronto su mano viajó a su centro, hundiendo uno de sus dedos sin contemplación.

—Cristóbal, Dios —gimió sudorosa, aferrada a su espalda, dejándose llevar como cada vez que compartía su cuerpo con él. Ningún pensamiento entraba, solamente la ansiedad, la necesidad, las ganas de poseerlo, de que la poseyera.

—Aguarda un poco... —musitó él transpirando como si el aire que se colaba por las enormes ventanas no llegara hasta ahí—, esperé demasiados días y quiero probarte, completa —murmuró y volvió a besarla, para después descender por su oreja, su cuello, de pronto, de un movimiento la hizo girar bocabajo y comenzó a explorar toda su piel con los labios.

Tenía un cuerpo bellísimo, demasiado natural, absolutamente sublime, pero, además, pese a ese temor que percibía, lo prendía aún más que se dejara llevar por las sensaciones de esa manera tan irreal. Notó su nerviosismo, sonrió con audacia, se acercó a su cabeza, con un dedo la hizo voltear y la besó con renovada pasión. La tomó por la cintura, hizo que se irguiera y la sentó sobre él con su espalda pegada a su pecho.

—Solo disfruta, aquí no pasará nada que no quieras. —Jadeó al adentrarse en su cuerpo después de protegerse y aferrar uno de sus delicados senos con una palma y su cadera con la otra. Ella dejó salir un gemido lleno de asombro, recargando su nuca en la curva de su cuello. Con movimientos lentos la invadió una y otra vez. Deslizó su mano hasta sus pliegues y jugó con su centro logrando que la joven se retorciera sin saber qué hacer salvo aferrar con una de sus manos su pierna por miedo a perder el equilibrio y con la otra apretar su propio cuello llena de excitación, de algo desconocido, de desesperación por no poder tenerlo frente a ella.

Cristóbal, al percibir su ansiedad, sujetó su barbilla con gentileza arremetiendo con mayor velocidad y la besó hundiendo a la vez su lengua cada vez más hondo. No tardaron en llegar a ese acantilado donde cayeron juntos en medio de jadeos y gruñidos.

Al terminar, descansó la frente sobre su angosta espalda. Su corazón aún pulsaba como si hubiese corrido un maratón, mientras ella, parecía laxa pegada a su cuerpo, con la mano de él enredada en su cintura para sostenerla.

Con cuidado la dejó sobre el colchón y se levantó. Un segundo después regresó, Kristián continuaba en la orilla recuperando el aliento, con su cabello marrón suelto, cayéndole en cascada, ondulada, un tanto desordenada, a los lados de sus hombros. De pronto alzó la cabeza sonriendo.

—No me reconozco —admitió con simpleza. El hombre entornó los ojos asintiendo.

—Es bueno saberlo —murmuró con gentileza y se colocó el bóxer, serio. Estaba seguro de que esa chica no estaba acostumbrada a ese tipo de encuentros, pero no lograba entender por qué entonces su actitud fuera de la intimidad parecía lo contrario. Debía irse con cuidado, recordó—. Si tienes hambre hay algo de comida en el frigorífico —le informó.

Kristián notó como se retraía nuevamente. Sonrió encogiéndose de hombros mientras se vestía también y se acercaba a la cocina abrochándose la falda, con el sujetador ya puesto. Había fruta, queso y carnes frías acomodadas de forma elegante. Alzó las cejas. Las personas con dinero a veces eran muy excéntricas, reconoció. Le importó poco, sacó las primeras dos opciones, famélica, y comenzó a ingerirlas.

—Mencionaste que tomas precauciones en Quebec —dijo él mientras abotonaba la camisa y la observaba comer con suma atención, casi deleitándose por lo que a sus labios se llevaba. Asintió sin darle mucha importancia.

—De un tiempo para acá. Tengo un desajuste hormonal —explicó llevándose una uva a la boca, extasiada.

—Yo también continuaré haciendo mi parte —anunció, osco, sin decir más.

—Bien... Creo que es lo justo... —alzó la mirada. Ya estaba completamente vestido. Arqueó las cejas asombrada—. Es viernes por la noche. Si debes irte, hazlo, por mí no te detengas, prometo que en unos minutos salgo de aquí, solo que de verdad necesito comer —declaró sin vergüenza. Él se acercó intrigado, no era nada común esa mujer, al contrario, lo opuesto a lo que conocía, muy similar incluso en ciertas cosas a Andrea; esa vitalidad, esa sonrisa... Y el que fuera viernes en su miserable vida hacía mucho que dejó de importar, cualquier día daba lo mismo, eran igual de grises, de opacos, de vacíos.

—Adelante, puedes arrasar con eso —le invitó señalando la fuente que devoraba. De pronto Kristián se percató de que lo que hacía; había acaparado la comida.

—Yo... Lo siento —se disculpó avergonzada y se la acercó sonriendo con timidez. Negó de forma educada, impecable. Iba con el torso prácticamente sin ropa y parecía darle lo mismo, era raro ver a una mujer no buscar cubrirse toda de inmediato, o no cubrirse para generar algo en él, pero tal parecía que ella estaba simplemente a gusto con su anatomía y no era que pensara lo contrario, pero eso le resultó fresco, diferente.

—¿No te gusta la fruta? —lo cuestionó mordiendo una fresa con delicadeza. Al observar ese gesto nuevamente el deseo apareció. Lo conseguía con una facilidad que lo irritaba, que lo destanteaba porque sentía que el control lo perdía y eso lo desquiciaba. Se cruzó de brazos comprendiendo que, si lo quería, podía volver a tenerla, a enterrarse en su ser, sin embargo, debía salir de ahí, tenía en menos de una hora una videoconferencia con el dueño de una cadena importante de hoteles en la India.

—Tengo la junta con Aakil Bhatia —le recordó tomando sus llaves. Kristián abrió los ojos recordándolo.

—Cierto, yo... Ya me marcho —pudo decir y de inmediato guardó las cosas en su lugar.

—Puedes quedarte y terminar con todo lo que hay dentro —soltó casi riendo, notando que con ella cerca lo hacía sin percatarse. La joven lo observó midiendo sus palabras, buscando otro significado—. Y no te preocupes, la próxima vez pediré que coloquen también algunas golosinas.

—Eso me agradaría —replicó sonriendo como solía, pegada de nuevo a la barra de la cocina. Él asintió sin decir ya nada más, cuando se iba, regresó.

—El lunes... ¿Aquí? —preguntó mirándola fijamente. La joven giró reflexionando.

—El martes, o este domingo —propuso. Él sacudió la cabeza entornando los ojos.

—El domingo...

—A las ocho —declaró metiéndose otra uva en la boca.

—A las ocho —y desapareció. De alguna manera se las arreglaba para ser él quien tomara las riendas, cosa a la que no estaba en absoluto acostumbrado. Pero no quiso pensar más, debía hablar de números con ese hombre y revisar la información. Con la mente ahora más despejada y sin esos risueños ojos rondando cada dos segundos, lograría lo que pretendía; venderle una cadena que estaba por adquirir y que podía, con ciertos ajustes, ganarle una fortuna.

Por la mañana Kristián llegó temprano. De inmediato recibió del guardia un panecillo cuidadosamente envuelto. Lo observó arrugando la frente.

—Perdimos ayer... tres, cero —explicó el hombre ante su desconcierto. De inmediato recordó el partido. Enseñó los dientes riendo. Lo había olvidado.

—Se lo dije, don Nacho, no ganaría. ¡Gracias! —expresó y alzó lo que le acababa de dar sonriente.

—El lunes estaré esperando el mío —le dijo amablemente. Ella negó torciendo la boca y entornando los ojos.

—Ni lo sueñe —replicó.

Cristóbal observó de lejos lo que ocurría, iba entrando cuando notó la interacción. Sin más pasó frente al guardia saludando como siempre, solo con un ademán de cabeza. Era asombroso que hiciese relación con todo el que cruzara por su camino.

Kristián esperaba el elevador, junto con otros dos empleados, oliendo lo que le acababan de dar, clandestinamente. De repente sintió una mirada sobre ella, giró y lo vio. Su expresión ingenua, infantil, desapareció. Lo saludó con la cabeza, para después hacer lo mismo con Roberto que no mostraba saber absolutamente nada de lo que ya estaba enterado.

Lo observó andar hasta su oficina con esa fría indiferencia; sin mirar a nadie, sin fijarse en nadie, sin hacer contacto con nadie. Era increíble que el hombre ardiente del día anterior, casi humano, fuera ese témpano de hielo que caminaba ajeno a todo lo que a su alrededor ocurría.

Dejó sus cosas sobre el escritorio, prendió el ordenador, la *tablet* y esperó evocando la noche anterior. Aún sentía su ardiente aliento adherido a su piel. Resopló sonriendo levemente.

—¿Qué es tan divertido, Kristián? —Lorenzo apareció ahí, con unos papeles en la mano. Desde aquella confrontación en la sala de juntas la miraba con odio, con coraje—. ¿Acaso ya estás pensando en cómo humillar a alguien más? —gruñó. La joven lo escudriñó de arriba abajo con desdén.

—El señor Garza aún no está disponible, hasta las nueve veinte, lo sabes. —solo dijo y volteó para tomar sus cosas. Jimena y Blanca aún no habían llegado, ese día tenían los empleados una tolerancia de quince minutos. El hombre, irritado, la aferró por el brazo haciéndola girar con brusquedad. Ese gesto la tomó por sorpresa. La pegó un poco a su pecho. No era muy alto, tal vez un poco más de uno setenta, sin embargo, atlético, apuesto y un hombre por el que había escuchado más de una suspiraba, además, de algunos otros y su jefe, por supuesto. Pese a todo eso, le caía especialmente mal por soberbio y no ser un profesional, un macho en toda la extensión de la palabra.

—Tú no eres nadie aquí, y si te vuelves a cruzar por mi camino como aquel día, me conocerás —la amenazó. Ella se soltó de un tirón, riendo.

—En primera; no me amenaces y mejor dedícate a hacer bien por lo que te pagan. Y segundo —Se acercó un poco más ahora con cinismo pintado en sus facciones—, no vuelvas a tocarme si no quieres quedar inservible por unos días, Lorenzo.

—¡Eres una jodida arpía! —bramó en voz baja. Ella rodó los ojos tomando nuevamente las cosas que necesitaba para la junta matutina.

—Pareces un crío al que le quitaron el caramelo, madura —susurró. El hombre se iba a acercar otra vez cuando la puerta de la oficina principal se abrió. Roberto notó la tensión enseguida, serio.

—El señor Garza la espera —declaró estudiando sus actitudes corporales. La joven asintió agradecida y pasó a su lado ignorando al otro empleado. El escolta miró un segundo más a Lorenzo y entró.

—Sabe que no me gusta la impuntualidad —espetó Cristóbal sin mirarla, moviendo algo de su *tablet*. Kristián pasó saliva buscando guardar el malestar que aquel imbécil le había provocado.

—Lo siento, no sucederá nuevamente —expresó con suavidad. La docilidad con la que se topó le pareció atípica, alzó el rostro para verla. Ese vestido gris claro, con aquella cinta negra rodeando su cintura, la hacía ver coqueta, delicada. Suspiró evocando lo que había debajo de esas prendas y que la noche anterior saboreó sin contenerse.

¡Carajo, seguía deseándola como un jodido enfermo! Su expresión seria lo descolocó, no solía tenerla. No lo miraba, revisaba algo en su aparato, sus dedos se movían rápidamente por la pantalla y podría haber jurado que temblaba ligeramente.

—Las reglas son claras, no toleraré que se rompan —advirtió logrando que la chica posara su atención en él. Su cabello alisado, sujeto por una coleta alta, le encantó desde que la vio entrar al edificio, no obstante, prefería que cayera desordenado por la piel de sus hombros.

—No pienso hacerlo, señor —declaró deseando ir a buscar algún chocolate, odiaba las confrontaciones de ese tipo; en El Centro a veces ocurrían, solía actuar de forma fría, buscando apaciguar los ánimos, pero en lo personal no había tenido jamás enemigos y era molesto saber que tenía uno y de esa calaña. No le temía, a pocas cosas lo hacía en realidad, pero no sería cómodo trabajar con ese imbécil.

Cuando quedaron solos Cristóbal la observó fijamente, extrañado.

—¿Sucede algo, señorita Navarro? —quiso saber. La joven negó poniéndose de pie con suficiencia.

—Espero que la videoconferencia saliera como deseaba, iré a mandar estos correos. Buenos días —respondió en cambio y giró alejándose como si lo del día anterior nunca hubiese pasado. Enarcó la ceja recargándose en la silla. Un segundo después anunciaron a Lorenzo.

—Buen día, señor —dijo el hombre con su exceso de confianza. Cristóbal lo saludó con la cabeza, estudiándolo.

—¿Me estabas esperando? —se encontró preguntando con curiosidad, pero fingiendo no darle importancia.

—Sí, es algo importante, pero Kristián no me permitió venir a mostrárselo antes. —Parecía molesto.

Alejó la mirada del ordenador para posarla sobre su empleado. Difícilmente las cosas pasaban desapercibidas para él en esa empresa donde había aprendido a analizar las actitudes y expresiones desde muy joven ya que descubrió que era de vital importancia interpretar cualquier señal a la hora de hacer negocios. Imbécil fue por no aplicarlo jamás en su propia casa, por creer en la jodida dulzura y vulnerabilidad de su exesposa; pero desde que esa mujer lo destrozó, ya lo usaba en todo momento. Así que solo era cuestión de unir piezas.

—Hizo bien, nueve y veinte es la hora en que puedo recibirlos. Me parece extraño que no lo recuerdes, Lorenzo —apuntó ecuánime, dándole un sorbo a su café.

—Jamás vendría antes de no ser urgente —argumentó. Cristóbal asintió acercándose a lo que le tendía.

—No me interesa, aquí todo funciona como yo digo… Muéstrame, qué sucede.

Estuvieron enfrascados más de dos horas en las que un par de chicas del departamento de Estrategias fueron y vinieron constantemente. Kristián las observó alteradas, pero no fue requerida, así que no se inmiscuiría, no si eso implicaba verle más de lo necesario la cara a ese tipo.

Media hora antes de que la jornada sabatina terminara, Cristóbal la llamó.

—Siéntese —le ordenó jugando con una pluma sobre su escritorio. Kristián sonriente, como solía, esperó—. Hizo bien en la mañana al no permitir que Lorenzo entrara. Solo recuerde que le dije que ya tenía un enemigo… —habló imperturbable notando cómo la expresión de su empleada cambiaba levemente, ahora lo miraba desconcertada—. No soporto las mentiras, ya lo había dicho, ¿cierto?

—Sí, señor —respondió cauta. No tenía idea de por qué, pero ansiaba escucharla decir su nombre y no esa glacial formalidad.

—Lorenzo la molestó allá afuera —afirmó sin más. Ella no se movió—, así que si vuelve a suceder lo reportará al departamento de Recursos Humanos para que levanten acta. Conductas inadecuadas no las toleraré de ninguna manera, en ningún nivel de esta empresa. Así que ya sabe qué hacer. ¿Estamos?

—Creo que no es necesario llegar a eso. Ya le quedó claro —refutó con sinceridad. Su jefe frunció el ceño—. Pero si sucede, seguiré sus indicaciones —completó rápidamente. El hombre tensó la quijada al verla sonreír como si nada, fresca, relajada—. Por cierto, habló Gregorio, ya me mandó la información que requirió, en cuanto acabe el informe se lo hago llegar.

—Bien, puede retirarse —pidió tenso. Había estado a punto de cruzar el escritorio, hacer que se levantara y decirle que, si ese imbécil la insultó, o amenazó, se las vería con él. Sin embargo, se mantuvo frío, ya la había alertado y dicho qué hacer, lo demás no era su problema, lo cierto era que le intrigaba sobremanera saber cómo le «quedó claro» lo que fuera que le hubiese dicho.

—Gracias...

La tarde la pasó junto a los chicos de El Centro riendo, vendiendo y parloteando sin cesar. Ese día hubo un evento que cada año se daba; varias casas de ayuda a los jóvenes se juntaban en una explanada concurrida para mostrar lo que hacían y sacar un poco de dinero para ellos, resultado de su trabajo. Por lo mismo, todos iban a prestar su ayuda, también a divertirse pues era un espacio más que nada cultural. Gracias a ello, Kristián se mantuvo relajada, olvidando casi por completo todo lo que en su vida acontecía. Cuando oscureció regresó a casa para pasar tiempo con su Aby. Sentía que no había estado con ella. Por lo que organizó una velada con esa mujer que adoraba frente al televisor en su habitación y así ver alguna película de las que le gustaban y arreglarse las uñas. No era extraño que hicieran esas cosas, les encantaba pasar tiempo juntas, más ahora que estaba enferma y no podía salir como solían.

—¿Cómo va todo con tu jefe? Casi no hablas de él, muñequita —preguntó su abuela colocando barniz rosado sobre sus uñas con atención. Siempre era tan delicada, tan pausada, la antítesis de su abuela. Sonrió suspirando profundamente, ella solo se las estaba limando, y con total desparpajo, si debía agregar.

—No hay mucho qué decir, Aby —soltó poniendo nuevamente atención a lo que veían. La mujer entornó los ojos estudiándola.

—Tú siempre tienes mucho qué decir... Sé que es un hombre poderoso, inteligente. Bueno, eso dicen los diarios, así que... No es posible que no tengas nada que contar sobre él. —La joven torció la boca recargándose en el respaldo de su silla.

—Eres demasiado curiosa —se quejó limando de nuevo.

—Y tú te haces de rogar. Lo he visto en un par de fotografías, es guapísimo... —expresó sonriente. Kristián sintió como si algo jalara su estómago estirándolo. Sí, sí que lo era, diabólicamente atractivo, si era sincera, sin embargo, tan complicado que no lograba comprender absolutamente nada de él.

—Sí, también es voluble, frío, controlador y... —No siguió, no pudo. Al día siguiente lo vería y no tenía idea de cómo se daría el encuentro, con él no tenía idea de nada.

—No te cae bien —completó la mujer sonriendo. Kristián se encogió de hombros.

—No es eso, pero si lo conocieras entenderías, es difícil.

—Ya acepta tu eficiencia, ¿o no?

—Sí, por ese lado no me puedo quejar. He aprendido mucho, es hábil, la gente que trabaja con él es la mejor, sabe cómo y qué hacer. Identifica las oportunidades como un perro a su hueso. La verdad es que sí es asombroso verlo en acción —admitió. Su abuela alzó las cejas asombrada. Kristián lo admiraba, comprendió alegre, cosa no muy común en ella.

—Me alegra que las cosas se estén dando bien, después de cómo comenzó todo creí que sería más difícil.

Si supiera, pensó Kristián sintiendo como un calambre recorría su columna. No tenía ni idea de qué suelo pisaba, pero ahí estaba, ansiosa porque las horas pasaran y poder perderse nuevamente en su aroma, en su tacto fuerte, en ese juego donde el placer era lo único que importaba. Jamás se imaginó haciendo algo como eso, sin embargo, no lo quería pensar demasiado, al parecer de verdad las cosas en lo laboral continuaban igual, por lo que seducirse secretamente no debería tener ninguna repercusión para ambos, o eso esperaba.

—Hablemos de otra cosa, mejor dime... ¿Qué ha sucedido con tu novela, ya reapareció la protagonista? —inquirió. La mujer soltó una pequeña carcajada. Siempre era así, pese a todo, reía, era optimista y dulce.

—Te importa muy poco lo que vea en el televisor, pero te contaré para que se te quite —refunfuñó. Su nieta sonrió sintiéndose pillada, aun así, la escuchó con atención. Adoraba oírla hablar, verla serena, aferrarse a la vida como le mostró debía hacerlo. Últimamente el cáncer había permanecido sin avanzar, pero sabían que eso no era la victoria, en cualquier momento podría regresar, eso la aterraba, oprimía su corazón, hacía que le doliera incluso el cuerpo, la cabeza. La amaba muchísimo, no tenía idea de cómo enfrentaría el mundo sin ella a su lado.

Perder a su abuelo fue un golpe muy duro. Él era un hombre fuerte, bravo, de carácter indómito, pero tan tierno con ellas, tan elocuente, atento, que cuando aquel día ya no amaneció, sintió que una parte de sí se iba con su alma, a donde fuera que esta llegara. Siempre le inyectó coraje, sueños, temple, la instó a dar más, a no dejarse vencer.

Aún podía recordar aquel día en que sin siquiera su muñeca de trapo con la que dormía, su madre la dejó ahí con ellos, diciéndole que no podía seguir cuidándola, que era muy joven y que deseaba vivir, que se portara bien con los abuelos, que les hiciera caso y que fuera buena niña.

Esas palabras quedaron tatuadas en su mente. Su abuelo, al llegar de su trabajo horas más tarde y verla llorando en el regazo de Aby deseaba que su madre regresara, que su muñeca Isi estuviera ahí para abrazarla fuertemente. La tomó por los hombros, la hizo girar y la abrazó con fuerza, para después separarla y ponerse a su altura.

—Estarás bien, eres fuerte, Kristián, más fuerte que cualquiera. Esta es tu casa y jamás nadie te arrancará de aquí. Somos una familia, ¿comprendes? Te amamos, te protegeremos y no tendrás nunca nada que temer porque estaremos junto a ti. ¿De acuerdo? Mañana iremos por ropa, por lo que necesites y encontraremos otra muñeca —aseguró. Sus ojos marrones la miraban tan penetrantemente que solo atinó a sorber el llanto y limpiarse las lágrimas con su manita.

—Quiero a Isi, abue —sollozó. El hombre negó con firmeza. Más cerca aún, inyectándole seguridad.

—Isi ya no está y no regresará. Pero tú no la necesitas, eres valiente y sé que podrás entender que las cosas han cambiado pero que, de ahora en adelante, mejorarán —prometió sin dudar. La niña asintió rodeando su cuello con aquellos bracitos.

—¿Nunca me dejarás? —preguntó. El hombre la elevó negando.

—Jamás, nunca te dejaré, mi muñequita. ¿Me crees?

—Sí —musitó bajito.

Cuánta falta le hacía, cuánto lo extrañaba. Fue su padre, su pilar, su ejemplo y ahora, su otro motor estaba luchando para que esa maldita enfermedad no ganara. Así que ella lucharía para que todo lo demás a su alrededor estuviese resuelto y solo se concentrara en lo que debía: vivir.

9
Roces sutiles

Al día siguiente Paloma y Andrés fueron a desayunar a casa de Kristián. Su amigo se enfrascó en una partida de dominó con su abuela y ellas aprovecharon para realizar las compras de la semana.

—¿Cómo va todo con tu jefe? —Se animó a preguntar Paloma mientras dirigía el carrito del supermercado a su lado. Kristián giró sonriendo.

—Ya te habías tardado... —rio. La aludida le dio un pequeño empujón.

—Andrés no está de acuerdo, digo, yo tampoco creo que sea lo mejor, pero... te conozco, te traes algo —articuló con picardía.

—No me traigo nada... Ya deja eso —la instó al tiempo que tomaba un empaque de galletas saladas.

—Mentira, asquerosa mentira. Recuerda que eres como mi hermana, crecimos juntas y te conozco. Pero ya me lo dirás, lo sé —aseguró alzando el mentón y avanzó con fingida indignación. Kristián rodó los ojos negando. No estaba molesta, la conocía de sobra, lo cierto era que no le creía. Sin embargo, algo le decía que no debía hablar de ese tema, que si lo mantenía en un plano externo a su vida personal, no se involucraría más y que si todo terminaba de pronto, podría seguir como si nada, de otra manera lo llevaría a su realidad, sería un tema de conversación y eso no era lo mejor.

A las siete ya estaba con las palmas húmedas, torciendo una y otra vez la boca sin cesar. Acomodaba los platos que usaron a mediodía, su abuela ya descansaba y sus amigos habían ido al cine. Quería ir y a la vez no. El pecho cosquilleaba, sus terminaciones nerviosas las sentía al límite. Resopló molesta consigo. Si no podía con ese juego, entonces era el momento de dejarlo.

Subió a su habitación, se observó en el espejo que tenía a un lado de su puerta y respiró profundo. Si cerraba los ojos podía incluso sentir sus manos viajar por su cuerpo de esa forma desconocida, arrogante, pero llena de pasión. Sus vellos se erizaron de inmediato. Iría. ¿Qué más daba? Necesitaba otra vez de él, de su tacto, de su fuerza, de su lujuria, de todo aquello que despertaba en su piel. Ladeó el rostro al contemplar su atuendo. Una minifalda y una blusa blanca cualquiera que tenía detalles estampados en la parte baja, junto con tenis blancos, una coleta alta mal sujeta y prácticamente nada de maquillaje.

Así solía ser, esa era ella en realidad, pero debido a las exigencias del trabajo se vestía de manera formal. Sonrió con picardía. Sí, así se presentaría, moría por observar su rostro frío, elegante, soberbio, al verla tan desgarbada. Le gustaba provocarlo, constantemente sentía esa necesidad, aunque desde que todo el juego comenzó lo evitó, pero poder observar sus facciones imperturbables salir de esa gélida envergadura pues le agradaba, la hacía sentir que estaba frente a un humano, una persona que tal vez algún día volvería a la vida. De pronto enarcó una ceja al comprender por dónde iban sus pensamientos. ¿A ella qué más le daba si decidía eso? Volcó los ojos y se alejó de su reflejo. Pasaría a comprar un helado antes de llegar.

Entró al edificio con el corazón desbocado, su auto ya estaba ahí. Abrió la puerta con sigilo. Silencio. Eran las ocho con diez minutos, el sujeto de la nevería se tardó demasiado en atender su orden, sin embargo, valió la pena, el batido de chocolate que llevaba entre las manos estaba delicioso.

La escuchó entrar, esperó a que apareciera en su campo de visión, sin moverse. Había llegado a la hora indicada, pero tal parecía que Kristián no se dejaría dominar en ese juego. El sábado logró pasarlo inmerso en el trabajo y más tarde intentó distraerse en aquel evento de beneficencia absolutamente aburrido, pero que, gracias a la charla amena de una mujer mayor, dueña de varias cadenas hoteleras, y con la que solía conversar por horas cuando se topaban, la velada terminó decentemente y él, lejos de todas aquellas mujeres y jovencitas que buscaban captar su atención y que solía repeler.

El domingo jugó al golf, cosa que disfrutaba, para después pasar un rato en la sauna y más tarde nadar hasta agotarse. Conforme la hora de la cita se acercaba, el deseo incrementaba, la ansiedad por perderse en ese cuerpo casi lo quemaba, por escuchar sus quejidos, incluso su risa, olvidarse de todo con aquel aroma tan delicado y femenino, tan de ella.

Sentado afuera, en esa sala exterior, observaba la nada, absorto en sus pensamientos, en lo vivido, sumergido en ese silencio que era dueño de su interior, de su existencia y que extrañamente esa chica lograba romperlo. Aún no sabía si eso le agradaba o no, pero sucedía.

Al verla a través de la ventana andar ligera, vestida de aquella manera, se irguió pasando saliva. Parecía una chica de... veinti... muy pocos... Demasiado joven, demasiado terrenal, demasiado... tentadora. Pestañeó observándola. Ella dejó algo sobre la barra e iba sorbiendo con suma atención un vaso que llevaba entre sus manos. Casi sonríe al recordar que no paraba de comer, nunca.

La joven miró a su alrededor sin encontrar rastro de él, salvo sus llaves y celular justo donde dejó su pequeño bolso.

El hombre se acercó con sigilo, se recargó en la puerta corrediza y carraspeó mirándola con ardor, de arriba abajo, claramente admirado, también asombrado.

—No te vi —admitió ella girando sin perturbarse. Cristóbal sintió que las palabras se atascaban. Lucía tan fresca, nada exuberante, nada pretenciosa, tan sencilla y radiante que de inmediato se encontró embriagado por la ansiedad de poseerla, ya, si era posible. No obstante, dudó, esa chica también lucía como alguien que no merecía ser destruida, lastimada, y eso... eso era inherente a él, esa era su especialidad—. ¿Quieres? —y le tendió su bebida, relajada.

—No me gusta el chocolate… —denegó. Kristián abrió los ojos y la boca al mismo tiempo, genuinamente azorada. Sonrió divertido, era tan infantil, tan… sin complicaciones.

—¿Es eso posible? —preguntó aturdida. Este asintió con los brazos cruzados sobre su pecho, a menos de un metro de ella.

—En tu mundo, veo que no —señaló.

—Jamás, es mi perdición.

—Lo he notado —admitió.

—¿Y existe algún sabor que te agrade? —Deseó saber volviendo a tomar de su batido. Cristóbal arrugó la frente. No recordaba la última vez que hubiese tomado un helado, o algo como lo que ella traía entre sus manos—. Oh, vamos, fresa, vainilla, no sé, moras…

—Me da igual —soltó pasando a su lado, tenso. La joven observó cómo se retraía.

—¿Es demasiado simple para ti? —lo provocó. Al notar precisamente eso en su voz, giró acercándose y la tomó por la cintura pegándola a su cuerpo.

—No me interesan este tipo de conversaciones, Kristián. —De nuevo su nombre, así, de esa forma en que lo pronunciaba, arrastrándolo. Ladeó la cabeza estudiando su gesto rígido.

—Podrías probar el de fresa, o el de limón, tal vez —propuso con un dejo de burla. De inmediato notó lo que hacía.

—No está en mis planes probar un helado por ahora —refutó acercando sus labios a los de ella. La joven pasó saliva respirando un poco más rápido.

—¿Ah, no? —Su aliento a chocolate lo aturdió, así que sin esperar más posó con apetito exigente su boca donde moría que estuviera. Ella de inmediato enrolló su brazo libre en su cuello y lo recibió sin remilgos, abriendo los labios y encontrando su lengua cálida. Sumergidos en los roces impetuosos, de nuevo lo olvidaron todo. Él depositó el vaso sobre la barra al tiempo que la arrastraba hasta uno de los sofás tocándola con frenesí, con vehemencia. Kristián le quitó la camisa, al tiempo que él hacía lo mismo con la suya. Piel con piel dejaron salir un suspiro de alivio.

Minutos después yacía ella sobre él, en aquel sillón, desprovistos de ropa, con las respiraciones disparadas, sudorosos, aún unidos. Su melena marrón se hallaba justo en la nariz. En algún momento del encuentro, mientras se poseían locamente, se la soltó para poder revolver esa mata sedosa que también lo enardecía. La chica elevó el rostro, sus mejillas lucían coloradas y sus labios hinchados, su mirada dormilona y una sonrisa desgarbada que lo terminó de fulminar.

—No llegamos a la cama —expresó casi sobre su boca. Sentía su pequeña cintura bajo su palma y de pronto la idea de que se fuera tan rápido, le desagradó.

—Llegaremos —aseguró besándola con renovados ánimos, para un segundo después encerrarse en el baño. Ella se sentó, pestañeando, desnuda, su ropa se encontraba regada por todo el lugar como si un huracán hubiese pasado, incluso los adornos de la mesa del centro estaban tirados, fuera de su lugar. Negó sonriendo. Era increíble lo que provocaba con tan solo un beso.

Se puso de pie dispuesta a vestirse, una mano enredada en su abdomen la detuvo. No supo qué hacer ante aquel gesto tan lleno de intimidad. Su aliento acarició su oreja cuando hizo su melena a un lado y la lamió. Se recargó sobre su pecho dejando salir un suspiro, complacida. No tenía una jodida idea de cómo lo hacía, pero bastaba que la tocara para que ya no pensara.

—Ven... —pidió y en medio de jadeos la condujo hasta la cama. Le hizo virar para tenderla sobre la superficie y su cabeza quedara en las almohadas. Sus ojos estaban de nuevo cargados de lujuria, de esa pasión que la prendía sin dificultad. Se acomodó a su lado y comenzó a recorrerla con el dedo índice, desde la mejilla hasta la rodilla.

—¿Qué tienes que ver con el guardia de la empresa? —indagó sin mirarla a los ojos. La pregunta la tomó por sorpresa.

—¿Qué? —Él detuvo lo que hacía, dejando su palma abierta descansar sobre su abdomen apiñonado, terso.

—Vi que algo te dio el viernes. ¿Qué tienes que ver con él? —preguntó de nuevo. Ella rio al comprender de qué hablaba, no obstante, Cristóbal parecía deseoso de conocer la respuesta.

—Unas madalenas —confesó sintiéndose, pese a todo, a gusto ahí, cerca de su enorme cuerpo que se hallaba de costado, observándola fijamente desde la altura pues su brazo flexionado sostenía su cabeza y una de sus piernas yacía entre las suyas.

—¿Madalenas? —repitió incrédulo. Asintió girándose hacia él para quedar sus rostros uno frente al otro.

—Me gusta el fútbol, mucho, y... cuando gana mi equipo, o pierde, pues me toca pagar —explicó. Su expresión cada vez lucía más confusa, incluso molesta, aun así, su mano continuaba sobre su cintura, así que todavía no estaba enojado, dedujo. Era tan rígido que no comprendía las cosas que provenían de la diversión.

—¿Apuestas? —declaró como si fuese algo grave, malo.

—Solo postres —admitió torciendo la boca. El hombre observó ese gesto, intrigado, solía hacerlo muy a menudo. Deseaba molestarse, no pudo, por primera vez el enojo no llegó, pero necesitaba saber más sobre eso.

—Explícate —exigió con voz dura, pero bajito. Ella igualó su posición y recargó su sien sobre la palma.

—No tiene nada del otro mundo. Solo que para divertirnos, a veces, cuando los partidos sabemos que serán buenos, pues... apostamos algo que nos agrade comer, pero dulce... salvo algunos que solo piden bolsas enormes de frituras, pero en general son postres, o golosinas. Nada que perjudique a la empresa o que esté contra las reglas.

—Apostar no está permitido —masculló intrigado, casi divertido. Jamás había escuchado que se apostaran ese tipo de cosas. Pero nada en ella era lo normal.

—Eso lo sé —declaró con leve indignación—. Pero yo no apuesto, no, así como tú lo mencionas. Estoy en contra de esas cosas, mira que perder dinero por esas estupideces... ¡Bah! No me agrada, me parece absurdo.

—De todas formas, son apuestas, Kristián, y no son permitidas en el espacio laboral —expresó inamovible. Ella bajó la vista un tanto nerviosa, para después subirla un poco culpable.

—No te molestes, no lo veo igual. Es una inocente comida que a nadie lo hará más rico ni pobre, pero que nos divierte. ¿Podría compartirte un poco si deseas cuando gano? —propuso sonriente. El hombre tomó su trasero y la pegó más a su cuerpo logrando que emitiera un jadeo sobre sus labios.

—¿Por qué siento que te burlas constantemente de mí? —La desafió sin besarla, mirándola fijamente, muy cerca.

—No... Pero... nunca ríes —apuntó son simplicidad, ansiosa por probarlo, podía sentir el deseo que despertaba en él justo sobre su abdomen y eso logró que su sangre bombeara dejando un cosquilleo por cada parte de su piel. Pese a ello, perdió sus ojos en los suyos, deseando entenderlo por lo menos un poco. Su verde mirada era impenetrable, dura, tan llena de matices que no conseguía descifrarla, aun así, emitía una fuerza avasallante a la que no estaba acostumbrada.

—No tengo motivos para hacerlo —respondió con voz ronca, pero contenida.

—Siempre los hay —expresó sin pensarlo, respirando, al igual que él, de forma irregular.

—No quiero esas apuestas, Kristián —zanjó con autoridad, odiaba verla mantener esas relaciones llenas de alegría con otros, algo en ello le molestaba.

—No tiene nada de malo, Cristóbal, y el que te desee como lo hago —pasó su lengua por los labios—, no dominará mi mente. No afecto a nadie, no suelo romper las reglas —señaló seria, ya casi a un centímetro de su boca.

—Eso no lo creo, estás aquí —le recordó quemándola con esos formidables iris color verde.

—Tú también, esto es bilateral —reviró. Él podía sentir su cálido aliento entrando por su nariz clavándose lentamente por cada parte de su sistema respiratorio, era demasiado agradable, ardiente, más aún que ninguno estuviese cediendo. No estaba acostumbrado a ello.

—Entonces seguirás —comprendió, ella asintió con seguridad—. Bien —y la besó con arrebato, impulsiva y primitivamente, mientras

Kristián lo recibía igual de impaciente. Ese juego estaba avanzando tanto que ya no veía cómo podría poner reversa.

Jadeantes, transpirando con los pulmones a punto del colapso, ambos permanecieron viendo el techo por unos minutos. Nada se podía comparar con la manera en la que se adueñaban de sus seres, de la forma en la que se compartían y hacían uno sin remedio, orillados a ello, arrastrados por algo mucho más fuerte que la voluntad de los dos.

—No puedes ir por la vida haciendo lo que desees —soltó de pronto Cristóbal. Demasiado impresionado por lo que esa chica provocaba en sus sentidos, en su mente, en su maldito entorno. Ella se sentó en la orilla dándole la espalda, así, desnuda. La observó de reojo, aún agitado.

—Mientras no dañe a nadie, lo haré siempre. Amo estar en este mundo, y lo demuestro —soltó bajito. Se irguió saliendo rumbo a la sala donde sus cosas estaban por doquier.

—Pese a ello hay reglas —dijo él al verla alejarse. Kristián se detuvo un segundo y viró. Era asombrosamente hermosa, tan desgarbada, tan mujer, tan vibrante que incluso a la distancia percibía la energía que emanaba.

—No se puede contralar todo, Cristóbal, intentarlo solo genera dolor —aseguró con simpleza y un segundo más tarde la perdió de vista.

Después de salir del baño se sentó sobre el colchón con la cabeza entre las manos. Algo no iba bien, no como esperaba que fuera y eso lo estaba aniquilando. Cuando se sintió menos confuso, salió a su encuentro. Ella bebía su batido recargada en la barra, vestida, envuelta en una pose infantil, pasó saliva. Sus ojos se toparon por un segundo para después perder el contacto.

—Hazlo en horas no laborales —ordenó poniéndose la camisa.

—Bien, ¿algo más? —De nuevo ese tono cargado de ironía. Entornó los ojos y se acercó.

—El miércoles —anunció. Ambos sabían a qué se refería.

—Estoy libre martes y viernes —refutó dándole otro trago, sonriendo con frescura. Apretó los puños, molesto. Lo estaba dominando y eso era algo que jamás se había permitido, ni siquiera a esa mujer le dejó llegar tan lejos, no de forma consciente, pues siempre se mostraba sensible, vulnerable y dispuesta a ser o hacer lo que él quisiera.

—No puedo —declaró desafiándola. Kristián torció la boca en ese gesto gracioso.

—Entonces, tendrá que ser la siguiente semana —dijo como si nada. Tomó su bolso, lista para retirarse, las cosas estaban algo tensas, extrañas y no se iba a quedar para averiguar la razón. Él la detuvo con cuidado por el brazo y la pegó a uno de los muros. De inmediato su respiración se disparó. ¡Diablos, debía actuar como una mujer, no como una niña a la que sus emociones la dominan!

—¿Deseas que te ruegue? Porque no lo haré... —musitó rabioso. Pensando en millones de razones por las que no lo ponía fácil. Kristián colocó sus manos sobre su pecho negando.

—Tengo compromisos esos días, no puedo cambiarlos, son importantes —le explicó serena. Buscando aligerar la atmósfera.

—¿Quieres decir que tus días «sin compromisos» son esos? —inquirió. Ella asintió pasando saliva. Muriendo por un roce de esa boca dura. Cristóbal perdió su mirada en la suya por unos segundos—. Bien, entonces esperemos a que nuestras agendas coincidan —dicho esto la besó con vehemencia y salió del apartamento sin esperarla.

Sus piernas temblaron, su corazón parecía querer salirse de su sitio y sentía las mejillas calientes. Cerró los ojos y pegó la nuca a la pared. No cedería. Los chicos de El Centro, lo que hacían juntos, eran una de sus grandes alegrías, de sus motivos, ni por él, ni por nadie, pese a que su sangre quemaba pensando que las cosas podrían haber terminado en ese momento.

Subió al auto dando un portazo. Se sentía rabioso, furioso y en absoluto saciado. ¿Qué carajos estaba ocurriendo? Desde que la vio llegar así, relajada, con esa sonrisa pegada a sus deliciosos labios, vestida como una joven que tomaba lo que viniera de la vida, su mente ya no trabajó como debía. Le hacía sentir anhelo, ansiedad, ganas de vivir, de recordar lo que era vibrar. Le dio un golpe al volante negando.

¡A la mierda!

Ni por todo aquello que le generaba permitiría ser de nuevo un imbécil.

La mañana siguiente se comportaron de forma gélida, pese a que ninguno logró mantener sus pensamientos lejos de lo que ocurría. Salieron a un par de reuniones, hablaron lo indispensable y procuraban no mirarse a los ojos.

La semana transcurrió bajo ese tenso comportamiento. Para el viernes ya las chispas brincaban con descaro. Ella, de tan solo escucharlo hablar en las reuniones o en las negociaciones con esa seguridad tan asombrosa, tan apabullante, de oler su colonia, de evocar lo que su cuerpo generaba en el suyo, sentía que sus piernas flaqueaban. Poco pudo concentrarse en los ensayos, dormía unas cuantas horas y sus manos exigían volver a tocarlo, sus labios besarlo, su interior llenarse de él. Más de una vez terminó en los sanitarios de la empresa buscando refrescarse, humedeciendo su cuello con el agua del grifo, su rostro.

Eso no era normal, nada normal. No obstante, ante su jefe, lograba guardar la compostura y no mostrar ni un ápice de lo que en su interior ocurría, eso sería bochornoso, incómodo.

El hombre la observaba ir y venir, fresca, sonriente y siempre dispuesta a dar lo mejor de sí en lo que hacía. Era brava a la hora de negociar, pero cautivadora también, eso sin contar que cada jodida noche la evocó y acabó en la piscina deseando alejar de su mente la necesidad que tenía de perderse en ese cuerpo en el que encajaba como si estuviera hecho para recibirlo eternamente. No lograba alejarla de su deseo. Kristián parecía una ráfaga de aire fresco en un lugar tan caluroso que nadie lo habitaba, como era el desierto árido en el que vivía desde hacía un tiempo, o tal vez muchos más años de los que creía.

El viernes iban saliendo de una reunión a las seis de la tarde, en esa ocasión prefirió llevar el auto, la idea del chofer no era algo que le gustara del todo, así que, si no lo veía necesario, lo evitaba. Ambos en silencio, inmersos en sus pensamientos, sin poder siquiera articular una palabra. De pronto, ella notó que no se dirigía a la empresa. Pestañeó estudiando el camino, frunciendo el ceño. No lo miró, pero se cruzó de brazos desconcertada.

Unos minutos después reconoció las calles y casi sintió alivio al ver a dónde iban. Perdió la vista en el exterior escondiendo su sonrisa. Ambos tenían un orgullo gigantesco y hacer eso era la única forma de que ninguno sintiera que cedía ante el otro.

Estacionó, desabrochó su cinturón y la estudió esperando alguna reacción. La idea surgió justo cuando conducía, si no la tenía ya, estaba seguro la haría suya en plena oficina. La tensión entre ambos era palpable, por demás incómoda, debían darle fuga a lo que ahí se ocultaba.

Kristián no lo encaró, pero abrió la puerta y salió. Sonrió complacido. Una vez que cruzaron la puerta del apartamento permitieron que sus ojos se cruzaran, que intercambiaran la ansiedad que tenían, con la que estaban lidiando.

Él la hizo girar con delicadeza y bajó el cierre de su vestido con movimientos lentos. Lentamente fue desnudando sus hombros, su pecho, su espalda, hasta que el atuendo terminó en el piso. La chica se quitó el calzado con los pies y volteó con suavidad sonriendo. La mirada de Cristóbal estaba absolutamente oscurecida, su mentón tenso y su postura lista para tomarla.

Le quitó el saco, aflojó con movimientos suaves la corbata hasta que la desanudó por completo. Lo único que se escuchaba era la tela siendo manipulada por sus manos, todo bajo los ojos duros de él, cargados de lujuria y deseo. Desabrochó su camisa, botón por botón, concentrada en su labor. Con movimientos delicados se la sacó del pantalón y de los brazos. Cuando lo tuvo expuesto ante ella dejó salir un suspiro que lo hipnotizó.

Acercó su mano hasta su pecho. Casi siente que su tacto lo noquea, aun así, no se movió, permitió que hiciera lo que deseara, ya no le importaba. Lo tocó apenas con las yemas, estudiando cada recoveco de ese pecho ancho, con vello castaño oscuro justo en al área del ombligo, fuerte, levemente marcado, tenso. Alzó la mirada hasta su rostro. Él la observaba embelesado.

—¿Te gusta? —preguntó con suavidad. Ella asintió como una niña cargada de anhelo, de inocencia, pero también con esa ansiedad que la consumía. Suavemente tomó su delicado cuello acercándola, sin perder la conexión que entre ambos surgía. Sintió sus pequeñas palmas subir por su abdomen hasta sus pectorales y ahí frenar. La sensación era incomparable. Con lentitud, fue bajando hasta ella, acariciando con su pulgar su labio inferior que estaba listo para ser probado. Sus alientos se mezclaron y el aire dejó de circular, presas de las sensaciones que despertaban en sus seres, se dejaron llevar sin la prisa que solían pese a lo mucho que se ansiaban.

Al fin llegó a su boca y posó con cuidado sus labios sobre los suyos. Succionó primero el superior, logrando que ella dejara escapar un gemido exquisito, luego el otro. Lo tomaba como si disfrutara un caramelo de su sabor preferido, todo sin cerrar los párpados. Ella se dejó llevar por él, ese beso estaba siendo mucho más que todos los otros compartidos. Con roces sutiles, casi imperceptibles, la iba probando, sin invasión, sin intrusión, solo con apetito vaporoso. La mujer se pegó más a su cuerpo, de inmediato rodeó su cintura recibiéndola.

Su lengua salió segundos después en los que simplemente se estaban disfrutando, en los que permitieron que sus necesidades mandaran, siendo ellos los obedientes alfiles de ese juego. La seducía, lo sentía y la sensación era inigualable, pues la tocaba con suavidad, pese a la pasión arremolinada en sus verdes ojos. La lamió con seguridad, pero lentamente. La joven cerró los ojos ya sin poder más, aferrándose a sus hombros, de puntillas para alcanzarlo un poco. El hombre la elevó sin dejar de besarla, pasando una mano tras sus piernas. Y sin prisa cruzó el lugar, colonizando con tranquilidad esa boca que no ponía ni una sola objeción, al contrario, le permitía comandar el momento.

La depositó sobre el piso frío, y sin soltar su cadera abrió la toma del agua. Ella recargó la cabeza sobre su pecho observando como hacía su trabajo. No había tensión ya, no había palabras tampoco, solo esa intimidad que sí, estaba creciendo, abriéndose paso sin que lo notaran, sin que pudiesen hacer nada para evitarlo.

Cuando el agua de aquella moderna regadera estuvo lista, pasó su mano húmeda por su angosta espalda y desabrochó su sostén, se lo quitó al tiempo que volvía a arremeter de esa exquisita manera contra su boca. Ella buscó su cinturón, lo desabrochó, para luego seguir con el botón. Sus pequeñas yemas sobre su vientre lo tenían colapsado.

Le ayudó y se fue despojando de todo. La joven observó su excitación y no pudo evitar sonreír con infantil picardía, él elevó su barbilla con su dedo, humedeció sus labios y comenzó a besar su cuello, lamiéndolo apenas si perceptiblemente, lentamente fue bajando por su piel, su clavícula, sus senos, sus costillas, su ombligo, con movimientos pausados bajó sus bragas hasta que tuvo que sacar sus pies. Él alzó la mirada, ella lo veía, con su melena aún recogida, mordiendo el dedo índice notoriamente descolocada, nerviosa, con las mejillas llameantes y sus ojos expectantes. Era obvio que no comprendía lo que sucedía ahí, lo cierto era que ni él lo hacía, pero tenía esa necesidad dolorosa de sentirla, ya no solamente poseerla. La ansiaba y en esa ocasión se daría el gusto de vivir el jodido momento sin restricción.

Torció la boca como si algo no le gustase. Se elevó bajo la mirada expectante de Kristián y soltó su cabello de aquella coleta formal. La necesitaba ver así; ella, mujer, tan atípica e intensa. Un segundo después la pegó de nuevo a su pecho, perdió la mano en su cabello y volvió a besarla mientras ella emitía jadeos delicados, suaves.

La introdujo bajo el chorro de a poco. Al sentir el agua sobre su cuerpo, Kristián suspiro, su piel se erizó.

—¿La temperatura está bien? —Habló él por segunda vez acariciando con el pulgar su labio. Asintió completamente perdida en ese hechizo que ahí estaba ocurriendo. Se besaron por minutos, u horas. Con el líquido vital entrando en sus bocas, humedeciendo sus cuerpos de forma agradable, cálida.

El vapor en aquel lugar se extendió después de un tiempo. El cúmulo de sensaciones iba y venía. Kristián mantenía su cuello rodeado por su palma, mientras sus labios no dejaban de probarla, de hinchar su boca. Él tocaba con su mano libre partes de su cuerpo que sabía la estaban derritiendo. Cuando sus pieles perdieron tonicidad, la sacó de ahí en brazos, la depositó en la cama, se protegió y se adentró en ella, besándola. La joven se arqueó bajo su cuerpo, enredó de inmediato sus piernas torno a su cintura y jadeó recibiéndolo con ardor.

Él se movía sin prisa, suavemente, incluso frenando la ansiedad que ella experimentaba, buscando acelerar lo que ahí ocurría, pero no estaba dispuesto a ceder, deseaba estar dentro de su ser el mayor tiempo posible, sentir su cuerpo rodearlo de esa forma que hasta ahora jamás había sentido tan extraordinaria. Kristián se quejaba, parecía tan perdida con la calma de Cristóbal que chillaba encajando sus uñas en su cadera.

—Cristo… —musitó.

Qué alguien le dijera así, lo frenó de repente. Solo Andrea empleaba ese diminutivo de su nombre. Arrugó la frente, un tanto descompuesto. Ella gimió negando, con los ojos razados. Tomó su cuello perdida en las sensaciones, desesperada por entender qué era lo que ahí pasaba.

—No pares —le suplicó con voz quebrada. Al notar la inocente coincidencia sonrió sacudiendo la cabeza y se enterró aún más hondo, observando como ella lo recibía alzando la barbilla, apretando uno de sus brazos que tenía bien aferrado.

Estaba sudorosa, húmeda, asombrosamente a su merced. Fue y vino apretando los dientes, frenándose, gozando, absorbiendo sus reacciones. Cuando no pudo más, pasó una mano por su cadera y la elevó para que quedase a horcajadas sobre sí. Casi como si una marea de fuego hubiese llegado hasta ellos, barriendo y quemándolo todo, se dejó llevar hasta perder cualquier atisbo de cordura sujetándola con firmeza mientras ella gritaba escondida en sus labios, abrazándolo con fuerza. La explosión terminó con todo dejándolos temblorosos, con las terminaciones nerviosas expuestas, con la traspiración completamente mezclada con el agua de sus cabellos.

La dueña de su deseo permaneció sin dar señales de vida durante un buen rato, con su frente caliente pegada a su cuello, aferrada de forma laxa a su espalda, mientras él mantenía la cabeza hundida en su melena, rodeando con fuerza aún su delgada estructura, comprendiendo que eso... no fue solo sexo, ni nada que alguna vez hubiese vivido.

10

Fuego lacerante

Con cuidado, minutos después, la separó. Acarició su rostro quitando algunos mechones, observando sus labios hinchados, sus ojos adormilados, pero a la vez esperando lo que vendría. Negó cerrando los párpados. Entró al baño y rápidamente salió. Ella continuaba ahí, sin moverse. Se acercó sin decir nada, la pegó a su pecho y se tendieron ambos sobre las cobijas revueltas.

Ninguno hablaría, no sabían qué decir, no después de aquello, no después de días deseándolo, no después de no poder acomodar en su interior lo que estaba ocurriendo.

Mucho tiempo después el sonido del celular de Kristián los sacó del trance. Ambos estaban casi por caer en un sueño profundo. Se removió quejándose. Sentía su mano sobre su cadera y su piel deliciosamente cerca de la suya. Nuevamente volvió a escucharse. Se levantó sin remedio y fue a responder, siempre estaba al pendiente por la propia situación de su abuela.

—Blanca, ¿qué ocurre? —La escuchó hablar aún tendido sobre aquella superficie intentando poner la cabeza en blanco. Kristián le dio algunas instrucciones y colgó. Apareció desnuda, un tanto tímida, junto a aquella pared sobrepuesta, no dijo nada y eso era demasiado raro. Él la observó en silencio, absorbiendo lo que su iris captaba, respiró con mayor calma.

—¿Debes irte? —preguntó al fin con voz neutra. Negó torciendo los labios. Rio al ver esa expresión nuevamente, parecía más joven cuando lo hacía—. Ven —pidió y alzó el brazo, por una vez deseaba que las palabras no calaran, no pensar en nada salvo en que ahí estaba, disfrutando de esa joven, de su compañía, de lo que a su lado no existía. Ella anduvo hasta su mano y entrelazó sus dedos. Se miraron nuevamente. No lograban acomodar nada. Sin más la pegó a su pecho y la besó lánguidamente, con cuidado—. ¿Tienes hambre? —quiso saber al separarse un segundo, no había hablado prácticamente desde que la llevó ahí.

—Sabes que sí —admitió con voz pastosa, volviendo a besarlo con esa familiaridad que surgía. Respondió con ardor.

—Comida china, ¿está bien? —propuso contra sus labios.

—Sí —admitió alejándose un poco de su boca. No tenía idea de qué pretendía. Cristóbal tomó el teléfono que descansaba sobre la mesa de noche, a su lado, marcó y se puso el auricular en la oreja, observando sus labios y ojos a la vez. Ordenó a Roberto lo que creyó que le gustaría, buscando en cada frase su consentimiento, que llegaba con sonrisas y asentimientos.

—En media hora estará aquí —anunció colgando y retomando lo que hacía. Se besaron sin importarles nada salvo lo bien que se sentían al hacerlo, saboreándose sin limitarse, descubriendo terminaciones en sus labios que desconocían y que los mantenía en vilo.

La comida llegó interrumpiendo sus roces, sus gemidos. Él prendió algunas luces tenues pues ya había oscurecido, al tiempo que se calzaba el bóxer e iba a recibirla.

Al encontrarse sola, Kristián se sentó sobre la cama, aferró las sabanas cubriéndose un poco. Se sentía nerviosa, sin tener la menor idea de lo que pasaba, de lo que su cuerpo estaba experimentando, ansiosa, pero a la vez, deliciosamente deleitada por cada minuto ahí compartido. No entendía qué pretendía Cristóbal, tampoco por qué ella se estaba dejando arrastrar por todo ese extraño momento, sin embargo, no deseaba irse, no quería que terminara y eso... eso le preocupaba aún más que todo lo demás.

—¿Vienes? —preguntó él suavemente de pie al lado del muro, contemplándola. Kristián asintió, se irguió y buscó con la mirada sus cosas, algo con que cubrirse, no temía de su desnudez, pero con todo lo que ahí sucedía no deseaba sentirse más expuesta. Un segundo después Cristóbal le tendía su camisa con un dedo, sonriendo. Ese gesto la desconcertó. Se la puso bajo su escrutinio.

—Gracias... —murmuró y pasó a su lado con tan solo un par de botones abrochados.

—Es un placer —musitó girando para ver su andar, su figura sensual envuelta con desgarbo bajo su prenda. Era tan terrenal, tan particular que lo consumía, más aún verla con esa manera sencilla, sin pretensiones, sin desear agradar a nadie. Se acercó a las bolsas y las abrió con intriga, dejando ver con ese movimiento sus torneadas piernas, que realmente estaban bien ejercitadas. Sacaba las cajas y las colocaba sobre la barra, luego abrió una, la olió, tomó los palillos y parecía lista para atacar. Al percatarse que él no se movía, lo miró intrigada.

—¿No comerás? —quiso saber llevándose un trozo de pollo a la boca, ahí de pie, mostrando parte de su exquisito cuerpo, con la melena desordenada, con los ojos chispeantes y llenos de vitalidad.

Sonrió negando. Obviamente no esperaría a sentarse sobre la mesa, guardar la compostura y con finos modales engullir aquello. Lo cierto era que prefería ese toque de desgarbo, de ambiente relajado, lo hacía sentir más... cómodo. Siempre los formalismos, las buenas maneras, las palabras justas, el comportamiento adecuado.

Desde que sus padres murieron hacía catorce años, no se volvió a dar la oportunidad de experimentar nada sin razón, todo tenía un motivo, cada paso, aprender y aprender, observar, generar, dar el ancho, ser lo que los demás esperaban cuando heredó todo ese emporio a una edad tan temprana. Eso fue lo que reinó en su vida durante tanto tiempo.

En ese momento, viéndola a ella, podía recordarse como aquel adolescente de diecisiete que cabalgaba tras algún animal como un desquiciado en la hacienda de Matías. Ambos alocados, riendo, gritando, viviendo. O cuando iban a antros y terminaban hasta el amanecer ebrios en algún sitio y sus padres les imponían castigos que al final de todas formas disfrutaban porque nada era lo suficientemente malo si se era libre, si no había expectativas, ni dolor que cargar.

La vida lo consumió, sus malas decisiones lo enterraron y la soledad, pese a estar acompañado, ahora comprendía, fue parte de su existir por demasiado tiempo. Prepararse tanto lo llevó a ser quien era; un hombre con una cantidad enorme de negocios, envidiable posición, indudable poder, pero más solo y vacío que nadie. Y de alguna manera era lo justo, él debía pagar todos esos años que sumieron a su hermana en un infierno, generándole heridas que jamás podría olvidar. Él merecía vivir como vivía, merecía la inmundicia que reinaba en su mente, merecía no ser feliz pues la culpa jamás se lo permitiría.

—La verdad, está bueno —interrumpió sus pensamientos ella aproximándose. Elevó sus palillos y le acercó un poco a su boca. La abrió al ver que Kristián parecía absolutamente confundida, pero que no diría nada al respecto. Lo saboreó asintiendo.

—Podrías compartirlo, entonces —propuso y la tomó por la cintura, se acercó a un sillón y la sentó sobre sus piernas olvidando sus pensamientos lúgubres al tenerla cerca. Ella se sonrojó, pero no se negó, al contrario, sonriendo le dio un poco más, erguida sobre él.

Comieron en silencio. La joven le daba, luego Cristóbal observaba cómo comía ella. Sonrieron, se lamían los labios cuando restos de comida quedaban en sus comisuras, se besaron entre bocados y la temperatura iba ascendiendo. Cuando llevaban la mitad del segundo bote, Kristián lo dejó en la mesa del centro, se sentó a horcajadas sobre él y comenzó a besarlo nuevamente. De inmediato todo volvió a la marcha. Sin esperar mucho, salvo para tomar las precauciones necesarias, se hundió en ella sin siquiera despojarla de su camisa ya toda arrugada. Lentamente, riendo, saboreando, mirándose a los ojos cuando no se besaban, dejándose llevar por el vaivén, disfrutando del momento, olvidaron cualquier cosa que no fuera lo que sus cuerpos sentían. Gemidos y jadeos entremezclados, goce total y aquel huracán que al finalizar llegó para torturarlos y hacerlos rugir por la pasión.

Ya se vestían. Era casi medianoche y no se habían percatado del tiempo, de lo intercambiado en esas horas. La ayudó a ponerse la ropa, para luego hacer lo propio. Abrió la puerta cuando apagó las luces.

Antes de entrar al elevador la detuvo pegándola a un muro, besándola nuevamente.

—El domingo... aquí. Tú di la hora —la instó perdiendo la mano en su melena desbordada.

—A las siete... —susurró entre suspiros contra su boca. Un último beso antes de que el ascensor anunciara su llegada y todo volviera a ser lo que era: nada.

Al verla sentarse como solía frente a él en la junta matutina, apretó la pluma con la que jugaba. La noche estuvo matizada de su aliento, de su fragancia, de sus jadeos y en ese momento que la veía ahí, así, nuevamente estilizada, pero con esos ojos que no lograban esconder su verdadera esencia, sintió de nuevo el deseo de perderse en sus labios, por lo menos hasta que esa sensación molesta de ansiedad se disipara.

Kristián sonreía con naturalidad, pero lo evitaba deliberadamente. ¿Qué sería de su vida? ¿Qué haría en su tiempo libre? ¿Viviría sola? Lo dudaba, algo le decía que no, pero parecía una mujer muy independiente como para que compartiera aún el techo con su familia. A sus treinta y cinco años, ya pocas cosas despertaban su curiosidad, y ella lo mantenía elucubrando más veces de las que reconocería.

—Creo que es todo, señor... Buena mañana —dijo Roberto y acto seguido desapareció. Cuando se quedaron solos, ella comenzó a recitar lo que faltaba.

—¿Cuántos años tienes? —preguntó de repente, captando su atención de inmediato. Sus dos lunas oscuras se posaron en él sin saber qué responder.

—Cumplí veinticinco, hace poco —soltó aferrándose a la *tablet*. ¿A qué venía esa pregunta? Cristóbal asintió reflexivo.

—No dejaste de estudiar —comprendió serio. Ella negó ladeando la cabeza.

—Entré a la maestría al terminar la carrera. Me gusta mucho todo esto —admitió torciendo esa boquita que deseaba mordisquear.

—Lo haces bien, ¿sabes? Para tu edad y experiencia, estás muy preparada —asintió sereno. Kristián sonrió orgullosa.

—Eso es un cumplido, señor Garza —murmuró relajada. Él rio asintiendo al tiempo que giraba su silla hacia el ordenador. Esa mujer podía ser diez años menor, pero en definitiva su mente trabajaba a la velocidad de la luz.

—Así es, señorita Navarro... Sigamos —ordenó y no volvieron a cruzar las miradas lo que restó de la junta, no obstante, la tensión y partículas extrañas iban y venían sin que lo pudieran evitar, transportadas por sus voces, por sus aromas, por sus cuerpos tensos.

Se toparon poco, ambos inmersos en pendientes, entraba y salía por alguna situación, pero todo en un tono formal.

Poco antes de las dos una mujer ataviada con un saco de marca, elegante, con una melena hasta la cintura perfectamente alisada, con maquillaje impecable y sonrisa déspota, apareció ahí. Kristián la observó sin comprender por qué nadie la anunció. Blanca le hizo un ademán para que guardara silencio y no pusiera trabas. De inmediato una ráfaga incómoda recorrió su columna vertebral. Algo se activó en su interior, un fuego lacerante comenzó a correr por su torrente de una forma que desconocía.

—Dile a Cristóbal que está aquí Daria —ordenó con indolencia. Kristián no se movió por un segundo, escudriñándola, presintiendo la razón de su presencia en ese lugar. Evidentemente, él no debía estar teniendo noches alocadas solo con ella, lo sabía, y tampoco lo esperaba, pero ver a una mujer tan despampanante, tan... perfecta, justo frente a ella, buscándolo, generó ese cosquilleo molesto—. Veo que eres nueva y no piensas moverte, ¿sabes qué? Olvídalo —dijo y sin más entró a la oficina. Su corazón martilleó alocado.

—Es impresionante, ¿verdad? Hace mucho tiempo que no venía, pensé que ya no... —murmuró sin terminar la frase juntando sus dedos para que la comprendiera. Kristián sintió que su pulso se detenía. Intentó oxigenarse para dejar de sentir eso que la consumía, que la aturdía. Jimena rio.

—Ey, no le dirá nada... tampoco el jefe te regañará, sabe cómo es ella —buscó tranquilizar su compañera al ver su semblante. Ella asintió buscando sonreír, intentando verse relajada, indiferente. Regresó la vista a su monitor para que así esa rabia que sentía desapareciera ya que no tenía ni motivo, ni sentido.

Unos minutos después la puerta se abrió. No levantó la vista, no quería verla.

—Verás que la pasamos bien, después de todo hacía mucho tiempo —murmuró la mujer. Kristián tembló por dentro haciendo acopio de toda su voluntad para que no se notara.

—Buenas tardes —se despidió él. Tuvo que alzar el rostro pese a que hubiese deseado que la pantalla se la tragara. Cristóbal la observó serio, de una forma extraña.

—Buenas tardes, señor —dijo con indiferencia, incluso logrando sonreír. La mujer iba un paso adelante leyendo algo en su celular.

—Dejé todo firmado sobre el escritorio —le informó, un segundo después desapareció.

Los minutos siguientes fueron un infierno. Pero dentro de la oficina, sola, logró serenarse. Perdió la vista en el asombroso exterior intentando calmar su cuerpo, truncando todos los intentos de su mente por buscar explicaciones a lo evidente. Ella supo en qué se metía, así que no podía reclamar nada. Aun así, la intimidad del día anterior no la dejó dormir pese a lo cansada que se encontraba, evocaba cada segundo lo ocurrido, su roce y entonces su piel se erizaba rogando que esa sensación retornara.

De pronto lo puerta se abrió, giró nerviosa. Era él. Pestañeó sin saber qué decir. Se acercó hasta los papeles que debía llevarse y los tomó.

—Solo vine por esto —susurró nerviosa. Su jefe ya se encontraba a unos pasos de ella. Sonrió sin alegría, cuando iba a pasar a su lado, la detuvo con suavidad.

—Es una vieja amiga —explicó. Asintió sin encararlo—. Mírame —ordenó con voz ronca. Giró con cautela, no sabía qué debía decir, cómo actuar.

—No tiene que darme explicaciones.

—Veo tu expresión y es evidente lo que piensas.

—¿Lee el lenguaje corporal? —se burló quitándose de su agarre. Él rio sacudiendo la cabeza.

—No finjas. Estás molesta. Por eso te digo que no hay motivos —declaró atravesando sus ojos marrones en los que claramente había una chispa de ira. Sabía que si no se lo aclaraba, la noche siguiente no la vería por lo que no pasaría bien los siguientes días y eso era más de lo que estaba dispuesto a soportar.

—No tengo motivos para molestarme, señor —anunció con frialdad. Volvió a reír y acto seguido la tomó de la nuca y la pegó a sus labios. La joven, al sentir su aliento adherido al propio, gimió con abandono, asustada por estar sintiendo todo ese maremoto de emociones.

—Entonces nos vemos mañana —se aventuró sobre su boca ocultando magistralmente la ansiedad ante su respuesta. Probándola ahí, en pleno despacho, importándole poco que alguien entrara.

—Sí… —musitó suavemente. Abriendo los ojos después del contacto.

—Bien. —La besó nuevamente y un segundo después salió molesto por la propia situación.

Ella no se movió por varios minutos. Su cabeza era un huracán y su corazón se hallaba descontrolado. Apenas si llevaban unas semanas en ello y ya no lograba pensar con claridad. Paloma y Andrés tenían razón, no estaba hecha para ese «juego». Era una mujer que ansiaba vivir, no un témpano de hielo y… pese a sus esfuerzos por permanecer indiferente, comprendió que algo estaba cambiando en su interior. Emitió un suspiro mirando su alrededor. «Solo a ti te pasan estas cosas, Kris, solo a ti». Y salió aún nerviosa, molesta consigo por comprender por dónde iban todas esas sensaciones.

—¿Cómo va todo con Kristián? —preguntó Gregorio.

Esa tarde Daria lo invitó a comer con varios amigos que hacía un tiempo no veía y que la mandaron para que lo llevase, ya que era difícil conseguir que dejara su trabajo para relajarse un poco. Sin encontrar motivos para negarse y después de que le pusieran en el auricular a uno de ellos, no tuvo más remedio que ir.

Por la noche, Gregorio y él, fueron a cenar. Lo hacían con cierta frecuencia. Mantenían una relación estrecha, gracias a ese hombre logró que el conglomerado saliera avante aquellos años y gracias a él, Andrea estaba libre del infierno en que la metió por imbécil tantos años atrás. Eran grandes amigos y para Cristóbal, era casi como su padre. Meneó la copa para darle un largo trago.

—Es hábil, muy inteligente, escurridiza —admitió observando el lugar. Era un sitio elegante, con mucha gente de clase alta, impecablemente decorado, los lugares que él solía frecuentar. Era todo tan frío, notó arrugando la frente.

El hombre lo evaluó con atención. Lucía inquieto, cuestión extraña en ese joven que tenía un férreo autocontrol y que desde que descubrió todo lo que su mujer hizo, lo incrementó aún más convirtiéndose en inaccesible, indiferente, diabólicamente calculador y desconfiado.

—Y muy hermosa, además de alegre —expuso con simpleza. Cristóbal giró intrigado.

—¿A qué viene eso? —preguntó. Gregorio se encogió de hombros fingiendo indiferencia.

—Eres muchas cosas, pero ciego no, hijo. Esa chica es apabullante, tiene un carácter asombroso, es una mezcla de fuerza y dulzura que conquista a cualquiera —explicó con sencillez logrando con ello que Cristóbal arqueara una ceja recargándose por completo en la silla.

—Veo que la tienes muy bien estudiada. —Algo de molestia se pudo detectar en su tono. Gregorio soltó una carcajada serena.

—Vamos, Cristóbal, ya soy muy mayor para eso que insinúas. Además, no se necesita mucho para darse cuenta. ¿O sí? —lo provocó. El más joven negó bajando la mirada hasta su copa, meneándola nuevamente. Deseaba verla, se sentía demasiado ansioso por el día siguiente, por lo ocurrido en la oficina, por leer en su mirada ese enojo, y cómo buscaba disfrazarlo sin poder lograrlo. Eso, de todo, lo atrapó. Ella era transparente, podía descifrar sus pensamientos casi sin buscarlo.

—No... Es verdad, es una chica... poco común —admitió encarándolo.

—Sí, me alegra que Caro la eligiera, de otro modo todo sería un caos ahora, ni siquiera se notó su ausencia. Por cierto, ¿cómo siguen ella y su bebé? —Cambió de tema, cuestión que le vino mejor. Aun así, no lograba dejar de pensar en esa chica de sonrisa pícara, fácil, vital. ¿Qué estaría haciendo?

La tarde la pasó molesta consigo. Debió mandarlo a la mierda, debió darle una bofetada cuando la besó. Debió… no entrar en eso desde un inicio. Ayudar a pintar el muro de El Centro no lograba sacarla de sus cavilaciones y cada dos por tres maldecía por alguna gota de pintura que resbalaba de la escobilla.

—Oye, la brocha no tiene la culpa de lo que te sucede —rio Paloma al verla bufar por enésima vez. Kristián tenía gotas de pintura en el rostro y su mirada emanaba chispas de rabia e impotencia.

—¡Déjame en paz! —rugió metiendo de nuevo el instrumento en la cubeta. Su amiga soltó la carcajada. La tomó del brazo y le hizo un ademán para que la siguiera, ahí había mucha gente y era muy extraño ver a Tián así, molesta. Entraron al salón de danza, cerró tras de sí y la observó. Su amiga se sentó sobre una banca de madera sin decir nada.

—Ahora sí, qué te pasa. No es tu abuela porque la vi ayer, ¿es el trabajo? O… —Kristián la miró, atormentada.

—Soy una idiota, Paloma, me lo dijiste y… —no pudo acabar. La joven se acercó sentándose a su lado.

—Espera… espera… espera… Acaso… —inquirió entornando los ojos. Kristián asintió culpable. Se levantó y comenzó a dar vueltas, notoriamente nerviosa.

—Sí, seguí, Paloma, seguí mucho más y…

—Y estás confundida —completó desde su lugar. La conocía a la perfección. Kristián solo se había enamorado aquella vez, jamás volvió a notar ni un poco de afición por alguien. Pero era una mujer con un corazón enorme y pese a su fuerza y carácter, sabía que no lograría salir avante de algo como lo que se adentró. No, porque en todo lo que hacía dejaba su ser, su alma, así era ella.

—No sé, no sé, pero… Dios. —La miró desesperada—, no quiero sentir nada, no por alguien como él.

—Kristián, deja de dar vueltas porque me estás mareando. Ven —pidió. Su amiga le hizo caso y se acomodó nuevamente a su lado—. Dime, qué carajos está ocurriendo. Quiero la verdad... —rogó mirándola con atención. La castaña resopló tranquilizándose.

—Lo he estado viendo, Paloma, hemos... —La chica se tapó la boca abriendo los ojos de par en par.

—Mierda ¡Júralo! —exclamó. Kristián rio dándole un empujón.

—Ya, deja eso... Es serio... —Su amiga cambió la expresión, continuó—. Al regresar de Quebec, bueno, no fue tan sencillo como creí y un día... me dio una llave —le relató todo notando la sorpresa que generaba en Paloma.

—Dios, Kristián, estás en un muy buen embrollo. ¿Cómo accediste?

—No pude decir que no, entiende, me... prende, no puedo siquiera pensar al tenerlo cerca, es como si doblegara mis sentidos. No entiendo, es tan raro... —meditó para sí. Su amiga recargó la cabeza en el muro perdiéndose en el techo.

—¿Y eso es lo que te tiene así? —comprendió, pero ella negó con sinceridad.

—No, yo... ¡Agh! Hoy una mujer impresionante fue a buscarlo y... creo que es su amante —declaró con agobio. La joven silbó pestañeando contrariada—. Sentí rabia, Paloma, mucha rabia.

—Era evidente que no serías la única, Kris, no te ofendas, pero así son esos tipos.

—¿Crees que no lo sé? Pero...

—Fueron celos —completó de nuevo con suavidad. Asintió tapándose el rostro con frustración.

—No sé por qué, él es tan difícil, cuando hablamos siempre discutimos y... nada es sencillo a su lado. Es frío, duro, nada lo conmueve. Es impenetrable, pero a la vez hay algo que...

—Kris, no lo hagas, no sigas... pon un alto. Estás aún a tiempo de detener lo que estás sintiendo. Saldrás lastimada. Te lleva la delantera no solo en edad, sino en experiencia. Sabes bien lo que se dice, lo que le ocurrió, seguramente eso lo marcó y dudo que algún día pretenda cambiar lo que ahora es. Aléjate, ponle fin.

—Paloma... No sé... —admitió turbada, torciendo la boca. Su amiga la abrazó al percibir su vulnerabilidad—. Cuando me toca pierdo toda la perspectiva.

—Conoces el riesgo, ¿no es así? —la interrogó. Ella asintió contra su hombro—. Tú, mejor que nadie sabes hasta dónde puedes soportarlo, pero no me agrada en la posición que todo esto te deja.

—No somos nada, no me deja en ninguna posición, disfrutamos, eso es todo... —musitó alejándose.

—No y no confundas mis palabras. Lo que quiero decir es que él disfruta, tú ya estás poniendo algo más que el deseo en todo esto y lo sabes. ¿Cuándo se verán nuevamente?

—Mañana...

—No irás, ¿cierto? —la urgió. Se irguió suspirando.

—Si no voy parecerá que estoy celosa —apuntó enseñando los dientes.

—Y si vas, pensará que te da igual que se meta contigo y varias más —contratacó. Kristián torció los labios, meditando.

—Se supone que no debería importarme eso y a él tampoco si yo lo hiciera —expuso confundida. Paloma resopló reflexiva.

—Bien, tienes razón, debes ir. Pero... piénsalo, Kris, tú no estás lista para aventuras, te conoces lo suficiente. Sin embargo, sabes que cuentas conmigo, amiga —le recordó sonriendo de forma conciliadora.

—Gracias, lo sé —murmuró y la abrazó.

Por la noche no pudo escaparse de ir a un antro. Adoraba bailar, así que sabían que eso la distraería. Perdida en la pista, con sus amigos, logró olvidar aquello que la mantuvo alerta todo el día. La música entraba por su torrente sanguíneo y lo apaciguaba todo, era como un sedante potente que impregnaba cada célula de su cuerpo, que le brindaba la calma y sosiego que tanto ansiaba. Bailó sin cesar, riendo, gritando y disfrutando como solía porque al final, para eso también era la vida y ella no desperdiciaba ni un segundo de ella.

11
CONTRAPESO

El día siguiente se lo dedicó a su abuela. Juntas pasaron la mañana realizando las compras de la semana y conversando tonterías. Kris lavó ropa, pues la mujer que ayudaba en los quehaceres de la casa no se ocupaba de ello y no permitía que su Aby lo hiciese.

A las siete llegó temblorosa, nuevamente. Cristóbal no estaba. Dejó las llaves sobre una superficie sopesando si quedarse o no. Negó con firmeza. Debía irse, le dejaría una nota y sería su oportunidad para acabar con toda esa locura que ya la estaba afectando.

Buscó en su bolso un papel y algo con que anotar. Justo cuando los encontró, escuchó que la puerta se abría. Se irguió pasando saliva. Iba vestido de forma casual. Era tan raro verlo fuera de esa pose rígida, que casi sonrió. Llevaba algo en las manos. Arrugó la frente.

—Lamento la demora —habló con aquella profunda voz, parecía relajado, incluso jovial. Ella ladeó la cabeza con el papel y lápiz entre los dedos. Él avanzó y le tendió una bolsa de estraza, aliviado de que sí apareciera. Con aquellos *jeans* y esa blusa color perla, se veía preciosa.

—¿Qué es? —quiso saber dejando el papel sobre la barra de la cocina. Cristóbal observó el gesto.

—Ábrelo —pidió. Lo hizo y sacó un batido de chocolate. Sonrió desconcertada.

—¿Es en serio? —lo cuestionó sin comprender. Su mirada brillaba y parecía una niña asombrada, complacida. La calma lo invadió.

—Supongo que no lo rechazarás —la instó agarrando el papel—. ¿Te ibas? —preguntó sin más. Ella se humedeció los labios encarándolo, con el corazón a todo babor.

—Creí que… no vendrías y… —No pudo más, la tomó del cuello y la besó. Nada volvió a importar, ella lo rodeó por completo cuando él dejó el batido sobre la repisa.

—Deseo esto tanto como tú, Kris —musitó contra sus labios usando ese diminutivo de su nombre. Casi se derrite ahí, en plena estancia.

—No sé si debemos continuar —manifestó ansiosa, aferrada a su enorme brazo, de puntillas, gozando de la textura suave de sus labios. Él pegó la frente a la suya al escucharla.

—Solo déjate llevar… —le pidió mirándola a los ojos. Notó su ansiedad, cierto temor oculto tras sus pupilas verdes.

—Es una locura —susurró dejando su aliento fresco sobre su rostro. Sonrió asintiendo.

—Lo sé —confirmó y volvió a besarla, despacio. Necesitaba de ella, de su sabor, de lo que generaba en cada rincón de su mente, de su cuerpo. La tomó en brazos, se sentó sobre el sillón y siguió besándola con roces sedientos, urgentes, mientras ella lo tocaba con desespero.

Varios minutos después ambos yacían inmóviles, llenos aún de calor.

—Tu batido debe estar por derretirse —le recordó besando su frente y desapareciendo un instante después, como solía. Se colocó las bragas, la blusa que llevaba y fue por él. Caminó a la habitación. Cristóbal salió acomodándose el bóxer, pasándose las manos por el cabello. Era impresionante, infernalmente atractivo.

—¿En serio no te gusta el chocolate? —quiso saber y le tendió la cuchara con un poco de batido.

—No te rendirás —comprendió acercándose, divertido. Ella negó.

—No puedo aceptarlo, es lo mejor que existe en el mundo —expresó. Cristóbal lo probó al tiempo que tomaba su cintura con ambas manos entornando los ojos. Un segundo después la besó.

—Mmm, así sabe mejor… —solo dijo. Kristián sonrió abiertamente dándole un poco más para luego hacer lo mismo.

—Tienes razón —pasaron en ese juego un buen rato, más tarde terminaron sobre la cama discutiendo acerca de sabores de helados.

—Eres difícil de complacer. Lo dulce existe por algo... —se quejó la joven mientras jugueteaban con sus dedos, uno al lado del otro sobre el colchón.

—Para subir el azúcar, para dañar el organismo —soltó, sereno, con su gesto relajado. Era evidente que no estaba pensando realmente en nada salvo en lo que compartían ahí y eso la aturdía aún más. Fuera de esas paredes era tan distante, tan gélido, pero, así como el viernes, ese día le mostraba una faceta distinta, agradable, incluso divertida.

—Con medida, no —lo corrigió. Cristóbal rio subiéndola de un movimiento a su cuerpo. Esa familiaridad comenzaba a formar parte de sus momentos. La chica chilló riendo.

—Eso no lo dices por ti, ¿cierto? Porque me consta que no conoces el límite en ese tema —murmuró deleitado. Kristián entornó los ojos, quejosa, disfrutando de la sensación de su cuerpo tenso y cálido bajo el suyo. Le dio un pequeño golpe en el pecho.

—Es una de mis debilidades —reconoció con desgarbo. Él acarició su trasero con delicadeza.

—Espero no tengas demasiadas —señaló con la mirada oscurecida, algo peligrosa de pronto. Pasó saliva negando.

—No... solo un par más —admitió y sin dar tiempo de nada lo besó.

Pronto llegó el momento de irse. En esta ocasión ella fue la que se alejó vistiéndose bajo su escrutinio. Seguía en calzoncillos, con los brazos cruzados sobre el pecho, recargado en un muro. Las horas a su lado pasaban demasiado rápido, tanto que incluso se sentía enfadado, frustrado. Al día siguiente todo regresaría a esa normalidad que lo mantenía en vilo, que lo asfixiaba, que... por alguna extraña razón, ya no soportaba.

—¿Qué ibas a escribir en esa nota? —le preguntó intrigado. Kristián se sujetaba el cabello en un moño desgarbado. Lo encaró deteniéndose con los brazos en alto.

—Que era mejor dejarlo todo aquí —declaró sosteniéndole la mirada y terminando con su labor, torciendo la boca.

—¿Eso quieres? —la cuestionó acercándose. Ella retrocedió, eran más de las once y si lo tenía nuevamente tan próximo, no se iría.

—Cristo... —De nuevo ese apelativo. No obstante, le agradó su familiaridad y el ruego en su dulce voz—. No estoy acostumbrada a este tipo de... situaciones —se sinceró. Él se detuvo, se frotó el rostro comprendiendo.

—Kristián, no estoy con Daria, ni con nadie. —Eso último dolió, pero por lo menos estaba siendo sincero. Buscó su bolso, al conseguirlo se lo colgó.

—Ya te dije que no debes darme explicaciones. —Intentó sonreír conciliadora, iba a dar la vuelta cuando la detuvo pegándola a su dorso desnudo. Respingó agitada.

—No, no tengo por qué dártelas, pero no suelo estar con varias mujeres a la vez... No me conoces, no des por sentado nada sobre mí —la desafió con arrogancia. Ahí estaba de nuevo él. Se zafó algo irritada.

—Solo opino sobre lo que veo —articuló seria.

—¿Ah, sí?, se puede saber qué es... —farfulló. Kristián dejó el bolso sobre el sofá cruzándose de brazos.

—Un hombre al que no le importa nada ni nadie —aseguró. Cristóbal asintió lentamente, sopesando su respuesta.

—Te deseo, lo sabes —replicó con soltura—, y tú... tú también, de la misma manera. Somos adultos, aquí no tienen nada que ver mi vida o la tuya, sino esto —y los señaló a ambos—, que surge con tan solo estar en el mismo jodido lugar. Así que piénsalo, ¿podrás manejar la tensión sin saber que podremos darle fuga en algún punto? —La joven pasó saliva observándolo con indolencia.

—Creo que ha sido evidente que no podemos... —admitió sin vergüenza.

—Bien, me alegra que lo aceptes —se dio la media vuelta alejándose—. A las ocho el martes –y desapareció. La furia la embargó, ¡quién se creía! Lo siguió rabiosa, ya se había desnudado y prendía la ducha.

—No me gusta que me des órdenes, no aquí —bramó con los brazos a los lados, haciendo un esfuerzo enorme por mirarlo solo a los ojos. Cristóbal sonrió con cinismo.

—¿A qué hora te apetece, Kristián? —se burlaba. No deseaba comportarse como una niña pequeña, pero no tenía ni idea de qué decir.

—No sé si podré venir —musitó y se dio la media vuelta. ¡Idiota! No la manejaría, no lo permitiría. Esos brazos que ya conocía bien la hicieron girar antes de que pudiera llegar por sus cosas.

—Deja eso... —rogó y la besó con cuidado, apretando su cintura, rodeando su rostro con su gran mano—, solo lo complicas para ambos.

—No quiero hacer lo que tú digas —argumentó bajito, pero con determinación, mientras él rozaba nuevamente su boca. Dios, ya sentía de nuevo esa maldita urgencia.

—Yo estaré aquí a las ocho, tú llega cuando lo desees. Te esperaré. ¿Te parece mejor así? -Sonreía conciliador. ¿Cómo negarse? Intentó alejarse, él lo impidió besándola otra vez—. Martes y viernes, sé que es cuando puedes venir, yo no objeto en eso y me adapto... ¿Tú, en qué?

—Está bien, a las ocho —aceptó vencida. El hombre pegó su frente a la suya negando con los ojos cerrados. ¿Qué carajos estaba ocurriendo? Depositó un beso suave sobre sus labios y desapareció.

Un segundo después ella escuchó la puerta del baño cerrarse. Tardó en respirar con naturalidad. No lograba acomodar todo aquello que arremetía una y otra vez contra su mente, su piel... su corazón. Salió casi huyendo, necesitaba la paz de su casa, de su habitación, de aquel ambiente que dominaba y conocía. Ese terreno cada día parecía que la absorbía más, como si fuesen arenas movedizas y ya no tenía idea de cómo podría terminar todo.

Al día siguiente lo evitó, hablaba poco y solo lo necesario. Él hacía lo mismo. La observó comer, riendo con sus compañeros de esa forma única, tan natural, tan apacible, tan rebosante de alegría. Deseó estar ahí, a su lado, escuchar de qué hablaban, qué arrancaba ese gesto de su boca, aunque sabía que en ella era muy recurrente.

Llevaba poco más de un mes ocupando el lugar de Carolina y dos semanas en ese juego que él mismo propuso. Cada día la conocía más, muchas horas a su lado, escuchándola, observándola, estudiándola. Quiso repelerla, hacerla a un lado, nada consiguió y ahora se encontraba inmerso en esa absurda circunstancia donde no lograba pensar con la claridad habitual. En la que no podía dejar de desearla. Pese a todo eso, sabía que su forma de ser, de actuar, podía no decir nada, que las personas no se muestran tal cual, sin alguna razón. Ya no confiaba en sus sentidos, mucho menos cuando se trataba del sexo opuesto. Así que mientras eso que había entre ambos durara, no se negaría. Lo disfrutaría como hasta ese momento, pero jamás daría un paso más, nunca.

Kristián reía con soltura por el comentario de uno de sus compañeros, cuando un cosquilleo en su nuca la detuvo. Siguió sus sensaciones y lo vio. Estaba del otro lado de aquel grueso vidrio. La estudiaba sin limitarse. Sostuvo su mirada varios segundos, para después sonreír negando y desviar su atención a lo que en su mesa se decía. Después de eso ya no pudo seguir con naturalidad, sabía que estaba atento a lo que hacía, a sus movimientos y se sentía una colegiala; nerviosa y un tanto perdida.

—¿Tiene listo todo? —preguntó su jefe. Tendrían una reunión con un grupo hotelero en el que estaba muy interesado, así que pidió que investigaran a fondo los detalles, además de él hacerlo por varias horas en la madrugada. Kristián le tendió la carpeta. Lorenzo se encontraba ahí y ya le había proporcionado lo que averiguó. Notaba su hostilidad hacia ella, la forma que la veía le molestó.

—¿Qué es eso? —intervino con rudeza el jefe de estrategias. Cristóbal lo observó arrugando la frente.

—¿Desde cuándo mi asistente debe darte explicaciones, Lorenzo? —Lo confrontó con prepotencia—. La señorita Navarro solo obedece a mis órdenes y preguntas. ¿Soy claro? —preguntó molesto. El empleado asintió comprendiendo la estupidez que acababa de cometer, no obstante, percatándose del tono posesivo que su jefe empleó y que jamás uso con Carolina o algún otro empleado.

—Sí, señor. Espero que la información que le proporcioné fuera de utilidad y satisfactoria —habló en tono formal. Kristián parecía relajada ahí, sentada en la silla de al lado, leyendo algo de su *tablet*. Ni siquiera dio acuse de haberlo escuchado. Casi ríe, esa chica era algo serio.

—Hasta ahora lo fue. Pero ya te dije que no quiero más huecos. Las equivocaciones en tu departamento cuestan mucho dinero que no perderé... Así que vamos —dijo y los tres salieron del lugar.

La reunión sería en las instalaciones de aquella cadena, por lo que tuvieron que trasladarse con todo el equipo que solía llevar para ese tipo de negociaciones. Cristóbal iba en el auto con chofer, debían discutir algunas cosas antes de entrar a atacar.

La junta fue tensa, difícil. Lorenzo y su asistente contaban con toda la información necesaria, aun así, ellos se resistieron. Kristián, al notar el ambiente que se estaba generando, a Cristóbal serio evaluándolo todo, a los ejecutivos y accionistas de la otra empresa sentirse desconfiados por la propuesta, decidió intervenir. Se irguió colocando una mano sobre el hombro de su compañero de forma amistosa. El hombre se irritó de inmediato, pero no lo hizo notar, al contrario.

La joven comenzó a hablar de forma pausada, como si los conociera de mucho tiempo, sonriendo cada dos por tres, intercambiando comentarios jocosos, llenos de ligereza, con aquellos hombres que la observan más que atentos, encantados, asombrados por su forma de hablar, por sus argumentos y la frescura con la que se desenvolvía. Uno de ellos, un ejecutivo de unos veintitantos años la miraba con mayor atención que los demás.

Cristóbal no podía salvo admirarla, caminaba por toda la sala, moviendo las manos, generando más de una risa en los presentes, llevándolos poco a poco a donde él deseaba. Entornó los ojos al notar como ese tipo se erguía para ver su trasero al pasar frente a su silla. Apretó los dientes, rabioso. Lorenzo lucía relajado, pero sabía bien que estaba echando humo por dentro. Ya hablaría con él; o buscaba mejor manejo, o perdería el puesto.

Media hora después, la chica había conseguido lo que pretendían; ellos se mostraron interesados al fin en la propuesta y la estudiarían con atención, prometiendo una respuesta el viernes.

Al terminar, los accionistas, conocidos de Cristóbal, se enfrascaron en una conversación con él, mientras sus equipos se preparaban para partir despidiéndose con cortesía como solían.

—Es asombrosa tu asistente, Cristóbal, una mujer hábil y atractiva —dijo uno de los hombres. Asintió, notando su mirada lasciva, giró y la vio hablando con aquel tipo que no paró de comérsela con los ojos toda la jodida reunión. Apretó los puños, ella sonreía y algo le mostraba en su *tablet*, demasiado cerca, demasiada familiaridad. Deseó cruzar el lugar, sujetarla del brazo y sacarla de ahí. Con la cólera viajando por su cuerpo, logró terminar de forma profesional sus asuntos. Al salir le dijo a Roberto que él conduciría.

—Señorita Navarro, usted irá conmigo. El resto, en la camioneta directo al conglomerado —ordenó así que nadie objetó, jamás se atreverían. La joven lo siguió notando su rabia. Arrugó la frente sin comprender, todo había salido como deseaba. ¿No?

Por varios minutos condujo en silencio. Buscaba las palabras, pero no lograba pensar en nada salvo ese tipo muy cerca de ese cuerpo que lo mantenía en vilo.

—Sabe envolver a la gente —comenzó. Ella volteó sin dar crédito a sus palabras, al tono acusador que empleaba.

—De eso se trataba la junta, ¿no? Así que no entiendo lo que dice —reviró apretando las manos.

—Maneja a los hombres con mucha facilidad, debe tener mucha experiencia en el área continuó.

Quiso darle una buena bofetada. Sin embargo, entornó los ojos, furiosa.

—¿Qué estás tratando de decir? —Lo desafió. Cristóbal la escudriñó un segundo con desdén.

—Exactamente lo que dije... Tendrás una cita próximamente, ¿no? Por eso tan ocupada siempre.

Torció la boca, pestañeando.

—No te sigo —repuso y perdió la vista en las calles.

—No te hagas la ingenua conmigo. Ese hombre te comió con la mirada durante toda la reunión de forma descarada. ¿Cuándo saldrán? ¿Hoy, el miércoles, el jueves? —la provocó. Embravecida lo encaró. Reía con cinismo, como si le importara un carajo, pero deseando despertar su ira.

—Es mi vida, ¿lo recuerdas? —No respondería esas estupideces.

—Por supuesto que es tu vida, no te confundas. Pero esta negociación es delicada, de muchos millones y no estoy dispuesto a que un lío de faldas pueda perjudicarla —expresó con suficiencia.

Quería matarlo, golpearlo. ¡¿Quién diablos creía que era?!

—¡Vete a la mierda! —exclamó. En el momento que lo dijo se arrepintió, después de todo era su jefe. Torció la boca esperando su reacción. Cristóbal aceleró, se metió en unas calles y donde encontró un sitio se estacionó. Kristián buscó la manija de la puerta. Él fue más rápido, detuvo su mano ubicándose frente a ella logrando que se pegara al asiento, abriendo los ojos de par en par.

—No me gusta compartir mi cama —espetó apretando los dientes, a unos centímetros de sus labios, sintiendo como esa marea de irritación y posesividad lo embargaba.

—A mí tampoco —respondió ella sin amedrentarse.

—No quiero que salgas con él —ordenó. Su mirada oscura le advertía que no bromeaba.

—Y tú si te acuestas con esa mujer el sábado… Estás loco —lo intentó empujar para atrás con las manos sin lograr siquiera moverlo—. Eres arrogante, ¡quítate de encima! —rugió ya alterada. Sus ojos por primera vez desde que la conocía se mostraban enfurecidos.

—Te dije que no hay nada entre ella y yo… —le recordó sujetando una de sus manos para que dejara de forcejear.

—¿Y yo debo creerte? –Lo cuestionó alzando el mentón, con las mejillas enrojecidas por la rabia. Ansiosa por salir de ahí, por no escucharlo más.

—Odio la mentira —refutó tenso.

—Yo también, y no tengo por qué darte explicaciones de nada… Tú estás dispuesto a creer lo peor de las personas, sigue así, supongo es más cómodo no esperar nada de nadie y así no te lastiman. ¿No es así? Por eso lo haces. —Notó como su gesto se contraía, alejándose un poco—. Pues te diré algo, señor sabelotodo, vivir es arriesgar, y tú… tú solo existes…

Así que ¡déjame en paz!, ¡deja de hablar de mí como si me conocieras! —Logró hacerlo a un lado de un empujón y bajó del auto cabreada. Con los nervios desbocados, con el corazón martilleando. ¡Qué se fueran al carajo él y su maldita prepotencia! ¿Quién se creía para hablarle así, para acusarla de usar a los hombres? ¡Imbécil!

Una cuadra después miró a su alrededor, no reconoció las calles. La capital era enorme y habían atravesado la ciudad para ir a donde deseaban. Temblaba, aun así, no regresaría, no se subiría nuevamente con él. Viró a la derecha, no había tomado su cartera, nada. ¡Diablos! Buscaría un taxi y después ya vería.

—Sube —escuchó su voz a un lado. Fingió no oírlo y siguió—. Kristián, sube, aquí es peligroso –dijo con tono conciliador. Dejó de andar abrazándose a sí misma.

Cristóbal bajó del auto, consciente de que su equipo de seguridad los observaba ya sin restricción y que la otra camioneta no estaba ahí, tal como ordenó.

—No tienes derecho a juzgarme —le dijo con voz temblorosa, pero con su gesto altivo. El hombre asintió notando su vulnerabilidad, sintiéndose por primera vez desconcertado de verdad—. Y prefiero irme con Roberto, no quiero estar contigo —giró con la intención de hacer eso precisamente. La detuvo con cautela.

—No me acosté con esa mujer, no suelo ir de cama en cama —declaró. Kristián lo encaró soltándose.

—Yo tampoco, ayer te lo dije… ¿Por qué es más fácil creer que soy lo peor? —Lo cuestionó seria.

—Discúlpame. Mi vida es… devastación, Kristián, lo lamento, no te mentí, yo… solo sé herir. —Parecía realmente arrepentido, afligido, inmerso en un pozo sin fondo, negro, lleno de demonios que lo consumían. De pronto sintió un poco de su dolor, de su oscuridad y la espantó probar de alguna manera lo que en su interior existía. Lo observó en silencio por varios segundos, sus ojos verdes ensombrecidos, su gesto notoriamente cansado. Deseó, por un segundo, rodearlo y decirle que todo iría bien, que solo debía dejar de temer. Asintió más tranquila. Ella tampoco quería problemas, después de todo se estaba disculpando; entre ambos no había nada y cada vez era más claro que así continuaría todo.

—Yo también por lo que te dije, no tenía derecho —admitió y caminó rumbo al auto. El trayecto fue silencioso. Extraño. Subían y bajaban, ya no sabían ninguno de los dos de qué sujetarse y eso lo ponía en la cuerda floja que tanto evitaban vivir.

Al entrar a la empresa, el equipo de estrategias ya los esperaba en la sala de juntas. Lorenzo discutía con su asistente de forma acalorada, mientras otro par de chicos los miraban.

—¡Basta! —intervino Cristóbal con Kristián al lado. Lorenzo la miró con profundo odio, al igual que la chica a su lado.

—Eso es una burla, ella no debía intervenir, en algún punto lo lograría y...

—Cierra la boca —ordenó su jefe notando como la joven intentaba mantener la compostura. Despidiendo a su vez con la mirada a los otros empleados, menos a él y a su asistente. Se sentía listo para golpear a alguien—. Mañana hablaremos, no estoy de humor. Y más vale que pienses bien en lo que dirás, no te tengo de adorno. No comprendo qué carajos está ocurriendo contigo, pero no quiero ni pretextos, ni distracciones. Así que ya sabes, mañana, nueve y veinte en mi oficina y quiero estrategias, ya basta de palabrería barata, ¿entendido? —advirtió. El hombre asintió notoriamente contenido—. Y si tu equipo sirve un carajo, lo quiero saber de una maldita vez. La señorita Navarro no está para salvar su pellejo. ¿Estamos claros?

—Sí, señor —susurró y ambos pasaron a su lado, notoriamente molestos.

—Buenas noches, nos vemos mañana. Creo que por hoy es suficiente —anunció él saliendo también.

No sabía si tenía ganas de llorar, de gritar, de qué. Cerró los ojos abrazándose. Buscando esa calma que parecía se negaba a aparecer y que sabía, ella tenía la culpa de que fuera así.

Los ensayos fueron duros, tanto que un par de chicos se quejaron. No les dio tregua, pronto tendrían la presentación y, por si fuera poco, su humor no estaba del todo bien.

Llegó a casa exhausta. Lista para una ducha. Pasó a la habitación de su Aby como solía.

—Muñequita, ¿qué tal tu día? —le preguntó con dulzura. Se dejó caer a su lado, acurrucándose sobre las cobijas. Necesitaba de su abrazo. La mujer la rodeó besando su cabello—. ¿Qué pasa, mi niña?

—¿Por qué a veces todo tiene que ser tan complicado? —protestó acariciando su arrugada mano. La mujer resopló.

—Porque nosotros lo complicamos, porque es la única manera de aprender de la vida —Respondió notando su ansiedad—. ¿Fue un mal día? —adivinó, así que asintió suspirando.

—Sí, todo fue... difícil —admitió bajito.

—Nadie dijo que lograr lo que uno quiere fuera sencillo. Lo que más trabajo cuesta, más se goza cuando se obtiene. —Sonrió recordando esas palabras de su abuelo.

—¿Lo extrañas, Aby? —quiso saber de pronto, alzando el rostro para verla mejor. La mujer acarició su mejilla asintiendo.

—Tu abuelo era mi contrapeso, Kris, desde que no está, la balanza no tiene equilibrio...

—Yo también lo extraño, mucho.

—Lo sé, muñequita, eres tan parecida a él —dijo. Kristián sonrió.

—Y él decía que era muy parecida a ti. —Su Aby rio.

—Supongo que así debe ser, somos tus abuelos, debes tener de ambos —La volvió a abrazar.

—Te amo, te amo mucho, Aby —susurró envuelta en ese olor que jamás olvidaría. La mujer acarició nuevamente su cabellera.

—Lo sé y yo también, Kristián, muchísimo. —En ese sitio se sintió segura, más serena, tranquila, lo ocurrido no parecía ser algo más que un mal momento que ya no tenía mucho peso.

12
Desquiciante

Por la mañana, con renovados ánimos, enfrentó el día. Cristóbal se percibía muy serio, ausente incluso, lo dejó pasar, no deseaba volver a caer en esa atmósfera lúgubre del día anterior. Así que sonrió y trabajó sin cesar mientras él sostenía una larga reunión con ese hombrecito soberbio. A media mañana la llamó.

—Cancela todas mis citas —pidió con voz calmada, a lo que ella asintió esperando más instrucciones mientras él miraba a la nada. Su gesto frío parecía más presente que en todas esas semanas, tanto que la hacía sentir en alerta—. Revisa una información que Gregorio te mandará. No responderé llamadas hasta mañana, así que hazte cargo.

—Sí, señor.

¿Qué sucedería?

—Puede retirarse —murmuró con gesto ausente. Desconcertada dio la media vuelta—. Kristián –la llamó. Se detuvo nerviosa sin voltear—. Por la noche no iré. —Cerró los ojos absorbiendo sus palabras. Asintió sin mostrar ninguna emoción ni lo que eso le afectaba.

—Bien —respondió y siguió. Cristóbal se contuvo para no salir tras ella, para no hacerla virar y besarla como deseaba. Necesitaba aire, distancia, de nuevo se sentía expuesto, de alguna manera vulnerable y eso no lo soportaba.

Unos minutos después salió deseándoles buen día a las chicas con gesto educado. Blanca y Jimena lo observaron mientras Kristián fingía darle lo mismo.

—Ya no regresará por hoy, ¿cierto? —adivinó una de las empleadas, ella alzó el rostro negando. Jimena asintió—. Lo imaginé —avaló pensativa. La joven arrugó la frente.

—A veces, sin más, vuela a Veracruz. Su hermana y esposo allá tienen una hacienda, en ciertas ocasiones va, solo es un día, otras, incluso dos... Es como si lo necesitara, ya sabes, todos aquí conocen lo ocurrido con la loca de su exesposa —le explicó. Kristián torció los labios buscando descifrar a ese hombre, intentando entender lo que en su cabeza había, lo que en su mente habitaba. No debía ser para nada fácil pasar por algo como lo que le ocurrió. No deseaba creer toda la versión sobre lo que leyó, no obstante, podía ser cierta y de ser así, seguramente existían miles de cosas que lo atormentaban, que nadie sabía salvo él y su familia. ¿Cómo sería despertar cada día sabiendo que vivió al lado de la mujer que mató a sus padres, que lastimó tanto a su hermana por años? No tenía idea, jamás podría siquiera empatizar un poco, pero un infierno podría ser la comparativa. De pronto sus palabras retornaron: «devastación», «destrucción». Dejó salir un suspiro sintiendo un peso extraño en el pecho—. Ayer las cosas no fueron bien. ¿Verdad? —conjeturó Blanca. Negó distraída. Cristóbal Garza era un hombre mucho más complejo de lo que alcanzaba a imaginar, comprendió con los vellos erizados.

Salió a las ocho en punto. Era extraño saber que iría a casa sin escala. De alguna manera esas semanas comenzaban a parecer una rutina que, de forma torcida, le gustaba. No saber cómo iría todo, lo que ocurriría, estar alerta, expectante. Todo eso se estaba convirtiendo en parte de su cotidianidad, eso sin contar lo extrañamente gris que se tornó el día sin él merodeando por ahí.

En casa su Aby jugaba a canasta con algunas de sus amigas. La saludó cariñosa, al igual que al resto de las mujeres que conocía de toda su vida.

—Es raro ya verte a estas horas en casa, ¿ese jefe tuyo te dio tregua hoy? –La cuestionó su abuela mientras ella estudiaba el juego de Eva, una viejecita muy simpática siempre que solía perder. Con los dedos y miradas le dijo qué hacer. Todas rieron.

—Eso es trampa, niña —dijo su abuela, pero ella solo se encogió de hombros fingiendo indignación mientras su cómplice se defendía.

—Deberías quedarte a jugar —la invitó sonriendo la mujer a la que había ayudado.

—Debo descansar, pero ustedes sigan, veo que esto va para largo. —Le dio un beso en la cabellera a su abuela y se despidió de todas alzando la mano—. Compórtense, señoras —jugueteó, todas soltaron carcajadas.

—La vida no es para eso a nuestra edad —reviró una con picardía. Kristián negó siendo consciente de la mirada incisiva de su abuela sobre ella.

—¿Te encuentras bien? —le preguntó. Esta asintió guiñándole un ojo.

—Iré a dormir, diviértanse. —Un segundo después desapareció.

Las Santas siempre había sido un lugar sin igual, si cerraba los ojos podía recordar sus veranos y las sonrisas que ahí compartió junto a Matías por tanto tiempo. Qué vida tan lejana se sentía aquella. Cristóbal mantenía la vista perdida en la oscuridad que reinaba en aquel lugar silencioso. Solo se escuchaban los grillos y los ruidos de los caballos relinchando, si acaso ese cascabeleo de las hojas moviéndose con el viento. Había llegado horas atrás. Ver a Andrea y a su sobrino, logró centrarlo nuevamente, aunque no del todo pues aquellos ojos avellana se inmiscuían en sus pensamientos.

Su amigo había salido a recibirlo, como solía hacer.

—Me alegra que nos visites, Andrea está feliz. Desde que nació Fabiano no te vemos por acá —le dijo Matías, mientras caminaban relajados alejándose del helicóptero y este cada vez generaba menos aire con sus aspas. Su amigo lucía feliz, tranquilo y se podría decir que incluso más joven, aunque cansado. Eso era obra de su sobrino, supuso.

—Ha estado muy complicado todo en la empresa, pero al fin pude escapar. Necesitaba esto; aire, cielo limpio, mi hermana, mi sobrino... —admitió andando rumbo a la casa, con las manos en los bolsillos del pantalón. Matías lo observó entornando los ojos.

—Deberías pasar aquí unos días, ya te lo he dicho. Te ayudará a despejarte un poco de tanto estrés. —Cristóbal negó, sonriendo apenas. Quizá antes, pero en ese momento le era impensable, no con la situación que lo mantenía en vilo, con insomnio, agobiado y extrañado.

—Quizá después. Gracias.

—Ella no dejará de insistir en eso, lo sabes, ¿no?

—Lo sé, tú esposa es perseverante. Pero mejor dime cómo va todo. Por esas ojeras parece que el pequeño les arrebató la cama.

—Y el sueño —completó su mejor amigo riendo.

Al entrar a la casa, María apareció, sonriendo. Le dio un abrazo y besó su frente de forma maternal, como solía.

—Es un gusto tenerte aquí, Cristóbal —dijo con aquella voz dura, pero mirada cariñosa.

—Y muero por uno de tus cafés, ¿será que me darás uno? —preguntó más sereno. Ese lugar tenía algo de magia, estaba seguro, porque la tranquilidad lo permeaba, sin embargo, no podía alejarla de su mente, ni a ella, ni a sus palabras.

—Vayan, iré por Andrea, es raro que no esté y aquí —dijo Matías, ellos se alejaron y este subió de dos en dos. La mañana había sido pesada, la noche también con ese pequeñuelo que se abría paso en su vida de forma enérgica. Aunque la verdad es que ya tenía más noches buenas que malas.

Entró a la habitación, cuidadoso. Sonrió al ver ese cuadro que adoraba; su Belleza ahí, sentada en la cama, con el tirante de su vestido abajo, alimentando a Fabiano que la miraba fijamente mientras ella sostenía una de sus manitas, sonriendo de la manera más hermosa que podría existir. Sí, esa era ahora su vida, una que defendería por siempre.

Al verlo ahí, de pie, tan recio como siempre, le sonrió con dulzura. Se acercó con sigilo, sentándose frente a ellos; Andrea con su cabello mucho más largo, con ese gesto relajado, lo observó atenta.

—Justo llegó cuando pidió comer —murmuró con suavidad. Matías acarició su mejilla con ternura y luego su labio. Siempre el deseo, siempre las ganas de ella. La mujer cerró los ojos un segundo, deleitada por sus caricias, esas que eran todo.

—No le molestará esperar, María ya lo acaparó con su café.

—Es infalible.

—Lo es —secundó acariciando ahora la cabecita de su bebé.

—¿Cómo lo ves? —preguntó ahora seria, enseguida supo que se refería a su hermano. Matías se frotó la barbilla.

—Sabes que es complicado. Cristóbal cada vez es menos fácil de interpretar.

—Pero por algo vino. Algo pasa… —expuso inquieta. El bebé la soltó en ese momento. Matías lo tomó en brazos mientras Andrea se acomodaba la ropa.

—Anda, ve a averiguar. Lo acuesto y bajo el monitor, Belleza —la instó meciendo a su hijo con suavidad. Andrea sonrió enamorada, buscó sus labios, lo besó con lentitud y luego pegó su frente a la suya.

—Te amo, te veo abajo.

—Te amo, no tardo.

Bajó corriendo y al escucharlo en la cocina, entró como el huracán que era.

—¡Cristo! —El hombre al escucharla se puso de pie, su hermana corrió hasta él y lo abrazó mientras este la elevaba un poco.

—¡Te he echado de menos, Pulga! —murmuró besando su cabello suelto.

—Yo también. Siempre.

Comieron los tres en la cocina, rieron por tonterías que María decía, alguna anécdota sobre la paternidad que estaban experimentando Andrea y Matías, y sobre otras cosas sin relevancia.

Lo cierto es que las horas ahí, con su hermana y su sobrino, que despertó después de comer y que pudo cargar gran parte de la tarde, pasaron como agua y algo dentro de él se apaciguaba, se calmaba.

Al anochecer, María se llevó a Fabiano para un baño y Andrea no perdió oportunidad para observarlo fijamente, con su marido al lado, relajado, rodeando su cintura.

—¿Cómo estás? —preguntó de pronto, desconcertándolo. Cristóbal dio un trago al tequila y recargó su peso en el equipal, suspirando.

—Bien, está todo bien —murmuró sereno, pero su hermana no se rendiría y lo conocía de sobra.

—Algo tienes, estás... diferente, cómo más atento, sonriente.

—Imposible no hacerlo con mi sobrino por aquí, contigo. Ya sabes que son lo que más me importa —refutó serio, pero con cariño mientras Matías los observaba hablar.

—Lo sé, pero no, no es eso... ¿Me dirás qué pasa? ¿Por qué llegaste así, de pronto? Hacía un tiempo que no lo hacías y definitivamente nunca habías tenido ese gesto.

Cristóbal arrugó el ceño, negando.

—¿Qué gesto? —la cuestionó sin comprender. Ella lo señaló con simpleza, entornando los ojos, pero sonriendo.

—Ese. Es como si algo bueno te estuviera ocurriendo —murmuró sin comprenderse, pero es que era así, lo había visto, aunque pensativo, serio pues así era, sí más receptivo, más atento, pero también intranquilo. Algo lo estaba perturbando, pero se aventuraba a pensar que para bien. O por lo menos eso esperaba.

—Andrea, Fabiano ya está listo —anunció María interrumpiendo la charla. La comitiva subió, Cristóbal se despidió de su hermana y su sobrino, y bajó para esperar a Matías.

Durante algunos minutos perdió la vista en la oscuridad...

—Fabiano no da tregua —explicó Matías acercándose. Cristóbal sonrió con orgullo.

—Es un niño maravilloso y ella se ve muy bien... —admitió tomando un poco del tequila y era verdad, lucía radiante. Su amigo se sentó frente él asintiendo, evaluándolo.

—¿Qué puedo decirte? Amo esta locura, no creí poder vivirla.

—Luchaste mucho por esto —le recordó ensombreciendo su gesto de pronto y es que esos recuerdos jamás dejarían de quemar. Matías se encogió de hombros.

—Ha valido cada segundo, Cristóbal —aseguró. Ambos dejaron vagar su atención por aquella oscuridad—. Lo que Andrea dice es verdad, estás diferente, extraño —habló cambiando de tema. Su amigo sonrió ladeando la boca.

—Últimamente las cosas no están saliendo como deben —admitió recargándose en el equipal.

—¿A qué te refieres? ¿Hay problemas en la empresa? —quiso saber intrigado.

Desde que tomó posesión del conglomerado muchos años atrás, dejó de ser impulsivo, de tomar lo que la vida le daba. Creció mucho más rápido que todos sus amigos de aquel entonces, incluido Matías. No tenía tiempo para ir a fiestas, a antros, bares o cualquiera de esas tonterías propias de la edad. Se entregó a lo que debía, maduró muy rápido y perdió mucho por lo mismo. La despreocupación que solía acompañarlo jamás regresó, las ocurrencias inagotables que emanaban de su cabeza, tampoco.

—No —respondió evocándola.

—¿Recuerdas cuando pasabas aquí los veranos? —le preguntó. Este asintió sonriendo, añorando aquellos momentos—. Parece que fue hace siglos —susurró su cuñado tomando un trago de su cerveza.

—Es como si nunca hubiese ocurrido... Todo era tan diferente —evocó turbado.

—Debes intentar avanzar, disfrutar, no puedes seguir así —apuntó su amigo, Cristóbal lo observó imperturbable.

—No tengo nada adentro, estoy consumido y por mucho que los malditos terapeutas dicen que está en mí el perdonarme, el comprender que no estaba en mis manos... No puedo olvidar que dormí por más de diez putos años con la asesina de mis padres. ¿Quién carajos podría? Ella es un monstruo, pero yo no soy muy diferente. La metí en nuestras vidas, me cegué —admitió al fin, ahogándose de solo recordarlo. Matías negó pasándose una mano por la cabellera.

—Ya hace dos años de aquello. Debes dejarlo ir... Estás vivo, tienes mucho por delante, Cristóbal, no sigas flagelándote de esa manera cruel, no conseguirás nada.

—No pretendo obtener nada, comprende que no lo merezco. Lo lamento, Matías, pero hablar de este asunto no me agrada, jamás me perdonaré lo que hice y lo que no hice. Todo es como debe ser.

—Sé que la vida te encontrará, aunque te escondas como lo haces, de vivir nadie se escapa —aseguró convencido. El hermano de su esposa rio bebiendo lo que quedaba de su tequila.

—No me ocurrirá como a ti…

—Andrea me salvó, había perdido las esperanzas en todo y todos, estaba enterrado aquí y mira, llegó sin que yo lo viera venir. Así que huye, entiérrate en ese maldito conglomerado, pero te garantizo que no te escaparás de lo que sea que deba sucederte.

—Espero no sean más abominaciones —bromeó con ironía.

—Búrlate, pero sé lo que te digo… No podrás evitarlo —le aseguró. Cristóbal se levantó suspirando fuertemente, seguido por su amigo.

—Tú vive todo esto, se lo merecen y a mí déjame con mis demonios, que los gané a pulso… —musitó riendo. Chocaron las manos para luego darse un fuerte abrazo.

—Eres tan terco —reviró su cuñado.

—Te alcancé —dijo Andrea que apareció adormilada. Matías sonrió al verla, era como si el mundo se iluminase en ese instante. Admiraba lo que ambos tenían y le daba paz verla así, feliz, completa, segura. Lo abrazó con fuerza—. ¿Debes irte?

—Sí, Pulga, debo estar mañana en la Ciudad de México —se disculpó. Se veía tan hermosa en ese vestido celeste, tan sencillo, envuelta en esa melena tan llamativa que siempre había tenido, que solo pudo sentir orgullo. La joven se acercó y negó contra su pecho de forma caprichosa.

—No es justo, solo estuviste unas horas —se quejó. Matías la miró con ternura. Su Belleza no tenía remedio, siempre se ponía así cuando su hermano tenía que irse.

—Vendré pronto, un fin de semana. ¿Te parece? —propuso conciliador. Esta asintió sin remedio. Cristóbal tomó su rostro y besó su frente—. Tú cuida a mi sobrino y a este «vaquero» —bromeó. Andrea sonrió ante la burla que solía emplear con su marido.

—Y tú cuídate también, te quiero, Cristo, y espero que la próxima vez que te vea ya me digas lo que sucede —murmuró decidida. Su hermano sonrió sin remedio sacudiendo la cabeza.

—Eres obstinada. Tú estás bien, eso es lo importante —apuntó. La joven asintió con orgullo y con tristeza a la vez.

—Quiero verte bien, quiero que avances, quiero que rehagas tu vida. Te necesito, hermano, necesito que dejes todo aquello atrás... —le pidió de pronto, seria. Cristóbal inhaló fuertemente acariciando su dulce rostro, poco hablaban de eso, pero tal parecía que ese día, ese par, se habían confabulado en su contra.

—Yo estoy bien, Pulga, mientras tú y tu familia lo estén —argumentó sereno. Ella sacudió la cabeza en desacuerdo.

—Sabes a lo que me refiero... —lo regañó entornando los ojos mientras Matías enarcaba una ceja haciéndole ver que estaba de acuerdo. Cristóbal la abrazó de nuevo y besó su melena.

—Ya veremos. Tú sé feliz y yo me ocuparé de mis cosas —susurró cuando Andrea lo aferró con mayor fuerza.

—Esa pesadilla no terminará hasta que te vea viviendo de nuevo. Te amo, Cristo —pudo decir con un nudo en la garganta y se alejó buscando refugio en los brazos de su marido, este la rodeó enseguida y besó su cabeza con ternura.

Cristóbal sonrió asintiendo, con el pecho aún más pesado, pero de alguna manera más tranquilo. Verla bien, le hacía bien.

—Yo también. Descansen...

Dejarla siempre generaba un hueco en su alma, pero a la vez le regalaba serenidad y la capacidad de ver todo en perspectiva. Esa era su vida, debía aceptarla, dejar de pelear con ello. No había mañana y su único compromiso real era con ella y la gente a su cargo en el conglomerado, después de todo no era tan malo y era suficiente.

—Kris, mi niña... —murmuró su abuela sentada a un lado de la cama. La chica se removió somnolienta.

—¿Pasa algo, Aby? —La mujer le dio una palmada en el brazo.

—Supongo que debes ir a trabajar —habló divertida. La joven observó el reloj, se levantó de un brinco. No había escuchado el despertador.

—Dios, no lo oí —admitió levantándose.

—Claro que no, no te dormiste hasta la madrugada... Debes tener apenas si tres horas de que al fin cerraste los ojos. —Su nieta la observó pestañeando.

—¿Cómo sabes? —quiso saber. La mujer la sentó a su lado y acarició su mejilla.

—A ti algo te ocurre, lo veo en tus ojos, en tu actitud, algo de lo que intentas escapar, que quieres olvidar... pero no puedes. Sabes que duermo poco y escuchaba tus dedos contra el teclado de tu computadora.

—Yo... Debí usar la *tablet*, lo lamento —se disculpó afligida, con leves ojeras.

—Enfrenta lo que sea. Tú puedes, eres muy fuerte, mi niña, y cuídate. Sabes bien que no debes desvelarte de esa manera y últimamente llegas tarde, sales mucho —le hizo ver. Ella asintió al tiempo que la abrazaba.

—No te preocupes por mí, son cosas sin importancia, el trabajo... —se justificó. Su abuela la separó negando.

—Te crie, muchachita, sé que nada que no sea importante, te perturba... Así que —tomó su barbilla y se la alzó con un dedo como si fuese una pequeña—, arriba esa frente, que nada te amedrente y si el corazón está en medio de todo esto, no temas, no todas las personas son iguales y de la mayoría, de los errores aprende. –Le guiñó un ojo y salió de su habitación. Cerró los ojos frotándose la frente sintiéndose confundida. No, no creía haber aprendido, es más, estaba segura de que se estaba metiendo en un lío de verdad, lo otro... lo otro a su lado parecía un juego de niños.

Llegó justo a tiempo. Tomó lo que necesitaba y entró a la oficina acomodándose el vestido pues por correr se había movido un poco. Cristóbal hablaba con Roberto cuando apareció.

—Buenos días —saludó con frescura. Ambos voltearon.

—Buenos días, Kristián —respondió el escolta, con tono amigable. Su jefe asintió con fría cortesía tomando un poco de su café para de inmediato perder su atención en una de las pantallas que proyectaban los movimientos de la Bolsa. Sin mirarse discutieron los pormenores del día. Al terminar, Cristóbal revisó con atención su reporte, preguntando solo algunas cosas en las que tenía duda, no obstante, era como solía, impecable.

—Revise los contratos con Finanzas y comuníqueme con Gregorio. Puede retirarse. —La joven se levantó con el corazón anudado, pesado. Las cosas habían terminado, eso era claro y no sabía si sentir alivio o dolor.

En cuanto desapareció de su vista, contempló su lugar vacío, pensativo, evocando las palabras de su amigo, de su hermana, la noche anterior. No tenía idea de qué hacer, de si continuar dentro de ese juego generaría un avance sin remedio. La notó un tanto ausente, nerviosa. Chasqueó la lengua. ¿Cuánto soportaría sin tenerla nuevamente cerca, sin escucharla gemir, sin perderse en su esencia? Negó frotándose la frente. Su vida era una jodida cueva donde reinaba el vacío y el odio, no deseaba arrastrar a nadie hasta ese sitio lúgubre, tétrico, en el que ya se había acostumbrado a vivir, menos a ella. Algo le decía que no debía, que no tenía derecho.

La jornada laboral terminó sin novedad y los días avanzaron. La indiferencia del miércoles fue la que reinó y ninguno de los dos estaba dispuesto a romperla. De alguna forma sabían que eso era lo correcto. El fin de semana fue algo extraño, Kristián, pese a la algarabía en El Centro, no lograba adentrarse, sentirla, su mente se mantenía distante, ajena a todo aquello. El siguiente sábado por la noche sería la competencia, los chicos estaban preparados, y lo que vendría durante la semana, eran ensayos arduos y sin descanso. Los observaba replicar lo pasos con ahínco, eufóricos y poniendo todo de sí. Se sentía orgullosa. Más de uno había llegado ahí sin esperanzas, perdido en alguna adicción o huyendo de una situación personal dolorosa, pero dentro de esas paredes, lograron darle la vuelta y cambiar el rumbo de sus vidas, de sus destinos, identificándose así con otros chicos que también llegaban atormentados, dolidos y muy solos. Los ensayos terminaron muy tarde los dos días, así que por mucho que su estado de ánimo no era el óptimo, logró despejar un poco su mente, no obstante, sin reír como solía, cosa que sus amigos notaron sin problema.

El lunes pasó la mañana tranquila, se sentía exhausta, sin embargo, amaba ese trabajo y la tranquilidad económica que le proporcionaba en esos momentos tan delicados. Después de comer, Cristóbal la llamó a su despacho, Lorenzo ahí se hallaba. Prácticamente no lo había visto desde que tuvo la reunión con su jefe la semana anterior.

—Revisa estos papeles —pidió y le dio un sobre para que lo agarrara.

—¿Por qué ella? —protestó el hombre sin poder guardar su ira. Cristóbal no estaba para tonterías, llevaba demasiados días contenido, dominando su cuerpo para no hacer una estupidez ahí, en plena empresa. El maldito fin de semana fue una tortura por mucho que buscó distraerse. Soñarla, evocarla, se estaba convirtiendo en lo cotidiano cada noche. Por si fuera poco, Kristián se mostraba asombrosamente distante, tan inalcanzable que dolía y eso lo enfurecía aún más. Lo hacía por su bien, pero tal parecía que eso a ella le daba igual. Después de aquella discusión en la que se comportó primitivamente e hiriente, decidió que lo mejor era terminar con lo que ahí sucedía, pero nunca pensó que fuese tan difícil, tan desesperantemente desquiciante.

La joven giró hacia Lorenzo con gesto conciliador.

—Solo los leeré —se defendió. Cristóbal, en cambio, se puso de pie colocando ambas manos sobre la mesa, con pose amenazante. La joven dio un paso hacia atrás, mientras Lorenzo abría los ojos arrepentido de su maldita falta de control.

—¿De qué jodida manera te explico que el que da las órdenes aquí soy yo? Si no quieres firmar tu maldita liquidación, cierra la boca y acata lo que digo. Últimamente tu sueldo no se está justificando, así que ten mucho cuidado, no lo repetiré. Ahora retírate —rugió y señaló la puerta. El hombre salió como vil cobarde casi corriendo.

Kristián permaneció de pie asombrada por el tinte oscuro y asesino forjado en cada una de sus facciones. Jamás lo había visto así, porque, aunque controlado, era evidente que la furia lo tenía hecho su presa. Ladeó la cabeza torciendo la boca. No la asustaba, pero la asombraba, así lucía... peligroso.

—Ve a revisar eso y quiero tu opinión objetiva —ordenó sentándose, mirándola a los ojos sin poder esquivarlos. Su expresión casi lo hace reír, cosa rara después de lo ocurrido.

—Creo que, si no me odiaba, ahora sí lo hace —dijo con desgarbo. Cristóbal sonrió ya sin poder eludirlo. Su manera de decirlo era tan simple y cargada de verdad, que solo atinó a asentir.

—No se preocupe, sabe que su puesto está en riesgo y lo atañe a usted, no a su ineptitud —determinó. La joven sonrió con frescura también. Ese gesto casi lo aniquila. Apretó los puños conteniéndose.

—No quiero ser la responsable de que pierda el trabajo —admitió con sinceridad. Si no se marchaba ya, brincaría el escritorio y la besaría.

—Si lo pierde no será por usted... Espero sus observaciones mañana —finalizó la conversación. Kristián comprendió que debía salir. Asintió obedeciendo sin remedio. Salió deseando adherir su aroma varonil a sus pulmones, ansiando su tacto por cada lugar que ya había explorado, necesitaba como un enfermo su medicamento, sus besos. Bufó observando lo que llevaba entre las manos. Eso le llevaría toda la tarde.

Inmersa no se percató de la hora. Casi las nueve. Cristóbal había salido temprano, no tenía idea de a dónde iría y pese a que los celos la consumían, tuvo que manejarlos. Cada día que pasaba sin él, sin esos encuentros, la ponían peor, más ansiosa y se encontraba pensando más en su mirada que antes.

—Veo que te tomaste en serio lo que ordenó el jefe –escuchó de pronto. Alzó el rostro frotándose el cuello. Recargó los brazos sobre los papeles asintiendo.

—El señor no está... —le informó viendo el reloj del ordenador, debía irse ya, los ensayos. Se levantó un tanto entumida. Le importaba poco que él estuviera ahí, observándola con odio. De un manotazo los papeles salieron volando. Kristián arrugó la frente furiosa. ¿Cómo diablos volvería a organizar todo?—. ¡¿Qué carajos te pasa?! —le gritó a Lorenzo embravecida. El hombre la tomó del brazo con fuerza pegándola a su pecho para luego acorralarla contra la pared y sujetar su mentón con rudeza.

—Te dije que si te metías conmigo te arrepentirías, maldita arpía —gruñó. Kristián quiso darle un rodillazo como sabía debía hacer, pero su pierna con esa maldita falda entallada no llegaría. Lo tomó del cuello buscando alejarlo. La estaba lastimando—. Te haré la jodida vida de cuadritos...

—Me gustaría saber qué más tienes planeado —interrumpió una voz gruesa. El hombre la soltó, lívido. Era Roberto. Se acercó a ella de inmediato al tiempo que lo señalaba con el dedo en clara advertencia de que no se diera un solo paso—. No quiero que se mueva ni un milímetro, señor Guzmán —advirtió. El hombre rio con cinismo, aunque claramente nervioso.

—Tú no me das ordenes —escupió con desdén.

—Es un cobarde y no tiene idea de lo que acaba de hacer... Le aconsejo ir buscando otro trabajo –lo exhortó el escolta con voz pacífica, pero certera. Lorenzo se carcajeó importándole poco.

—Siempre hay manera de resolver las cosas. Ella me atacó, me defendí y luego llegó su amante, que es usted, a defenderla, ¿o por qué diablos está aquí a esta hora? —Lo cuestionó con una ceja alzada. Roberto rio negando.

—¡Imbécil! El que seas pésimo en lo que haces no es culpa de nadie salvo tuya —lo desafió la chica acercándose. Roberto, al ver la ira dibujada en los ojos de ese hombre, y conocer la rudeza de la joven, la tomó del brazo colocándola a su lado. No quería que las cosas ahí empeoraran.

—Me alegra conocer sus planes, buenas noches —admitió Roberto. El hombre rio haciendo un ademán con la mano en signo de importarle poco y salió de ahí sin decir más. Kristián se frotó el mentón adolorido. El jefe de seguridad se giró dejando salir el aire. Cuando Cristóbal supiera lo acontecido ahí, la cabeza de ese hombre rodaría, eso sin contar que era precisamente a ella a quien había lastimado.

—¿Estás bien? —preguntó. La chica asintió observando el desastre.

—Lo odio —habló con pasión—, no podré tener esto listo para mañana. —El hombre le tendió una botella con agua de las que tenían en los estantes cuidadosamente acomodadas, rascándose la cabellera.

—Hablaré con el señor, sabrá lo que ocurrió —le dijo con serenidad. Kristián clavó los ojos en los suyos.

—Lo echará —le hizo ver un tanto aturdida.

—Obviamente, ese tipo nunca me ha gustado, pero era eficiente, ahora ni eso…

—Está demente, yo no tengo la culpa de lo que sucede —declaró tomando más agua.

—Pero él cree que sí, te ayudaré a ordenar esto —propuso. Ella gimió lamentándose.

—No te preocupes, tú debes irte seguramente… —Se agachó y comenzó a acomodar todo llena de frustración.

—No, solo venía por unos archivos, pero el guardia me dijo que aún seguías aquí, así que cuando lo vi pasar, lo seguí, imaginé que nada bueno se le ocurriría —explicó. Ella sonrió.

—Debo recordar no traer estas malditas faldas, sé defenderme, ¿sabes? Pero no pude alzar la pierna —admitió riendo. Roberto soltó la carcajada, era tan ligera que era imposible no sonreír ante sus comentarios.

—Sé que puedes —reviró guiñándole un ojo—. Pero si quieres luego te enseño unos ganchos, solo necesitas los brazos. —Su mirada brilló.

—Oye, eso me gustaría. —Media hora después casi había acomodado todo, pero tuvo que llamar a El Centro para avisar de que no iría, no terminaría hasta la madrugada.

Roberto entró al apartamento de su jefe poco después de las diez. Cristóbal apareció con una toalla enrollada en el cuello y los pantaloncillos de dormir. Hacía unos minutos le había marcado, deseaba hablar con él.

—¿Qué sucede? —preguntó intrigado, su empleado jamás irrumpía en su vida. El hombre lo siguió por aquel enorme apartamento de dos pisos. Las miles de luces iluminaban los altos techos, dejando ver muy poco de la ciudad a través de los ventanales debido al reflejo. Cristóbal entró a la cocina y abrió el frigorífico como solía, era un hombre que pese a tener un batallón a su disposición, se hacía cargo de preparar sus alimentos con aquellos productos que se le surtían sin siquiera pedirlos.

—Lamento la hora, pero creo que debe saber lo que acaba de ocurrir —comenzó. Eso captó su atención y giró con una jarra de zumo de naranja que solía tener siempre. Le ofreció con un ademán. Roberto negó educadamente.

—Dime —lo instó recargándose en la barra de mármol.

—Es sobre la señorita Kristián —expuso. De inmediato se irguió arrugando la frente.

—¿Qué sucede con ella?

Su empleado le narró todo lo ocurrido sin omitir ni exagerar en nada. Cristóbal apretó los dientes sintiendo la rabia circular por su torrente. ¡Maldito imbécil! Y él fue quien alimentó su ira esa misma jodida tarde.

—¿La lastimó? —lo urgió. Eso, era de todo, lo único que realmente le importaba. El hombre sonrió negando.

—No creo, salvo algún morete en la barbilla por la forma en la que la sujetó, dudo que haya logrado más. Ella no se lo permitió. —Cristóbal arrugó la frente, no soportaba pensarla en una situación como esa. ¡Carajo!—. Supongo que él habrá terminado con huellas de sus uñas en el cuello y tal vez su rostro.

—¿Lo golpeó? —quiso saber intrigado.

—No, no pudo, pero de haber ido vestida de otra manera o yo tardar un poco más, seguro él no se habría ido tan tranquilo como lo hizo —aseguró. De nuevo su tono demostraba indignación.

—Gracias por informarme. Ahora mismo soluciono esto. —Roberto asintió, cortés.

—Era mi obligación —admitió y se despidió con un gesto de su cabeza.

—¿Se fue sola? —preguntó de repente. Su escolta se detuvo sin mostrar ninguna expresión ante su notoria preocupación. Negó.

—Claudio verificó que llegara a su casa sin contratiempos —le informó sereno. Su jefe asintió con el celular ya en la mano.

—Bien, buenas noches. —En cuanto estuvo solo se comunicó con la gerente de recursos humanos, al día siguiente firmaría su liquidación ese idiota.

13

CAÍDA LIBRE

Casi a las tres de la mañana logró acabar todo nuevamente. Cada anotación y observación iba debidamente diferenciada, así como lo que creía que sobraba en aquellos documentos.

—Ojalá te despida por primate —musitó observando su barbilla en el espejo del baño, uno de sus dedos dejó una leve marca que buscó cubrir un poco con el maquillaje. Deseaba ir a buscarlo y darle ese buen rodillazo que le debía.

Al llegar, dejó todo sobre el escritorio como solía. Jimena apareció un segundo después, tan serena como siempre. Conversaban animadamente cuando su jefe apareció.

—Buenos días... Señorita Navarro, entre por favor —solicitó serio. De inmediato tomó sus cosas e ingresó a la moderna oficina, tan pulcra y sofisticada como él. La puerta se cerró tras ella con un suave clic. Creyendo que Roberto también estaría ahí, como solía, se acomodó en la silla y comenzó a verificar la información de su *tablet*.

—¿No tiene algo que informarme? —la interrogó desconcertado por su quietud. Kristián volteó y buscó con la mirada a su escolta. No lo vio—. Está arreglando unos asuntos que le pedí... Ahora... —y alzó la barbilla cruzándose de brazos, molesto—. ¿Qué pasó a noche? —insistió. La chica torció la boca dejando los papeles y demás cosas sobre el escritorio. Se puso de pie recargándose, suspirando.

—Supongo que ya lo sabe, ese hombre perdió los estribos y vino a provocarme... En cuanto termine la reunión iré a Recursos Humanos

—informó. Lo decía sin problemas, con simpleza. Además, lucía cansada y conocía el motivo, ese infeliz hizo que tuviera que repetir su trabajo. La lejanía de días se hacía dolorosamente presente cada vez que hablaba, o reía, siquiera olía su fragancia al pasar frente a su escritorio, pero en ese momento creció de forma desmesurada, no soportaba pensarla en aquella situación, menos saberse el responsable, no obstante, Kristián lo estaba manejando sin hacer una tormenta alrededor de ello.

—No hace falta, en este momento está firmando su liquidación —afirmó. La joven abrió los ojos asombrada. Cristóbal se acercó quedando a menos de un metro, con gesto imperturbable—. ¿Qué? ¿Abogarás por él? —quiso saber. Ella sonrió negando.

—Por supuesto que no, es primitivo y solo lamento no haber tenido tiempo de dejarle un golpe sobre su rostro. —Ahora parecía molesta. Eso ahuyentó de cierta manera su ira, era tan particular, nada de dramatismo, nada de victimizarse, solo lo que él mismo hubiera deseado hacer. Pero se abstuvo dejando todo en las manos del departamento encargado del personal, si lo veía, le rompería la cara y no se podía permitir perder los estribos hasta ese punto. De pronto notó al lado de su barbilla un diminuto hematoma. Su expresión se descompuso a un grado tal que ella creyó se sentía mal. El hombre elevó la mano con lentitud hasta que llegó a ese sitio.

Kristián dio un respingo, pero no se movió. Hacía días que su piel ansiaba un acercamiento, sentir eso que corría por su sangre cuando estaba así de cerca, cuando la tocaba. El pulgar grueso rozó con dulzura esa área.

—¿Esto lo hizo él? —preguntó con atípica suavidad. Asintió pasando saliva mientras notaba como se acercaba, examinando ese lugar donde su dedo se hallaba—. ¿Duele? —Negó, humedeciéndose los labios, nerviosa por su proximidad. Eso captó su atención enseguida, estudió deleitado su boca por un segundo, para enseguida perder sus ojos en los de ella. Sin más y lentamente, fue descendiendo, no lo podía controlar, peor, no lo podía evitar, no con esa mirada torturada, asombrada, limpia, no con esos manjares eclipsando su visión, no con lo mucho que había luchado todos esos días para guardar en algún lugar ese apabullante deseo que lo carcomía, que lo hacía perder la conciencia de sí, que lo manejaba a su antojo.

La besó con suavidad, con una dulzura que hasta ese momento creía desconocer y que jamás había usado con nadie. Con movimientos muy sutiles acarició sus labios, absorbiendo su fresco aliento, sucumbiendo ante lo que provocaba esa mujer con tan solo estar en el mismo espacio. Kristián se dejó llevar sin moverse, cerrando los párpados, sintiendo nada más lo que ese hombre lograba con esos inocentes roces, casi tiernos.

—Esto debe terminar —dijo dolido, afligido, pegando su frente sobre la de ella. La joven asintió despacio, tenía razón y lo sabía, pero cómo lograrlo...— Sin embargo, te deseo demasiado, Kristián, me está enfermando —confesó. Ella elevó los ojos, la miraba penetrantemente.

—También te deseo —admitió bajito, con su expresión llena de ansiedad y de frustración.

—Hoy... a la hora que digas. —Se encontró pidiendo él. La chica se alejó un poco recordando su compromiso, su vida, lo que ocurría. La neblina fluorescente en la que él lograba sumergirla no era tan espesa como para no recordar lo que debía.

—Lo siento, no puedo —se disculpó. Cristóbal la observó asintiendo, dando un paso hacia atrás.

—Entiendo —solo dijo. Ella se acercó nuevamente notando por dónde iban sus pensamientos. Sabía que debía dejar las cosas así, era lo mejor, pero simplemente no podía. Cristóbal nuevamente se retraía y ya no lo soportaba, no en ese momento, no después de estar luchando tanto contra eso que generaba en su sistema, en su mente, en su... alma.

—Tengo... un compromiso estos días —intentó explicar. El hombre se alejó de forma definitiva. Su coraza regresaba. Pasó saliva sin saber qué decir, cómo manejar todo eso.

—Debes ir con Gregorio, ya está esperándote en el auto. Hay que levantar un acta por lo que ayer ocurrió aquí. Debe quedar asentado. Déjale los pendientes a Jimena, esos trámites pueden demorar —informó con frialdad y rodeó su escritorio para acomodarse donde solía. Kristián resopló frustrada. Quería gritar, hacerlo girar y sacudirlo. No podía, qué le diría.

—Bien, ahora lo hago... —dijo en cambio, tomó un folder color manila y se lo tendió buscando que los temblores que por su cuerpo circulaban, cesaran—. Aquí está lo que me pidió ayer, todo está señalado —informó. El hombre lo agarró y comenzó a ojearlo asombrado por el orden, por lo minucioso que se podía percibir a simple vista. La miró por un segundo sin resistirse. Eso debió llevarle muchas horas, demasiadas. Sintió que en el pecho algo se removía, que de pronto ese lugar empolvado, lleno de oscuridad, de criaturas lúgubres, se tambaleaba dando un pequeño latido, un atisbo de existir.

—Lo revisaré, gracias —logró decir. Kristián asintió sonriendo, agradecida.

—Iré a hacer lo que pidió. Con permiso —Un segundo después salió dejándolo verdaderamente perturbado. Se recargó sobre la silla, perdió la vista en el techo llenando de aire sus pulmones. ¿Qué mierdas estaba ocurriendo?

Ella regresó cerca de mediodía, de inmediato se puso al corriente en lo que debía. Organizaba una información cuando la puerta de su oficina se abrió. No había nadie ahí salvo ellos dos. Sus ojos se cruzaron por un momento en el que dejaron fluir todo lo que sus palabras no podían expresar.

—¿Por qué no está comiendo? —La cuestionó con tono gélido.

—No he terminado algunas cosas —contestó rompiendo el momento y regresando su atención a la pantalla. Cristóbal apretó los puños dentro de los bolsillos del pantalón.

—Cierre eso y vaya a comer —ordenó molesto por su indiferencia. Ella lo encaró enarcando una ceja.

—Debo acabar -soltó seria.

—Es terca y orgullosa —se encontró diciendo. Kristián rio sacudiendo la cabeza.

—Creo que usted sabe de eso —soltó sin pensar. No pudo enojarse, no con ella, no ese día. Se acercó a su extensión y marcó un par de números mirándola con prepotencia, pero a la vez, divertido. Sin más ordenó le llevaran ahí lo que indicó y colgó.

—Buen provecho, señorita Navarro —dijo y desapareció de forma relajada. La joven observó el sitio donde había estado, por varios segundos. No lo comprendía y sabía que intentarlo solo la confundiría aún más. Sin embargo, no pudo evitar sentir esa onda cálida recorrer su cuerpo ante ese gesto rudo, pero lleno de atención.

Los días siguientes transcurrieron de forma extraña. Había miradas, momentos, algunas palabras, pero no se tocaban, no permanecían mucho tiempo a solas y la ansiedad creció de forma absurda.

El sábado a mediodía, ella entró a su oficina, para mostrarle un documento que debía revisar. Cristóbal lo hizo y firmó. La joven, de pie, aguardó perdiendo la vista por la ventana. Estaba un tanto ansiosa, en unas horas era la presentación por la que tanto habían trabajado, los chicos estaban emocionados y excitados; esperaba que su esfuerzo fuera recompensado porque dejaron el alma en ello. De pronto un grueso dedo la hizo girar. Dejó de respirar al verlo ahí, frente a ella. Se ruborizó pestañeando, descolocada.

Cristóbal la observaba, intrigado.

—Parece que tus compromisos te tienen inmersa —señaló en tono ácido. Kristián solo lo miró sin mostrar ninguna expresión. Se sentía tan exhausta de estar peleando contra lo que ese hombre generaba.

—Nerviosa, nada más —admitió con sinceridad.

—Debe ser importante —musitó intrigado, deleitándose con sus facciones tan suaves, tan femeninas y naturales.

—Mucho... —repuso. Cristóbal asintió serio e introdujo una de sus manos dentro del saco, una barra de chocolate, de aquella marca que solía tener dentro de los cajones de su escritorio, apareció. Abrió los ojos de par en par. ¿Cómo sabía? Una nota adhesiva captó su atención al tomarlo.

«¿Mañana?»

Alzó la vista pasando saliva con dificultad.

—Sí... —soltó sin dudar, le importaba poco ya todo, lo ansiaba con desespero y él no lo estaba poniendo fácil. ¡Al diablo!

Cristóbal jamás admitiría el enorme alivio que sintió, lo cierto era que casi suelta el aire. Los últimos días la notó, si bien eficiente, como solía, algo abstraída, lejana y sonriendo poco, pero el deseo continuaba intocable en ambos, lo sabía por sus miradas, por ciertas acciones que solo ellos lograban descifrar.

—Decide la hora —la instó ya más cerca, rodeando su cintura con sus manos para colocarla justo entre sus piernas al tiempo que se recargaba en el escritorio. Sus mejillas estaban sonrosadas y sus ojos llameaban.

—Siete —declaró. Él asintió obediente—. Yo llevaré la cena —anunció con autoridad colocando sus manos sobre su pecho, con una familiaridad que lo hipnotizó.

—Bien, sé que eres un ser con alto grado de ingesta —bromeó, ella le generaba eso, sentirse joven, ligero. Kristián entornó los ojos torciendo la boca.

—Entonces estaré esperando el postre —soltó con coquetería. Esa nueva actitud lo embrujó. Acercó sus labios de forma sensual hasta su oreja.

—Solo el tuyo, el mío ya lo tengo entre las manos —susurró y lamió su lóbulo con suma dedicación. La joven se estremeció emitiendo un jadeo ahogado.

—Debo irme —logró articular con las piernas temblorosas, ansiosa por perderse en esa dureza, en sus labios, en su tacto exigente. El hombre buscó sus labios para devorarla con arrebato.

—Qué descanse, señorita Navarro —se despidió alejándose. Ella sonrió negando, con las mejillas ardientes.

—Igualmente, señor Garza. —Este asintió con elegancia mientras la chica elevaba su chocolate de forma alegre—. Y gracias.

—Cuando quiera —musitó contemplando a su cuerpo alejarse, de forma lasciva, cargada de promesas.

Gritos, euforia, y como solía, lágrimas de felicidad. No lo podía creer, lo habían logrado, el premio fue una beca para varios en academias de danza reconocidas en la ciudad, así como una suma de dinero para El Centro. Nuevamente Kristián recibió tentadoras ofertas que declinó de inmediato, sin pensarlo, ese era un tema más que manejado y asimilado. Se sentía orgullosa, muy feliz.

El domingo fue a pasear con su abuela para celebrar, junto con Andrés y Paloma. La adrenalina de lo ocurrido aún no remetía, la sonrisa la llevaba adherida. Entró al ático con las bolsas de lo que compró, en cuanto dejó todo sobre la barra, él apareció. La contempló un momento desde su posición, notando su entusiasmo, casi parecía una pequeña que daría brinquitos por ahí. Llevaba esa coleta alta mal hecha, *jeans* y una camiseta de una banda de *rock* que por ahí había escuchado.

—Hola —la saludó. La joven alzó la vista, de inmediato la ansiedad la embargó. Se acercó, enredó su mano tras su cuello para que bajara el rostro y lo besó con apetito. Ese recibimiento lo dejó noqueado.

Kristián se sentía realmente feliz. Se alejó para sacar lo que llevaba.

—Espero que no olvidaras el postre —advirtió sonriendo. Elevó una bolsa, negando, estudiándola con intriga, deleitado.

—Ya sé que es lo único importante para ti —farfulló entornando los ojos, notando como se movía sin problemas dentro de aquel espacio tan diminuto. No tenía ni idea de cómo actuar.

—Exageras... Hay otras cosas —reviró y se pegó a él nuevamente. Adoraba como olía, tan masculino, tan potente. Con ojos dormilones lo observó. El hombre rodeó su cuerpo sintiéndose algo perdido con su extraña actitud, con esa intimidad a la que no estaba acostumbrado.

—Cierto, tus debilidades —recordó, enarcando una ceja. La joven rio asintiendo.

—Solo tengo tres, ya te lo dije... —le recordó y se giró para sacar todo de los recipientes. Eran unos enormes sándwiches de carnes frías y una botella de vino tinto. Se la tendió insegura.

—No supe elegir, no suelo tomar vino de mesa, pero el chico que me atendió me dijo que era bueno... —manifestó. Cristóbal observó la etiqueta sacudiendo el rostro. Parecía un huracán, como si no pudiese estar quieta.

—Es bueno... —admitió. Kristián sonrió aliviada al tiempo que le tendía un descorchador. Unos minutos después ambos se hallaban sentados frente a la barra con sus cenas justo ahí.

—Espero que tengas hambre, estos emparedados son deliciosos —reveló optimista y le dio una mordida al suyo. El hombre tomó un trago de su copa.

—Pareces demasiado alegre —insinuó contemplando cómo se limpiaba con delicadeza los labios.

—Lo estoy —admitió como una niña. Él asintió comprendiendo que no le diría más, fijó su atención en su alimento, serio. Desde que visitó a Andrea en San Diego, hacía un año, no comía con las manos. Nuevamente algo en ella lo llevaba a su hermana y eso lograba que su pecho se removiera de una manera absurda—. ¿Prefieres un tenedor y cuchillo? —bromeó con desgarbo a su lado. El hombre negó sonriendo de forma sensual. Lo tomó y se lo metió a la boca. Dios, estaba realmente bueno—. Veredicto... —lo pinchó riendo. Él tan propio, tan elegante, tan soberbio, viéndolo comer de esa forma, no pudo resistirlo, era realmente algo gracioso, asombroso.

—Lo hiciste a propósito —la descubrió al pasar el bocado. Negó con inocencia bebiendo un trago de su copa.

—Eres como una diablesa, Kristián. —Ella abrió la boca ante sus palabras. Se puso de pie entornando los ojos.

—No regresaremos a los insultos, ¿cierto? Porque hoy estoy muy feliz y no permitiré que lo empañes —se quejó. Cristóbal le quitó la servilleta de la mano, negando. La música de fondo era suave, como la que le gustaba escuchar. La tomó por la cintura pegándola a su pecho.

—No lo haré, pero lo eres —refutó moviéndose lentamente. La joven pasó saliva. Desde Quebec no habían vuelto a bailar y él lo hacía de una forma jodidamente sensual, tanto que sentía flotaba entre sus brazos—. Algo de calma no está mal, ¿cierto? —murmuró cerca de su oído, logrando que sus vellos se erizaran. Negó despacio.

Cristóbal la sentía burbujear, demasiado alterada, vital, su energía fluía sin reserva, era gracioso, agradable, era como tener frente a si a un ser indomable, que se dejaba llevar por lo que su cuerpo decía. No obstante, la necesitaba cerca, suave, lista para emprender ese camino que ambos disfrutaban como dos adictos.

Recargó con delicadeza la barbilla en su frente, agachándose un poco, moviéndola lentamente, disfrutando de ese momento de paz, de gloriosa intimidad, que acompañado por todo lo demás, le parecía sublime. Kristián se tranquilizó, incluso cerró los ojos perdida en su aroma, en su firme agarre, en la manera en la que la dirigía. No solía bailar eso, pero con su abuelo aprendió a moverse sin dificultad con ese tipo de música.

—Chopin me agrada —admitió recordando aquellas tardes donde ella llegaba a casa gritando, saltando, haciendo cualquier cantidad de desorden y él la tomaba de la mano, la acercaba a su piano y comenzaba a tocar esas melodías. De inmediato se tranquilizaba, otras veces, simplemente lo ponía en su aparato viejo de música, la tomaba del brazo y le mostraba los pasos pausados y serenos. Esas eran de las pocas cosas que lograba apaciguarla.

Se separó un poco buscando su mirada. Los recuerdos la embargaron de inmediato. Cristóbal acunó su barbilla con dulzura, acercando su aliento notando algo turbados esos almendrados ojos.

—Creí que preferirías otra música —apuntó despacio. Ella negó sonriendo levemente, deleitada por la intimidad que compartían, por la paz que los envolvía.

—Me relaja —confesó con su rostro ciertamente más sereno.

—Te deseo en todo momento —murmuró casi besándola, dejando en su tono algo de culpa y de desespero.

—Te necesito, Cristo —alcanzó a decir y acortó el diminuto tramo que los separaba. El hombre devolvió el gesto con suavidad, con ardor. Le quitó la goma, soltando su cabello. La fue llevando lentamente hasta la habitación. Se sentó en la orilla del colchón, la tomó por la cintura y comenzó a besar su abdomen al tiempo que ella se quitaba la blusa. La forma en la que la tocaba solo lograba emerger chispas cálidas que lo pringaban todo. Lamió cada parte de ese ser que lo mantenía en tensión, que extrañó como un imbécil todos esos días sin poder tenerla. La dejó sin ropa, completamente expuesta frente a sí.

—Eres muy hermosa, Kris –gruñó con la voz ronca, alzando el rostro para verla a los ojos.

—Quiero tocarte —declaró ella, mordisqueando con timidez su dedo índice. Sonrió poniéndose de pie. La joven lo despojó de toda su ropa, consciente de su mirada sobre cada uno de sus movimientos. Lo tumbó sobre la cama con lentitud y dejó viajar sus labios por todo aquel colosal cuerpo, rozando con sus delicadas yemas ciertas partes y dejando su aliento en otras. Cristóbal no podía creer lo que ahí ocurría, deseaba pedirle que parara, que no podría con ello, pero la chica sonreía con dulzura infinita. Se frotó el rostro más de una vez, emitiendo gruñidos repletos de agonía. Esa sirena lo estaba aniquilando como nunca nadie jamás lo había logrado. Sus labios eran mucho más de lo que podía soportar.

Cuando no pudo más, pues temía enloquecer, se irguió, la hizo girar para que le diera la espalda sobre la cama, cuidó el encuentro y se enterró en su cuerpo. La joven al recibirlo se arqueó, llorosa. Con sumo cuidado fue y vino, procurando con sus manos darle más placer, lamiendo su cuello, sus hombros, sintiendo su asombro en cada poro. El grito proveniente de ambos, momentos después, los hizo descender en caída libre, quedando laxos sobre el colchón.

Cristóbal besó su cabello instintivamente, nadie le había regalado tanto placer como esa tierna joven minutos atrás. Kristián se arrastró hasta las almohadas, exhausta, completamente rendida, con los ojos cerrados. Un segundo después él regresó, la cubrió levemente con las cobijas haciéndola girar. Sus rostros se encontraron a unos centímetros.

—Debes de decirme cuando algo no te guste —la instó algo agobiado. Ella sonrió lánguida. Acercó su mano hasta su duro rostro, ahora un tanto suavizado debido a lo que estaban compartiendo, se acurrucó un poco más y comenzó a trazar con su yema, su pómulo, su frente, la línea de su quijada. Cristóbal solo podía mirarla, contemplarla, su mente se encontraba llena de esa esencia femenina, tan incomparable que no lograba pensar en nada más salvo en sus dedos recorriendo su rostro de esa manera tan tierna.

—Tú también... Cristo —susurró con los ojos a media asta. Él rio negando, tomando su mano para besar su palma—. Y también eres muy hermoso —completó. Él besó con suavidad sus labios. De pronto la joven se pegó más a su pecho, la recibió rodeándola, un tanto desconcertado, otro tanto satisfecho. Acarició su cintura por unos minutos, perdiéndose en la tenue oscuridad de la habitación, si bien algunas luces del otro lado se encontraban encendidas, ahí no alumbraban del todo.

Se removió, abrió los ojos de par en par al recordar dónde estaba. Ella aún permanecía ahí, casi sobre su cuerpo, cálida, completamente dormida. Agachándose un poco pudo ver sin problemas su rostro apacible, completamente inconsciente. Su pecho se sacudió de forma violenta, algo nuevo, ajeno, incluso doloroso. Acercó una mano hasta su mejilla y quitó un cabello que estaba muy cerca de sus labios.

No tenía idea de qué hora era, pero no podía permanecer ahí, por la mañana eso generaría una locura, sin embargo, de una torcida manera, algo en su interior deseó que permaneciera así, descansando para poder contemplarla, sentirla, olerla, sin restricción, deleitándose de sus facciones.

Dejó caer la cabeza sobre las almohadas negando con dureza. Ya no sentía el control sobre eso que entre ambos existía, sobre lo que ocurría con su cuerpo cuando la tenía cerca, con su mente cuando no la veía. Preocupado, profundamente turbado, comprendió que algo estaba avanzando y que ya no era capaz de frenarlo, simplemente no podía pensar en no tener acceso a sus besos, a su sabor, a... su sonrisa. Algo desconocido iba invadiendo su interior y no veía cómo detenerlo, no si eso implicaba privarse de ella.

Se movió con cuidado, salió de la cama, buscó su celular, casi las dos. Se calzó el bóxer y se sentó a su lado, contemplándola. Toda esa energía que la caracterizaba parecía ahora tan lejana. Sonrió sacudiendo la cabeza. No quería dañarla, no quería que saliera lastimada, no quería sumergirla en su oscuro mundo, pero no lograría alejarla.

—Kris —le habló despacio, debía llevarla a casa. La joven gimió cambiando de posición. Observó como un idiota cada uno de sus movimientos, absorto—. Kristián… ya es tarde —volvió a decir. Ella se quejó de forma única y enseguida comenzó a frotarse los párpados. Era realmente hermosa, admitió para sí, contemplándola.

—Dios, me dormí —murmuró reparando en su alrededor y luego en él—. Lo siento —se veía exhausta, ridículamente dulce.

—Acabo de despertar también. Vamos, te llevaré. —Besó su frente y se alejó. Ese gesto la dejó atontada. Un minuto después le tendió sus cosas. Se sentó bostezando. Sentía que un camión había pasado sobre su cuerpo machacándolo todo. Con movimientos lentos se fue poniendo la ropa. Al ver que no avanzaba y él ya había terminado, divertido la ayudó, sus ojos se cerraban. Resultaba muy cómico verla así después de recordar cómo había llegado.

Se puso de pie con su ayuda, pues la tomó de ambas manos para jalarla.

—Dios, me siento ebria —admitió frotándose nuevamente los ojos. Él rio tomando su rostro entre las manos.

—Luces dormida aún, Kris. —Rozó sus labios, sujetó su mano y la instó a salir.

—No te preocupes, puedo irme sola —declaró al ver que llamaba a su jefe de escolta y le ordenaba llevarse su auto. Soltó la carcajada.

—No te sostienes, anda, no perderás tu independencia por eso. —Parecía divertido con todo lo ocurrido, relajado, alegre. Una vez dentro del asiento, cerró los ojos y cayó nuevamente rendida. Cristóbal la observó sintiéndose dolorosamente completo con su presencia serena ahí, a su lado—. Kris, llegamos —escuchó entre sueños de nuevo esa voz. Giró con los ojos enrojecidos. Él sonrió, lucía noqueada. Bajó y la ayudó a hacerlo al tiempo que le daba las llaves de su auto.

—Gracias —susurró abriendo la reja negra.

—Descansa —pidió con educación. Ella sonrió asintiendo y abrió la siguiente puerta, para desaparecer un segundo después. Observó su casa, intrigado. Tres plantas, vieja, la colonia no era mala ni buena, pero era evidente que le hacía falta algo de mantenimiento al lugar. ¿Con quién viviría ahí? Sacudió el rostro alejando cualquier pensamiento. Él también debía descansar y ya no deseaba pensar más.

14

ROSA CARMESÍ

La mañana transcurrió como solía. Sin embargo, había miradas, movimientos que los alertaban, gesticulaciones que no lograban esconder del todo, pero que no eran evidentes para nadie.

Cuando iba a apagar el monitor de su ordenador, casi a las ocho, apareció Luis, uno de sus compañeros de trabajo y con quien más discutía sobre futbol. Le sonrió como solía, extrañada de verlo ahí. De pronto, de la solapa del saco, extrajo una rosa carmesí. Abrió los ojos de forma desorbitada.

—Luis... —balbuceó nerviosa. Odiaba ese tipo de situaciones, no le agradaba lastimar a nadie.

—Vamos, Kristián, es tuya —la instó acercándosela. La joven la tomó con las palmas sudorosas—. Salgamos, no sé, a cenar, al cine, lo que quieras... Divertirnos, conocernos fuera de aquí —propuso. Ella observó la flor con los ojos desorbitados.

—Señorita Navarro —la gruesa voz de Cristóbal la hizo girar. Sabía que seguía ahí, pero no escuchó que abriera la puerta. Se puso aún más nerviosa. El chico se tensó al ver a su jefe mientras invitaba a salir a esa linda joven que fascinaba a más de uno en la empresa.

—Luego te busco, piénsalo. Con permiso, señor Garza —se despidió y desapareció casi enseguida. Cristóbal observó lo que llevaba entre las manos con la ira dibujada en cada dura facción, apretando los puños para controlarse, para no decir ni hacer nada al respecto pues sabía que no tenía derecho a nada. Él mismo lo propuso y era lo más sano para ella, aun así, no lograba alejarla.

—Entra —pidió con un tono gélido, lleno de amenaza, pero también cargado de ansiedad.

En cuanto pasó a su lado, cerró la puerta, aferró su nuca y la besó con desespero, como venía deseando hacer desde que dio la hora en la que el personal solía irse. Kristián, sin pensarlo, rodeó su cuello devolviéndole el gesto. La tocaba con necesidad, con bravura.

Poco a poco la fue arrastrando hasta el baño, cerró la puerta, mientras ella jadeaba al sentir sus besos exigentes, al ser consciente de sus manos pegándola a su excitación. Elevó su falda y se desabrochó el pantalón, necesitaba tomar todo de esa mujer. Kristián perdía toda la proporción, no pensaba, no podía, Cristóbal, tampoco. Sus manos de repente se perdieron en sus pliegues húmedos logrando que se arqueara, transpirando. Su corazón marchaba a toda máquina, tanto que escuchaba sus pulsaciones por detrás de la oreja. De pronto, el dueño de su deseo se deshizo de sus bragas, elevó una de sus piernas, la sujetó con fuerza y se adentró en su cuerpo de un solo movimiento. La chica gimió asombrada, pero él lo absorbió hundiendo su lengua con mayor exigencia. Todo era absolutamente primitivo, sin un gramo de ternura, solo pasión, deseo, necesidad.

Lujuria, gemidos, y el roce de sus cuerpos, fueron los testigos de esa ruda entrega. Cuando no pudieron más, ella lo aferró con fuerza, mientras él dejaba salir un gruñido gutural. Respirando agitados, permanecieron ahí un momento más, temblorosos, azorados. Él sujetándola con firmeza, ella adherida a su pecho.

—Estás logrando que rompa todas mis reglas —admitió Cristóbal perdido en el aroma de su cabello. La mujer alzó el rostro, sus mejillas estaban encendidas y sus labios enrojecidos. Los besó por última vez al notar su mirada turbada—. Lo siento, no fue el lugar —se disculpó soltándola con cuidado, para un segundo después abrocharse el pantalón. Kris con movimientos lentos se bajó la falda y tomó las bragas que él le tendía, agobiado—. ¿Estás bien? —quiso saber al notarla temblorosa. Ella solo asintió, enmudecida. Rozó su mejilla y salió para que pudiese tener un poco de privacidad. Kristián se acomodó la ropa, se humedeció el rostro y salió, minutos después, ardiendo por dentro.

Él observaba las luces de la ciudad con gesto meditabundo. Se veía tan impresionante, tan grande, tan hombre y tan... ajeno.

—No sabía que tenías reglas —murmuró de forma extraña, unos metros detrás. Cristóbal volteó y le tendió de forma serena la flor que en pleno arranque terminó en el piso de mármol blanco. Ya la había herido una vez con sus palabras, no lo haría nuevamente por mucho que sintiera el ácido quemar su garganta.

La expresión de él no delataba ninguna expresión, nada. La agarró sin muchas ganas.

—Las tengo, demasiadas, Kristián, pero contigo parece que no importa... Ve a descansar, aún luces agotada —señaló con voz pausada, tan tranquila que heló su sangre.

—Cristóbal... —murmuró alzando la flor con rostro culpable, buscando explicarle. Él negó con fuerza.

—No, no tienes que hacerlo. Eres tan libre como yo, tienes derecho a salir con quien desees, a... —Ese ácido ahora quemaba su esófago, no soportaba pensarla en brazos de nadie más, pero era la realidad, no la ataría, no debía, era eso justo lo que deseaba evitar— vivir y hacer las cosas propias de tu edad.

La joven sintió como si estrujaran su pecho de un solo movimiento. Asintió sin poder esconder lo que cada una de sus palabras le provocaba.

—Lo sé, solo pensé que...

El hombre alzó su barbilla con suavidad para que lo mirase a los ojos. Su expresión lúgubre, llena de aflicción, logró crearle un escalofrío.

—Te lo dije antes y te lo repito ahora, de verdad necesitamos que lo comprendas. Soy devastación, destrucción. No permitiré que nadie entre en ese mundo, tampoco deseo que eso suceda. Así que dejemos todo como está, no te he mentido, Kristián, cuando puedas, cuando todo esto sea más fuerte que tú, huye... Por favor, no permitas que te dañe —suplicó, besó su frente y salió con paso ágil, silencioso.

El festejo que se realizó en El Centro no logró disfrutarlo como deseaba. Solo podía pensar en sus palabras, en lo que proyectaba su mirada. Se sentía perdida, profundamente turbada. Su cuerpo ya no era el único que participaba en todo ese juego y no encontraba la manera de dar marcha atrás para no sentir que cada una de las cosas que le dijo, no dolieran como comenzaban a hacerlo.

—¿Nuevamente el «millonario»? —preguntó Paloma a su lado. Kristián la observó de reojo. A ella no le podía mentir. Asintió observando a los chicos bailar debido a la felicidad de lo logrado—. Se está complicando más, ¿cierto?

—Jamás me he sentido tan perdida —admitió sin verla, con gesto ausente. Su amiga abrió los ojos de par en par, asombrada, nunca la había escuchado decir algo así.

—Aléjate, Kris... Por favor —le pidió. La castaña giró, afligida.

—Ya no puedo —confesó en un susurro. Paloma dejó salir un suspiro comprendiendo.

—¿Te enamoraste? —quiso saber. Kristián se encogió de hombros, reflexiva.

—No-no lo sé, pero, no puedo dejar de pensar en él...

—Dijiste que era frío, indiferente —le recordó dándole un pequeño empujón.

—Y es cierto, pero también brillante, seguro de sí, tierno, incluso dulce... atento y demasiado claro, dolorosamente honesto —reconoció acongojada.

—Kristián... —murmuró colocando una mano sobre la suya. La joven la encaró torturada.

—Me calma, Paloma, me tranquiliza —admitió aturdida. Su amiga negó frotándose la frente. Nadie lo lograba, nadie salvo su abuelo. Ella era un huracán sin control, tanto que se preocupaba constantemente por eso. Difícil apaciguarla, lograr que esa energía no bullera como lo hacía. Así que el hecho de que alguien pudiese tener ese poder sobre ella era algo realmente importante, trascendente.

—No sé qué decirte, Tián. —Ella negó recargando su cabeza en su hombro.

—Nada, no digas nada... —farfulló. Andrés se acercó y le tendió un plato lleno de comida, las había observado a lo lejos, sabía que algo no iba bien.

—Deja esa cara y come. Anímate, tus chicos están preocupados por ti. —Volteó para mirarlos, era cierto. Tomó el plato que le daba y fue a acompañarlos, debía dejar eso por un momento y concentrarse en lo que era su realidad, su logro.

En la madrugada unas náuseas terribles hicieron que se levantase. Devolvió todo sintiéndose débil de pronto. Llegó a su cama con un malestar en el estómago un tanto incómodo. No logró dormir nada bien, entre eso y Cristóbal, no podía caer en la inconsciencia.

Por la mañana no se sentía mejor, por lo que optó por no ingerir nada salvo una manzana.

La junta matutina transcurrió sin problemas pese a que no se sentía bien, su estómago gruñía, así que no pudo concentrarse del todo. Solo asentía y anotaba lo que le decían.

A media mañana nuevamente tuvo que correr a los sanitarios. Salió con el cuerpo cortado, notando que se veía algo pálida. Se sujetó el vientre quejándose. Algo que ingirió le había caído definitivamente mal.

—Señorita Navarro, quiero que me acompañe a la comida de hoy —le informó Cristóbal por teléfono. Sentía un poco de sudor sobre su frente, respiró profundo buscando que el malestar se le pasara. Ya había tomado unas pastillas del botiquín, pero parecía que no surtían efecto.

—Sí, señor. —No era común aquello, pero ya algo le había dicho Caro sobre eso; a veces necesitaba que asistiera para darle más formalismo a ese tipo de reuniones, sabía que debía limitarse a escuchar, no perder detalle para que luego pudiese retroalimentar a su jefe y así planear la mejor estrategia. El que solía ir era Lorenzo, pero ahora que no estaba, fue su turno.

Subió al auto en silencio. Sentía que el cuerpo no le respondía del todo, minutos antes había devuelto nuevamente y en ese momento la debilidad comenzaba a ser más notoria.

—Solo quiero que observes, ¿bien? —solicitó Cristóbal. Ella asintió frotándose la frente, mirando el exterior. Su jefe la observó de reojo. Toda la mañana había estado asombrosamente extraña, ausente, pero se lo adjudicó a la conversación del día anterior, así que prefirió no provocarla. Esa comida surgió de improviso un día antes, sugerida por uno de sus amigos del Club. Sabía que buscaban ofrecerle algo interesante, ya había escuchado de esa cadena de bares con anterioridad, podía salir algo bueno.

Llegaron al lugar, elegancia y sobriedad por doquier. Kristián no podía más, sentía que sus piernas cosquilleaban, de nuevo, al entrar; esa mezcla de olores logró que deseara vaciar sus entrañas. Se disculpó apenas se sentó y fue, como pudo, hasta los sanitarios. Ya ahí, otra vez, salió trastabillando. Se lavó las manos y notó que ya no tenía color en el rostro. Se recargó en una pared buscando recobrar algo de energía.

—¿Señorita, se encuentra bien? —Una mujer que atendía esa área del restaurante se acercó al verla así, lívida. Negó sintiendo que sus hombros pesaban, su piel pegajosa. La tomó del brazo y la sentó en uno de los sofás que ahí se ubicaban—. Está muy pálida, ¿llamo a alguien? —Respiró buscando con todas sus fuerzas no perder el conocimiento, sabía bien cómo se sentía y odiaba que le ocurriera. Se irguió como pudo.

—Solo deme algo dulce, un refresco de cola —le suplicó temblorosa. Un segundo después apareció con lo pedido. Lo bebió con mucha dificultad. El esófago le ardía y el estómago ya hacía ruidos que incluso quien la auxiliaba lograba escuchar.

—Debe tener una infección —atinó a decir y acercó la mano a su frente, asintió—. Trae fiebre —le informó. Kristián concordaba con ella, eso no podría ser otra cosa. Cuando se sintió un poco mejor, salió. Cristóbal, al verla acercarse, notó de inmediato su semblante. Dejó la servilleta de un movimiento y fue hasta la joven que parecía caería en cualquier momento. Su rostro cenizo y sus labios transparentes lo hicieron temblar.

—No... me siento bien —le dijo recargándose sobre su cuerpo sin remedio, dándole lo mismo donde se encontraban. El hombre la sujetó por la cintura con firmeza. La preocupación lo carcomió, se veía realmente mal. Los hombres con los que comía se levantaron y de inmediato ofrecieron su ayuda. Cristóbal se lo agradeció, mientras Roberto daba instrucciones a su equipo. Salió de ahí un minuto después, importándole muy poco nada, salvo esa mujer que caminaba con esfuerzo. Ya en la puerta la arropó contra su cuerpo besando su melena. Tenía temperatura.

—A urgencias, ya —ordenó metiéndola al auto.

—Kris —la llamó sacudiendo su rostro. Abrió los ojos con esfuerzo, unas ojeras purpúreas aparecieron justo debajo, eran enormes. Al escucharlo sonrió levemente. Ante ese gesto no pudo más que pegar su frente a la de ella.

—Lo siento... Debí ir al médico por la mañana —se alejó un poco. Parecía afligida. Negó acariciando su rostro.

—No te preocupes, estarás bien, te atenderán —siseó despacio.

—Me duele mucho el estómago, creo que fue algo que comí —conjeturó y volvió a sonreír. Deseó cubrir su rostro de besos, deseó acunarla sobre sus piernas y mecerla hasta que su color regresara. Emitió un quejido doblándose un poco. Pudo escuchar sus intestinos—. Esto es bochornoso —balbuceó negando. No tenía remedio, comprendió él realmente preocupado, lucía bastante mal.

Al llegar la bajó con cuidado. Una vez dentro ella desapareció. Nadie podía pasar a esa área a menos que fuese familiar. Se recargó en un muro, mirando las luces blancas que circundaban todo el lugar. Sentía una aprensión molesta, una necesidad irritable de estar a su lado y acompañarla durante la exploración. Se frotó el rostro negando. Esa mujer de alguna manera iba entrando a su sistema, esquivando esos obstáculos que hacía mucho tiempo permanecían ahí, muy dentro de su ser. A su lado se sentía cálido, vivo, extrañamente bien y los momentos lúgubres simplemente desaparecían. No, no podía permitir que eso llegara a más, que Kristián entrara a ese sitio. Lo que se percataba que ya comenzaba a sentir, solo lograba afianzar más su decisión. Pronto tendría que poner punto final a todo ese arrebato, a esa locura.

Casi una hora después la enferma salió en la silla de ruedas donde la introdujeron. Sonreía con mejor cara, aun así, notoriamente enferma.

—Una infección, al parecer lo que cené ayer estaba mal... —informó, llevaba una receta en las manos. Se la quitó con indolencia y en la salida, la ayudó a levantarse.

—A tu casa y no quiero que salgas de ahí hasta que estés bien —ordenó tendiéndole la hoja a su escolta. Ella intentó evitarlo.

—Ey, no, yo me hago cargo... Ya pagaste el hospital. —Sus energías no le permitieron ir por él. Cristóbal resopló molesto.

—Entra al auto, ahora, Kristián. —Desganada y verdaderamente agotada, no le quedó más remedio.

—Es mi enfermedad, puedo solventarla —articuló recargando la cabeza en el respaldo. Él negó con firmeza—. Oh, vamos. Ya te dejé mal ante aquellos hombres y ahora esto.

—Basta, descansa y olvida esas estupideces del dinero y esos hombres... Mejórate, no hay más que hablar —zanjó. La joven dejó salir un suspiro de frustración.

—Eres difícil —se quejó cerrando los párpados. La observó en silencio todo el trayecto. Su pecho se sentía tan extraño. Una fiera necesidad de cuidarla él mismo rugía dentro de su piel. No tenía idea de su vida, de lo que fuera de la empresa hacía. Entre ambos solo existía placer, necesidad, pasión, deseo y lujuria, palabras que no daban permiso a nada más, salvo a eso, a ser espectador de su vida. Cerró los puños profundamente turbado. Las cosas no podían seguir así, no era lo mejor, ella no le temía, al contrario, cada día iba abriéndose camino en su enredosa existencia y eso no lo soportaba, no comprendía los sentimientos que estaba despertando muy dentro de su ser, de su mente.

La dejó en su casa, minutos después, no sin antes advertirle que no quería que hiciera nada salvo descansar.

Ansioso, pasó la tarde. Blanca y Jimena atendieron su agenda, con un poco de torpeza si era sincero, pero no podía culparlas, Kristián era arrolladoramente eficiente, incluso más que la misma Carolina, que era buenísima en su puesto. Por la noche le llegaron por correo unos balances y su agenda para el día siguiente. Rodó los ojos, estaba despierta. Tomó el celular y le marcó.

—Cierra ese aparato, ahora —exigió en cuanto contestó.

—Hola, sí, me siento mejor, por lo menos mi estómago ya no gruñe como si tuviese un circo adentro, gracias por preguntar —se burló logrando que sonriera. Su ausencia era ridículamente notoria, su alegría, aún más.

—Me alegra, ahora haz lo que te digo —soltó más sereno.

—Ya terminé, debía mandarlo... No quiero que me tachen de ineficiente —se excusó. Definitivamente se encontraba mejor. Eso lo alivió sin remedio. Verla tan callada toda la mañana, no fue algo que le agradó, al contrario, lo mantuvo molesto, ahora que ya sabía a qué se debía, la culpa también emergió.

—No quiero saber que estás trabajando. No juego, ¿estamos? —requirió con autoridad. La escuchó resoplar.

—Sí, señor, justo ahora dormiré nuevamente —admitió dócilmente.

—Bien, eso es lo que debe hacer. Buenas noches.

—Buenas noches... —colgó un segundo después. Al minuto, otro *mail*. Lo abrió gruñendo.

«El último, lo prometo... Sonríe un poco, nadie te verá».

Sin poder evitarlo lo hizo, esa chica lo lograba sin ninguna dificultad.

El día siguiente fue estúpidamente lento y monótono. No supo nada de ella, por otro lado, dio órdenes de que no se le molestara.

Kristián despertó casi a las doce. Su abuela se preocupó mucho al verla aparecer a mediodía así, tan desmejorada, por lo que la obligó, junto con Dulce, a que permaneciera en cama. No costó trabajo, se sentía al límite. Durmió hasta el anochecer, pero al despertar recordó aquellos correos pendientes. Los mandó escondiéndose de su abuela, pues sabía que, si se percataba, la reprendería como cuando tenía diez años. Cenó un caldo insípido, pero no tenía mucho apetito, de todas maneras, y durmió nuevamente. Justo a las once y media al fin abrió los párpados, se sentía decididamente mejor, pero aún muy débil. Andrés pasó a saludarla, Paloma también había enfermado y algunos chicos de El Centro, así que ya sabían dónde pescaron la infección. Por la tarde se acurrucó junto a su Aby, y perdió su atención en las novelas que solía ver junto con la enfermera.

Al anochecer, pese a que se sentía mejor, no estaba completamente repuesta, aun así, iría a trabajar, existían demasiadas cosas que hacer, por lo que se metió al ordenador y revisó todos los correos. Respondió varios con agilidad, otros tomándose su tiempo. De pronto su celular sonó.

Cristóbal.

Sus manos sudaron, seguro ya se había percatado de lo que hacía.

—Buenas noches... —lo saludó recargando la cabeza sobre la almohada.

—Eres terca —declaró esa voz que la atolondraba, que la acariciaba. Sonrió negando.

—Ya estoy mejor, mañana ahí estaré, solo estaba poniéndome al día.

—No quiero que pongas un pie aquí hasta que te den de alta.

—El médico me dijo que sería un par de días —argumentó irguiéndose.

—Entonces el viernes, no lo discutiré —impuso. Kristián resopló.

—Y la terca soy yo... Vamos, si no me sintiera mejor no iría.

—Es una orden, no hay más.

—Bien, no puedo decir nada, ¿cierto? Ah, gracias por preguntar, me siento bien, señor Garza. —Lo escuchó reír.

—Me lo imagino, de lo contrario no estarías pensando en venir. Solo cuídate y deja los asuntos de la empresa aquí.

—No, lo siento, mandaré lo que debo y luego dormiré. No puedes evitarlo —lo desafió sin más.

—Puedo despedirte por desobedecer mis órdenes —le recordó divertido, sintiendo un soplo de aire fresco dentro de ese infierno caluroso que era su vida, más ese día.

—No lo harás... Así que debo colgar, tengo un poco de trabajo. Buenas noches. —Y lo dejó ahí, con el auricular en la oreja.

No supo más de él, salvo algunas contestaciones por correo al día siguiente donde le pedía alguna información, o cuestionaba sobre algún asunto. Al final trabajó en cama, pero conectada al celular y *laptop* gran parte del día. Su abuela sabía que no la convencería, así era ella, no la haría cambiar nunca.

El viernes entró como solía, ya con buen ánimo, aunque cuidando lo que comía, y tomando medicamentos a las horas recetadas, todo lo demás era normal.

La escuchó reír cuando caminaba por el pasillo. Tenía una forma de hacerlo que era seductora, tierna y a la vez ligera. Su pecho se contrajo, dos días sin verla en ese lugar fue realmente extraño, ella inyectaba a ese espacio una vitalidad a la que ya se estaba acostumbrando.

—Fue bochornoso —rio junto a Blanca.

—Buenos días, señoritas —saludó su jefe observando con un poco más de detenimiento a Kristián. Llevaba un moño suelto y un vestido rosa oscuro, con mangas hasta los codos que se adhería a su figura de una manera formidable. Pasó saliva con dificultad, se veía bellísima y pese a sus leves ojeras, lucía tan fresca como siempre, con sus ojos chispeantes, con su energía matizándolo todo.

—Buenos días, señor —respondió ella.

—La veo adentro —requirió y las dejó solas. Si seguía ahí no podría controlarse. Un minuto después supo que ya estaba en el despacho. No giró, prefirió perderse en las pantallas revisando la bolsa.

—Me alegra que esté mejor —musitó con formalidad.

—Gracias, le mandé el balance de la primera quincena de agosto —Este asintió mirándola por un momento, pero ella mantenía la vista en su herramienta de trabajo. Sin problema transcurrió todo. Cuando quedaron solos sus ojos se toparon. Un extraño silencio apareció en aquel lugar.

—Te ves bien —admitió él, con voz ronca. La joven se sonrojó un poco, torciendo la boca y ladeando la cabeza.

—No estoy lista para huir —confesó con seriedad, evocando la conversación de aquella noche. No había logrado sacar de su mente cada palabra y después de mucho pensar, decidió que necesitaba arriesgarse, no quería preguntarse más adelante qué hubiese ocurrido de no haber continuado. Cristóbal se irguió cambiando su gesto. Una corriente eléctrica, vertiginosa, recorrió todo su cuerpo sacudiéndolo.

—Yo tampoco para dejarte ir —admitió clavando sus verdes ojos sobre los suyos. La joven asintió despacio.

—A las ocho, hoy —lo citó sin importarle nada. Él sonrió de forma lúgubre, pero sensual.

—Bien, a las ocho. —Kristián se levantó, serena.

—Con permiso —con un ademán del rostro se lo concedió. Un mes, un maldito mes de compartir su cama y ya sentía que no existía otro jodido lugar donde deseara estar. Ya no pensaría tanto, así estaban las cosas, ella no era una niña y sabía que su alma estaba blindada, era muy consciente de donde se metía.

Esa noche, cuando ella apareció, no esperaron. Se desnudaron en un santiamén, la subió en la barra de la cocina y se adentró en su cálido ser de un movimiento. Kristián jadeó recibiéndolo con ardor. Entre besos y caricias, con frenesí, fue y vino con urgida necesidad mientras ella gemía pidiendo más, despeinando su cabello, susurrando su nombre entre cada embestida. Cuando el cúmulo de sensaciones explotó, ambos acabaron agotados, más Kris, que se estaba recuperando. Sin salir de su ser la cargó y sentó sobre él en el sofá. Ella sonrió lánguida mientras él hacía a un lado los mechones que cubrían su rostro.

—Me gusta esto —admitió sudorosa, con picardía. Cristóbal sonrió negando, para un segundo después besar sus labios con suavidad.

—Entonces lo repetiremos las veces que quieras —dijo en tono cálido, pero con lujuria impresa en cada palabra. La joven sonrió recargando la cabeza en la cuna del cuello.

—Bien.

Ya era mitad de septiembre, dos meses de aquel enloquecido momento que los asaltó en Quebec. Se veían los días estipulados y, a veces, otros más por lo menos una hora. Los momentos posteriores a esa avalancha de sensaciones que solían compartir se hacían cada vez más íntimos, más cálidos. Conversaban sobre música, sobre las culturas de otros países, las religiones o cuestiones de política. Coincidían en muchos aspectos, por lo que con recurrencia podían pasar horas hablando de ello ahí, en la cama, él recargando su espalda en la cabecera, con ella, desnuda, justo entre sus piernas, dándole la espalda, jugando a veces con sus grandes dedos, otras simplemente disfrutando de su cercanía con los ojos cerrados.

Cenaban en ese pequeño sitio, bailaban, y muchas más veces de las que hubiesen imaginado, reían. Kristián lo hacía sentir asombrosamente joven, vital, por lo que más de una vez se encontró correteando por el lugar, mientras el objeto de su deseo huía riendo sin control. Las duchas eran formidables, tanto como todo lo demás. Los momentos de pasión, inigualables, inagotables.

En el trabajo continuaban conduciéndose como hasta ese momento, sin dar pistas sobre lo que en aquel ático ocurría, buscando maquillar de alguna forma la avalancha de sentimientos que ya generaban el uno sobre el otro, estando o no.

15
Dualidad inexplicable

Viernes por la mañana, la alarma del celular sonó. Lo tomó con las manos húmedas después de lavarse los dientes. Al ver la pantalla, se puso lívida. Su respiración se ralentizó y no logró sentir las pulsaciones de su corazón. Salió del sanitario, temblorosa. Dejó el celular en la cómoda y avanzó, con los ojos cerrados se sentó en la orilla del colchón. La pastilla. Su periodo no había llegado. Pasó saliva buscando calmarse. Podía ser algo hormonal. Negó cubriéndose el rostro. No, por eso las tomaba, para que su cuerpo trabajara como debía, no al revés. Se meció negando.

La noche anterior había sido espantosa. Salió temprano del trabajo ya que su abuela no había estado del todo bien desde hacía un par de días; lucía desmejorada y aunque hacía un mes la revisaron, decidió ir nuevamente, por lo que agendó una cita con el oncólogo. Las malas noticias llegaron. Aferrando su mano, con lágrimas en los ojos, se enteraron de que el cáncer, en cuestión de nada, probablemente hubiera avanzado y no de forma común, sino vertiginosa, rápida. Al día siguiente le harían otros estudios, pero podía asegurarlo. Durmió a su lado, sintiendo adolorido el corazón, con un terrible miedo a perderla. No obstante, su abuela se mostró serena, no parecía tan asustada como ella.

—Tranquila, Muñequita, todo irá bien —solo le dijo. Kristián, buscando parecer fuerte, asentía. Lo cierto era que sin ella nada iría como debía. Su cuerpo estaba entumido y le dolía por la tensión acumulada. Y en ese momento, eso. Se haría una prueba, era la única forma de salir de dudas, mientras tanto no haría conjeturas, no debía, su cabeza tenía que estar con su abuela, en ningún otro sitio.

Salió muy temprano, no sin antes darle miles de besos en todo el rostro a su Aby. En al auto se dio permiso de derramar lágrimas. Se hizo el análisis y salió deprisa para la empresa. Por la tarde le darían los resultados.

—¿Estás bien? —preguntó Jimena tendiéndole un expediente. No pudo sonreír, solo asintió un tanto desganada agradeciendo con la mirada los papeles. Entró a la oficina aún perdida en sus pensamientos.

Cristóbal aguardaba con un café en la mano, ese momento en el que cruzaba la puerta con esa deslumbrante sonrisa, convertía ese espacio en cálido, con color. Las cosas entre ambos iban más que bien. A su lado todo pasaba a otro plano y pese a no desear ir más allá, disfrutar el momento se estaba convirtiendo en lo elemental, eso era lo que con ella iba aprendiendo. La observó entrar, su gesto estaba tenso, su mirada algo vidriosa, su cuerpo se movía de forma rígida. Ya la conocía, si bien no tenía idea de lo que hacía fuera de sus «momentos» y esa empresa, pues no hablaban de absolutamente nada personal, sí podía leerla, percibirla, cuestión absolutamente aterradora, más para alguien que en definitiva no daría más, pero era así, sus terminaciones nerviosas despertaban con ella, y vivían al pendiente de ella.

Kristián saludó con esfuerzo, evitando su mirada todo el tiempo. Si estaba embarazada ya nada sería igual, y aunado a lo de su abuela, sentía que enloquecería. Comenzó a hablar como un autómata, sin expresiones, sin sonrisas, sin verlo a los ojos. El hombre comenzó a irritarse, ¿qué diablos ocurría? En cuanto Roberto salió, ella se puso de pie.

—Creo que es todo. Verificaré con el departamento de finanzas ese par de cifras que no cuadran y le haré saber lo que ocurre —expresó. Él asintió recargado en su asiento, penetrándola con sus verdes ojos.

—¿Por qué no me ves a los ojos? —La cuestionó sin más. Ella no alzó el rostro, pero sí perdió la vista en el exterior.

—¿Puedo retirarme? —preguntó vulnerable, sentía ganas de llorar, pero no lo haría definitivamente frente a él.

—No —zanjó con voz dura. Kristián se tensó y decidió encararlo. El hombre la estudió, desconcertado, jamás la había visto así, no durante el tiempo que llevaba de conocerla, y en todos los momentos que ya habían compartido. No supo qué decir, cómo actuar, su aflicción se podía palpar, incluso tocar, dolía—. Espero los detalles —soltó volteando su atención a la computadora. No debía preguntar qué ocurría, eso sería meterse en un terreno peligroso, ese que venían evitando desde el primer instante.

Todo el día la notó ausente, silenciosa y demasiado tensa, casi parecía que, si la tocaba, brincaría y saldría corriendo. Durante la comida la observó a lo lejos comer como un pajarito, muy poco, pero, además, no rio una sola vez. Mantenía la vista perdida en el cielo, pensativa, dolorosamente lejana. Luis, ese imbécil que no sabía si había insistido, pero que ya sabía bien quién carajos era, la sacudió con cuidado, ella torció la boca negando. De pronto se levantó y desapareció dejando a todos sus compañeros bastante quietos. Después de todo no era el único que lo notaba.

Apretó la servilleta de lino sobre sus piernas. ¿Qué estaría ocurriendo?

Cuando pasó por su escritorio, no estaba. Minutos después entró a su oficina y con la misma actitud, le dio la información que necesitaba y volvió a salir. Con los papeles en la mano dejó fija su atención en la puerta. Esa aprensión que crecía conforme los minutos lo estaba consumiendo y lo peor era saber que no podía hacer nada al respecto, no con ella, no con lo que ocurría si lo hacía. Se tragó las ganas y procuró seguir con su trabajo.

—Estás muy extraña —se acercó Jimena, preocupada. Kristián recargó la frente en su mano, se sentía completamente agobiada, preocupada. Su compañera se puso en cuclillas a su lado. Blanca de inmediato se acercó también—. Cuéntanos, ¿qué ocurre, Kris? —le pidieron. Sus ojos, enrojecidos, se elevaron.

—Es mi abuela... el cáncer avanzó y... —Una lágrima salió sin poder enjaularla más. Ambas se mostraron aturdidas por la noticia. Sabían un poco de su vida, lo que al trabajar compartían. Así que comprendían lo que para ella implicaba. Jimena la abrazó frotando su espalda.

—Lo sentimos mucho, Kris... De verdad —murmuró consolándola. La joven asintió contra su hombro.

—No quiero hablar de esto aquí —musitó alejándose con gesto afligido. Las dos asintieron.

—Entendemos. Solo no dejes de avisarnos lo que sea... Verás que todo mejora. —Lo dudaba, el doctor fue muy claro, era cuestión de días, tal vez semanas. Dejó salir un sollozo asintiendo, sentía un enorme nudo en la garganta.

—Gracias. —A las siete y media en punto desapareció. Deseaba recoger los análisis y luego pasar el tiempo con su abuela. Nada más.

Abrió el sobre en el auto. Al ver los resultados gimió con el llanto atascado justo tras la garganta. El papel se movía, sus manos temblaban. Negó una y otra vez. Sus ojos se empañaron. No, no, no. El torrente de lágrimas brotó sin control, no solo era la noticia de que sería madre, sino que su abuela pronto la dejaría, lo que todo eso implicaba en su vida. No lo conocería. Él la odiaría.

Recargó la nuca en el respaldo sollozando sin control, se llevó una mano a su plano vientre, llorando con más fuerza. ¿En qué momento ocurrió? ¿Cómo manejaría todo eso? Varios minutos después logró al fin serenarse. Se limpió las lágrimas tragando todas las emociones que afloraban.

Ese ser ya crecía en su interior, era una realidad. Pero por ahora lo importante estaba en su hogar. Se sentía dividida. Bajó la mirada hasta su abdomen y sin pensarlo la ternura apareció. Alguien estaba ahí, dentro de su piel, alguien que sabía amaría por siempre, no podría pensarlo de otra manera, ella sería una madre verdadera para su pequeño. Si bien no era el momento, tampoco las circunstancias, no renegaría de él, jamás lo haría.

—Tú no te preocupes de nada, yo me ocuparé —sollozó limpiándose con renovada fuerza el rostro. No tenía idea de qué haría con Cristóbal, no podía siquiera pensarlo en ese momento, pero sabía que enfurecería y pensaría miles de cosas asquerosas sobre ella, por lo mismo, sopesaba enterarlo o no. Debían terminar sus encuentros, eso era evidente, demasiado claro. Lo demás, no tenía idea.

Llegó a casa con el corazón comprimido. Dejó su bolso y el sobre en su habitación, moría por verla. Lucía desmejorada y se quejaba un poco. Por la mañana se veía mejor, no comprendía.

—¿Le marcaste al médico? —cuestionó a Dulce hincándose a su lado, aferrando una de sus manos.

—Sí, no debe tardar en venir —le informó. Kristián asintió sonriéndole con ternura a su abuela, peinando con sumo cuidado su cabello cano.

—¿Qué te sucede, mi vida? —Le preguntó la mujer a su nieta. Ella negó besando con cuidado su frente.

—Nada, Aby, solo estoy preocupada —admitió con sinceridad. La señora alzó una mano y acarició su mejilla.

—Sé qué piensas que no podrás, que cuando me vaya... —Kristián negó con la vista nublada—. Sí, escúchame. Eres fuerte y la vida jamás deja de dar motivos. Cuando más oscuro se torna todo, la luz entra, mi cielo, solo abre los ojos... abre tu corazón... Eres admirable, mi niña, tu abuelo y yo siempre estuvimos muy orgullosos de ser tus padres, de cuidarte, de que Dios nos diera la oportunidad de tenerte. Vive, muñequita, solo para eso estamos aquí. Vive, mi amor, tú eres experta en ello —la alentó con dulzura. El llanto llegó sin más.

—No hables así, Aby, por favor, tú no —le rogó entre sollozos. Dulce lagrimeaba observando la escena. La mujer hizo que recostara su rostro al lado de su pecho.

—Debo decírtelo ahora que puedo, mi niña, las palabras dan poder, así que es el momento —musitó mientras la joven lloraba negando.

—Te necesito conmigo, no dejes de luchar, por favor, —le rogó abrazándola.

—No me estoy rindiendo —y elevó su rostro—, no lo haré jamás —sonrió con suavidad.

El médico la examinó con cuidado. En efecto, no lucía bien, pero no encontró algo que determinara la causa, salvo lo que ya sospechaban y al parecer era parte de todo. Decidieron que al día siguiente mandarían temprano la ambulancia por ella, para efectuar los estudios restantes y evaluar lo que se haría. No veía motivos para internarla, más aún porque la mujer se negaba a dejar su casa y no desearon alterarla.

Pasó las horas a su lado. Con Dulce sentada donde solía, en silencio. Observándolas. La joven no se cambió siquiera de ropa, nada. Su mirada tan perdida como la de la enfermera, mientras su abuela mantenía cerrados los ojos, con su nieta pegada a su cuerpo.

—Te amo, Aby, mucho —soltó de pronto. La mujer asintió somnolienta.

—Kris... Kris... —escuchó entre sueños, alguien la movía, abrió los ojos un tanto asustada. Dulce lloraba con una mano cubriendo su boca, mirando el rostro de su abuela con profunda nostalgia. Se irguió. Se hallaba desconcertantemente quieta y sus labios lucían blanquizcos. La sacudió un poco.

—Aby, ¿Aby? —Empezó a llorar negando con dureza. No reaccionaba. La enfermera colocó una mano sobre su hombro. Se zafó con dureza y continuó sacudiéndola con cuidado—. Aby, despierta —le rogaba desesperada—. No me hagas esto, dijiste que lucharías, te necesito, no me dejes, por favor —suplicó entre sollozos.

—Kris, se fue —intentó convencerla la enfermera. Negó con fiereza. Buscó nuevamente hacerla reaccionar.

—¡No! —Giró rabiosa—, ella no me dejaría, no ella —lloró y la abrazó sacudiéndola—. Aby, dime algo, no te vayas, por favor, abre los ojos —rogó. Dulce desapareció, buscaría ayuda. Kristián no lograba asimilar lo que estaba ocurriendo, era demasiado intempestivo, simplemente no podía ser real. La joven levantó un poco el cuerpo laxo y lo pegó a su pecho desesperada. Meciéndose mientras la besaba con ansiedad.

—Oh, mi Dios... —Era Paloma. Se acercó a ellas, llorando. La escena la conmovió como nada en su vida—. Kristián —la nombró con sigilo. Su mejor amiga, pálida, con el rostro empapado la miró, su dolor traspasaba cualquier envergadura, por muy fuerte que esta fuera.

—No, Paloma, me dejó, se fue, no quiero, no puedo... La necesito, la necesito —sollozó desconsolada. Su amiga se ubicó a su lado, logró, con mucho cuidado, que soltara a su abuela y la rodeó con fuerza. Kristián gritó del dolor, consumida por esa agonía que la estaba invadiendo.

—Llama al médico, debe venir —le pidió a Dulce sosteniendo a Kristián que lloraba convulsamente.

Cuando la notó más calmada, permitió que se soltara y se acercara nuevamente al cuerpo sin vida. La joven recargó su rostro a un lado aferrando su mano, como solía hacerlo desde pequeña.

—Hoy le iban a hacer más estudios, a entregarnos los resultados. No entiendo qué sucedió —murmuró con la vista perdida, con los labios temblando. Paloma se sentó sobre el piso a su lado, dejando salir las lágrimas también.

—A lo mejor estaba cansada, Kris —le intentó hacer ver. La joven negó despacio.

—No, me lo hubiera dicho —replicó.

—Tal vez no quería preocuparte —declaró perdiendo la vista en el techo. A esa mujer la conocía de toda su vida, también la quería demasiado. Le estaba doliendo a mares lo ocurrido, eso sin contar lo que sabía estaba experimentado su amiga—. ¿Llamarás a tus tíos? –preguntó. Esta asintió apenas si perceptiblemente, pues parecía merodear en el limbo.

El médico, después de examinarla, declaró paro cardiaco. No tenía ninguna razón aparente, simplemente su corazón dejó de hacer su trabajo y, mientras dormía, falleció. Kristián, sin poder separarse de su abuela, le marcó a su tía Clara para que avisara. Arregló con eficiencia todo lo del velorio y los papeles de su muerte. Paloma se mantuvo a su lado, apoyándola y más tarde, Andrés.

—Debes avisar al trabajo —le recordó su amiga. Vio el reloj que colgaba de la habitación de sus abuelos. Ocho cincuenta. Buscó en la memoria de su celular el número de alguna de sus compañeras. Rápido dio con el de Blanca. Sin dar muchas explicaciones le informó lo ocurrido. La chica, consternada, le dijo que se haría cargo.

Cristóbal entró como solía, serio, indiferente. Deseaba verla y esperaba que estuviera mejor, no obstante, algo le decía que no sería así, ella no era de las que se ahogaba en un vaso de agua, saberlo era peor pues nada podía hacer, no debía.

—Buenos días —saludó notando su espacio intacto y los rostros afligidos de sus empleadas.

—Señor, Kristián acaba de llamar —le dijo una de ellas, al escucharla se puso en guardia de inmediato, mirándola intrigado, inquieto. Jimena, algo nerviosa, se acercó.

—¿Qué sucede? —quiso saber. Roberto permaneció impasible al lado, esperando, también deseaba saber lo que ocurría. Esa chica le caía especialmente bien, conocía su historia y veía como vivía, más aún, cómo iba convirtiendo a ese frío hombre, en un ser más accesible, con menos dolor.

—Su abuela, falleció en la madrugada, no vendrá hoy —explicó. En ese momento comprendió el porqué de su actitud el día anterior, probablemente ya venía mal. Apretó los puños deseando poder estar a su lado, acompañándola, lo cierto es que su familia debía estarlo haciendo y...

—Dios... —se escapó de la garganta de su escolta.

—Manden una corona cuando sepan dónde se velará, yo personalmente le diré que no se preocupe por nada... —pidió y un segundo después entró un tanto desconcertado. No recordaba cuando perdió a los suyos, era muy niño, pero nada comparado con el dolor que generó perder a sus padres aquel maldito día, cuando su auto se desbarrancó y perdieron la vida casi de inmediato.

—No deseo meterme, señor —habló Roberto una vez solos. Cristóbal giró lentamente, intrigado.

—Qué sucede...

—La señorita Kristián vivía con ella, esto es más que un simple nieto que pierde a su abuela —expuso con voz neutra. Lo observó entornando los ojos, obviamente él sabía todo sobre esa risueña joven, hasta ese momento no había querido acceder a su vida, no deseaba sentir más, mucho menos dar con cosas que pudieran hacer crecer esa necesidad que sentía ya por ella.

Asintió serio.

—Averigua donde será todo. Y ponte a sus órdenes, lo que necesite lo tendrá. Iré más tarde, no creo que este sea el momento. —Complacido el hombre asintió.

—Eso haré, con permiso —dijo y salió. Cristóbal, con el celular en la mano, estuvo tentado a llamarle, pero qué le diría. Resopló lleno de frustración. Se sentía algo descompuesto, no soportaba pensarla sufriendo, mucho menos llorando, como seguramente estaba ocurriendo.

La mañana pasó increíblemente lenta. Solo podía pensar en ella, en rodearla y darle un poco de consuelo. Gracias a Roberto supo que agradecía sus atenciones, aun así, declinó cualquier ayuda. Seguramente sus padres y familia lo tenían todo resuelto.

Más tarde, ya en su apartamento, intentando trabajar como solía, supo dónde la velarían. No pensaba asistir, no creía que fuera lo mejor, probablemente a la misa del día siguiente, nada más. Sin embargo, adentro del auto, justo cuando iba para una cena, aferró el volante tensando la quijada, su risa llegó fresca, su manera de hablar, la facilidad con la que lo hacía reír, su mente ágil, su cuerpo. Sin más condujo hasta ese sitio importándole muy poco su compromiso.

Bajó en la funeraria y anduvo con sus escoltas tras él. Mucha gente se encontraba ahí; jóvenes, adultos y personas de la tercera edad. Realmente el lugar estaba lleno, debían ser varias velaciones el mismo día, pensó abriéndose paso entre las personas. Roberto, con un gesto, le indicó cuál era la capilla, ingresó asombrado por la aglomeración ahí. Ansioso, pero sin demostrarlo, buscó dar con ella.

De pronto, entre la gente, la encontró. Se detuvo al sentir su atención sobre sí, sus palmas sudaban como las de un adolescente, un escalofrío recorría su cuerpo, viajando desde los pies hasta la nuca. Se veía tan triste, tan vulnerable. Sus ojos hinchados, sus mejillas húmedas, su hermoso cuerpo cubierto por un pantalón negro y una blusa oscura, su cabello caía sin orden alrededor de su rostro. Sintió una fiera necesidad de tomarla entre sus brazos y correr con ella, llevarla a un sitio donde lograra que su marrón mirada volviera a chispear, que su alegría lo impregnara todo, que su cálido carácter lo envolviera como solía.

La joven ladeó la cabeza, afligida, con lágrimas de nuevo surcando sus mejillas. Se acercó, casi corriendo y lo rodeó con fuerza. No pudo más, la recibió envolviéndola dentro de sus brazos. La sintió sollozar, temblar debido al llanto. Bajó el rostro hasta su cabello y olvidando donde se encontraban, lo besó mientras frotaba con una de sus manos su angosta espalda.

El tiempo dejó de tener sentido, nada era más importante que ella, que enmendar su alma notoriamente herida.

—Tián. —Una chica joven, de cabello rizado y ojos grandes, se acercó con cuidado, observándolo con asombro.

Paloma no pudo esconder su asombro. Dios, era demasiado impresionante en persona, demasiado imponente, notó, lo cierto es que en ese momento estaba muy preocupada por su amiga. En todo el día prácticamente no comió y no cesaba de llorar, nada había dormido y solo parecía querer estar al lado de esa mujer que la crio como una madre. Cristóbal alzó el rostro al escuchar esa voz.

Paloma casi retrocede, su mirada era intimidante, pero la manera en la que sostenía a Kristián derrochaba dulzura, ternura. Era una dualidad inexplicable. Lentamente su amiga se separó, sintiéndose extrañamente menos desolada con él ahí. De inmediato Cristóbal bajó su rostro, atento a sus reacciones.

—Lo siento mucho —murmuró notando lo afectada que estaba. Ella asintió limpiándose las lágrimas por enésima vez. Su nariz enrojecida, su mirada llena de desolación, lo partió en dos. No Kristián, no a ese cascabel que le daba otro sentido a sus días vacíos.

—Gracias —contestó un tanto arrepentida por dejarse llevar, por comprender que todo se había salido de contexto y ya nada, a partir de ese momento, volvería a ser igual en su vida. El hombre acarició su mejilla sin pensarlo.

—¿Necesitas algo? —preguntó con suavidad. Ella negó despacio.

—Comer —interpuso Paloma un par de pasos atrás. Cristóbal la observó un segundo para volver a mirar a su asistente.

—No tengo hambre —declaró bajito, abrazándose a sí misma.

—Pero debes hacerlo, por favor —le pidió la chica.

—Vamos, te llevo —propuso Cristóbal con voz firme. Ella clavó sus ojos marrones sobre los suyos, entristecida.

—No quiero, necesito estar a su lado —sollozó agobiada. Realmente sufría, comprendió al notar su actitud.

—Bien —sin soltar su cintura, tomó el celular y marcó. Roberto aprovechó para darle el pésame. Sabía muy bien lo que estaba viviendo, lo que sentía, ella acababa de perder a su madre—. Traerán algo, ¿de acuerdo? —le informó. La chica asintió dando un par de pasos más hacia atrás. No debía dejarse llevar, no con él, no con lo que estaba por venir.

Su jefe notó su turbación, su actitud llena de confusión. Un chico que no conocía se acercó y la abrazó. Kristián respondió al gesto llorando nuevamente.

—No sabes cómo lo lamento, Kris, pero estamos contigo. —Escuchó serio. Paloma no se movía, continuaba ahí, evaluando sus reacciones. Cristóbal se alejó de pronto, se sentía fuera de lugar, no obstante, algo le decía que había hecho lo correcto.

Un delicado roce lo detuvo. Giró profundamente torturado. Ella.

—Gracias por venir... —agradeció frotándose los brazos. Sin medir sus acciones, la tomó del cuello y besó su frente con suma delicadeza. Un segundo después bajó su cabeza hasta toparse con su mirada turbia.

—No apagaré el celular, ¿bien? A la hora que sea, lo que sea, puedes marcar —le dijo con firmeza. Kristián dejó salir un sollozo cargado de dolor asintiendo. La volvió a abrazar.

—Sí —escuchó en su pecho.

—Intenta comer —le rogó buscando de nuevo sus ojos.

—Lo intentaré —prometió. La chica, presa de otro arrebato, besó su mejilla con suavidad, dejando su rostro ahí más tiempo del que debía. Cristóbal cerró los ojos, sentía lo mucho que estaba sufriendo. Unos segundos después se separaron y él se fue.

Paloma se acercó y la abrazó frotando su espalda, Kristián parecía estar a punto de romperse y la comprendía ahora mejor, el porqué de toda su confusión. Lo que ellos irradiaban al estar juntos era verdaderamente apabullante, fuerte, tanto que aún seguía desconcertada.

Logró ingerir un poco del emparedado lo que él le pidió, ese que ella mismo llevó al apartamento tiempo atrás. En algún momento le había dicho que le encantaba y por eso se lo había pedido, comprendió. Hubiese deseado que permaneciera a su lado, que la envolviera en su cuerpo, encerrada en su pecho todas esas horas, hacerle sentir esa fuerza que, con tan solo tocarlo, sintió. Casi al amanecer sus ojos cedieron. Mucha gente había ido, sus compañeras de la oficina, amigos de la Universidad, Maestría, incluso del bachillerato, de El Centro y amigos de su abuela, que eran bastantes. Su cuerpo no daba para más, por lo mismo, recargando su cabeza en el hombro de su amiga, se perdió en la inconsciencia por un par de horas.

La misa fue a las cinco, en el sitio donde cremarían los restos y donde también descansaban las cenizas de su abuelo.

Cristóbal se presentó sin hacer mucho aspaviento, no había podido dormir, sus ojos llenos de temor, de aflicción, no se lo permitieron. Así que decidió que debía estar ahí de alguna manera.

Al terminar la ceremonia, esperó recargado en el auto. La joven lo vio a lo lejos. El corazón le dio un vuelco, pero avanzó hasta él. ¿Qué hacía aún ahí? Deseaba con desespero que el día terminara, pero, por otro lado, no quería regresar a esa casa llena de recuerdos, de momentos.

—Creí que ya te habías ido —murmuró nuevamente rodeando su cuerpo como si tuviese frío. Él frotó su babilla negando, perforando su rostro con la cabeza gacha, tras esas espesas pestañas.

—Cómo te sientes —le preguntó con interés. Ella se ubicó a su lado, recargando su espalda en la puerta, mirando el césped al tiempo que torcía la boca.

—Nadie me lo había preguntado —admitió. Se encogió de hombros, moviendo uno de sus pies sobre una piedrecilla—. Extraña, sola... Con un hueco aquí —admitió colocando una mano sobre su pecho. Lo describía, tanto tiempo eso fue lo que reinó en su mundo, que era casi como un hábito pasar la vida con esa sensación. Sin embargo, desde que ella apareció, eso... eso se había estado diluyendo sin que siquiera lo notara.

—¿Entregarán hoy las cenizas? —inquirió estudiándola, turbado por descubrir lo que implicaba ya ella en su vida. Sonrió con ternura. Se veía, pese a todo, angelical, muy hermosa.

—No, es justo lo que me acaban de decir... —respondió bajito. Él asintió—. ¿Puedes... puedes sacarme de aquí? —Le pidió casi en un ruego. Sus ojos de nuevo parecían querer derramar ese líquido que no soportaba ver rodar por sus mejillas. Asintió sin dudar. La joven sonrió con tristeza—. Gracias, ahora vengo —le dijo y anduvo hasta donde se encontraban varias personas. La observó hablar con la chica del día anterior, mientras esta lo veía a los lejos con intriga. La abrazó, al igual que otro joven que al parecer era novio de esa mujer y luego emprendió el camino de regreso. Le abrió la puerta con gesto educado y ella entró.

16

Estar enamorada

Condujo sin hablar, Kristián veía a través de la ventana, limpiándose las lágrimas cada poco. Su pecho lo sentía oprimido, impotente. Deseó ser mucho más de lo que era para así volver a ver sus ojos chispear.

Se detuvo frente a un lugar acogedor, un tanto escondido. Madera por doquier y unas cuantas mesas en su interior. En cuanto el mesero reparó en su presencia, sonrió saludándolo con familiaridad. Ese sitio no parecía ser algo a lo que Cristóbal estuviese acostumbrado, no obstante, le gustó, la hizo sentir menos expuesta, en calma. El hombre entrelazó sus dedos con los suyos logrando que se sorprendiera y anduvo hasta una pequeña mesa para dos que se encontraba pegada a una pared. Deslizó una silla y con un ademán la invitó a sentarse. Un segundo después él ocupó la de enfrente.

—Debes comer —le dijo despacio. Ella asintió agradecida. Comida italiana. Lo supo en cuanto cruzó la puerta. El mesero tomó sus órdenes cuando Cristóbal lo llamó.

Jamás había llevado a nadie ahí, ni siquiera a Mayra, lo hubiese desdeñado en el acto. Era un sitio en el que se sentía a gusto, donde la elegancia y soberbia no tenían acceso, por lo mismo, cuando necesitaba alejarse un poco de todo aquello, ahí iba. No sabía por qué pensó en ese pequeño restaurante en cuanto subió a su auto, pero lo cierto era que hubiese hecho cualquier cosa por verla más serena, decir algo mordaz, sonreír sin más por cosas tan simples que jamás se hubiese percatado.

Comieron en silencio. La joven lucía asombrosamente exhausta, debía querer demasiado a esa mujer que falleció, parecía haber perdido a una madre. Una hora después terminó incluso el postre que le pidió al verla indecisa.

—Gracias... —susurró limpiándose con delicadeza esa tierna boca.

—Debes descansar —apuntó con un dejo de ansiedad. No comprendía en absoluto su actitud, pero realmente se lo agradecía. Se sentía fuera del planeta, ajena a todo, con un dolor demasiado hondo en el pecho y con temor a lo que vendría.

—Lo sé —admitió jugando con el servilletero.

—Tómate unos días —se encontró diciendo. Ella alzó la mirada sonriendo agradecida.

—No creo que pueda, prefiero estar ocupada —argumentó bajito. Cristóbal no sabía qué decir, se sentía tan solo un espectador de su pena, con tantas piezas faltantes, con tantos huecos y ni un solo consejo que dar. La frustración lo tenía cautivo.

Una hora y media después iban rumbo a su casa.

—¿Vivías con ella? —deseó saber de pronto. Kristián asintió con la cabeza completamente recargada en el asiento, sin decir nada.

Al acercarse a la fachada de su hogar, la chica arrugó la frente irguiéndose. Una camioneta con todas las puertas abiertas, llena de cosas. De pronto su tío Ignacio apareció entrando con algo entre sus manos que había sacado de la cajuela. Cristóbal detuvo el auto, perturbado por su reacción.

—¡Diablos! —La escuchó rugir. Acto seguido descendió, notoriamente molesta. La siguió sin dudarlo—. ¡Qué haces! —gritó frente aquel hombre que debía rondar los cincuenta. Ignacio la ignoró y siguió su camino. Ella lo detuvo de la manga—. Responde, ¿qué haces? —Se sacudió de su agarre dejando lo que llevaba dentro del garaje.

—Es mi casa, Kristián, que mis padres te criaran no te da ningún derecho, esto es de mis hermanas y mío. Así que ya sabes, aquí estaré hasta que todo se defina. —Cristóbal sintió la rabia arremolinarse en sus vísceras. ¿Eso era posible? Cayó en cuenta de un poco de su vida, pero lo que en realidad lo enfureció fue escuchar a ese hombre decir aquello a unas horas de que su madre hubiese fallecido.

—¡Sabes bien que este lugar me lo dejaron a mí, y no te atrevas a meter una cosa más! ¡Las sacaré, te lo juro! —Otra mujer apareció, guapa, casi de la misma edad que aquel hombre. Las reacciones de Kristián lo asombraron por un momento, era impulsiva, actuaba sin el menor temor.

—Ignacio, no puedo creer que estés haciendo esto. No ahora. Nuestra madre acaba de irse, Kris es dueña de este sitio... ¿Qué pasa contigo? —Lloraba con la mano temblorosa en la boca.

—Me importa un carajo, este lugar también me pertenece por derecho, ya tengo abogados y no te quedarás con él. No siendo la bastarda de Ileana —graznó. Kristián, fuera de sus casillas, se acercó y sin más, estampó su mano en la mejilla de ese hombre. Alarmas de alerta se encendieron en la cabeza de Cristóbal al ver que él regresaría el golpe. La tomó por la cintura decidiendo intervenir. La joven lloraba desesperada, herida.

—No tengo idea de quién sea usted, pero no le aconsejo ponerle una sola mano encima —lo amenazó con un dedo y mirada cruda. Roberto ya estaba a un par de metros, mientras la joven sollozaba llena de coraje.

—Me importa poco, es una malcriada, igual a la loca de tu madre —la señaló lleno de rabia buscando acercarse. Cristóbal se lo impidió al tiempo que la otra mujer detenía a su hermano, notando que el que perdería al final sería él.

—No hagas esto, no se lo merece —intentó convencerlo Clara, su tía.

—¡Suéltame! —rugió rojo de ira.

—Escuche muy bien, señor. Si esta casa quedó a nombre de Kristián, usted no podrá hacer absolutamente nada y peor aún, ella lo podría denunciar por allanamiento de morada, así que le aconsejo que saque lo que ha metido y deje las cosas así —advirtió. El hombre se acercó aún más, logrando así que su equipo de escolta diera unos pasos adelante. Los notó arrugando la frente, amedrentado, si era sincero.

—¿Con quién carajos te estás metiendo? —La cuestionó pensando lo peor—. Son iguales, cínicas, unas zorras —rugió y entró en casa dejando lo que pretendía meter ahí en la calle. Kristián temblaba como una hoja, abrazándose a sí misma con ansiedad.

—Mi amor, lo siento mucho, hablaré con él, verás que entiende. —Se acercó la mujer, preocupada por la chica. Ella negó retrocediendo.

—No estuvo a su lado y no me importa la casa, que se la quede, yo solo quiero que ella regrese —susurró llorando de forma desbordada de nuevo, encogiéndose, sosteniéndose de una reja. Cristóbal sintió que su alma se rompía en mil fragmentos, ya comprendía mucho más gracias a ese desagradable incidente.

—Debes descansar, lo sabes —le hizo ver la mujer, acongojada.

De repente la joven lo miró con ruego en esos ojos que parecían hundirse cada minuto más y más. Cristóbal abrió la puerta del auto con gesto serio, firme. Ella avanzó sin decir nada.

—Kris, esta es tu casa —le recordó su tía, llorando también.

—No sin Aby —aclaró y cerró la puerta. Clara observó al hombre. Acongojada, también preocupada por su sobrina, sabía que su mundo se estaba desmoronando.

—Estará bien, no se preocupe —pudo decirle conciliador. La mujer asintió con el pecho comprimido. Ese imbécil la iba a escuchar. En cuanto Ileana llegara entre las dos lo meterían en cintura.

La oyó sollozar todo el camino, le tendió un pañuelo desechable lamentando mucho lo que acababa de presenciar, lo bajo de ese tipo al hacer aquello, al expresarse así de ella. Debía dormir, eso era más que evidente, parecía que se rompería en cualquier instante, pese a que se empeñaba en ocultarlo.

—¿A dónde vamos? —articuló cuando ya estuvo más tranquila y veía que entraban a una de las zonas más exclusivas y caras de la capital.

—A mi casa —soltó mirándola de reojo. No hubo ninguna reacción, solo un leve asentamiento de cabeza.

Un enorme edificio, impresionante, apareció frente a ellos. Cristóbal metió el auto en el estacionamiento subterráneo. Coches costosísimos fue lo que pudo apreciar. Bajaron en cuanto detuvo el auto. El hombre entrelazó nuevamente sus dedos y se los llevó a los labios, sus ojos estaban ya abotargados y su rostro pálido.

—Aquí podrás descansar.

Activó el ascensor con su huella digital. Sentía su pulgar acariciar con suavidad su mano. Estaba exhausta y un nuevo problema se asomaba. Ya era demasiado y sabía que debía dormir, no excederse.

Al abrirse las puertas del elevador, dudó en moverse. Era impresionante. Un lugar que dejaría la boca abierta a cualquiera.

—Vamos, te darás una ducha si lo deseas y luego podrás dormir —sugirió con suavidad. Trastabillando avanzó, bien aferrada a su mano, estudiando con curiosidad todo a su alrededor. Después de pasar un recibidor pulcramente decorado, apareció lo demás, una cocina asombrosa del lado izquierdo, con una barra que la separaba de una sala cargada de grises, adornos que debían valer una fortuna, a un lado un comedor moderno y enseguida unas escaleras. Justo frente a ellos, ventanales de varios metros de altura que dejaban ver toda la ciudad, el diseño era extraño, paredes de ladrillo rojo, con otros muros de tan solo concreto pulido. Seguro una tendencia en esos círculos millonarios.

Lo siguió pues él no se detuvo, subieron por las escaleras. Arriba no era menos apantallante, pero para ese momento lo único que deseaba era estar bajo el chorro de agua, nada más. Abrió la puerta de una habitación, era grande, impecablemente decorada, negro, gris y blanco, nada que dijera que era la suya, ya que era impersonal por completo, aunque algo acogedora.

—Ahí está el baño. Colócate el albornoz que cuelga de la puerta. Ahora me ocupo de que tengas algo para dormir.

—No es necesario —balbuceó abatida. El hombre elevó su barbilla con dulzura, sus ojos verdes la hicieron sentir menos miserable.

—Yo me encargaré, tú solo deja que el agua haga su trabajo —pidió con dulzura. La acompañó hasta la puerta sonriéndole con ternura—. Cualquier cosa me llamas. —Asintió desganada.

Una vez dentro de la ducha, recargó la espalda en los grises mosaicos y se dejó caer envuelta en sollozos, rodeando sus piernas. La pérdida estaba ahogándola. Cerraba los ojos y lo único que lograba ver era a esas dos personas que fueron sus padres y que ya no estaban más a su lado. Se sentía sola, demasiado. Hipeando, varios minutos después, recordó las palabras de su abuela; «la vida jamás deja de dar motivos».

Absorbió el llanto, se puso de pie observando su abdomen. Una de sus manos, temblorosas, lo acunó. No estaba del todo sola, alguien crecía ahí, alguien dependía por completo de sus decisiones, de la forma en la que manejara su vida. Cerró los ojos aspirando el vapor de la ducha. Debía ser fuerte, era fuerte y podría con todo lo que viniera. Era suyo, ella de él. Sonrió con tristeza. No tenía idea de lo que dentro de su organismo ocurría en ese momento, pero la certeza de que no permitiría que sufriera, que lo amaría, que lo cuidaría, llegó en ese instante.

—Estaremos bien, chiquitín —aseveró sintiendo como algo cálido abrigaba su alma y ese frío, ese dolor, esa soledad, fueron diluyéndose. Deseaba con todo su ser que su abuela no hubiera partido y dolía como el infierno saber que jamás escucharía de nuevo su voz, que nunca más acariciaría su rostro, o se preocuparía por ella. No obstante, el motivo estaba ahí, alimentándose de su ser, formándose lentamente para conocer en unos meses el mundo. Su corazón latió deprisa. Miedo, ansiedad, emoción y millones de sentimientos se mezclaron perturbándola.

Ya afuera se abrochó esa enorme bata. Cayó en la cuenta de que se encontraba en su casa, él había estado a su lado, la defendió incluso. Negó cabizbaja, sabía que eso duraría ya muy poco, en cuanto supiera lo del embarazo, todo acabaría entre los dos. Aún no daba crédito a ello, no entendía cómo se dio la concepción pues ambos se cuidaban, sin embargo, era real.

Al salir vio un piyama ligero, compuesto por blusa y pantaloncillo de algodón color celeste y una muda de ropa interior. Sus mejillas se encendieron. ¿Eso de dónde habría salido? Lo observó sin poder siquiera tocarlo, aferrándose a lo que llevaba puesto, como si no pretendiera soltarlo jamás.

—Lo acaban de traer, espero que sea tu talla —escuchó tras ella, giró temblorosa. Ya se había duchado y llevaba un pantaloncillo de dormir y una camiseta cualquiera, aun así, lucía impresionante, incluso más que siempre—. ¿Qué pasa?, pareces asustada. —Se acercó un tanto agobiado.

Estuvo mucho tiempo dentro del baño, más de una vez estuvo tentado a entrar para verificar que estuviese bien, sus ojos continuaban enrojecidos y las ojeras cada minuto más marcadas. Esa bata le quedaba enorme, tanto que cubría por completo sus pies y las mangas se arremolinaban en sus brazos. Su cabello húmedo caía a los lados, pero su expresión seguía siendo la misma. Se sintió profundamente conmovido, tanto que dolió.

Kristián negó despacio.

—No hacía falta, gracias —señaló con un hilo de voz las prendas. Él negó, restándole importancia, tendiéndoselas.

—Las consiguieron en un almacén que estaba abierto. Anda, debes descansar —casi le rogó. La joven entró al sanitario, se las colocó notando que le quedaban algo grandes y salió un segundo después. Cristóbal ahí continuaba, extraviado en el exterior, como solía hacer. Su interior dio un vuelco al verlo ahí, tan colosal, tan seguro, ten ajeno.

—No sé si podré dormir —admitió de pie, a un lado de la cama. Afligida, comprendiendo lo que había hecho al subirse a su auto en su casa. Cristóbal se acercó, y le tendió la mano con gesto sereno. Se veía ridículamente mujer, pese a que lo que llevaba puesto no era de su talla.

Lo miró fijamente, titubeando, al final colocó ahí su palma. Rodearon el colchón y la tumbó a su lado con suma ternura.

—Solo cierra los párpados —le pidió muy cerca de la oreja. Sus enormes brazos la envolvían. El nudo en la garganta retornó. La seguridad de su tacto lo extrañaría por siempre, la forma que tenía de hacerla sentir tranquila, de crear esa corriente vertiginosa circulando a diario en su cuerpo y saber que pronto se detendría.

Entrelazó sus dedos en los suyos, que mantenían sujeto su vientre. Sentía su aliento cálido en su cabeza, su pecho fuerte cubriéndola por completo. Las lágrimas salieron nuevamente. Estaba absolutamente enamorada de él, lo quería, no pasaba momento en el día que no lo evocara, noche en la que no lo deseara. Era imperativo escuchar su voz, sentir su mirada fuerte clavada en ella. Verlo intentar esconderse y al final ceder, mostrarse lentamente con temor en aquellos momentos de tanta intimidad. Lo quería, lo quería y ahora no tenía idea de qué haría con eso que sentía, eso que él no aceptaría.

En medio de sollozos y sentirla incluso temblar, media hora después supo que ya estaba dormida. En serio estaba muy afectada. Esa impotencia que corría por sus venas era algo nuevo, extraño. Las palabras de aquel hombre llegaron de pronto mientras esa inigualable mujer descansaba a su lado al fin. Kristián fue criada por sus abuelos, eso explicaba del todo su tristeza; para ella su madre acababa de fallecer. Sabía cómo dolía eso, lo que generaba dentro de la piel y deseó que su dolor no fuera tan hondo.

Aspiró ese aroma tan suyo que, pese a la ducha, continuaba ahí, afrutado, delicado, natural. La ayudaría, ese hombre no le quitaría lo que era suyo, él mismo lo verificaría. Dejó salir un suspiro y cerró los ojos, se sentía exhausto y aunque su plan no era pasar la noche a su lado, teniéndola ahí, tan cerca, no pudo alejarse, no cuando la veía tan mal, no cuando sentía esa increíble necesidad de cuidarla, de ser ese apoyo silencioso que sentía deseaba.

Abrió los ojos, todo se encontraba aún en penumbras. De inmediato la buscó con la mirada. No estaba. Se incorporó con los codos, aguzando la mirada para ver si ahí se hallaba aún. Kristián estaba de pie, con la vista clavada en el exterior, las cortinas aún estaban abiertas y la ciudad se veía desde ahí, grande, imponente, impresionante. La observó afligido. Las dos de la mañana. Debía dormir.

Se levantó y se colocó a su lado. La joven lo miró de reojo, pero no se movió. Se sentía nerviosa, con muchas cosas en la cabeza como para poder descansar por completo y sus mejillas seguían húmedas, el líquido emanaba de sus ojos sin poder contenerlo y aunque no era llanto, como tal, no lograba evitar esa reacción de su cuerpo ante el dolor.

—Este lugar tiene una vista asombrosa —murmuró con sus brazos cruzados sobre el pecho, absorta en el exterior. Su semblante si bien lucía aún triste, parecía más relajado pese a aquellas lágrimas adornando su rostro. Apretó los puños al notar cómo, pese a su dolor, admiraba lo que tenía frente a sí. El hombre respiró profundo siguiendo sus ojos. Siempre había tenido esa vista y jamás se había fijado en los detalles, en nada en realidad, era tan común como todo lo que lo rodeaba—. Mira... allá —y señaló con su dedo, sonriendo levemente—. Esas luces parecen como una canción, titilan con un patrón. –Observó lo que decía, sintiendo cada segundo más pesado su pecho. ¿Cómo era posible que eso arrancara de sus labios ese adorable gesto? —. Es hermoso, debes disfrutar mucho despertar cada mañana... La luna hoy está muy blanca —señaló elevando sus almendrados ojos hasta ella.

No dejaba de parlotear, de perderse en los detalles. Un hormigueo atípico se instaló en la palma de sus manos.

—Kristián, debes dormir. —Al fin habló, conteniéndose. La deseaba, la deseaba como un demente y se estaba controlando demasiado. Su forma de ver el mundo, de vivirlo, de disfrutarlo y admirarlo, lo hacía ser más consciente de lo que ya no era, de ese hueco enorme en su existencia, de la tumba fría y árida donde se enterró y, por extraño que pareciera, ya no le apetecía seguir ahí, hundido, enterrado.

Ella asintió bajando la vista por un segundo y se giró para verlo de frente.

—Lamento causarte estas molestias, no pensé hace unas horas, solo quería alejarme... —se disculpó. Su delicioso labio temblaba un poco. Acercó su mano hasta él y con su pulgar lo acarició.

—Tranquila, no ha implicado nada... —minimizó y posó sus ojos verdes sobre los suyos—, no permitiré que ese hombre logre lo que se propone —le informó con firmeza. Ella se alejó, se sentó en la orilla del colchón.

—No importa, eso no importa. Es solo que... ella lo extrañaba tanto —masculló. Cristóbal se acomodó a su lado, interesado en escucharla, en saber de su boca un poco más de su vida. Parecía que después de todo no lo tenía todo tan sencillo como imaginó, pero no se explicaba cómo vivía tan alegre si eso era así.

—Las personas no son como esperamos la mayor parte del tiempo, Kristián. —La joven detectó lo agrio de sus palabras. Lo observó arrugando la frente.

—Las personas son personas, Cristóbal, se equivocan, a veces se arrepienten y aprenden, otras veces no —acotó. Él rio con cinismo.

—El mundo está plagado de intereses, de mezquindad, de dobles intenciones, conveniencia —farfulló irritado y desvió la vista, de nuevo hasta la ventana.

—Y de cosas asombrosas, de personas maravillosas. No todo es oscuridad, tampoco luminosidad y eso lo hace inigualable, es equilibrio. —Con el gesto tenso, la miró. Mantenía sus codos recargados sobre sus rodillas.

—¿Cómo puedes decir eso después de lo que tu tío te acaba de decir? —la cuestionó impresionado. Ella entrelazó sus propios dedos sonriendo con tristeza.

—No es malo, solo inmaduro, y... no sé, sus motivos debe tener para ser así —admitió bajito.

—Su madre acaba de morir, no se puede justificar su actuar —refutó serio. La joven ladeó la cabeza, torciendo la boca. Casi sonríe al ver ese gesto adorable.

—Cristóbal, guardarle rencor no me ayudará, ni a él, ni a nadie. —El hombre negó en desacuerdo—. No me malinterpretes, no soy una mujer que permite que la pisoteen, sé defenderme y lo haré las veces que sea necesario —apuntó con firmeza. Evocó la bofetada y sonrió sin remedio—, pero no me gusta gastar mi tiempo en personas que no valen la pena, eso es concederles demasiado, darles poder sobre mí y no pienso hacerlo —explicó. De nuevo su gesto se tornó lejano, ausente. ¿Qué tenía esa chica que cada palabra que emitía lo hacía cimbrar y lograba que tambalearan por completo sus ideas?—. ¿Sabes?... La vida, cuando te quita, también te da, solo que a veces nos cuesta trabajo verlo.

—No es siempre así, te lo aseguro, a veces te arrebata todo sin dejarte nada para sujetarte, te hace caer tan hondo que luchar por salir de ahí no tiene sentido. Las cosas no son tan sencillas como las crees. No cuando se es lo que se es —expuso serio levantándose de pronto, necesitaba alejarse. Si seguía ahí la besaría, la desnudaría, la haría suya... Y no era el momento, tampoco era lo ideal con todo su pecho expuesto, abierto por cada una de sus palabras.

—Devastación, destrucción —habló al verlo abrir la puerta. No deseaba quedarse sola en aquel sitio desconocido, no con el dolor aún ahí, latente, pero no pudo evitar decir aquello. Cristóbal se giró, su rostro imperturbable la escrutó con rabia.

—Ya te diste cuenta... Así que créeme, no soy de los que valgo la pena —afirmó y salió. Se sintió sumida en aquel lugar, demasiado sola, abatida.

Varios minutos permaneció en la misma posición. Ya su cuerpo lo sentía entumido, pero no llegaba el sueño. Miles de cosas se arremolinaban en su cabeza. Quería ir a buscarlo, hacerlo hablar, intentar que cambiase de opinión. No podía enterrarse de esa forma, juzgarse así, fuera lo que fuera, no era malo, lo veía en su actuar, en su diario proceder, en su mirada. Se acurrucó lentamente sobre las cobijas. Era tan doloroso estar enamorada, nombrarlo justo cuando había perdido a alguien que adoraría por siempre y comprender que pronto la vida la sorprendería brindándole un motivo por el cual sabía que lucharía hasta el último de sus días. Las lágrimas salieron de nuevo, hasta que, sin más, logró quedar dormida.

Dio vueltas por su habitación lleno de rabia, de impotencia. Recuerdos que deseaba borrar regresaron para acribillarlo, pues pese a todo, descubrió que no podía ya concebir un mundo sin su dulce sonrisa, sin su mente, sin su piel. ¿En qué momento sucedió? Negó lleno de coraje. ¿Eso qué más daba? Lo importante era lo que de ahora en adelante debía hacer con eso que lo estaba consumiendo y que no merecía.

Una hora después abrió su habitación con sigilo. Esperaba que no estuviese despierta. Las luces del exterior se filtraban, Kristián dormía hecha un ovillo sobre el colchón. La ternura que le producía creció aún más. Era tan dulce, tan ardiente, tan impresionantemente inteligente. Cerró los ojos frotándose el rostro. No, no la destruiría, no a ella, no con esos demonios que lo tenían sometido, que lo dominaban. Él no tenía derecho a olvidar lo que hizo, a intentar ver la vida de otra manera, no cuando era un ser lleno de oscuridad, de odio, de aberración para sí. La soledad era más segura, no arriesgaba nada, pese a que no se disfrutaba, tampoco a nadie lastimaba. Fue responsable de muchas cosas durante ese tiempo. Fue ciego, estúpido y no merecía otra oportunidad. Si no hubiese sido por Gregorio, él jamás se habría percatado, jamás se lo hubiera cuestionado. Habría seguido inmerso en esa vida que ahora, en retrospectiva, parecía tan monótona, tan aburrida, tan plana, pero que creía era lo que debía ser. Le dio todo el poder de destrucción a esa mujer y lo usó, lo usó tan bien que Andrea estuvo a punto de perder la razón e incluso perdió algo más valioso.

Corrió las cortinas sin hacer ni un ruido. Ella debía descansar.

Salió no sin antes observarla por última vez. Sintiendo sus manos escocer por tocarla, por acariciar su rostro. Cerró y se dirigió a su habitación. La madrugada llegó y con ella, ningún pensamiento alentador. Su infierno lo tenía consumido y la tortura del pasado, hundido.

La ayudaría, claro que lo haría, pero lo que estaba surgiendo entre ambos debía terminar en cuanto la viera restablecida, lista para asumirlo, se lo informaría. No seguir era lo mejor para ambos.

17

Silencio aplastante

Cristóbal llegó a la empresa como solía. Saberla en su apartamento, segura, dormida, le generaba cierta paz, algo que hacía mucho tiempo no experimentaba, incluso se sentía poderoso, sereno.

Poco después de las diez, Jimena entró un poco desconcertada.

—¿Qué sucede? —quiso saber intrigado ante su expresión.

—Señor, llamaron de seguridad, un hombre que dice ser el tío de Kristián, está aquí... —le informó desconcertada. Su jefe arrugó la frente sin comprender qué diablos hacía en la empresa.

—Bien, que le den acceso —autorizó. Roberto apareció un segundo después.

—Disculpe, señor. Me avisaron de que el hombre con el que ayer la señorita Kristián tuvo un conflicto, se encuentra en el conglomerado... —expresó. Cristóbal se levantó, asintiendo.

—Así es, ya di órdenes para que entre —habló relajado.

—No puedo dejarlo solo, no sin saber a qué vino —argumentó serio su escolta.

—Lo entiendo... Te aseguro que viene a reclamar alguna estupidez por lo ocurrido ayer. —Cinco minutos después el hombre entró acompañado por Blanca. La chica cerró al salir dejándolos solos a los tres.

Ignacio estudió el sitio, desde que llegó quedó perplejo, atónito. No creyó que su sobrina trabajara en un lugar como ese y que ese hombre al cual deseó partirle la cara la noche anterior fuese el dueño de ese impresionante edificio. Cuando dio con todo aquello en casa de sus padres, decidió hacerle una visita. Su sobrina no tenía derecho a robarle lo que le pertenecía, ya ahí tenía su mina de oro. Gracias al cielo se le ocurrió remover entre sus cosas y fue así como encontró más de lo que hubiera esperado. Un poco de investigación en la red y dio con la empresa y con el dueño.

—¿Señor Garza? —soltó el hombre. Iba vestido de forma casual, perfectamente peinado y con gesto imperturbable.

—¿Qué desea? —preguntó educadamente Cristóbal, cruzándose de brazos. La sonrisa cínica del hombre calentó su sangre. Deseaba dejarle la huella de su puño en medio de los ojos. Se contuvo y lo estudió impávido.

—Mi sobrina no pierde el tiempo —silbó dejando vagar sus ojos a su alrededor. Se controló mirando de reojo a Roberto, que observaba todo sin moverse—. Supo jugar bien sus cartas... Mire que amarrarlo de esa manera, no debió permitirlo.

—Hágame el favor de decir a lo que vino y largarse, tengo mucho trabajo —lo instó. Ignacio lo miró con indolencia, con gesto triunfante.

—No creo que usted desee tener a su hijo viviendo en esa casa. —Al escuchar eso no pudo evitar arrugar la frente sintiéndose de pronto descompuesto. ¿De qué carajos hablaba? El hombre sacudió la cabeza riendo. Sacó del bolsillo de su camisa un papel y se lo tendió—. Veo que no sabía nada, pero seguro se lo iba a decir muy pronto... —le guiñó un ojo con cinismo.

Cristóbal se lo arrebató, lo abrió y lo leyó. Al leer lo que ahí decía, palideció sintiendo que el piso se abría bajo sus pies para tragárselo de un solo bocado. Respirar costó trabajo y miles de sentimientos se mezclaron en su interior. ¡No, no, no! Un sudor frío viajó por su columna vertebral, su respiración se disparó.

—¿Quién le dio esto? —rugió acercándose, completamente fuera de sí. El hombre retrocedió negando.

—Es una prueba de embarazo y bueno, supuse que sería su hijo, pero igual podría ser de cualquiera. Así que le propongo que, si es suyo, la mantenga y la aleje de mi casa, y si no lo es, no se meta en lo que no le incumbe —bramó. Cristóbal lo tomó de la camisa con fuerza, apretando la quijada. El hombre, lívido, buscó soltarse.

—Lárguese de aquí antes de que le rompa su jodida nariz y todos sus putos dientes... Ahora. —No gritaba, pero la amenaza era frontal. Supo, por su mirada fría, cargada de odio, que lo haría. Ese hombre parecía un demonio, tembló asustado.

—¡Suélteme! —Lo bajó logrando que resbalara y cayera sobre su trasero.

—Sácalo de aquí, Roberto, ahora –exigió dándole la espalda, arrugando el papel que tenía en la mano. Un maremoto barrió con todo, de nuevo. Eso no podía estar ocurriendo, no ella, no a él.

—Haga lo que le plazca con Kristián, pero la casa será mía... —Lo escuchó decir. Aún no salía de ahí. No volteó, no podía, se sentía anclado a ese lugar.

Sus latidos podía escucharlos tras sus orejas. La saliva estaba espesa y tuvo que jalar un poco el nudo de la corbata porque se ahogaba. Lo volvió a abrir. Su nombre estaba ahí y un «Positivo» en negritas, dejaba claro que era real. Lleno de odio, de rabia, de impotencia, salió de ahí.

El escolta se lo topó en el pasillo. Al ver su expresión supo que estaba lleno de cólera. Cerró los puños mostrándose indiferente, ese era su trabajo.

—¿Aún sigue ahí? —Supo que se refería a la joven. Asintió con formalismo. Pasó a su lado, aún con los latidos empalmándose de tan rápido que iban.

Condujo sin prestar atención en nada. La sangre corría por su cuerpo quemando cada maldita arteria, cada pensamiento, cada atisbo de cordura. Entró buscándola con la mirada. Al no verla, subió de dos en dos los escalones. Su mente estaba cubierta por un manto negro que no le permitía hilar nada. Todo se mezclaba en su mente, ya nada volvería a ser como debía, no podía estarle ocurriendo aquello.

Abrió la puerta de golpe. Ella se abrochaba la camisa con movimientos lentos, su rostro estaba cargado de melancolía y su cabello lucía alborotado. Le importó poco.

Kristián respingó al verlo ahí, así. Sus ojos parecían ajenos, plagados de rencor, de frío odio. Pasó saliva sintiendo, pese a la distancia, su gélida ira.

—¡¿Me puedes decir qué diablos es esto?! —rugió aventando el papel a la cama. Ella no se movió, pero lo observó de reojo. ¿Qué le sucedía?—. ¡Agárralo, carajo!

—¿Qué te pasa? —quiso saber sin moverse. El hombre caminó y al tenerla a unos centímetros sintió aún más dolor, más rabia, traición. Era un imbécil por haber vuelto a confiar.

—Sé que estás embarazada —profirió. Kristián perdió el color de inmediato, sus ojos se abrieron. ¿Cómo lo supo?—. Fuiste hábil, inteligente... Pero de mí no obtendrás nada, ese es el truco más estúpido y viejo de todos. Ni siquiera puedo asegurar que sea mío. —La joven, con el llanto atorado en la garganta, escociéndole los ojos, elevó la mano y con fuerza lo abofeteó. Cristóbal, al sentir el impacto la tomó por los brazos respirando agitado.

—¡Eres un imbécil! —exclamó indignada, rebasada por todo lo que ocurría—. ¡Cree lo que te plazca, me importa una mierda! —escupió sin apartar su mirada. Sus rostros se hallaban a unos cuantos centímetros.

—Creías que embarazándote asegurarías tu vida, que me atarías a ti... Te creí más lista. Coqueteas sin cesar, le sonríes a cualquiera, no caeré, Kristián, conmigo te equivocaste, estuviste en mi cama, pero cuándo no lo estabas, podías estar en la de cualquiera —la insultó presa de la ira. Ella alargó un poco más el cuello, aprovechando que la tenía sujeta. Rio con ironía. En ese momento sentía que lo odiaba como a nadie.

—Eres soberbio, un hombre seco, no tienes nada que yo pueda desear... Porque tu dinero, Cristóbal, es tan superficial como tu alma, tan vacío como tu vida... —expresó con tono ácido. El hombre enseguida la soltó perdiendo color—. No quiero nada de ti, no te necesito. Mañana mismo presento mi renuncia y no te preocupes, no sabrás nada de mí, nunca más... —aseguró. Al comprender que se iba, la ansiedad lo embargó. La tomó por la muñeca negando con rabia.

—Tu contrato está blindado y no te irás de la empresa hasta que Carolina regrese, me importa una mierda lo que hagas con tu vida, a quien le endilgues ese niño, pero no te irás. Así que ya lo sabes... Conmigo no se juega, te lo advertí. Mañana a las nueve, no quiero un jodido pretexto, después, después haz lo que te plazca —rugió y salió dejándola ahí.

Sus labios temblaban, su cabeza martilleaba, su pecho lo sentía hundido, incluso dolía. Se pasó una mano por la frente intentando llenar sus pulmones de aire. Tomó su bolso y salió corriendo. Al llegar al elevador, lo picó con desespero. Él seguía ahí, lo había visto al pasar. Uno de sus enormes dedos abrió las puertas. No lo miró, entró en cuanto el ascensor se lo permitió. Esto ya era demasiado.

—¡Ciérralo de una maldita vez! —Le gritó al ver que no se movía. Un segundo después el aparato se movió y dejó de tenerlo enfrente. Al llegar al estacionamiento miró a los lados. Roberto apareció de pronto.

—¿Te llevamos? —preguntó agobiado. Ella negó temblando.

—¿Por dónde carajos salgo de aquí? —Le pidió con los ojos empañados. El hombre señaló la salida. La joven corrió sin detenerse mientras él la observaba alejarse con agilidad. No creyó que las cosas ocurrirían así, debía mantenerse ajeno, pero costaba mucho, esa chica no se lo merecía.

Al llegar a la calle, permitió que las lágrimas de nuevo salieran, aun así, siguió corriendo. Varias cuadras recorrió, deseaba alejarse lo más que pudiera de ahí. Logró dar con una avenida minutos más tarde. Al fin apareció un taxi, se subió y le indicó a dónde ir. Recargó la cabeza en el respaldo dejando salir todo el dolor que la estaba consumiendo, en horas su vida se había volteado de cabeza y no encontraba como enderezarla otra vez. Jamás debió involucrarse con él, nunca debió ser parte de ese maldito juego.

Llegó a casa sintiendo el peso de su dolor, era una carga tan pesada que dolía incluso avanzar. Abrió la puerta y lo primero que vio fue a Ignacio. Movía unos objetos del recibidor.

—¡No te atrevas a tocar nada! —bramó con amenaza. El hombre giró alzando una ceja con indolencia.

—Tú a mí no me das órdenes —rugió. Ella negó llena de rabia. Subió las escaleras, encontró en una de las habitaciones sus pertenencias. Tomó todo lo que pudo y con el corazón latiendo como desquiciado, bajó y las aventó fuera de la casa.

—¡Lárgate! —gritó con el rostro descompuesto.

—¡Qué carajos te pasa! —vociferó el hombre sin dar crédito a lo que ella había hecho.

—Estás en mi casa, y hasta que no me largue de aquí, no tienes derechos. —Ignacio, rojo de cólera, la tomó por los brazos.

—Así que te dejó... Por eso estás así, ¿no? —La joven no pudo más, alzó una de sus piernas y le dio justo donde las suyas se unían.

—¡Kristián! —giró justo cuando el hombre caía quejándose por el golpe. Ileana la observaba, llorosa.

—¡No tocará nada de ella, no ahora! —gruñó con firmeza, pálida, entumida. La mujer al ver su dolor se acercó. La chica retrocedió negando. Su tío se levantó con el rostro inyectado de furia.

—¡No te atrevas a tocarla! ¡Y saca tus cosas de aquí! Esta casa le pertenece a Kristián, así que dile a tu mujercita que de aquí no sacará nada y ponte a trabajar —declaró con autoridad Ileana. La joven no pudo más y corrió escaleras arriba.

—Ahora sí la defiendes, si tú fuiste quien la abandonó aquí como un trapo viejo...

No pudo ni quiso escuchar más, cerró su habitación, se recargó en la puerta y se dejó caer sollozando sin control. Los espasmos no cesaron por varios minutos, tanto que el abdomen ya le dolía. Necesitaba verlos. Se levantó, tomó una foto donde salían sus abuelos a su lado, la pegó a su pecho y se acurrucó en la cama.

—¿Por qué me dejaron? —susurró sollozando de nuevo—. Lo prometieron... —Se sentía tan vacía, tan sola, tan triste.

Su celular sonó unas horas más tarde. Al reconocer el número contestó. Las cenizas de su abuela estaban listas. Se limpió la cara. Besó la fotografía acariciándola por varios segundos.

—Soy fuerte, les juro que lo seré. Tengo un motivo y sabré hacer las cosas bien —prometió. Se mudó de ropa envuelta en un trance, salió de la habitación con la imagen en su mano. Descendió lentamente. Escuchó voces femeninas en la cocina. Apareció en el marco de la puerta observando apenas a las tres personas que ahí se hallaban. No tenía idea de qué hablaban, miró a Clara, su tía, nada más.

—Las cenizas están listas, debemos ir a recogerlas —informó con voz fría. La mujer asintió levantándose de inmediato. Los otros dos la siguieron midiendo las reacciones de Kristián, pero esta los ignoró y anduvo rumbo a la salida.

Los cuatro subieron al auto de la joven sin decir una sola palabra. El silencio era aplastante, pero lo prefería. No tenía deseos de escuchar a nadie, menos a ese hombre egoísta que ahora era su tío. No solía ser así, no cuando vivía con su primera esposa. Era dulce, atento, incluso la visitaba a menudo con sus primos. Pero un buen día la mujer lo abandonó por otro hombre y luego él consiguió una chica mucho más joven, nada fue igual desde ese momento. Su Aby sufría mucho al saberlo así, tan lejano, tan infeliz, pero no había mucho que hacer pues no se dejaba ayudar.

Cuando los restos de sus abuelos quedaron juntos, Kristián se permitió nuevamente derramar algunas lágrimas, colocó un pequeño arreglo que compró en la entrada y se despidió sintiendo que una parte de su alma se quedaba ahí. Ya su vida sería otra y debía enfrentarla.

Ileana la observaba sintiéndose muy impotente, pero respetando su distancia, esa que siempre había mantenido. Kristián jamás la cuestionó, tampoco le reclamó. Simplemente cuando regresó seis años después de haberla dejado de aquella cruel forma, lista para enfrentar lo que viniera, ella la miró como si cualquier otra persona que conociera estuviera enfrente. Era un torbellino, le dijeron sus padres, que se encontraban en aquella mesa del comedor, esperando a que la niña regresara de casa de su amiga. Llegó hecha un lío, sucia, los pantalones rotos, el cabello enmarañado y riendo sin cesar.

—Hola —dijo bajito. Mirando a sus abuelos, dudosa. Su indiferencia la golpeó de tal forma que se encontró saludándola de igual manera, evaluándola con atención.

—¿Sabes quién soy? —preguntó cauta. La niña asintió con seguridad.

—Ileana —respondió torciendo su boca. La mujer miró a sus padres unos minutos, después nuevamente a ella.

—¿Cómo estás? —No daba crédito a su actitud. Sonrió asintiendo, luego se acercó a su abuelo.

—¿Puedo quedarme a dormir en casa de Paloma? Su mamá preparará un pastel... Di que sí —rogó dando brinquitos. El hombre, notoriamente desconcertado, no supo qué responder.

—Quería que habláramos un rato —intervino Ileana, apretando la servilleta de papel que tenía entre sus manos. La niña la miró un segundo, sin darle mucha importancia.

—Abue, por favor... sabes que el de chocolate me encanta, di que sí —le imploró removiéndose como solía, era evidente que tenía un exceso de energía.

—¿No prefieres quedarte y conversar un rato con nosotros? —sugirió con dulzura. Su carita de hastío apareció.

—Hablan de puras cosas aburridas... Por favor —suplicó abanicando sus ojos para conseguir lo que deseaba y juntando sus manitas. El hombre le dio un beso en la frente asintiendo al ver que su hija bajaba la mirada. Kristián se despidió con la mano brincando de la felicidad y salió de ahí.

Después de eso, cada vez que la veía, se portaba igual. Siempre le respondía a lo que le preguntaba, no huía de ella, pero era como si fuese su tía. Sus padres estaban de acuerdo en que buscara su perdón, en que, si lo lograba, la llevara a vivir con ella a su casa, con su marido y el bebé que acababa de tener. Pero pasó el tiempo y Kristián no cedía, hasta que un día se enteró que duró escondida en un parque tras un bote de basura casi un día entero, creyendo que la obligarían a irse con Ileana. No lo soportó y comprendió que no tenía derecho a romperle más el alma a esa niña a la que no supo amar.

Fue hasta su casa y habló con ella.

—¿Sabes que nos asustaste mucho, Kristián? —la cuestionó. Ella asintió rodeando con fuerza la cintura de su abuela—. ¿Por qué lo hiciste, entonces?

—Quieres que me vaya contigo, y yo no quiero, esta es mi casa... —musitó bajito, sin titubear, sin dudar. El nudo en la garganta retornó.

—Así es, esta es tu casa y no haremos nada que no quieras —declaró con suavidad.

—¿Entonces por qué dijiste que me llevarías? —La confrontó con sus ojitos llenos de dudas. La mujer resopló tragándose las ganas de llorar.

—¿No te gustaría vivir con el bebé, con César? Podrías tener tu habitación, allá hay alberca, tendrías nuevos amigos…

—Ya tengo amigos, también mi cuarto. Ese es tu bebé, yo quiero vivir aquí, con ellos. Me porto bien y ayudo, no los molesto, tampoco soy grosera, saco las mejores calificaciones. —Le dolió mucho comprender lo que ella creía que debía ser para permanecer ahí.

—Eres una excelente niña, Muñequita —intervino su abuela, con voz segura.

—Así es, Kristián, pero ¿y no te gustaría ir a dormir de vez en cuando allá? —sugirió. Kristián se irguió confrontándola.

—Ileana, yo aquí soy feliz, muy feliz. No quiero estar en otro lugar —declaró con sencillez, pero sin titubear.

—Lo entiendo… —expresó afligida, fingiendo serenidad.

—¿Entonces no me llevarás contigo? —preguntó esperanzada.

—No —negó acercando su mano hasta aquella delgada pierna—. Las cosas se harán como tú digas —confirmó. La niña sonrió evidentemente llena de alivio. Besó a su abuela y luego corrió a los brazos de su abuelo e hizo lo mismo.

—Debo ir a dormir, salúdame al bebé y a tu esposo —solo dijo y subió las escaleras corriendo, como solía. No la arriesgaría, ya no. Así que a partir de ese momento se mantuvo presente, pero sin invadir su espacio. Después, cuando cumplió quince, aquella noticia que le partió el corazón y dolió como pocas cosas en la vida. Con mayor razón dejó de lado su necesidad y se mantuvo pendiente de las de ella. Tres años después tuvieron que mudarse a La Paz, en Baja California, al norte del país, por cuestiones de trabajo de César. Una tarde llegó a su casa y le pidió que la acompañara a un sitio. Comieron hablando de tonterías, cuando llegó el momento se limpió los labios con la servilleta de tela y la miró penetrantemente. Se había convertido en una joven muy bella de facciones proporcionadas, exactas, pero lo que llamaba siempre la atención de cualquiera era esa seguridad, su forma de ser, la fuerza y brillo en sus ojos marrones. Era inteligente, brillante, le habían dichos sus padres, positiva y con interior lleno de bondad.

—Me iré a La Paz a vivir —comenzó. La joven la observó, serena.

—El trabajo de César, ¿cierto? —dedujo serena. Ileana asintió débilmente.

—Eso es bueno, les irá bien —declaró tranquila, incluso sonriendo.

—¿De verdad te da igual? —La cuestionó intrigada, dolida también pese a no tener derecho. Kristián torció la boca sin comprender.

—No te entiendo —admitió con sinceridad. La mujer cerró los ojos negando.

—Kris... ¿Podrás algún día perdonarme lo que hice? —preguntó con la voz quebrada. La chica pestañeó sin dejar de verla. Guardó silencio varios minutos que le parecieron un siglo. No obstante, se lo merecía, nada nunca lograría hacerla sentir bien consigo, lo que hizo fue imperdonable. Terapias, llanto, noches enteras sin dormir, una culpa tan grande que no la dejaba vivir. Veía a sus otros dos hijos y no lograba comprender cómo fue capaz de dejarla sin más, sin mirar atrás. Pese a que la tuvo a los diecisiete, nada la justificaba.

—Ileana, no tengo nada que perdonar —musitó despacio—. Tú no podías conmigo, no cabía en tu vida... Te preocupaste por mí, me dejaste en un lugar donde sabías que me querrían, me cuidarían. He sido feliz y no tengo nada que reprocharte —aseguró. Las lágrimas salieron a manera de torrente al escucharla. Se cubrió los labios sollozando al ver cómo decía todo, cómo lo acomodó.

—Fui cobarde, fui inmadura, fui una estúpida... Jamás debí irme así —murmuró sin soltar sus ojos.

—Ya pasó, yo estoy bien, tú también. Cuando la vida te quita, también te da... Cuida tu familia, sé feliz, yo no te guardo rencor —manifestó sin perturbarse.

—Pero jamás me verás como tu madre —comprendió. Kristián tensó la quijada, desviando la vista para perderse un poco en aquel lugar.

—Mi madre es mi Aby y mi padre, mi abuelo. Lo lamento, pero... eso es así —explicó tranquila. Ileana asintió con el pecho comprimido, comprendiendo que ese era su castigo y lo sería toda la vida.

—¿Y yo? —deseo saber, llorando de nuevo. La joven sonrió ladeando la cabeza.

—Tú, tú eres Ileana, no sé qué decirte, te quiero como... como a Clara... —admitió torciendo la boca. La mujer bajó la mirada hasta sus manos, vencida, aniquilada, se lo merecía y nada podría hacer al respecto.

Después de ese día, nada cambió en su actitud respecto a ella. Siempre era cortés, educada pero jamás cariñosa, no como a veces lo hacía con su hermana y mucho menos con sus padres. Se mantuvo al tanto de todo lo que le ocurría por medio de su madre, en incluso insistió en solventar sus gastos desde que reapareció, pero su padre se reusó, de alguna manera ellos formaron una familia donde nadie más tenía cabida, no ella por lo menos.

Ahora, tantos años después, esa herida seguía expuesta y tan abierta como siempre. Perdía a su madre, pero verla a ella sufrir de esa forma, le dolía aún más. ¿Cuánto más tendría que vivir su hija?

Al regresar a la casa, Kristián subió y unos minutos después salió vestida en ropa deportiva, los tres sabían bien a dónde iría. Escucharon la puerta cerrarse, su auto alejarse.

—Debo salir... regreso más tarde —anunció Ileana unos segundos después sintiendo que se ahogaba—. Y no quiero un espectáculo más, Ignacio —le exigió con tristeza. El hombre negó bajando la mirada. Las escrituras las guardó su madre en algún sitio, pero ella tenía una copia y le dijo que, si no se iba, si no la dejaba en paz, entonces presentaría una denuncia pues esa casa desde hacía un tiempo era de su hija y nadie le quitaría nada más, nunca, no mientras viviera. Por otro lado, los tres se enfrascaron en una fuerte discusión cuando supieron que había ido a la empresa de Kristián a hablar de su embarazo, noticia que sobre todo a Ileana la traía de cabeza, con el corazón oprimido, comprendieron que la habían dejado sola con toda la carga, que con pretextos cada uno se recargó en ella dejándole toda la responsabilidad de sus padres, y luego de su madre, y que, por si fuera poco, su hija, Kris, pronto sería mamá.

Esa joven fuerte solventó sola todo lo que a ellos les correspondía, lo que por obligación debieron prever, pero tan absortos en sus problemas, en sus vidas, simplemente la dejaron hacerse cargo y hacer frente a todo lo que ahí ocurría. Y pese a que ella mandaba dinero cada mes, jamás pensó que sus hermanos no lo hicieran, que Kristián se las estuviera arreglando sola. No era justo invadir su espacio así de repente, acosarla y, además, hacerla sentir peor después de lo que ya de por si estaba viviendo. Eso sin contar que ella debía cuidarse, mantener su vida lo más relajada posible, más en su estado actual.

Cristóbal echaba lumbre, pero tuvo un par de reuniones que no pudo posponer. La evocaba cada maldito segundo, sentía la ansiedad colonizando todo su ser. A media tarde logró un momento de tranquilidad. Mandó llamar a Roberto.

El hombre entró unos minutos después. De pie junto a la ventana, perdió su atención. Las nubes se movían de forma dulce y el sol se filtraba a través de ellas de una manera etérea, cálida, era asombroso como la luz se proyectaba hacia abajo dejando estelas de luminosidad.

—Aquí estoy, señor. —No giró, comprendiendo de pronto lo que hacía. ¿Desde cuándo ese tipo de cosas llamaban su atención? Con las manos tras su cadera asintió.

—¿Por qué no me advertiste sobre ella? —preguntó sin reclamo, con tono pausado, casi conciliador.

—Porque no hay nada que a esa joven se le pueda reprobar... Su vida está limpia, demasiado —admitió.

Cristóbal volteó ratificando lo que ya sabía. No debió decirle aquello, no debió tratarla así. Se dejó cegar, ese odio a todos y a todo lo invadió y dijo esas bajezas. Dejó salir un profundo suspiro negando. Era una basura. No lograba asimilar que fuera a ser padre, que, de todas esas ocasiones en que estuvieron juntos, de aquellas impresionantes maneras, ese fuera un resultado posible pese a estar protegiéndose. Pero en una de las reuniones, uno de los empresarios tuvo que retirarse puesto que algo le había caído mal. De inmediato ató cabos, ese día, él la tomó ahí, justo en la empresa, sin protegerse, al día siguiente ella enfermó fuertemente del estómago. Las pastillas debieron bajar su efectividad si tuvo vómitos. Las probabilidades eran casi nulas, pues llevaba un tiempo su cuerpo acostumbrado a ellas, pero estaba seguro de que fue ese el momento en que Kristián quedó embarazada. Sabía bien que no se acostaba con otro, era tan transparente, tan ella, genuina, sincera, pese a que no conocía su vida, esas eran cualidades más que evidentes para cualquiera. Era lamentable que un ser así se topara con alguien como él. Pero no la dañaría, no más.

—Prepara el auto. Saldremos en diez minutos —ordenó. Llegó a su casa sintiéndose tan nervioso como un quinceañero. Tocó rogando porque al abrirle y verlo, no le aventara un zapato, o lo dejara simplemente afuera, como se merecía.

La mujer que el día anterior por la noche sollozaba defendiéndola, apareció en el umbral. Al verlo, anduvo el camino hasta la reja.

—Buenas tardes —lo saludó con elocuencia. Abrió y le tendió la mano con cortesía.

—Buenas tardes, señora, busco a Kristián. ¿Podría decirle que está aquí Cristóbal? —La mujer lo observó de manera especial.

—Ella no está, espero que ya no tarde, pero pase... me gustaría hablar con usted si tiene tiempo —pidió. Cristóbal dudó por un segundo. Ella lucía agotada y tenía signos de haber estado llorando. Era un momento muy difícil para ellos, recordarlo desgarró más su pecho. Era un absoluto imbécil. Giró hacia su escolta para que supiera que entraría—. Mi hermano no está, así que no se preocupe —le dijo a Roberto comprendiendo su función. El hombre asintió con cortesía.

Ingresó a aquel sitio estudiándolo todo. Los muebles eran anticuados, todo estaba lleno de adornos y fotos, muchas en realidad. Se detuvo en el recibidor al ver una imagen de ella; el viento despeinaba su cabello, parecía estar en al campo, sonreía de esa forma tan suya. Esa marea cálida sometió nuevamente su corazón tanto que su piel se erizó.

—Pase, por aquí —indicó y lo llevó hasta el antecomedor. Él la siguió sin perder atención de cada cosa. Esa era una casa que guardaba historia, eso se sentía, tal como la suya en su momento, pero a diferencia de aquella, ahí se respiraba una atmósfera cálida, agradable pese a lo que acababa de ocurrir. Fotografías esparcidas por doquier, en la mayoría ella tan radiante y aniquiladoramente segura, como siempre. Eso era lo que más lo atraía, su interior limpio, alegre—. ¿Desea un café? —Le ofreció la mujer al mostrarle una silla. Negó sentándose después de ella. Clara sonrió intrigada por esos modales impecables, aunque ya sabía que nadaba en dinero.

—¿Tardará mucho? —quiso saber, nervioso, notando una caja de chocolates justo a un lado de la barra que dividía la cocina. Su corazón se estrujó aún más si eso fuera posible, hasta que no la viera no se sentiría tranquilo.

—Salió hace un rato, no sé... —admitió evaluándolo—. Kristián no está pasando por un momento sencillo, debe saberlo —comenzó despacio. Cristóbal asintió, atento, intrigado—. Ella es una joven particular y supongo que eso ya lo notó puesto que... ya sabe... serán padres —apuntó. No se movió, deseaba comprender qué quería decirle esa mujer—. Esta casa le pertenece, lo que ayer escuchó de mi hermano, lo que hizo hoy... Dios, nos llena de vergüenza.

—No se preocupe —intervino, serio.

—Debo hacerlo, mi sobrina no merece que la traten así. No sé si está enterado, supongo que sí, no es un secreto que cuando tenía seis años, mi hermana, Ileana, la dejó aquí sin más. —Pasó saliva sintiendo como sus vellos se erizaban, como sus mejillas se tornaban sensibles al aire inexistente. La mujer dejó salir un suspiro como recordando—. Fue tan duro, tan doloroso. Kris sufrió tanto, y su madre, mi hermana, no regresó. Ella era muy inmadura, se embarazó muy joven, así que ansiaba vivir y... así fue como cometió ese acto egoísta —explicó. El hombre sintió fuego, coraje, incredulidad. No podía imaginarla en tal situación—. Pero Kris se aferró a lo positivo, a lo que tenía y... asombrosamente al poco tiempo ya era la niña dulce e inquieta de siempre. Fuerte, optimista. Mis padres eran sus padres y lo asumió como tal desde el momento en que comprendió que aquí viviría. Durante seis años poco supimos de mi hermana, salvo ceder los derechos legales de la niña y una que otra llamada esporádica, nada. Cuando al fin regresó, Kris tenía doce y ella... la había desterrado de su corazón. No la odia, supongo tampoco le guarda rencor, no es así, ese tipo de sentimientos simplemente no caben en su pecho. —Enseguida recordó sus palabras por la noche. El nudo en el centro del pecho aumentaba, crecía con cada cosa que esa mujer soltaba. No la merecía, no a un ser así, comprendió más afligido que al llegar.

—Tiene su carácter, lo vio ayer, supongo la conoce también. Pero es buena, muy noble. Ayuda y eso la hace feliz. Así que, por favor, olvide el enfrentamiento de la noche anterior, nada es más equivocado que eso... Puedo meter las manos al fuego por ella. Después de un... joven con el que pasó una experiencia algo amarga, hace varios años, sé que no ha estado con nadie más, pese a ser una chica asediada, pero tiene tantas ocupaciones, amigos, El Centro, que no se da el tiempo para ello... —explicó agobiada. Cristóbal arrugó la frente. Todo eso era demasiada información.

—¿El Centro? —preguntó pestañeando. Clara lo miró arqueando una ceja. ¿Cómo es que desconocía ese lugar si era parte fundamental de la vida de Kristián? Por otro lado, si iban a tener un hijo, estaba segura de que no sería por desliz, ellos se conocían bien, la noche anterior, al ver cómo la protegió, lo notó sin problemas, eso era más que una simple aventura.

—¿No sabe sobre eso? —comprendió seria. Él negó respirando cada vez más lento. La mujer suspiró negando—. Kristián ayudó a fundar un lugar de apoyo a chicos con situaciones difíciles y por las noches, bueno, va ahí y les enseña danza —explicó. ¿Danza? Cada vez comprendía menos y se ahogaba más. Transpiraba a pesar de que el sitio era fresco y el nudo de la corbata lo sentía demasiado apretado—. Me parece tan extraño que no se lo dijera... —tuvo que decir al ver la reacción del hombre, estaba pálido.

—Supongo me lo diría cuando encontrara el momento. —Mentira, ella no se mostraría, ahora lo entendía. Se guardó muy bien, ocultaba cosas, sí, pero no de la índole que creyó, sino situaciones que la hacían ver antes sus ojos como una mujer incomparable, impresionante, imponente. Andrea regresó a su mente. Las miles de conversaciones con Matías cuando ella desapareció en San Diego aquel año. Ella y Kristián compartían algo y no había logrado definir bien el «qué», pero en ese momento lo veía claro... Eran mujeres fuertes y que, pese a todo, sabían sonreír. Se frotó la frente sintiéndose más miserable aún, demasiado perdido, abatido desde las entrañas.

—Supongo. Dios, a lo mejor no debí contarle todo lo que le dije, pero...

—Buenas noches —apareció una mujer en el marco de la puerta. Su semblante era triste, enseguida la imagen de Kristián apareció. Lo miraba con intriga, de una forma muy peculiar.

—Hola, Ileana, él es el señor Garza —lo presentó. El hombre se levantó dejándola perpleja, era guapo, grande y, sobre todo, intimidante. Cristóbal, al comprender quién era, no supo cómo actuar. La mujer le tendió la mano dudosa.

—Soy Ileana Navarro —comprendió de inmediato que Kristián compartía el apellido de su madre. La observó y respondió con cortesía el gesto.

—Cristóbal Garza —reviró. La mujer asintió soltándolo, notando su escrutinio, él era el padre de su nieto.

—Vino a buscar a Kris —comentó Clara, desde su lugar. Ileana asintió pestañeando, agobiada.

—¿No ha regresado? —Su hermana negó—. Es mucho tiempo —Leyó la preocupación en su voz. Cosa que lo alertó aún más.

—Lo sé, pero bailar la alivia —le recordó Clara. La madre biológica de Kristián se alejó frotándose la frente.

—Iré a buscarla —declaró con firmeza Cristóbal comprendiendo que se encontraba en ese lugar donde daba danza y le agradeció a Clara su atención con un gesto elocuente—. Buenas noches y un placer. —La tía de la chica se levantó asintiendo. Le agradaba su resolución, lo que proyectaba, pese a que parecía ser un hombre con mucha tristeza a cuestas.

Lo acompañó hasta la salida, en silencio.

—Un gusto, señor —se despidió observando cómo sus escoltas se acercaban. Ese hombre irradiaba poder y no tenía idea de si eso sería bueno para su sobrina o no.

—Igualmente, gracias por todo. —Sonrió sin alegría y se alejó para adentrarse en ese impresionante auto que desentonaba por completo ahí, en esa colonia de clase media.

Con el volante bien aferrado y la quijada tensa, condujo hasta la dirección que su escolta le mandó por GPS, por supuesto que él sabría dónde carajos quedaba ese lugar.

18
TÚ

Cinco minutos después se estacionó frente a una casona pintada de morado y blanco. «Cuídate. Centro de integración y recreación». Leyó el letrero en la fachada apretando las manos con fuerza. La puerta estaba abierta, unos chicos salían riendo. Pasó sin importarle nada, necesitaba verla, verificar que estuviera bien, olerla si era posible. No la merecía, no la merecía y pese a ello, la necesitaba.

Avanzó por el iluminado pasillo observando todo. Un área de recepción, que no tenía a nadie ahí, estaba justo enfrente con el logo del lugar por detrás. El sitio tenía energía, se sentía cálido, agradable y fresco. Música fuerte se escuchaba a lo largo de su recorrido. Al llegar a ese lugar, del lado derecho, un par de bancas moradas, con pertenencias encima y justo frente a una puerta ancha, abierta, varios chicos asomados, murmurando. De ahí provenía la música.

—Debemos decirle que pare... Debe descansar ya –conocía a esa chica que hablaba con el que, en efecto, era su novio, pues la tenía abrazada. Se acercó con las manos sudorosas. Gracias a su altura, encontró la manera de colarse y observar lo que todos ahí veían.

Su sangre se detuvo. Sus pulmones se cerraron tanto que los sintió como pasas. Su piel se erizó y su corazón rugió dentro de su pecho reclamando lo que ya sentía suyo.

Sus pies volaban, se mecían con una facilidad que a cualquiera hubiese dejado perplejo y a él, sintiendo electrochoques en cada poro. Su cuerpo, ligero, se movía al ritmo de aquella movida melodía que en su vida había escuchado pero que tenía un dejo de melancolía mezclada con esperanza. Sus manos parecían alas de un ángel, suaves, seguras, siguiendo la tonada sin ningún problema al igual que esa cadera cubierta por aquella malla que se adhería a sus curvas.

Apretó los dientes respirando con una dificultad desconocida. Ella no se percataba de nada. Parecía ajena a todo salvo a lo que sentía, a esa cadencia que la arrastraba como si alguien la manejara, logrando que sus pasos fueran firmes, sublimes, únicos. A través de los espejos la pudo contemplar, atónito, pasmado e indudablemente embelesado. Se deslizaba con cuidado para, de pronto, moverse con rudeza, era impresionante lo bien que manejaba cada una de sus extremidades, la seguridad con la que controlaba cada paso.

Paloma le dio un pequeño codazo a su novio, él giró siguiendo su mirada. Al notar la presencia de aquel impresionante hombre, y la manera en la que la veía, descendió hasta su novia azorado. De pronto, como si todo ocurriera en cámara lenta. Kristián trastabilló. Cristóbal, más alerta que nunca, preocupado, sabiéndola al límite, se metió entre los chicos sin pedir permiso. Todos observaron como ella buscaba apoyo, nadie atinó a hacer nada, ni siquiera pudieron moverse cuando él, envuelto en ansiedad, logró sujetarla del brazo antes de que cayera de lleno sobre el piso. Sin más, dejando salir un suspiro de alivio, la pegó a su pecho con fuerza, soltando un suspiro de alivio.

—¡Kristián! —escuchó la voz de Paloma, un poco lejana. ¿Qué pasó? Se aferró a ese olor familiar, llenándose de él, sintiendo como la sostenía sin dificultad. Con los párpados cerrados dejó salir un par de lágrimas. Se sentía devastada, como nunca y muy cansada, sin ánimos de luchar.

—Está consciente —habló Cristóbal con voz conciliadora pero un tanto cargada de angustia.

—Traeré una soda —dijo la chica. La mujer que tenía entre sus brazos se removió con movimientos lentos. Se sentía cálida ahí, cerca de él.

El que estuviera transpirando debido al ejercicio le importó poco, lo único que quería era saber que estaba bien, que no se preocupara por nada. Al sentirla más fuerte, sabiéndose observado por todos los presentes, le permitió alejarse. Kristián lucía pálida, llorosa y asombrosamente hermosa.

Sus miradas se conectaron por segundos, minutos, horas pudieron ser. Lo cierto era que no lograban dejar de hacerlo. Cristóbal se sintió más expuesto que nunca, esa mujer iba, como si de una marea silenciosa se tratara, avanzando, cubriendo todo lo que en su interior había, humedeciendo lo seco, hidratando aquello que no había tenido agua por mucho tiempo, tal vez nunca. Su pulso se aceleró, su alma se diluyó y sus pensamientos solo pudieron viajar hacia una dirección, hacia ese iris que lo deslumbraba, que lo hipnotizaba, que aniquilaba sus defensas, sus barreras, sus muros.

—Bebe esto —apareció Paloma rompiendo el momento. Kristián pestañeó desconcertada. ¿Qué estaba ocurriendo? ¿Qué hacía él ahí? Permitió que no la soltara, al tiempo que giraba y sujetaba el envase.

—Debes sentarte —susurró Cristóbal.

—¿A qué viniste? —quiso saber sin mucha fuerza, después de darle un trago. Su amiga estaba a un lado, sin poder articular palabra, la tensión era evidente y sabía que no debía intervenir, no obstante, ella le preocupaba. Había llegado hacía varias horas, prendió aquel aparato y no cesó y, por otro lado, nadie se atrevía a detenerla, sin comprender lo que estaba ocurriendo en su interior.

—Vine a disculparme —admitió con la barbilla elevada y gesto plagado de seguridad. Sus palabras lograron evitar que lo corriera de ahí como comenzaba a planear. El silencio se hizo denso. Asintió después de unos minutos al tiempo que se acercaba a una de las bancas del interior. Cristóbal la observó expectante. Temía su reacción y lo cierto es que la tenía más que merecida. Espero, asumiría lo que fuera que ella decidiera.

Kristián se concentró en ingerir toda la bebida sin mirarlo ni una sola vez. Paloma a su lado, mientras el novio de esta ahuyentaba a los chicos arremolinados ahí, en la entrada. Agobiados.

—Me siento mejor —admitió alzando la vista hasta su amiga, sonriéndole con cariño. La joven asintió, colocando una mano sobre su pierna.

—Debiste parar —dijo angustiada—. No han sido días fáciles. —Kristián acarició su mano con gesto triste.

—Estaré bien, lo sabes... No te preocupes por mí —pidió. Paloma besó su cabellera.

—Eres como mi hermana, todo lo que te ocurre me preocupa —expuso con cariño. Kristián dejó salir una lágrima que limpió con su dedo índice.

—Gracias... por todo. —Se abrazaron por un buen rato mientras él las observaba sin decir nada. Se querían, se querían bastante y ya no se sorprendía, esa jovencita entraba con arrolladora facilidad en el corazón de las personas—. Debo hablar con él —declaró alejándose unos centímetros. Su amiga pareció recordar que ahí se hallaba ese intimidante hombre. Asintió, le dio un beso en la frente y salió cerrando la puerta de aquel lugar para darles privacidad.

—¿Disculparte? —soltó mirando sus pies. Cristóbal se acercó, se sentó a su lado y dejó salir un suspiro cargado de conmoción. No creyó que lo recibiría de aquella manera, eso lo hizo sentir aún más miserable pues evidentemente estaba tan exhausta que no le gritaría como sabía se merecía.

—Kristián, mírame —le pidió suavemente, contenido. La chica alzó los ojos, despacio—. Me tomó por sorpresa, fue una manera espantosa de enterarme, sin embargo, no tengo justificación. Escucha, tengo un pasado muy complicado, muchas cosas que nunca podré borrar están en él. No quise decir eso por la mañana y ya ves, lastimo casi de forma inconsciente. Sé que es mío, lo supe desde que tu tío me dio esa hoja —admitió. La joven reafirmó que sí había sido él, resopló desganada, interesada en lo que le decía—. En todo este tiempo yo... no he sido agradable, pero no hay otra versión de mí, y... me dolió saber que algo como eso podría estarme ocurriendo. No lo merezco, ¿comprendes? No soy un ejemplo para nadie, mucho menos para un pequeño. En mis planes jamás estuvo tener hijos, simplemente porque ese tipo de cosas deben ser para quien las merecen... Yo no merezco ser padre —argumentó al fin. Kristián quedó helada, impactada por sus palabras. Sus argumentos eran atroces, muy duros, cargados de amargo dolor. Esos ojos verdes que ya vivían en su mente todo el tiempo parecían afligidos hasta el punto de que parecía estar siendo torturado por dentro como si agujas se clavaran todo el tiempo en sus órganos, en su piel, en su ser.

—No hables así, no sabes lo que dices —aseguró. Él negó sonriendo con tristeza. Alzó una mano, dudoso, al ver que no lo rechazaría, acarició su mejilla. Su piel era tan suave, era como una nube delicada, pura. Ya traía color y se veía tan bella así, despeinada, con esa ropa deportiva, con esa mirada tan única, clavada en él.

—Eres buena, una mujer noble... Por eso no lo comprendes, ahora que te conozco más, lo veo con mayor claridad, ese tipo de cosas no las podrías entender, aunque te empeñaras —la elogió. La joven negó sujetando su mano para arroparla entre las suyas. Jamás imaginó que se viera así, que se juzgara tan fuerte, en serio lo creía.

—Tú también lo eres, permítete sentir, Cristóbal —le rogó. Él resopló negando. Observando su enorme mano entre las de ella. Le encantaba la sensación, el hecho de que buscara convencerlo de lo contrario. Esa joven era justo lo que jamás debía tener cerca y, sin embargo, ya le había hecho daño.

—Kristián, no es tan sencillo, mi consciencia carga con lo hecho, las consecuencias de mis actos existen y lastimaron a muchas más personas de las que imaginas. No tengo nada dentro de mí... —Parecía tan derrotado, tan dolido, tan consumido que sintió unas enormes ganas de abrazarlo, de hacerle ver que debía dejar eso atrás, darse otra oportunidad.

—Cristo —habló. El hombre la acalló colocando un dedo sobre sus labios, negando nuevamente. Esos potentes ojos vivían un infierno, lo leyó sin dificultad.

—No digas nada. Vine a que supieras que cuentas con mi apoyo, que correré con todos los gastos, que no estás sola en esto, ni lo estarás jamás. Es mi responsabilidad y no la eludiré. —Ella bajó la mirada, observó todo el lugar, perturbada, confundida.

—Por mucho que intento no logro entender cómo ocurrió, cuándo... —admitió en tono culpable.

—Cuando enfermaste del estómago, una noche antes... ya sabes, no tomé las precauciones —le recordó. Claro. Nerviosa parpadeó tomando una gran bocanada de aire.

—Pero es absurdo, llevo tomando la píldora mucho tiempo... —expresó más para sí que para él. Cristóbal acunó su barbilla logrando que lo mirara, lucía perdida y no era para menos.

—Sucedió, esas cosas pasan... Y es un hecho, no te agobies de más —soltó con tranquilidad.

—Tengo miedo —aceptó con sinceridad. Sin poder evitarlo la abrazó, pegándola a su costado.

—No, tú no. Sé que lo harás estupendo. Estarán bien –aseguró. Esas palabras la conmovieron y le inyectaron renovada fuerza, mientras se perdía en ese masculino aroma.

—Tú también. —Sintió como su pecho se llenaba de aire.

—Eso espero... —El silencio se instaló ahí, entre ambos, durante varios minutos. Kristián sentía que podía permanecer en ese lugar toda la vida, que ahí, pegada a él, nada era lo suficientemente doloroso, que, a su lado, incluso en ese momento lleno de sufrimiento, podría sonreír. Sin embargo, de nada serviría hacer frente a eso que sentía y comprenderlo provocó otra extraña aflicción—. Así que baile —dijo él. Ella se separó sonriendo, agotada. Contemplando ese sitio que adoraba, que era como su otra casa y hasta hace poco, donde más le gustaba gastar su tiempo.

—Sí, es otra de mis debilidades. No lo puedo resistir —admitió encogiéndose de hombros despreocupada.

—Y ¿Cuál es la tercera? —quiso saber con curiosidad, admirándola, recorriendo cada una de sus facciones. Era impresionante, demasiado y lo que sintió cuando la vio bailar, sabía que jamás lo olvidaría, podría haber muerto en ese instante y estaba seguro había tocado de alguna manera el cielo. Ella lo miró ladeando la cabeza, torciendo los labios. Esperó. Algo en sus ojos lo alertó, un brillo diferente, señales que lo perdieron. A su lado no se sentía un adolescente, sino un crío, uno muy pequeño, inexperto, desconcertado, expectante.

—Tú —soltó con simpleza dejándolo mudo, perplejo, adherido al asiento. Su pecho brincó alebrestado, tanto que juró podría haberlo escuchado. No, eso no podía ser—. No pongas esa cara... —le pidió bajando la mirada—, sé que no debí, que... tú me lo advertiste y que, jamás sentirás lo mismo. Pero no pude separarlo, Cristóbal –admitió encarándolo de nuevo al no ver ninguna reacción—. Me enamoré en medio de esas noches, en medio de las discusiones, de las conversaciones, de... cada momento juntos.

—¿Por qué? —La cuestionó con un hilo de voz, su pregunta era literal, no sabía la respuesta. La mujer se mordió el interior de los labios y recargó la cabeza en la pared.

—Porque me gusta lo que veo en tu interior, porque me gusta lo que me haces sentir, cómo me observas, cómo me tocas, porque veo cómo te empeñas en esconderte y no lo logras del todo, porque sé que... vales la pena –musitó sin girar.

Cristóbal negó escondiendo su cabeza entre las manos, mientras sus codos los recargaba en sus rodillas.

—No, no —se puso de pie, aturdido—. Estás confundida —aseguró. Ella lo observó sin moverse, notando como se defendía de lo inevitable. Casi sonrió ante su reacción, incluso la conmovió. Era un ser verdaderamente torturado que no creía poder despertar en nadie lo que despertó en cada fibra de su piel.

—Me conozco lo suficiente, sé lo que siento —convino. El hombre cerró los ojos un segundo metiéndose las manos en los bolsillos del pantalón. Parecía derrotado, aniquilado.

—Creo que debes descansar, no está bien que te excedas —murmuró desviando la vista, con la quijada tensa. La joven se levantó ubicándose frente a él con decisión.

—Acepto tu disculpa, aunque no debería... —dijo buscando aligerar el ambiente—, te portaste como una cretino y debería darte una paliza, o algo...

—Aún puedes hacerlo, no me defenderé. Pero te aseguro que no volverá ocurrir, jamás —prometió observándola con miles de sensaciones revoloteando en su mente, en su cuerpo, en su alma. Ya nada tenía reversibilidad y ella, por siempre, estaría unida a él, pero eso no le daba derecho a arrastrarla a su mundo, a su infierno, no a esa chica mágica, tan llena de vida.

—Me alegra, y por ahora no tengo ánimos de vengarme... —admitió cerrando los ojos, exhausta.

—Te llevaré a tu casa, estás al límite, Kristián. —Un nuevo hueco en su pecho se abrió, ¿se preocupaba por ella o por el bebé?

—Puedo conducir, estaré bien —buscó su sudadera y se cubrió el top con ella. Al ver que se iba, la tomó del brazo.

—No hagas esto. —La joven se detuvo, abatida.

—Sé cuidarme —le recordó con suficiencia.

—Eso lo sé, pero...

—No te preocupes, comprendo que no sientes ni sentirás jamás algo por mí, has sido honesto... Pero... necesito distancia, Cristóbal, han sido muchas cosas y no logro encontrar la manera de enfrentar cada una —le hizo ver, con sus ojos marrones claramente dolidos, enrojecidos. La soltó asintiendo.

—Si no deseas regresar a la empresa, no tienes que hacerlo, yo puedo... —Lo acalló.

—No, no lo digas. No necesitaré ni ahora, ni nunca que me mantengas, el hecho de que lo tengamos en común —y colocó una mano sobre su vientre, cosa que lo cimbró de manera caótica—, nada cambiará. Sé mi lugar, sé cuál es el tuyo. Cada uno hará lo que debe. Somos adultos y sabremos enfrentar esto por su bien. Terminaré el contrato, yo... ya veré después... Y no te preocupes, no le diré a nadie quien es el padre. —Le guiñó un ojo con desgarbo, fingiendo frialdad. Ya iba a irse cuando la detuvo pegándola a su pecho. La mujer soltó un respingo.

—No confundas las cosas. Ese hijo es mío, jamás lo negaría. No mientas por mí, no es necesario, no me avergüenzo de nada. Y en cuanto a lo otro, sé que puedes sola, pero asumiré mi responsabilidad, sin embargo, si deseas seguir ahí, o en cualquier otro sitio... es tu decisión. —El nudo en la garganta retornó. Buscó alejarse, se lo impidió—. Y aquí, Kristián, todo ha cambiado, creo que aún no entiendes en qué posición estamos —atajó, besó su frente con aprensión y se marchó sintiendo que su mundo era caos, pese a los colores que se filtraban. Sentía miedo, demasiado.

Ella salió cinco minutos después. Paloma la esperaba, al igual que Andrés. Ya era muy tarde.

—Me debes un enorme resumen de todo lo que está ocurriendo, pero será mañana, amiga, hoy te vas derechita a la cama. —Ella asintió sin decir nada. En la puerta, uno de los hombres de Cristóbal se acercó.

—La escoltaré hasta su casa —le informó. La joven asintió sin remedio. Su amiga condujo el auto, pues no permitieron que ella lo hiciera, mientras la observaba de reojo. Estaba realmente más ausente que nunca. Además de la partida de su Aby, Kristián estaba pasando por algo más, lo presentía y evidentemente ese hombre tenía mucho que ver. Bastó mirarlo salir tan turbado como un demonio que venía huyendo del cielo.

Durmió casi en cuanto su cabeza tocó la almohada. Ileana y Clara, al verla llegar soltaron el aire contenido.

—¿Te encuentras bien? —preguntó la primera. Kristián negó sonriendo con tristeza.

—Te haré un emparedado... sube a darte una ducha —habló su tía, notando como su hermana se torcía los dedos, estaba muy preocupada por su hija.

Quince minutos después Ileana se lo llevó. Kristián se lo comió en silencio y en cuanto acabó, su madre la dejó sola. Evidentemente, debía dormir. Y así lo hizo casi hasta el mediodía.

Despertó sintiéndose deprimida. No tenía ánimos de nada. Apenas hacía unos días que su abuela había partido y aún creía que no era verdad. Perdida en sus pensamientos duró el resto del día. No habló con nadie, no atendió el teléfono y se dedicó a limpiar su habitación, a perderse en los recuerdos, en decidir qué debía hacer. Ileana y Clara, permanecieron en casa en todo momento, sin intervenir, pero sí observándola. Ellas también cargaban con su propia pena.

Por la noche, decidió que al día siguiente iría a trabajar, no podía ni quería permanecer más ahí, enloquecería. Necesitaba distraerse y, pese a que le dolía también mucho comprender que todo entre Cristóbal y ella terminó, deseaba verlo, escucharlo.

—Mi amor. —Era Clara. Entró con gesto triste. Kristián terminaba de elegir lo que se pondría, por lo que iba y venía—. ¿Regresas mañana? —comprendió al verla.

—Sí. —La mujer asintió, sentándose sobre su cama.

—Quiero disculparme contigo —le dijo. La joven se detuvo con un par de zapatos en la mano. Frunció el ceño sin comprender.

—No debí dejarte con toda la carga, mi hermano y yo fuimos negligentes, también Ileana, debimos estar aquí... Nos necesitaban, nos correspondía.

—Clara, las cosas son así, no se pueden cambiar, así que no te atormentes —le pidió con sencillez. La mujer la miró, acongojada.

—Debía decírtelo y claro que me siento culpable, miserable si he de confesarte, ellos siempre fueron unos padres maravillosos, no se merecían que los dejáramos solos. —La joven dejó salir un suspiro.

—Tía, mi vida ahora es... ya sabes, complicada. Lamento mucho que lo estés viviendo de esta manera, no sé qué decirte. Yo no les guardo rencor y para mí, todo está bien respecto a ustedes. Y si Ignacio quiere quedarse con este lugar, se lo daré. Yo, lo único que de verdad deseo, es volver a escucharla, y eso... no pasará. Así que... —La mujer se levantó y acunó su barbilla, observándola con atención.

—¿En qué momento te convertiste en esto, mi amor? Tienes razón, yo no tengo por qué venir a perturbarte, no con todo lo que estás pasando. Y no te preocupes por tu tío, no hará nada, por eso se fue. Esta es tu casa y nadie puede decir lo contrario. ¿OK? —La abrazó con fuerza—. Serás una gran madre, lo sé, y también sé que pronto saldrás de todo esto y volverás a sonreír —aseguró con confianza. Kristián dejó salir un par de lágrimas rodeándola también.

—Gracias. —Aún no integraba en su mente el hecho de que sería mamá, pero sabía que poco a poco esa sería su realidad y su motivo principal, así que sus palabras la hicieron sentir mejor, más segura de lo que vendría.

Por la mañana llegó a la hora que solía. Sus amigas la abrazaron al verla entrar, cosa que la reconfortó. Sí, retomar su vida ayudaría.

Cristóbal detectó su presencia en el corredor, la escuchó murmurar y enseguida su piel se erizó, ya era imposible esconder lo que le provocaba. Esperaba se sintiera mejor, el día anterior fue una enorme tortura, varias veces observó su celular, tentado en marcarle, pero luego se arrepentía, no tenía derecho a irrumpir su espacio, no pese a que era la madre de su hijo. En cuanto sus miradas se toparon, la electricidad fluyó. Saberla enamorada había volteado su mundo, tanto que ser lo que era dolía mucho más que antes.

—Me alegra que te encuentres mejor —le habló de *tú* frente a las chicas. Kristián notó el gesto y asintió.

—Necesitaba distraerme —admitió con simpleza, nerviosa.

—No te excedas —advirtió con fría cortesía, muriendo por besarla, por saborearla. Ella asintió.

La junta transcurrió como solía. Estaba llena de trabajo, cosa que agradeció. Era extraña la situación, no obstante, lograron manejarla pese a que cada uno vivía su propia tortura debido a su cercanía.

Dos semanas transcurrieron de todo eso. Kristián había asistido a su primera revisión días antes, le informó a Cristóbal la hora y lugar. Este asistió, serio, sin decir ni intervenir en la cita. La frialdad con la que se estaba manejando la tenía desesperada, cada día se alejaba más, cada segundo lo sentía más perdido y eso la estaba consumiendo. Ambos pudieron ver al pequeño dentro del vientre, ese fue el único momento que leyó asombro y emoción en su gélida envergadura, con los ojos enrojecidos, la miró con orgullo, con agradecimiento incluso, pero al terminar, de nuevo era él. Todo iba cómo debía, ella debía tener los cuidados prenatales y tomar vitaminas.

El bebé de Caro nació sin problema, todo marchó como debía y ambos estaban bien. Así que ella y las chicas fueron a visitarlos en cuanto supieron.

Kristián observaba al pequeño, asombrada, conmovida, sin saber muy bien cómo actuar. Sus compañeras de trabajo lo cargaron por unos minutos, hablándole con dulzura, mientras Caro la miraba intrigada.

—¿Cómo vas? —Le preguntó. Días después de enterarse sobre el fallecimiento de su abuela, le marcó para darle el pésame, no podía salir de casa, pero hubiese deseado estar a su lado, sabía lo mucho que la quería.

—Bien, acostumbrándome —admitió seria. Notó que esa sonrisa usual en ella no estaba, aún seguía triste, concluyó. Tomó su mano y se la apretó con dulzura.

—Ve a tu paso, sabrás salir adelante —sugirió. La joven asintió observándola. De inmediato cambió de tema.

—¿El jefe ya vino? —preguntó Jimena mientras jugaba con una de las manitas del niño. Kristián se tensó. Caro notó su reacción, pero fingió no percatarse.

—Sí, pasó unos minutos por la mañana. No saben la cantidad de cosas que mandó a casa hace un par de meses... —les dijo. Blanca negó sonriendo.

—Últimamente está extraño, ya sabes, más serio de lo normal. ¿No es así, Kris? —Esta asintió desviando la vista. Caro leyó su comportamiento corporal, eso aunado al de él cuando fue, la manera en la que ambos miraban al niño, cómo reaccionaban al ser nombrados. Algo ahí ocurría, algo grande. Lo conocía de muchos años y casi lo aseguraba. Kris lucía triste y, aunque se lo achacaba a lo de su abuela, intuía que había algo más y mucho temía que tuviera relación con Cristóbal. ¿Qué estaría ocurriendo ahí?

19

ZUMBIDO DOLOROSO

Por la noche, al llegar a su casa, un sobre color manila dentro de la cochera llamó su atención. Bajó del auto y lo tomó. Entró sintiendo esa enorme ausencia circular por doquier. Aferró, como comenzaba a ser costumbre, su vientre y avanzó.

Era para ella. Lo abrió en la cocina, debía engullir algo. Al sacar el papel, palideció.

«Nadie se mete en mi camino, él es mío, aléjate, yo no juego. Zorra».

Estaba escrito a computadora, la letra era enorme, lo soltó como si quemara, con el corazón martilleando. De pronto el timbre sonó, dejó salir un grito ahogado. Se cubrió la garganta con la mano, sintiendo su corazón desbocado. Guardó ese papel en el sobre y lo metió en uno de los cajones de la cocina.

—¿Quién? —preguntó desde dentro en el intercomunicador. Sintió un alivio tremendo al escuchar a su amiga. Iba casi a diario, salvo los días que se veían en El Centro. Cenaron juntas y lo sucedido se olvidó. Paloma ya sabía de su embarazo, la noticia por supuesto la dejó en *shock* por varios minutos, pero como solía, la apoyó y reconfortó. Sabía que contaba con su amiga. Ella y Andrés pronto se mudarían juntos, luego ahorrarían para la boda, por lo que hablar sobre eso la distraía, e incluso reía un poco más logrando, de esa forma, olvidar un poco de su propia situación.

—¿Sigue con la «ley de hielo»? —preguntó su amiga, intrigada, notándola tensa, mientras engullían unos emparedados. Kristián se encogió de hombros.

—Sabía en lo que me metía, no puedo recriminarle nada —lo defendió dolida. Paloma bufó molesta.

—No lo comprendo... Si hubieras visto la manera en la que te veía, es raro. Pero bueno, seguramente no le conviene o se cree demasiado para una simple mortal como tú o como yo. Por lo menos no fingirá demencia.

—Es más complicado que eso... —admitió dejando salir un suspiro. Si Paloma viera lo que ella leía en sus ojos verdes cuando lo tenía cerca, cuando se abría un poco más, comprendería la tortura en la que vivía inmerso, en la que se encontraba hundido.

—Debe ser muy incómodo para ti verlo a diario después de decirle lo que sientes. —Lo era, pero él con su indiferencia no lograba ni siquiera que se sintiera abochornada por el impulso cometido aquella noche cuando se lo confesó.

—Cambiemos de tema. Ya me queda un mes y medio ahí y luego... ya veré —declaró mordiendo su comida.

—¿Qué harás con la casa? —quiso saber.

—La venderé. Ya lo decidí. Les daré una parte a mis tíos y el resto me lo quedaré, cuando el bebé nazca debo estar preparada... —explicó. Paloma negó.

—No tienes por qué darles nada —refutó molesta.

—Ya lo decidí, les corresponde, no quiero problemas.

—Ileana y Clara no lo aceptarán, yo lo sé —apuntó con decisión.

—Bueno, pero ya no será mi problema. —La joven asintió comprendiendo, la conocía y no cedería. Así era ella, terca y noble, una combinación difícil.

—¿Seguirás en la empresa? —Le preguntó intrigada.

—Se supone que me iría al departamento de finanzas, pero ya no sé qué ocurrirá, la verdad —aceptó y eso era otra de las cosas que la angustiaba; cómo conseguiría empleo embarazada.

—Bueno, no te preocupes, no estás sola, él te apoya, nosotros también —le guiñó un ojo.

—No quiero depender de nadie, pero gracias, lo sé —agradeció sonriendo con melancolía, pensativa.

Un par de días más pasaron, y nuevamente, al estacionar su auto, un sobre. Lo iba a tirar a la basura. No obstante, con manos trémulas, lo abrió.

«Te haré pedazos, sé todo de ti, promiscua, él aún es mío y lo será por siempre, no lo cederé jamás. Aléjate antes de que te arrepientas».

Pasó saliva, el «aún» le generó un escalofrío por todo el cuerpo. Se frotó el plano vientre sintiendo como la boca se secaba. ¿Quién podría ser? ¿Debía ir a la policía? ¿Se referían a Cristóbal? No entendía y temía. Sola, en esa enorme casa, nadie al tanto de lo que hacía salvo su amiga, pero ella también tenía su vida. Lo guardó en el mismo sitio que el otro, si se repetía, algo tendría que hacer. Esa ciudad estaba infestada de locos y no se arriesgaría.

Cristóbal contemplaba la noche, como venía a haciendo últimamente. La evocaba en cada detalle del exterior. Esas semanas estaban siendo terriblemente duras. Mantenerla alejada era peor de lo que su vida había sido durante esos dos años, mucho peor. La observaba cuando no se percataba, sabía que aún estaba triste, moría por abrazarla, consolarla, besarla. No podía ya ocultar lo que sentía, no tenía ningún sentido, lo tenía claro, esa chica se había instalado en su alma en ese corto tiempo, con una intensidad apabullante, fuerte. La pensaba todo el tiempo y no solo por el deseo que aún seguía rugiendo con garras, con dientes y por todo su ser, sino porque sus palabras, sus miradas, lo que generaba en sus pensamientos, la manera en la que se movía, su sonrisa, esa alegría que, pese a todo, seguía en su ser. Por supuesto que perdería la razón por una joven así, cualquiera lo haría. Era atípica y real, embriagadoramente segura, imposiblemente atractiva y con una mente adorable, eso sin contar que poseía unos labios que lo enardecían, unas manos que lo envenenaban y unos ojos que lo corrompían.

Resopló negando. La veía en el comedor, comía como solía, los últimos días, con mayor apetito, ya reía más e incluso interactuaba de forma más activa con sus compañeros, eso lo relajaba, no obstante, lo alertaba. Cada vez le era más claro el cómo varios empleados la miraban y eso lo enfurecía, la quería para él, pero no tenía derecho a reclamarla. Sin embargo, Kristián no daba pie, simplemente los trataba como a los demás. Y como si todo eso fuera poco, ser consciente de que en su interior crecía un ser, su hijo, lo hacía sentir capaz de lo peor por ambos, se sentía absolutamente protector, temiblemente nervioso cada vez que no la veía, sabiéndola sola en aquel lugar. Varias veces estuvo tentado a pedir escolta por las noches para ella, que vigilaran sus trayectos, no lo hizo. Kristián era una mujer independiente y mientras nadie supiera que llevaba en sus entrañas un hijo suyo, su seguridad estaba más que garantizada.

Apretó los puños sintiendo, como siempre, que su pecho pesaba, que su ausencia lo jalaba, que... la ansiaba. Tomó un poco de vino. No, eso era lo mejor para ella. Debía darse cuenta de que él no valía la pena, que un hijo no los ataría y que debía buscar su felicidad, la merecía, debía tenerla y sabía que, si la alejaba, eso ocurriría tarde o temprano, aunque eso lo hundiera en el frío infierno por siempre.

El viernes por la mañana Gregorio le llamó, muy temprano, deseaba verlo. Al llegar a la empresa, él ya estaba en su oficina.

—¿Qué pasa? —preguntó sirviéndose café, con Kristián detrás, como solía, lista para la junta. El hombre lucía descompuesto.

—Necesito hablar contigo, a solas —requirió serio. Cristóbal giró extrañado. La joven asintió y salió de inmediato. La observó irse todavía perdido en su suave aroma. Esa parte de las mañanas era la que más ansiaba y tal parecía que no la tendría. Ni hablar, se acercó arrugando la frente, se sentía intrigado por ese atípico comportamiento de su abogado—. Toma asiento —pidió tenso. Lo hizo de inmediato.

—¿Te encuentras bien, Gregorio? —quiso averiguar, desconcertado. Sus ojos, notoriamente alterados, le decían lo contrario.

—Ayer por la noche recibí una notificación de uno de los jueces, amigo de toda mi vida —comenzó cuestión que de inmediato se alertó—. Mayra está buscando apelar, Cristóbal —le informó sin rodeos.

Un zumbido doloroso se instauró en su cerebro, su gesto se entumió y su pecho ardió. El pasado regresó a manera de avalancha y de pronto, su hermana y Fabiano, acudieron a su mente. Terror, pánico en realidad y no de esa mujer, porque no la dejaría viva como para que los pudiese alcanzar. Eso lo tenía muy claro, no lastimaría de nuevo a su familia, pero si se enteraban, si lo lograba, Andrea se pondría nerviosa, intranquila y su pasado regresaría. No, no, eso no podía ocurrir.

—No tiene elementos —argumentó con expresión cargada de odio, de ira, de rabia. La imagen que Gregorio tenía frente a él era justo la que temía, pero debía informarle, no le mentiría, no en algo tan delicado.

—Tengo a todo mi equipo en ello, si esa mujer pide una evaluación psiquiátrica, podría ser que las cosas se compliquen y tú y yo sabemos que sí, Mayra es una sociópata, está demente... —Cristóbal se frotó el rostro negando. Se levantó y recargó sus brazos en el respaldo del sillón ocultando su cabeza.

—¿Cuándo sabrás de qué trata? —cuestionó completamente sumergido en el odio.

—La siguiente semana, al parecer un abogado del estado se interesó en su caso, sabe que, si gana algo, su ascenso será inminente. Ese tipo de cosas suelen suceder, ya con tan solo removerlo todo estará en el candelero —admitió. Deseoso de estampar los puños sobre algo, asintió con fría cólera.

—Bien, haz lo que tengas que hacer... Cuida que no salga de aquí esta información. De todos modos, alertaré a Matías, Andrea no debe siquiera sospechar que algo como esto puede suceder, Fabiano es muy pequeño, no quiero alterarla sin necesidad —dijo contenido. El hombre asintió, serio.

—No permitiré que avance, te lo aseguro. Lo que hizo debe pagarlo, ahí, en ese jodido infierno, pero está teniendo contacto con el exterior por medio de este tipo, quiero hablar con Roberto, sabes que es capaz de muchas bajezas, tomemos precauciones, ¿sí? —sugirió.

Cristóbal sentía que esa la maldita pesadilla retornaba para recordarle lo que su vida era, la podredumbre que generó, lo que por idiota permitió que avanzara a tal grado que ahora no podía tener nada. Su escolta entró minutos después y fue puesto al tanto.

Kristián notaba que algo ocurría, pero sabía que no debía importarle, sin embargo, la tensión era palpable para todos los presentes.

El resto de la mañana lo vio poco puesto que prácticamente no salió de ahí, pero al notar su semblante, debía reconocer que la desconcertó muchísimo, no lo reconocía, sus ojos estaban inyectados de odio, de rencor, su gesto rígido proyectaba amenaza. ¿Qué habría ocurrido?

Hablar con su cuñado fue la peor parte. Permaneció con el celular en la mano más de tiempo del que pensó, necesitaba hacerlo, pero se sentía bajo al mismo tiempo. Cuando no pudo posponerlo más, marcó.

—¡Ey! ¿Cómo va todo, cuñado? —bromeó Matías, que se encontraba revisando una exportación. Cristóbal colocó sus dedos en el puente de la nariz, cerrando los ojos.

—Necesito hablar contigo. ¿Estás solo? —preguntó despacio. Su amigo, desde su hacienda en Veracruz, arrugó la frente. Se alejó de su gente, pidiéndole con un gesto a Ernesto que se encargara.

—Ahora ya lo estoy. ¿Qué ocurre? —aunque de algún modo lo intuyó.

—Es Mayra, apelará —le dijo con tono ausente. Matías se pasó la mano por el cabello, respirando agitado, por su mujer y su hijo. Cristóbal se lo explicó todo. Este asintió escuchando atento.

—Bien, limitaré el acceso a la casa mientras esto sucede, redoblaré la seguridad y tendré todo listo para viajar si es necesario. Hoy mismo hablo con mi padre para que esté al tanto.

—Lo lamento —solo pudo decir, con la nuca recargada en el respaldo de su silla, con los ojos cerrados sudando frío de solo pensar en que tuviese una jodida oportunidad.

—No es tu culpa. Sabíamos que podría ocurrir, los protegeremos, estarán bien. Eso te lo aseguro —murmuró con el pecho comprimido. Aquella época fue una monstruosidad y jamás permitiría que sucediera algo similar—. No le diré nada, alimenta a Fabiano y no quiero que esté tensa por algo que aún no es claro.

—Te mantendré informado de lo que sea. Igual Gregorio —susurró gélido. Matías percibió su ánimo, toda esa maldita locura debía tener un puto punto final, pero Cristóbal, con esto, sabía que se terminaría de hundir.

—¡Eh! No te llenes de más culpas, ¿sí? Ahora mismo solo necesitas tener la cabeza fría.

—La tengo, ahora más que nunca.

Cuando colgó se levantó y perdió la mirada en el exterior. Temblaba, su pecho se encogía y la rabia sentida en aquella época retornó instaurándose nuevamente en su sistema como si jamás se hubiese ido. La mataría, no permitiría que dañara a su familia y menos ahora que Kristián esperaba un hijo de ambos. De pronto el terror lo embargó. No, nadie por ahora debía saber de ese bebé, era la única forma de protegerlos si todo se salía de proporción.

—Gregorio, debo hablar de algo importante, paso por tu casa por la noche —le anunció por el celular a media tarde, después de colgar con su cuñado. Sí, cubriría todos los frentes.

Al llegar, el hombre lo recibió intrigado. Le sirvió algo de beber en el estudio y esperó. Cristóbal se limitó a observar el vaso, dándole vueltas.

—Pondré una fuerte cantidad de dinero a nombre de Kristián Navarro —soltó carente de expresión. El hombre tosió sin comprender. Ese chico parecía decidido, demasiado—. Y algunas propiedades también.

—¿Puedo saber por qué? —lo interrogó con suma curiosidad. Cristóbal alzó la mirada, lleno de desazón, de temor.

—Porque ella tendrá un hijo mío, y si Mayra sale de prisión, o logra que la condenen a un psiquiátrico, donde sé que será más fácil que huya, la mataré y no quiero que queden desprotegidos, es la única forma de velar por ellos —explicó con agonía. Gregorio dejó el vaso sobre su escritorio, estupefacto, sin poder siquiera respirar. Negó abatido.

—Tú no matarás a nadie, hijo. Por favor, deja de pensar así. Y cuenta con lo otro, por supuesto. Dios, no sé qué decirte... No lo imaginé. —Cristóbal se levantó y comenzó a dar vueltas.

—Ya ves, la vida nos castiga del todo a los que lo merecemos.

—Deja de hablar de esa manera, por favor.

—Es la verdad, nada de esto estaría ocurriendo si me hubiera percatado de la alimaña con la que dormí durante años, nada. Ahora todo ese odio regresa y me está consumiendo. Mayra no le hará daño a nadie más, Gregorio, y si para ello debo ensuciarme las manos, lo haré. No lo dudes, aunque me quede sin alma. Ambos obtendremos lo que merecemos —declaró. El abogado se acercó a él y colocó una mano sobre su hombro al verlo así, destruido, lleno de miedo y odio a la vez.

—No será necesario, te lo aseguro, sé lo que hago. Y debo decirte que pese a todo lo que está pasando, me alegra mucho saber que serás padre, que de alguna manera la vida no te está permitiendo esconderte como deseas —murmuró sonriendo. Cristóbal negó despacio, atormentado.

—No soy ejemplo para nadie... —musitó con la voz quebrada.

—Lo eres, mucho más de lo que piensas. Y esa joven, es inteligente, estoy seguro de que ya lo sabe —expresó logrando así que lo mirara. Sonrió de forma incisiva.

—Eso no importa...

—Inténtalo, Cristóbal, puede que sea la indicada. —Se alejó negando.

—No, no. No la arrastraré a la porquería que es mi interior, mi vida, no a ella, no a mi hijo...

—No puedes vivir así, debes perdonarte, debes olvidar —manifestó con firmeza, notando como se auto flagelaba.

—Haz lo que te pido, no discutiré eso. Kristián no merece a alguien como yo. —Dicho esto caminó hacia la puerta—. No importa lo que ella sienta, lo que yo sienta... No me permitiré dañarlos, ni que los dañen jamás. Nos vemos el lunes.

Gregorio dejó salir el aire, frotándose la barbilla. ¿Cómo hacerlo vivir nuevamente? ¿Cómo lograr que se perdonara, que comprendiera que también fue víctima de las circunstancias, que era prácticamente un adolescente cuando todo comenzó? ¿Que... no lo hizo con la intención de herir a nadie? Se acercó a su escritorio y elevó su vaso al cielo. Ese chico, que vio crecer, sentía cosas ya muy profundas por esa joven, el problema era que no se permitiría vivirlas y eso... eso era peor que no asumirlas. Dejó salir un suspiro.

—Felicidades, Iván y Georgina, tendrán otro nieto y espero que logre lo que tanto deseamos todos; hacerlo vivir nuevamente —brindó y bebió sonriendo levemente.

El domingo por la noche Kristián se sentía exhausta. El viernes había anunciado la casa en venta y decidió empacar poco a poco las pertenencias de su abuela, cosa que la mantuvo llorando. Paloma le ayudó, lo cierto era que deseaba hacerlo sola, por lo que no adelantó mucho. Se perdía en el aroma de su ropa, de sus recuerdos, de su ausencia.

Durmió poco, pero logró hilar algunas horas que le sirvieron para comenzar el lunes.

Al salir por la mañana, nuevamente otro sobre. Lo observó sin tocarlo, no escuchó que nadie lo dejara. Se asomó a través de la reja. Obviamente no vio nada. Se agachó despacio y temblando, decidió no abrirlo, entró por los otros dos, los echó al asiento del copiloto y condujo hasta la empresa.

Cristóbal seguía con aquella expresión llena de odio. El pecho le oprimía, pero sabía que no podía hacer nada al respecto ya que él no permitía que se acercara, la distancia era muy clara, tan dolorosa que no intentaría transgredirla y averiguar cómo lo tomaba.

Al terminar la reunión, sacó los sobres de su bolso y resuelta se dirigió a la oficina de Roberto, escondida en un espacio casi junto al elevador. Tocó despacio.

—Adelante —escuchó. Se asomó sonriendo con su dulce candidez. Roberto le devolvió el gesto, levantándose de inmediato.

—¡Qué raro verte por aquí! ¿Vienes a que te muestre mis tácticas de defensa personal? —bromeó. La sonrisa franca que asomó por el rostro de la joven lo alegró, a últimas fechas casi no lo hacía.

—Tal vez después —admitió torciendo los labios. Roberto notó lo que llevaba pegado a su regazo.

—Me parece bien, ahora dime, ¿en qué soy bueno? —preguntó atento. La chica pareció recordar a lo que iba. Su gesto cambió, bajó la mirada y se los tendió.

—No sé si tú pudieras aconsejarme qué hacer. Me ha estado llegando esto durante la semana y... la verdad me da escalofríos, ¿debo ir a presentar una denuncia? ¿Qué hago? —preguntó perdida. El hombre, intrigado, tomó lo que le tendía. Se recargó en la orilla de su escritorio y extrajo el primero. Su gesto se endureció y la miró confuso, sacó el otro y su semblante se contrajo aún más—. Ese último no lo abrí, apareció hoy en mi cochera, como los otros dos —explicó abrazándose a sí misma, esperando el veredicto. Roberto lo leyó con atención. No se movió, sus ojos permanecieron clavados en el papel por varios segundos—. ¿Qué hago? Yo jamás he pasado por algo similar y no sé si debo ir a la policía, o no, pero la verdad sí me asusta un poco. Esa persona está loca —le hizo ver, nerviosa. El hombre alzó el rostro, preocupado, muy preocupado. Le tendió el papel para que lo leyera.

«Siempre será mío, pase lo que pase, te metiste en medio, tú te lo buscaste, maldita golfa».

Abrió los ojos, atónita.

—Kristián —la tomó del brazo y la sentó en una de las sillas—. Esto es delicado, mucho... ¿Comprendes? —murmuró tenso. La joven asintió, releyendo la nota—. Debo informar al señor Garza —le explicó observando sus reacciones.

—¿Por qué? —preguntó perdida. El hombre resopló tomando todos los papeles.

—No te muevas de aquí, ahora regreso —pidió dejándola sola, más nerviosa que antes. Entonces Cristóbal sí que tenía algo que ver en todo eso. ¿Su exesposa? Pero si estaba en prisión. Sacudió la cabeza recargándola sobre el respaldo. ¿Ahora qué ocurriría?

Roberto entró a la oficina un segundo después de tocar. Cristóbal echaba fuego, eso era evidente. El fin de semana permaneció prácticamente en el apartamento, no salió. La vida parecía estarlo consumiendo.

—¿Qué sucede, Roberto? —quiso saber sin verlo, revisando unos papeles. Pronto tendría que viajar a Centroamérica y lo cierto era que deseaba postergar eso la mayor cantidad de días posibles. Él y Kristián solos, sería el acabose y mientras lo de esa diabólica mujer no se solucionara prefería permanecer en el país.

—Señor, la señorita Kristián ha estado recibiendo esto —habló yendo al grano y le tendió los papeles, por supuesto que en cuanto escuchó su nombre alzó el rostro sin poder ocultar su interés, todo lo referente a ella lo alertaba.

Los tomó arrugando la frente. Al leerlos, su gesto se endureció aún más que los últimos días, una vena asesina se asomó por la frente al tiempo que se levantaba lleno de rabia.

—¡¿Qué carajos es esto?! —rugió fuera de sí. El hombre, sereno, le relató lo que sabía. Cristóbal se aferró la cabeza sintiendo que gritaría, que enloquecería—. ¡No puede ser ella! —bramó lleno de angustia.

—Señor, no lo sé, debo averiguar todo lo posible. Pondré al equipo de investigación a trabajar ahora mismo, pero mientras tanto, ese sitio no es el más seguro para ella. Está completamente sola, ¿lo recuerda?

—¡Claro que lo recuerdo! ¡Maldición! —confirmó. No podía estar ocurriendo eso, no a ella.

—Podríamos ponerle escolta las veinticuatro horas, aun así, preferiría tenerla más vigilada, con su seguridad y la de su hijo, no podemos jugar —apuntó con suficiencia. Respiró profundamente intentado calmarse. La sangre corría a toda velocidad, la sentía. Podría estar en peligro y todo por su jodida culpa. Eso ya era demasiado.

—Se irá al apartamento y por supuesto que tendrá escolta día y noche, debo hablar con ella. ¡Carajo! ¿Dónde está? —Le urgió saber. Un segundo después salía de su oficina rumbo a la otra. ¿Por qué no se lo dijo a él? ¿Por qué espero hasta el tercer maldito anónimo? Era terca, orgullosa.

Kristián jugaba un tanto aburrida con una pluma, ahí, cerca del escritorio, cuando él apareció. Lucía pálido, agitado. Dejó de hacer lo que hacía. Dejó de respirar, aturdida por su presencia.

—¿Cómo estás?

La pregunta la tomó por sorpresa, desde hacía días que se limitaba a hablar de cosas laborales, sin mostrar ningún interés por su estado anímico o de salud. Su entrada fue la de un huracán, llena de energía y rabia y le preguntaba eso. No comprendió. Sin embargo, la miraba fijamente, era en serio.

—Emm, bien, aunque tú no, por lo que veo —respondió con ese tono desgarbado que tanto extrañaba. La observó sintiendo una rara tranquilidad recorriendo su sistema, si estaba alterada, lo estaba disfrazando muy bien.

—Debemos hablar sobre los anónimos, Kristián —le dijo tenso. Ella asintió torciendo la boca. Roberto salió y cerró. Necesitaban privacidad.

Cristóbal le ofreció asiento en una de las sillas y se acomodó justo enfrente. Se humedeció los labios, tenso, juntando las manos, recargando los codos en sus piernas. La joven lo observaba tranquila, contemplando sin limitarse cada una de sus facciones. Lo ansiaba muchísimo, extrañaba de una manera enferma sus encuentros, sus besos, sus brazos rodeándola y ahora solo tenía que conformarse con verlo así; distante.

—Todo esto es mi culpa —empezó, frotándose la barbilla, clavando sus ojos verdes sobre los suyos. Esa encantadora descarga eléctrica, que solo ella generaba en su organismo, apareció recordándole lo que en realidad sentía por esa mujer que dominaba sus sentidos y su mente.

—¿Por qué? —lo cuestionó serena.

—Kristián, no es el lugar, pero prometo explicarte todo... Sin embargo, temo por su seguridad —respondió, serio. La chica no se movió, ni siquiera pestañeó.

—¿Sabes quién es? —comprendió. Él negó afligido.

—Pero tengo sospechas, y... si son ciertas, las cosas no serán tan fáciles —tuvo que decirle. La joven agachó la mirada, turbada e inquieta, incluso leyó un poco de miedo.

—Dices que es tu culpa... No comprendo —admitió en voz baja. Deseaba abrazarla, tranquilizarla, jurarle que nada nunca les sucedería. Solo la observó deleitado.

—Kristián, en estos momentos estoy reviviendo parte de mi infierno personal, las cosas no están claras, pero... no puedo jugar, no cuando se trata de ustedes, ¿me explico?

—No mucho —refutó torciendo los labios, con las manos apretadas sobre sus piernas. Sin poder ya soportarlo, acercó una de las suyas y las envolvió. El calor que ambos sintieron los dejó estáticos, hacía tanto que no se tocaban, aun así, no pudo evitarlo, ella lucía desconcertada y era lo último que deseaba.

—Mi exesposa está buscando la manera de apelar para que le bajen la condena u... otras cosas, los detalles están de más —le informó agobiado. La joven abrió los ojos de forma desmesurada—. Veo que sabes sobre eso —notó sombrío.

—Bueno, un poco... Y no sé si es la verdad —aseguró. Él asintió serio.

—Todo y mucho más de lo que imaginas —completó. Su pulso se detuvo. Se levantó alejándose un poco.

—¿Crees que ella...? —no terminó la pregunta, se sentía horrorizada. Era una asesina, eso no podía estarle ocurriendo. El hombre se acercó, sujetó su rostro con ambas manos y lo dejó a unos centímetros del suyo.

—Nada les pasará, no mientras yo exista... Te lo juro —garantizó. Kristián pestañeó descompuesta, con repentinas náuseas.

—Cristóbal, yo...

—Tú te irás unos días a mi apartamento, es un sitio seguro, tendrás vigilancia y cuando esto se aclare, podrás regresar a tu casa —le informó. La joven negó zafándose.

—No, no creo que sea buena idea —musitó nerviosa, necesitaba un baño. Él la observó un segundo.

—Tu casa no es segura, tampoco la gente que tienes a tu alrededor, no por ahora... Son mi responsabilidad, es mi problema, comprende que no los dejaré expuestos.

—Pero apenas si me quieres ver, cómo diablos viviremos en el mismo espacio. No creo que sea sano, que sea la mejor opción —buscó hacerlo entrar en razón. Cristóbal estudió sus facciones, deleitado. De pronto la idea de tenerla por ahí se le antojó muy tentadora y aunque hubiese otra opción, no la pensaría, esa le agradaba bastante—. Además, tengo mis clases, mi vida...

—Nada cambiará, solo dormirás en un sitio completamente seguro. Por favor, piensa de forma fría, y no solo en ti, espero que nadie aquí sepa aún que seremos padres, pero... —la chica se aferró el vientre retrocediendo, con su rostro lleno de temor. Las arcadas llegaron. Corrió hasta el pequeño sanitario que ahí se encontraba y sacó todo de su sistema. Cristóbal la observó a un paso, listo para auxiliarla. Cuando notó que había acabado le tendió una toalla y la ayudó a incorporarse. Estaba algo pálida, Kristián se dejó guiar al lavabo, agobiada, se enjuagó la boca y se humedeció un poco el cuello, todo bajo la atenta mirada de él.

Se dio media vuelta y observó descompuesta. El hombre la acercó tomándola del brazo y alzó su barbilla con dulzura. Ese gesto protector de hacía unos minutos lo terminó de aniquilar. No soportaba verla así de preocupada, no lo merecía. Lo cierto era que pese a ese jodido infierno que estaba pasando, ella era una brisa refrescante y deliciosa.

—No te alteres, no les hace bien —le recordó cálido, perdiéndose en sus gloriosas facciones—. Por ahora lo mejor es que nadie más conozca de su existencia, esa es una manera eficaz de protegerlos, pero nada está dicho y todo es probable... Te suplico que pienses en los dos, en lo mejor para ambos, que confíes en mí, nada les pasará, lo prometo, pero permíteme solucionarlo a mi manera.

—¿Crees que sea la mejor alternativa? —quiso saber embelesada por su cercanía, dejando por unos segundos ese temor del lado con el estómago, que hasta ese momento no le había causado problemas, más tranquilo.

—Por la noche pasarás por lo que necesites, será una semana o dos, máximo. Ya tengo gente averiguando todo.

—¿Y me contarás lo que ocurre en realidad? —lo desafió aferrada a sus antebrazos, muy cerca de sus labios. Ambos respiraban pesadamente.

—Sí –declaró con firmeza dejando su aliento sobre su boca.

—¿De verdad lo crees necesario? No me gustaría incomodarte y, además, en aquella casa está todo lo de mi abuela y... —silenció su boca con un dedo. La deseaba, la deseaba muchísimo.

—Habrá vigilancia ahí también, nadie tocará nada —le garantizó. Notó como iba cediendo, aunque con recelo. Lentamente fue descendiendo hasta esos satinados manjares que lo enardecían. Al rozarlos casi suelta el aire contenido por tanto tiempo. Pero de pronto alguien llamó a la puerta. Se separaron de inmediato.

—Adelante —era Roberto.

—Señor, todo está listo. ¿Procedemos? —preguntó. Cristóbal miró a Kristián esperando su respuesta. Aún turbada, torciendo los labios, resopló asintiendo. Sentía miedo y ahora que ese pequeño ser dependía de sus decisiones, más. Era el padre de su hijo, no tenía nada que reprocharle, ni tampoco por qué dudar de lo que creía era lo más acertado ante una situación en la que jamás se imaginó llegar a estar. Aquellos días de paz, justo antes de que Carolina se fuera, le parecían ahora tan lejanos, tan fuera de su realidad.

20

Al ser uno

—Arregla todo... Más tarde irá por sus pertenencias. —El hombre salió enseguida. Él posó de nuevo su atención en ella, que mantenía la vista en otro punto. Estaba nerviosa y no era para menos.

—Kristián, serán unos días, todo irá bien —intentó calmarla. Ella sacudió la cabeza mordiéndose la parte interna de los labios. Se sentía al límite, de nuevo. Al ver su vulnerabilidad, la tomó por la cintura y rodeó con firmeza. La chica dejó salir un sollozo al sentirlo tan cerca. Cristóbal besó su cabello cubriendo ese menudo cuerpo con el suyo. Nada era mejor que eso, que tenerla así, pero las razones lo herían.

—No logro estabilizar mi vida —susurró rodeándolo con fuerza. Bajó su rostro hasta su oreja, no soportaba saberla así; abatida, confundida y ahora asustada.

—Lo harás, te lo prometo —murmuró rodeándola mejor. Así permanecieron un buen rato. Ambos lo necesitaban y con ella tan cerca de su pecho ningún pensamiento destructor asomó, tampoco la ira o el odio, sino la necesidad arrolladora de ser lo que ella necesitaba; fuerza, coraje y el sostén para todo lo que ocurría en gran parte provocado por él, por no poder alejarla cuando debía—. Prefieres ir a hacerlo ahora, puedes tomarte el día... —le dijo acariciando la curva de su espalda. Ella negó sin soltarse—. Las cosas se harán como tú quieras, a tu modo. ¿De acuerdo? —Kristián se separó un poco.

—No te sientas responsable de todo... —le pidió con simpleza. Él, por primera vez en días sonrió, no con intensidad, pero sí con una ternura que no había visto en su semblante por más tiempo del que hubiese deseado. Acarició su rostro con atención, casi devoción.

—De la mayoría, sí —contratacó. Ella negó con recelo.

—No, el bebé es responsabilidad de los dos y esos anónimos son resultado de alguien que no está bien de sus facultades. —El hombre pegó su frente a la suya. Maldición, su corazón se llenaba demasiado rápido de su esencia.

—No deseo lastimarte más, te dije lo que era —mascullló afligido. La mujer se alejó negando.

—Sé lo que eres y no me has hecho nada malo... Me diste un motivo —le hizo ver colocando las manos en su plano estómago—, gracias a él los días han podido ser menos duros, gracias a él, sé que no estoy sola y que debo luchar, que la vida cuando quita, te da —balbuceó con seguridad.

Su temple, su fuerza y su determinación, lo hicieron tambalear. No podía creer que viera todo de esa forma y, sin embargo, adoraba que así fuera, solo alguien como ese ser lleno de bondad podría enfrentar así lo que pasaba.

—Eres un oasis, Kristián —solo dijo. La joven parpadeó sin comprender. Alargó el brazo y rozó su rostro con el pulgar—. Y empiezo a creer que un ser irreal. —Se acercó a él nuevamente.

—Solo me gustaría ser lo que necesitas —confesó bajito. Cristóbal la observó, dolido, con la mano un tanto temblorosa. No tenía idea de lo que ya era en su vida.

—Eres todo lo que nunca me atreveré a sumergir en mi mundo... —aseguró. Ella se separó cerrando los ojos por un segundo. Sus palabras dolían pese a la manera en que las decía.

—Debo regresar... Gracias por preocuparte, iré por mis cosas por la noche —murmuró tragándose el dolor. Jamás llegaría a su corazón, lo tenía tan congelado, tan blindado que no veía la manera de que alguna vez lograra derretirlo.

Cuando ella abandonó ese pequeño lugar le pareció ridículamente vacío. En semanas no se había permitido tenerla tan cerca y cuando lo hacía por fin, debido a su seguridad, lo arruinaba de alguna forma.

Cerró los ojos negando. ¿Cómo dejar todo lo que era del lado? ¿Cómo olvidar lo que provocó? ¿Cómo volver a ser ese hombre que ella deseaba, que ansiaba, que incluso parecía que veía cada vez que clavaba sus ojos marrones en los suyos? ¿Cómo?

Todo el día lo eludió, desviaba la mirada y contestaba con monosilábicos. Cristóbal, entre tantas cosas, ya no sabía cómo actuar, todo su mundo se tambaleaba peligrosamente, otra vez, pero en esta ocasión, esa sonrisa cargada de inmensurables significados ocupaba la mayoría de sus pensamientos. Cuanto más la deseaba alejar, más cerca la tenía. Y ahora viviría a su lado y no había nada que quisiera más, sin embargo, se sentía el más egoísta. Ella estaba confiando en él y pese a que en realidad sí era la mejor opción pues no tendrían que dividir al equipo, ni las fuerzas, podría haber buscado otra solución, pero sabía que no soportaría tenerla lejos después de enterarse de esas cartas, y menos después de haberla tocado nuevamente. Simplemente no lo resistía. Todos los malditos interruptores que encendía con tan solo rozar su piel, con su irresistible aroma, se accionaron y le era imposible regresar a la lucha en la que se sumergió los últimos días por alejarla.

Por la noche Kristián llegó a su casa seguida por un auto de seguridad que conocía. Al entrar, resopló hastiada. ¿Era en serio? Debía irse de ahí por el bien de los dos, pero sentía que eso sí la podría destruir y temía no ser lo suficientemente fuerte como para sostenerse. No cuando se trataba de él, de ese hombre que la derretía con tan solo mirarla, que le regalaba la paz que en su cuerpo siempre lleno de energía no existía, que... pese a todo, la hacía sentir única, segura. No lograba comprenderlo, pero a lo mejor era el momento de conocerlo realmente, de saber todo lo que en su interior había y que lo mantenía sumido en ese invierno varios metros por debajo de este mundo.

Tuvo que avisar a Paloma, quien, por supuesto al saber lo que ocurría, llegó a su casa. Al escuchar todo con lujo de detalle palideció.

—Quita esa cara —le pidió mientras iba acomodando todo dentro de la maleta.

—¿Cómo me pides eso? Luces muy tranquila. Tu vida puede estar en peligro, también la de mi sobrino por una desquiciada… o quién sabe quién… Si Cristóbal —últimamente ya lo nombraba así—, que seguro está rodeado de enemigos, sugirió esta medida, amiga, la cosa no es simple —le hizo ver con las piernas cruzadas sobre la cama.

—¿Y qué me aconsejas? ¿Que me ponga a llorar? ¿A temblar y me meza como una bebé? No puedo, Paloma, debo pensar en mi bienestar, en el suyo —dijo señalando su vientre con simpleza. Su amiga la observó negando. Kristián había integrado con asombrosa rapidez el hecho de que sería madre, de que alguien crecía en su interior y que las cosas a su alrededor no eran nada comunes. Sin embargo, como solía, no se amedrentaba, enfrentaba todo con la barbilla arriba, con la mirada decidida, con practicidad e incluso buena cara. Ella, en su lugar, estaría temblando como una loca y Kris, sin embargo, iba metiendo sus pertenencias sin quejarse, sin lamentarse.

—¿Entiendes que vivirán juntos bajo su techo? Tú lo quieres, Kris, estás enamorada de él, esto podría lastimarte. —La chica resopló deteniéndose. Se sentó en la orilla de la cama y asintió observando la blusa que llevaba entre sus manos.

—Lo sé, pero…

—Amiga —la interrumpió acercándose para poner una mano sobre su hombro—, ese hombre no cederá. Date cuenta de quién es, de lo que es… El hecho de que estés ahí solo te afectará a ti, ya has pasado por demasiado. —Kristián la miró con impotencia.

—¿Y qué hago, rechazo su ayuda? No puedo, esto no solo se trata de mí, sino de nuestro hijo. Dios —se frotó el rostro—, daría lo que fuera por saber qué es lo mejor, por…

—No haberte acostado con él —completó su amiga con tristeza, creyendo de verdad que jamás debió acercarse a ese hombre.

—Paloma, de eso no me arrepiento ni me arrepentiré jamás. Lo que siento aquí —y colocó una mano sobre su pecho—, ni siquiera creí que existiera. Me hace sentir cosas hermosas cuando lo tengo cerca, cuando… me toca. Es solo que… —desvió su atención hasta un librero donde tenía adornos, fotografías y, por supuesto, libros de todo tipo— él no está listo para esto y sufre mucho, vive sepultado, enterrado, ¿comprendes?

—Kris, durmió con la asesina de sus padres por años... Claro que el hombre está mal, seguramente un tanto desequilibrado —se atrevió a decir. Ella giró negando con fuerza.

—No, él está perfectamente bien de su mente, pero se culpa, se siente responsable de todo lo malo que sucede a su alrededor —lo defendió. Paloma asintió comprendiendo un poco.

—¿Crees que este tiempo juntos ayudará? —deseó saber intrigada por todo lo que su amiga le relataba. Qué duro debía ser pasar por lo que ese hombre, ni siquiera podía intentar ponerse en su lugar porque resultaba aberrante, repulsivo.

—No lo sé, tampoco lo hago por eso. Aunque sí me gustaría saber más, entenderlo de verdad. Me dijo que me lo contaría todo, espero así poder unir las piezas y...

—Tián —tomó su mano con decisión—, tú eres una mujer inteligente, sabes que no está en ti solucionar sus problemas, sé que eso no lo puedes evitar, vas por la vida deseando ayudar, arrancar alegría de quienes te rodean, pero esto es distinto, son cosas que solo le competen a él desear dejar atrás y tal vez tarde mucho para lograrlo, dos años no es tanto tiempo, no para algo como aquello. Ya te lo había dicho, pero lo volveré a hacer... No sigas, Kris, no lo hagas. —La joven se levantó negando.

—Sé que puedo parecer inmadura, infantil, tal vez una tonta, pero no puedo alejarme, no sé qué sucedió, ni siquiera cómo, todo ese deseo que siento por él se transformó en algo hondo, pesado, importante, no puedo ignorarlo, no quiero...

—Aquella vez con Gerardo juraste que no volverías a colocarte en una situación vulnerable —le recordó. Kristián rio.

—Ese hombrecito no es nada comparado con Cristóbal, y lo sabes. Era un cobarde, mentiroso, bueno, no puedo encontrar cómo describirlo.

—Un patán.

—Sí, eso. Y no lo traigas a colación. No tienen nada que ver uno con el otro. Cristóbal no es como él, intenta salir de su infierno, eso no lo vuelve malo.

—No quiero que sufras otra vez.

—Gerardo me decepcionó y me hizo sentir una estúpida, mi orgullo salió más lastimado que mi corazón. Ahora sé que no era tan fuerte, que... no duraría de todas formas y me alegra que se hubiera terminado así, de esa manera... —aceptó relajada. Paloma llenó de aire sus pulmones.

—Vamos, te ayudo, jamás terminarás y debes descansar —decidió dar por terminada esa conversación. En media hora ya lo tenían todo organizado. Entre las dos aseguraron la casa y cuando acabaron, salieron. De inmediato uno de esos hombres que esperaban, se acercó para guardar la maleta—. Cuídate, ¿sí? Nos vemos mañana en El Centro y cualquier cosa me marcas, saldremos volando hasta donde estés. —Kristián la rodeó asintiendo.

—Gracias, sabes que te quiero.

—Lo sé, cuida a mi sobrino —le guiñó un ojo y la observó subir a su auto. Oraba porque la vida de Kristián fuera lo que merecía, porque las pérdidas y desilusiones se alejaran de una vez de su camino.

Cristóbal parecía un león enjaulado. Se sentía como un chiquillo que tendría una cita con la pequeña que le gustaba. Esa sirena estaba llevando consigo toda la belleza, sutileza e hidratación que creía que nunca conseguiría. Era un ser peligroso para su vida, con sus encantos lo tenía sometido, preso de sus movimientos, hipnotizado. Su fuerza lo apabullaba, su entereza lo asombraba y su alma lo tenía completamente rendido.

Nadó por un buen rato, al dirigirse a su habitación para darse una ducha, el elevador se abrió y ella apareció. Iba enfundada en unos *jeans* sencillos ajustados, zapatillas deportivas y una blusa clara. Hermosa.

—Bienvenida —saludó con el bañador que le llegaba hasta las rodillas, húmedo, y una toalla alrededor del cuello. Kristián pasó saliva observándolo con descaro. ¿Ese hombre no se daba cuenta de lo que generaba en su sistema? Era simplemente impresionante, cada musculo tenso, su cabello corto despeinado, sus pies descalzos. Era bellísimo.

—Gracias... —articuló con los ojos abiertos. Cristóbal sonrió al ver su clara aceptación. Se lo comía con la mirada y no lo escondía, pero no era de una forma vulgar o provocativa, sino llena de asombro, de aprobación, de deleite, como quien ve algo hermoso en algún museo y pudiera pasar horas contemplándolo. La entendía, él sentía lo mismo cuando pasaba simplemente a unos metros. Lo maravillaba.

—Puedes retirarte, Manolo, yo me encargo. —El escolta asintió con la cabeza y salió de ahí. Cristóbal se acercó y tomó su maleta, serio.

—La habitación que usaste hace unas semanas, ¿la encuentras bien? —preguntó sin moverse, observándola. La joven tenía las mejillas encendidas. Sonrió asintiendo.

—¿Crees que podrías vestirte? —soltó sin más. Cristóbal abrió los ojos sonriendo pícaramente.

—¿Te pongo nerviosa? —La desafió enarcando una ceja. Kristián observó su boca, deleitada.

—Sabes que sí, a cualquiera la pondrías —manifestó y pasó frente a él con frescura. Esos serían unos días que sabía que no podrían olvidar, sin embargo, le importó un carajo, en ese momento, con ella ahí, no podía ser del todo racional.

—Vamos, la dejaré en tu cuarto y atenderé tu petición —se ofreció caminando rumbo a las escaleras. Ella lo siguió.

—Compraré víveres, y... —no pudo continuar porque Cristóbal se detuvo abruptamente, casi chocan.

—Deja eso de una vez, aquí hay todo lo que necesites y si deseas algo, lo pides, listo.

Su pecho le quedaba justo frente a su rostro.

—Así no pienso hablar —acotó y lo rodeó subiendo con gesto digno. De nuevo esas ganas de reír. Era refrescante, demasiado. Una vez en la recámara y con la maleta sobre un sillón, la encaró.

—Escucha, esto no es tu culpa, no es tu responsabilidad, deseo que te sientas lo más tranquila que puedas, que nada te preocupe si es posible. En la cocina hay todo lo que quieras.

—Como demasiado —le recordó con los brazos cruzados sobre su pecho, aún turbada por tenerlo semidesnudo frente a ella. Hacía semanas que no veía ese glorioso torso y moría por pasar un dedo por él.

—Estoy preparado para ello —reviró tomando su barbilla logrando así que lo mirara. Seguían sus mejillas encendidas y sus ojos chispeaban, estaba notoriamente acalorada.

—Mientras estés aquí me haré cargo de todo —murmuró clavando sus potentes ojos sobre los suyos.

—No es necesario... Puedo...

—Shh... Basta, basta. Por una vez permite que tome el control. Sé de todo lo que eres capaz, sé lo qué eres y no hago esto porque crea que no puedes solucionar tus problemas, sino porque es mi deber, porque me corresponde, porque lo deseo, porque... jamás me perdonaría si algo les sucediera... —argumentó con vehemencia. Kristián respiraba lentamente, hipnotizada—. Sirena, solo déjame cuidarlos, permíteme hacer lo correcto por una vez antes de tener que arrepentirme —rogó. Su pensamiento lo sentía nublado, extraviado. Adoraba que cuando le hablaba lo hiciera en plural, que la hiciera sentir ese ejército de aves revoloteando, cantando y picoteando su interior. Eso sin contar su tono torturado, lleno de súplica y ese apelativo que la dejó aún peor, lo hacía sonar mágico. Asintió con la mente en blanco—. Me daré una ducha, ponte cómoda. Si te apetece cenaremos en cuanto estés lista. —Besó sutilmente su frente y salió.

Poco después de las diez, descendía lentamente. Escuchó la música tenue, clásica, permear todo el lugar y en la cocina, ruidos de utensilios usándose. Lo observó desde las escaleras. Algo preparaba. Arrugó la frente sin poder dar crédito.

—¿Necesitas ayuda? —preguntó educada. Cristóbal cortaba algunos vegetales sobre una tabla, concentrado. Negó alzando la vista unos segundos. Lucía más relajado, eso sin contar que llevaba unos *jeans* gastados que juraría jamás podría él tener, y una camiseta blanca de algodón. La chica, embrujada, se sentó en uno de los banquillos altos, observándolo. Lo hacía bien, muy bien en realidad. Olía delicioso, algo en el horno provocaba ese aroma—. ¿Qué hay ahí? —quiso saber con la barbilla recargada en su palma.

—Filete… Estará en unos minutos —anunció. La boca se le aguó y su estómago se removió, tenía mucha hambre. Hasta ese momento no había experimentado ningún achaque, salvo que por las noches sí dormía por completo, nada más. Pero su apetito siempre era voraz así que de inmediato se le antojó.

—Parece que dominas este sitio —señaló la cocina.

—No soy un inútil como sé que piensas, no me agrada tener a mi alrededor gente resolviéndolo todo. —Kristián enarcó ambas cejas.

—Creí que estabas acostumbrado a eso —susurró estudiando sus movimientos, ahora vaciaba los vegetales en un recipiente de vidrio.

—Prefiero la soledad, Kristián —murmuró y se giró para meterlos, ya aderezados, al horno. Él era como un castillo bien custodiado, lleno de armamento que evitaba se trasgredieran los límites, que nada ni nadie jamás podría cruzar para conocer su interior, para llegar al centro de este. En otro momento hubiera respondido con un comentario incisivo, cargado de doble mensaje, con la intención de molestarlo, pero ya no quería, no ese día por lo menos. Si él deseaba vivir encerrado en ese mundo donde nadie tenía acceso, era su decisión, ahora mismo ella tenía que pensar en sí misma y en su bebé.

No dijo más, Cristóbal percibió su ánimo. Al verla la notó ausente, jugando con uno de los adornos de la barra. De nuevo algo había dicho que la sumió en ese gesto.

—¿Qué deseas tomar? —preguntó educadamente.

—Agua, gracias —habló poniéndose de pie—. Dime en qué ayudo, no soporto estar sin hacer nada —declaró indiferente. De nuevo esa chica que parecía darle lo mismo lo que él era, lo que hiciera de su vida.

Le fue pasando lo que necesitarían para comer, sin cruzar palabra. Unos minutos después, ingerían lo que preparó.

—Gracias por la cena, sabes cocinar —señaló disfrutando del sabor. Cristóbal bebió de su copa agradeciendo el cumplido. Deseaba hablar con ella, narrarle anécdotas de su vida, crear un espacio cálido, agradable, pero eso duraría solo un tiempo breve y no quería empeorarlo todo—. ¿En serio así van a ser estos días? No creo soportarlo —interrumpió el sobrio ambiente dejando los cubiertos sin más sobre el plato.

El hombre la miró arrugando la frente—. No, no finjas no saber a qué me refiero. Sé que el hecho de que te confesara lo que siento por ti no te agradó, desde ese día no has cesado de demostrarme que no te gustó enterarte. Lo siento. ¿Bien? Era un momento vulnerable, no medí mis palabras. Olvídalo, solo borra lo que te dije. No espero nada de ti, son mis sentimientos y en definitiva mi responsabilidad. No soy una niña y estoy intentando enfrentar todo de la mejor forma.

—¿No fue cierto? —preguntó sintiendo como si un terremoto lo hubiese embestido. Kristián se levantó rodando los ojos.

—Yo no miento, no soy una mentirosa, creí que ya habíamos pasado eso —bramó harta, se sentía fuera de sí, desesperada. Él se giró sobre el banco para intentar seguirla—. ¡Agh! —manoteó—. Cristóbal, ¿qué ocurre contigo? —El hombre se puso de pie, ubicándose frente a ella.

—Tú ya formulaste tus propias hipótesis, no las echaré abajo —expresó serio. Kristián apretó los dientes con los puños a los costados de la cadera.

—¿Sabes qué? Es imposible, solo quería que estos días no te sintieras incómodo, es tu casa, tu espacio y tenerme aquí no debe ser de lo más grato... Adoras tu soledad, lo acabas de decir, lo entiendo, te lo juro y solo quería decirte que no debes portarte hostil conmigo, sé que no darás nada, que no sientes nada y —De pronto sus labios sobre los suyos la acallaron. Cristóbal la besaba con ardor, sometiendo sus pensamientos, colonizando con su lengua su interior, adueñándose de su aliento. La mujer no supo qué hacer ante eso.

—Para, Kristián, para por favor —le suplicó jadeando. Con la respiración acelerada, lo observó, tenía los ojos cerrados, parecía concentrado, intentando recuperarse.

—No puedo entenderte –susurró temblorosa. No abría los párpados, parecía absorber su aroma con desquicio.

—¿Cómo unir dos mundos que son opuestos? —murmuró abriendo los ojos—. Hay actos que te definen, que te cambian, que te marcan... No puedo cambiar lo que soy, lo que tengo dentro —replicó.

—Me confundes —admitió alejándose. Dando varios pasos hacia atrás. Parecía herida, irritada.

—No me molesta que estés aquí, te lo aseguro.

—Pero sí te incomoda saber lo que siento —reviró. Cristóbal colocó sus dedos sobre el puente de la nariz cerrando los ojos. Qué difícil estaba resultando.

—No, pero no quiero que sientas que me aprovecho de eso... Entiende que no quiero lastimarte.

—Mandas señalen que no comprendo todo el tiempo... De pronto te veo así —y lo señaló con su mano de arriba abajo—, y sé que eres real, un hombre terrenal, alguien que siente, que quiere vivir. Pero luego te escondes y te cubres tan duramente que me haces sentir en medio de un glacial. Eres frío, indiferente y pareces estar demasiado ocupado con tu odio y tu rencor. —No pudo decir nada, simplemente no sabía qué—. No sé si temes hacerme daño porque tengo a tu hijo aquí —y acunó su vientre—, por mí, o por ti, porque no quieres arriesgar nada, porque prefieres vivir así, sin vivir —y pasó a su lado sin decir más—. Y aunque no te agrade, te quiero, pero no por eso me humillaré —rugió desbordada. La escuchó encerrarse en su habitación. Apretó la quijada con la ira circulando por su torrente sanguíneo, arremetiendo contra cada parte de su organismo. Sintió los ojos vidriosos, llenos de ansiedad, de desazón.

Subió casi corriendo, abrió la puerta sin importarle ya un carajo nada, entró buscándola.

Kristián sacaba algo de su armario. Al verlo ahí, pasó saliva, abriendo los ojos de par en par. Lucía fuera de sí.

—¡No tenías derecho a irrumpir en mi vida, a ver más allá! ¡No tenías derecho a hacer que anhelara ser alguien más! ¡No tenías el maldito derecho a conocerme como lo haces pese a no saber todo sobre mi historia! —rugió rabioso, con los ojos llenos de dolor, desgarrados por lo que en su interior ocurría.

—Cristóbal —logró decir, temblorosa. Él negó con firmeza.

—No entiendes nada porque todo lo ves con esa visión limpia y pura, porque no tienes idea de lo que es vivir en el puto infierno, porque no comprendes lo que es odiar todo lo que eres... Así que no vengas a juzgarme, a hablar de mis actitudes, de lo que me consume cada día. ¡No lo hagas! —Le advirtió acercándose. Por primera vez Kristián quiso retroceder, de hecho, correr, lo desconocía. Sin embargo, apretó la prenda que llevaba entre las manos y aguardó—. Te metiste en mi jodido sistema justo cuando creí que ya nada lo lograría, cuando estaba seguro de que estaba seco. No tengo nada que ofrecer, no soy el hombre que mereces, el que necesitas y créeme, jamás lo seré por mucho que nos empeñemos —aseguró ya demasiado cerca.

—¿Piensas vivir así por siempre? —lo cuestionó penetrándolo con la mirada, respirando agitada.

—Deja de hacer eso —exigió por lo bajo. Ella negó rabiosa.

—¡No puedo, no quiero! Y si no estás listo para oírme sal de aquí, no te acerques, porque cada vez que lo hagas diré lo mismo. No puedo permitir que te hundas de esta manera, no cuando veo que no lo deseas —gritó. Cristóbal negó con los ojos empañados, llorosos. Su vulnerabilidad, por primera vez, fue palpable, tan clara como el sol en la mañana.

—No debimos conocernos, no debí arrastrarte a todo esto... No debí —giró con la intención de salir. La joven no pudo más. Lo tomó por el brazo y lo hizo voltear. Rodeó su cuello para bajar su rostro hasta el suyo.

—Solo déjate llevar y deja de culparte —rogó y lo besó con ternura, con devoción. El hombre gimió al sentirla sobre su boca, así, sencilla, pasional, como era, despertando todo lo que creyó que ya no era.

Despacio, con cuidado, midiendo sus reacciones, Kristián lo probó con mayor ahínco. De inmediato él bajó las defensas y la pegó a su cuerpo permitiéndole hacer lo que deseara. Estaba harto de luchar contra sí mismo. La mujer que tenía entre sus brazos derretía nuevamente esa coraza, templaba su alma, traspasaba sus barreras. La amaba, la adoraba, haría todo por ella, pero en ese instante lo único que podía hacer era rendirse, agotado de cargar ese peso, decidió que podía darse un respiro, solo a su lado, solo por su sirena, solo porque con su piel tan cerca todo parecía cobrar color, solo porque no podía pensar en un mundo sin su voz, sin su mente, sin su corazón.

Lo besó, lo probó, lo sometió sin limitarse. Sus labios acariciaban aquellos que no deseaban perdonarse por los errores del pasado. Lo fue acercando a la cama, sin soltarlo, notando su abandono, sabiéndolo suyo, a su merced. Lo sentó sobre el colchón y le quitó despacio la camiseta, después se deshizo de la propia y arremetió con dulzura, nuevamente. Cristóbal parecía caramelo a fuego lento. La tocaba como se toca a una flor, con cuidado, con sutileza, con suavidad. Ella comandaba ese encuentro y no quería que fuera de otra manera, ya no podía.

Cuando nada los separaba, sin prendas de por medio, la joven sonrió con ternura. Notaba su temor ahí, escondido, pero también su ansiedad por sentirla, por intentar verlo todo de otra manera. Recorrió su piel con esmero, sabiéndose observada, arrancando de esa masculina garganta, jadeos llenos de ansiedad.

—Muéstrame lo que provoco en ti —exigió. La manera en la que lo dijo, con esa voz cargada de amor, de aceptación, lo hizo sonreír de forma seductora, complaciente. La tomó por la cintura y la recostó sobre la cama quedando sobre su esbelto cuerpo.

—Eres mi sirena, Kristián, lo que me ata a este planeta —confesó con curda sinceridad. Una lágrima escapó de sus ojos al sentir cada una de sus palabras. Aferró su rostro con ambas manos mientras él limpiaba el líquido que resbalaba por la comisura de sus ojos.

—No luches más... —suplicó—. No te escondas —le pidió abriendo sus piernas al sentir sus movimientos sugerentes.

—Ya conoces todos mis escondites —soltó adentrándose lentamente en sus pliegues cálidos. La mujer se arqueó un poco, dejando salir un gemido cargado de placer. Cristóbal la observó extasiado, dominándose para no correr, deseaba ir muy lento, así, sintiéndola. Su cuerpo era el mismo y salvo sus senos un poco más sensibles, seguía siendo la Kristián que recordaba. Añoró, de pronto, verla con su vientre hinchado, con su figura más curvada. Se movió tan despacio que casi pierde el conocimiento.

La joven lo miraba a los ojos, él también. Lentamente, como si fuese un vals, se adentraron en un ritmo delicioso, dulce, tierno. La besaba con cuidado con cada delicada embestida, acariciando sus mejillas, su cabello, perdiéndose por completo en sus ojos.

Su pecho, poco a poco, fue llenándose de esos sentimientos que solo ella había logrado generar. Se sentía fuerte, poderoso incluso, listo para afrontar sus demonios, su infierno, para emerger y gozar a su lado.

—Me gustan tus ojos, proyectan fuerza —susurró Kristián jadeando al sentir que de nuevo se adentraba, acariciando su enorme cadera con cadencia.

—Me gusta tu boca, somete a cualquiera —dijo él rozándola.

—Me gustan tus manos, tocan con firmeza —musitó bajito. Sus mejillas imposiblemente teñidas de carmesí, su piel húmeda por lo que compartían y tal parecía que nada importaba salvo lo que se unía, lo que ahí ocurría.

—Me gusta tu piel, se derrite bajo mi tacto —dijo. Ella sonrió de esa manera que lo iluminaba todo—. Y eso... —señaló contemplando su gesto—, más que cualquier otra cosa —aseguró y volvieron a besarse con cuidado, despacio, respirándose, sintiéndose, dejando que sus mentes no se involucraran. Solo su deseo, su ansiedad, sus ganas de olvidarse de cualquier cosa que no fuera lo que sentían al estar juntos, al ser uno.

21

PELIGROSA HUELLA

Abrió los ojos casi al alba. Enrollados en las sábanas, no parecían diferenciarse. La mujer descansaba pegada a su pecho, su espalda estaba descubierta y su melena revuelta. No se movió, no le importaba que hora fuera. Lo compartido la noche anterior ni siquiera creyó que fuese posible vivirlo.

¿Qué haría? ¿Cómo? Debía solucionar su vida, debía enfrentarse a sus miedos, a su infierno, debía someterlo, ganarle, debía pelear, ella lo valía. Ya no deseaba continuar así, ya no podía permanecer sumergido en esa soledad, en ese desierto. La quería a su lado, la necesitaba. La escuchaba respirar serena, tranquila. Era impresionante cómo se las arreglaba para adentrarse en cada una de sus murallas, para colarse entre sus defensas, para someter sus demonios. Solo un ángel, solo una mujer así, lo habría logrado y no la perdería. Pero debía ir con tiento, despacio, debía reconstruir lo que en su interior estaba devastado, aniquilado, debía sanarse, de otra forma ensuciaría esa oportunidad que la vida le otorgaba, que le inyectaba de nuevo ganas de vivir.

Kristián se removió. Sus pechos rozaban su tórax. Sonrió acariciando su cintura. Era la primera vez que despertaba a su lado y la sensación lo consumió.

Pero primero, lo primero. Mayra, esos anónimos, después ayuda profesional y... entonces, entonces la haría sonreír por siempre, ese motivo sonaba mejor que los que habían reinado en su vida por años, más los últimos dos. Su corazón después de todo no era tan estúpido, jamás había estado tan desbocado como cuando ella se acercaba, como justo en ese momento que la tenía envuelta en su cuerpo. Sí, Kristián era más de lo que se atrevió a creer que existiera, pero estaba ahí, lo quería, no la perdería, no cometería más errores, no cuando, además, le daría la oportunidad de ser papá.

Kristián abrió los ojos, desorientada. Parpadeó acostumbrándose a la penumbra. Su aroma la atravesó, pero él ya no estaba ahí. Miró su alrededor, ¿qué hora sería? Tomó su móvil que estaba sobre la mesa de noche. Las siete. El conglomerado quedaba muy cerca de ese lugar, aun así, debía levantarse de una vez. Recordó lo ocurrido la noche anterior... Negó escondiendo el rostro en las almohadas. No tenía idea de cómo actuaría cuando lo viera, y eso ya la tenía al límite. Sus cambios de humor la estaban enloqueciendo y más aún, que ella no pudiera evitar provocarlo, buscar sacarlo de esa cueva y mundo de culpas donde vivía. Lo cierto era que, como Paloma le dijo, no le correspondía, podía salir lastimada, más..., porque pese a que no lo demostraba, su comportamiento sí la dañaba, pero no era su culpa, ella era la responsable por no permanecer alejada, por no escucharlo.

¡Agh! Qué debía hacer. Él se había ido de la recámara, no tenía ni idea de a qué hora. Pero qué más daba, la realidad era que no avanzaban y no avanzarían jamás por mucho que lo anhelara, que lo necesitara.

Al salir de su habitación, escuchó su voz en la planta baja. Se asomó por el barandal, hablaba por el móvil con una mano dentro del bolsillo del pantalón mirando el exterior. Respiró profundamente. Ahí iba, de nuevo.

Cristóbal escuchó sus tacones marcar ese paso tan ligero por aquellas escaleras. Giró de inmediato. Lucía preciosa, como siempre, pero ahora que tenía tanta claridad en su mente y le había abierto el alma, sentía que era un ser majestuoso que embellecía lo que tocara. Ese color naranja oscuro que portaba en ese vestido ajustado, con botones negros del lado, contrastaba con su piel de una manera única. De pronto la voz proveniente del auricular lo hizo regresar. Kristián encontró sus ojos justo en el último escalón, no sonrió, tampoco se mostró relajada, sino al contrario. Lo miró un segundo y avanzó rumbo a la cocina saludándolo con un gesto delicado de su mano.

Se lo merecía, ella no tenía idea de cómo actuar con él. La observó un segundo.

—Dame un minuto —dijo de pronto a la persona con quien mantenía esa llamada—. Ahí hay café —habló señalando la cafetera. La joven siguió su dedo. Negó con dulzura.

—No suelo tomarlo, no dormiría jamás, además ahora no lo recomiendan —le informó posando una mano sobre su vientre. El hombre sonrió comprendiendo—. Pedí eso —señaló un par de platos cubiertos por otro invertido de metal—, hay zumo de naranja en el refrigerador, come lo que desees, yo ya desayuné. ¿Sí? —Retomó la llamada. Ella asintió sonriendo con más tranquilidad. Él le guiñó un ojo y continuó la conversación.

Eligió los huevos revueltos y picoteó un poco de panqueques, moría de hambre, la noche anterior apenas si cenaron, aunado a lo ocurrido, se sentía famélica. Cuando acabó dejó todo en la tarja, iba a limpiarlo, costumbre de toda su vida, pero una mano fuerte la detuvo.

—¿Qué haces? —viró sin comprender—. No es necesario, aquí hay quienes se ocupan de ello. Me alegra que te gustara lo que ordené —soltó con esa voz tan gruesa, cargada de masculinidad.

—Sí, gracias —musitó alejándose un poco. No sabía qué decir, cómo actuar. Necesitaba medirlo. Cristóbal notó su comportamiento, y lo entendía.

—Debo hablar con Gregorio antes de ir a la empresa, llegaré más tarde. Ya sabes qué hacer —susurró a un metro de ella.

—Bien, te veré más tarde entonces —dijo y pasó a su lado, debía lavarse los dientes, tomar sus cosas.

Cristóbal la detuvo tomándola con delicadeza por el antebrazo. De un movimiento la acercó a su cuerpo y la besó con intensidad. Kristián sintió derretirse con ese gesto tan cargado de mensajes.

—Eso es un «buenos días» —Y volvió a besarla mordisqueando sus labios con sensualidad—, y esto es «nos vemos más tarde, Sirena» —expresó. Ella sonrió mirándolo extrañada, rodeando su cuello.

—¿Es en serio? —Lo interrogó sobre su boca.

—¿Qué? —preguntó acariciando con suavidad su mejilla.

—Esto... tú, así... —indagó. Él sonrió encogiéndose de hombros, atrapando sus ojos con los suyos.

—Es tu culpa. Solo dejemos que las cosas sucedan. ¿Te parece? —propuso. La mujer guardó silencio unos segundos—. No quiero herirte, pero no consigo alejarte —admitió con voz torturada.

—Si es por lo de anoche... —La acalló rozando sus labios levemente.

—Es mucho más que eso. Solo déjalo así, por ahora... ¿Puedes? —pidió. No lo comprendía del todo, lo cierto era que su comportamiento la aturdía, la enamoraba aún más. Asintió besándolo.

—Está bien, Cristo —aceptó y acarició su oreja, su quijada fuerte, rasurada—. Lo intentaré. ¿Sí? —Sonrió complacido.

—Por ahora con eso es suficiente. —Su calidez la atontó. La abrazó unos segundos absorbiendo su aroma—. Cuídate y cuídalo —imploró sujetando su barbilla. No daba crédito de su semblante, de su mirada cristalina, si bien dura, ahora mucho más accesible, sus facciones relajadas. Era guapísimo, pero así, parecía salido de una realidad alterna, de otro universo.

—Siempre —sonrió alegre. La besó nuevamente, no conseguía alejarse de ese ser que lo reinventaba, que lo hidrataba, que lo hacía sentir vivo.

Quince minutos después, ambos salían de ahí.

La mañana fue extraña, mucho trabajo y él no regresó hasta mediodía. No se sentía igual, la expectación, las ganas de verlo, la extraña corriente que recorría su cuerpo, la mantuvieron alerta todas esas horas.

Se encontraba en el comedor, comiendo con los demás, cuando lo vio entrar en esa área que ella repelía, acompañado por la jefa de Recursos Humanos y el del área Jurídica. Los pájaros, porque eso eran, pájaros, enormes, escandalosos, repiquetearon haciendo locuras por todo su ser. Sus mejillas se tiñeron y sonrió desviando la mirada, no debía ser tan obvia.

En cuanto se sentó, con cautela, la buscó donde sabía que solía sentarse. Ahí estaba, sonreía, como siempre, mientras se metía un trozo de pan en esa boca que lo mantenían en vilo. La mañana fue larga, pesada, cargada de momentos molestos. Estudiaron todas las vertientes sobre el caso de Mayra y, mientras estuvo ahí, supieron que sí, ya había entrado la apelación, pero debían hacer cualquier cosa para que no procediera. Matías estuvo al corriente de la situación. Además, Roberto, por su lado, indagó la procedencia de los anónimos, aún no daban con nada. Provenían directamente de correos de México así que rastrearlos sería complejo. Investigaron al abogado que ayudaría a Mayra, cubriendo así, todos los frentes. Andrea y Fabiano, estarían seguros gracias a las providencias tomadas por Matías, y de Kristián y su hijo, él se encargaría personalmente, eran su prioridad, lo que en ese momento más le importaba, no soportaba saberlos en riesgo.

Recordar cada momento a su lado, las decisiones que poco a poco iban tomando más fuerza, lograron que lo que hubiera sido una tortura por lo que implicaba se tornara menos denso, un asunto de suma importancia que se debía solucionar, no la pesadilla que lo consumía con tanta recurrencia. ¿Cómo lograba que con tan solo evocarla ese atroz pasaje de su vida no tuviera la misma fuerza que solía? Lo increíble era que, a pesar de lo desencadenado por esas malditas notas, pese a que llevaba un mes sabiendo que estaba embarazada, que su abuela, la cual era su madre, acababa de morir, que podría tener muchos motivos para estar angustiada, dispersa, nostálgica, sonreía, seguía haciéndolo con pasión, con entrega, tomando lo que necesitaba del momento para seguir. Ella... ella era especial, única, y lo tenía hecho un completo y absoluto idiota.

Una hora después él entró a su oficina.

—Buenas tardes, señoritas —saludó con cortesía. Las mujeres sonrieron regresando el gesto, parecía distinto—. Kristián, pasa, por favor, —solicitó. La joven se levantó tomando lo que supuso necesitaba, había pendientes y cosas que debía hacerle saber.

Entró con la *tablet* en la mano y cerró la puerta. Él se hallaba recargado en su escritorio. Sonriendo de forma extraña.

—¿Pasa algo? —quiso saber deteniéndose, sintiéndose expuesta. Cristóbal negó de forma seductora.

—En este instante, no... Solo que verte revitaliza los sentidos de cualquiera —expresó con sensualidad. Ella sonrió torciendo la boca y caminó hasta él. El hombre en cuanto la tuvo cerca, alargó su brazo y la adhirió a su cuerpo. Dios, cómo la anhelaba.

—Estamos en la oficina, señor Garza —soltó bajito, fascinada por lo que allí ocurría.

—Debería resultar menos tentadora, señorita Navarro —refutó y la besó con cuidado, de forma suave y cargada de erotismo.

—¿Para eso me llamaste? —Lo cuestionó con voz dormilona al separar sus labios. Negó tomándola de la mano para que la acompañase a uno de los sillones.

—Roberto quiere tener una reunión contigo, debe saber ciertas cosas para poder ampliar su panorama —le informó. Kristián frunció el ceño.

—Entonces, ¿no es... tu exesposa? —comprendió. Él dejó salir un suspiro cargado de duda. Se encontraba sentado a su lado, con el gesto un tanto tenso.

—Puede ser... pero, lo que en realidad deseamos saber es cómo saben de ti, de mí, ¿comprendes? —explicó. La joven agachó la mirada, turbada.

—Salvo Paloma y Andrés, nadie más... Y ellos no harían algo así jamás, son como mis hermanos —los defendió un tanto preocupada. El hombre entrelazó sus dedos con los de ella y le dio un leve apretón.

—Tranquila, solo deben descartar, nada está de más. Escucha, Kristián, soy un hombre con muchos enemigos, ya te he dicho que mi vida no es sencilla, sé que lo ves, lo sabes, no solo por... esos demonios que habitan en mí, sino porque hay personas que de verdad darían lo que fuera para dañarme.

—Sí, bueno, por tu dinero —comprendió. Él asintió.

—Y por intereses, porque soy una amenaza para sus negocios, porque... simplemente desean hacerme pasar un mal rato. Desde robos, secuestros, hasta miles de cosas más es a lo que estoy expuesto, cualquiera en mi posición —completó. Kristián enarcó una ceja, intuitiva.

—¿A dónde quieres llegar? —Cristóbal resopló.

—Jamás negaré a nuestro hijo, pero es importante que por ahora nadie más lo sepa... Realmente es vital —enfatizó. Kristián, por instinto acunó su vientre, contrariada.

—¿Qué pasa? ¿Lo de los anónimos? ¿En serio crees que desean hacerme daño? No mencionan nada del bebé —tartamudeó. Él acarició su mejilla con dulzura.

—No tengo ni idea de nada... Kristián. Todo lo que creamos por ahora son hipótesis, por eso Roberto quiere conversar contigo —buscó relajarla. Respirando más rápido, desvió la vista, nerviosa.

—No pensé en las magnitudes de esto —admitió. El hombre la hizo girar y la abrazó con gesto protector.

—Nada pasará, te lo juré... Solo debes saber.

—No me agrada sentirme asustada —confesó absorbiendo su aroma.

—No lo estés, no es necesario, ya has pasado por mucho en estas semanas. —Acariciaba la parte baja de su espalda, relajándola.

—Aún tenemos una conversación pendiente —le recordó alzando el rostro.

—Lo sé, y cumpliré mi palabra. —La besó despacio, disfrutando de su cercanía, de no tener que estar actuando ante ella, dejándose llevar por lo que producían su presencia y su ausencia.

En la oficina de Roberto se llevó a cabo la reunión. No encontró, como sospechó, mucha más información de la que ya tenía, pero le informó de que las autoridades ya estaban al tanto y que cooperarían.

Por la noche, él la esperó frente el ascensor de su apartamento. Lucía apurada.

—¿Pasa algo? —preguntó curioso.

—Debo ir a El Centro, con el tránsito, espero poder llegar a tiempo —habló con rapidez ojeando la pantalla del móvil. Cristóbal no lo recordaba, deseaba estar a su lado, pasar unas horas tranquilas, además de averiguar un poco más de su vida. Pero no sería posible.

Dentro del apartamento, un tornado hubiese sido menos intenso. Fue y vino, y al final, quince minutos después, salió en ropa deportiva, su melena sujeta con una coleta alta y con esa sonrisa tan suya.

—¿Te vas sin más? —quiso saber apareciendo de pronto sin corbata y un par de botones abiertos. Ella sonrió con las mejillas encendidas.

—Yo... no sé actuar en estos casos —admitió con la energía bullendo por su cuerpo. La acorraló contra una pared y la besó con intensidad.

—Solo esto, es todo. —Acarició su labio inferior con deseo—. Te veo más tarde. —La joven tomó su rostro con fiereza y estampó su boca en la suya.

—Eres mucha tentación para mí, pero los chicos me esperan... —admitió y se escapó riendo. El elevador se encontraba ya abierto. Se despidió con la mano, mientras él le guiñaba un ojo, sonriendo. Tenerla cerca era como si la energía que dominaba el mundo colapsara y se concentrara tan solo en ese cuerpo perfecto que acababa de desaparecer. Incluso el silencio notaba su ausencia. Decidió trabajar un poco, cosa que solía hacer, pero que en ese momento resultó una fuga fenomenal. La peligrosa huella de su llegada a su vida en menos de veinticuatro horas ya comenzaba a ser aterradoramente honda.

Casi a las once, el ascensor se abrió. Uno de los escoltas la acompañaba. La joven se despidió sonriente, de inmediato todo se reactivó en ese sitio que había estado en calma las últimas horas. Cristóbal se hallaba sentado en el sofá, con su PC sobre las piernas, leyendo con atención, aunque desde que la escuchó llegar ya no logró concentrarse. Alzó la vista, lo estaba observando arrugando el ceño, torciendo la boca.

—¿Sigues trabajando? ¿Acaso no te permites descansar jamás? —Lucía hermosa, despeinada, sonrojada, vital, con esos ojos marrones chispeantes, alerta.

—¿Me lo dices tú? —la desafío con desenfado, fascinado con lo que podía atisbar. Kristián volcó los ojos. Anduvo rumbo a las escaleras.

—Lo mío es una afición una de mis debilidades, ¿lo recuerdas? —Iba a subir cuando su mano la detuvo, la hizo girar y la devoró sin piedad.

—Tienes esa mala costumbre de no decir «hola», ni «adiós», jovencita —le recriminó cerca de sus labios.

—Huelo a rayos, Cristo, solo iba a ducharme —argumentó deleitada con su cercanía, aunque abochornada, él siempre tan pulcro y ella... un desgarbo cuando no eran horas de oficina. El hombre pasó su nariz por su cuello.

—Hueles bien, a ti —susurró rozando su cuello con delicadeza. Kristián soltó una risita apartándolo.

—¿Siempre huelo a rayos? —fingió indignación. Cristóbal la tomó por la cintura y volvió a acercarla.

—Hueles a frutas, a mujer, a ti... —murmuró con simpleza. Lo decía en serio, notó en esa mirada tierna que las últimas horas había estado ahí, cuando se dirigía a ella. La hacía sentir poderosa, importante, eufórica si era sincera.

—Debo ducharme —apuntó posando una palma sobre su pecho.

—Bien —la tomó de la mano y subió primero.

—¿Planeas seducirme? —soltó logrando que se carcajeara. Se detuvo, la tomó en brazos y siguió el camino como si no pesara.

—¡Ey! Sé caminar, señor fortachón —se quejó riendo.

—Tú fuiste la de la idea, así que déjame llevar a cabo el plan, Sirena.—Rodeó su cuello recargando su cabeza.

—Me gusta la idea, sedúceme entonces —avaló besando su cuello con delicadeza.

Media hora después yacían sobre las cobijas de su habitación, respirando agitados. Uno al lado del otro, con los ojos abiertos, mirando al techo.

—¿Por qué «sirena»? —preguntó de pronto la chica, girando un poco su cabeza. Cristóbal dejó salir un suspiro y la miró de reojo.

—Porque... me embrujaste, porque... eres bella, porque... pareces irreal —expresó con sencillez. Ella sonrió satisfecha mirando de nuevo el techo.

—Me gusta y más las razones del porqué lo usas Tú podrías ser algo así como... Tritón —soltó acercándose a él, riendo pícaramente. El hombre rodó los ojos sacudiendo la cabeza.

—Nunca dejas que esa mente tuya descanse, ¿verdad? —inquirió juguetón. Kristián hizo un mohín asombrosamente infantil.

—Eso decían mis abuelos... No puedo... Bueno, tú logras calmarme la mayoría de las veces, pero desde pequeña me es difícil incluso dormir —admitió. Cristóbal volteó y acomodó uno de sus mechones oscuros, para luego acariciarle la melena con atención.

—Apenas hace un mes. ¿Cómo lo llevas? —deseó saber, cauto. Kristián bajó la mirada, su gesto se entristeció asombrosamente rápido. Apretó sus labios, negando.

—No sé, intento no pensar en ello y... No ha sido fácil —murmuró jugando con los vellos oscuros de su pecho—. Daría lo que fuera porque pudieran conocer al bebé, porque... no se hubieran ido... Pero ya ves... Ahora lo tengo a él, pero no a ellos —susurró reflexiva. El hombre colocó un dedo bajo su barbilla e hizo que lo mirara.

—Eran tus padres, sé lo que duele perderlos —habló con dulzura. Los ojos de Kristián se rasaron.

—¿Cómo lo sabes? —preguntó de pronto. Cristóbal le relató lo ocurrido aquel día después de enterarse del embarazo y todo lo que Clara le dijo.

—¿Te molesta? —preguntó él, expectante. Negó con firmeza.

—No es un secreto, nunca lo fue... Solo seguía las reglas de nuestro... «juego» —le recordó con simpleza. Qué lejano parecía aquello. El hombre se hizo hacia atrás para sentarse y la acercó nuevamente para poder verla a los ojos.

—¿Te puedo preguntar algo? —Asintió, segura.

—¿Le guardas rencor? —supo a quién se refería. La joven torció la boca pensando. No logró definir lo que había en su mirada, pero odio, no.

—Casi no estaba con ella, me dejaba al cuidado de quien fuera, la mayoría de las veces con los abuelos, o con mi tía Clara. Yo lo prefería, comía bien y me cuidaban, conversaban conmigo... —explicó. Cristóbal sintió un nudo en el estómago al imaginarla pasando todo aquello a tan temprana edad—. Ileana no estaba lista para ser madre —declaró serena, como si esa fuera la definición más simple del mundo. ¿Cómo carajos lo hacía?—. Un día, el día que me dejó en casa de mis abuelos, recién me recogió de la primaria, extrañamente llegó puntual, porque solía pasar una o dos horas esperándola. Y bueno, simplemente condujo hasta casa de ellos, bajó, me tomó de la mano y cuando mi Aby abrió, le dijo que no podía ser mi madre, que era demasiado para ella. Se despidió con la mano y se fue... Así, nada más. Prendió el motor y no volví a saber de ella. —Los ojos de Cristóbal se abrieron de par en par, no daba crédito a tanta frialdad. La joven lo miró un segundo, sonriendo con tristeza—. No te asombres, para mí estuvo bien, me dejó en el mejor lugar del mundo. Solo... al principio fue difícil porque no dejó ropa, juguetes, nada... Y...—sonrió con nostalgia—, yo tenía mi muñeca, Isi, era mi adoración, ¿sabes? Dormir sin ella fue lo más complicado, pasó una semana hasta que lo conseguí, tampoco la volví a ver —murmuró con la voz quebrada, pero sin lágrimas.

—Debió ser muy duro, Kristián —musitó. Su cuerpo se llenó en ese instante de un sentimiento mucho más profundo, donde la admiración por ser lo que era, pese a todo, lo eclipsó por completo. Esa mujer era fuerte, demasiado en realidad.

La joven se encogió de hombros.

—Bueno, no me sentía alegre, pero con el paso del tiempo todo fue acomodándose y el amor de ellos, sus cuidados, fui feliz, mucho... Me apoyaron siempre, fueron mi motivo de ser y me dediqué a convertirme en alguien de quien se sintieran orgullosos.

—Temías que si no lo hacías ¿te dejaran por no ser suficiente? —De inmediato lo observó de forma penetrante, como si hubiese dado con algo que nunca habría reconocido.

—Bueno, es muy difícil dejar ese miedo de lado cuando fue tu madre la que te abandonó... Pero... jamás lo pensé de ese modo, a lo mejor de forma inconsciente sí, no lo sé. —Él rozó sus labios despacio.

—Debieron ser felices gracias a ti, no veo cómo pueda ser de otra manera. —Su gesto se relajó.

—Mi vida, pese a que no siempre fue como esperé, sí, ha sido genial... Sería terriblemente egoísta si me quejara. No me faltaron amor, cuidados, amigos, paz... —aceptó con ese semblante sonriente que adoraba.

—Entonces... no la odias —comprendió azorado. Ella negó.

—No, no podría.

—No vale la pena —conjeturó recordando cada palabra dicha durante meses y que cada vez notaba más que no eran gratuitas, todas iban entrelazadas a su vida y tenían un significado muy poderoso en ella, en su esencia.

—No lo sé, pero... jamás pude verla como mi madre —concedió torciendo los labios—. Ni de pequeña, cuando vivía conmigo. Yo le decía qué hacer, cómo, me cuidaba sola prácticamente. Me sentí mucho más segura cuando viví con ellos, fue como un descanso, ¿comprendes? —Asintió acariciando su mejilla, embelesado.

—Lamento mucho lo de tu abuela, a lo mejor no te lo dije en ese momento como debía —susurró cerca de su mejilla, para después besarla castamente.

—Tenía cáncer —confesó logrando que se apartara—. Se lo detectaron a principios de año. Lo tenía en el esófago. La operaron y se alimentaba con sonda. Fueron meses muy duros, sufrió mucho, yo también... Pero era valiente. —Una lágrima corrió por su mejilla, él la limpió con cuidado, escuchándola—, no se rindió. Reía y vivía, a pesar de que extrañaba mucho al abuelo, él murió hace dos años. La quimioterapia cambió por completo su vida. El seguro absorbió gracias a Dios todo, porque era muchísimo dinero y aunque no me iba mal, no hubiera podido enfrentar todo eso. Sin embargo, la medicina alternativa, que también cuesta mucho, la enfermera, y cosas que no están previstas, complicaban siempre todo. Yo terminaba la maestría cuando supe del empleo en el conglomerado, fue muy buena suerte, la otra empresa donde laboraba iba bien, pero sería difícil aprender más, llegar a más, ganar más... —admitió con simpleza.

—¿Y sus hijos, no ayudaban? —Kristián lo miró seria.

—Vinieron cuando recién ocurrió. Ninguno vive aquí. Después, a las semanas, se fueron. Ileana sí depositaba mensualmente, Ignacio y Clara, no. Pero eso no importa, Aby estaba bien y tenía todo cubierto. Claro que los extrañaba, sin embargo, los entendía. —Cristóbal lucía tenso. Con una tierna sonrisa besó su entrecejo—. Tranquilo, esas cosas pasan. El cáncer se detuvo por un tiempo, pero sabíamos que debíamos estar alerta. ¿Sabes? Un día antes de que supiera que estaba embarazada, nos dijeron que era probable que hubiera retornado y hubiera avanzado... El día que... falleció le tenían que hacer los estudios. Creo que ella lo sabía y por lo mismo decidió que era su momento, odiaba preocuparme y... —De nuevo un par de lágrimas y la voz quebrada. La pegó a su pecho y la rodeó con sus brazos, besando su cabellera.

—Eres asombrosamente fuerte —expresó acongojado. La joven sollozó despacio.

—La amaba, Cristóbal, hubiera dado todo por ella —murmuró limpiándose las lágrimas.

—Hiciste todo por ella —le recordó bajito. Duraron así varios minutos. Él, azorado, impresionado y conmovido como nunca, estaba irremediablemente enamorado de ese ser que arropaba con su cuerpo, no de una forma serena y suave, no, sino posesiva, fiera, repleta de admiración y orgullo. Kristián era lo que jamás se atrevió a pensar que podría obtener. Ella, tranquila, con paz interior al poder hablar de todo aquello sin restricciones, de poder mostrarse y de comprender nuevamente esas palabras: la vida cuando quita da. Y era así como se sentía en ese momento, con nuevos motivos, de alguna manera construyendo algo distinto.

22
NO LO PUEDO EVITAR

Cuando el estómago de la joven pidió alimento, ambos rieron. Así que sin demora merendaron en medio de risas y un ambiente relajado en la cocina.

Por la mañana despertaron al alba. Kristián regresó a su habitación para comenzar el día. Hablaban con soltura y él parecía irse relajando con cada momento compartido. No deseaba presionarlo, así que esperaría a que decidiera narrarle lo sucedido en su vida, esa abominable pesadilla que vivió, de la que lo veía emerger cada vez más. No tenía idea de qué era, qué piso estaba bajo sus pies, así como los sentimientos de él por ella, pero se sentía serena en cuanto a eso, la hacía sentir importante, la miraba con admiración y deseo, y eso era suficiente en ese momento.

Al regresar de la comida, abrió su cajón y una enorme caja de chocolates la hizo sonreír como a una adolescente. Tomó con discreción la tarjetita blanca.

«Sirena. Cuando se terminen, solo tienes que pedir más...».

Agarró uno y se lo llevó a la boca, deleitada. Jamás lo pensó detallista, lo cierto era que sí, Cristóbal ya en más de una ocasión le había demostrado que se fijaba en los detalles, que memorizaba sus palabras, que ponía atención a sus movimientos.

Cuando pasó frente a su escritorio, minutos después, ella sonrió con discreta coquetería. Él supo que ya los había visto.

Por la noche, de nuevo tuvo los ensayos, esta vez quiso acompañarla, tenía curiosidad por volver a verla perderse en sus movimientos. Sin objetar, aceptó. Permaneció de pie en la puerta, bajo la mirada de Paloma, que se encontraba en la recepción, completamente perpleja. El hombre iba vestido con unos sencillos *jeans* y una camisa casual, sin embargo, derrochaba estilo, clase y poder. No despegaba la vista de su amiga.

Las cosas habían avanzado, eso era claro. Cómo se veían, cómo entraron, que, aunque no abrazados, si uno junto al otro, su atracción parecía magnética. Se lo presentó de lo más relajada, gesto que él respondió con una sonrisa cálida que no creyó poseyera, no con esa envergadura tan gélida y cargada de prepotencia. Pero debía reconocer que cuando posaba sus ojos en Tián, nada de lo que proyectaba aparecía, al contrario, se tornaba suave cada una de sus facciones, la observaba con atención y se movía al son de ella, de sus palabras, de esa energía rebosante, pero que, como ella le había dicho, a su lado parecía asombrosamente menos burbujeante, sin quitarle su chispa. Se... equilibraban.

Al terminar, la joven insistió en que fueran al sitio donde había comprado aquellos emparedados que llevó al apartamento hacía semanas. Estaba lleno, pero rápidamente encontraron un espacio. Sus escoltas, más pendientes que nunca, peinaban el sitio mientras él se olvidaba de todo y se dejaba llevar riendo, bebiendo vino tinto junto con ella y daba grandes mordiscos a esos deliciosos sándwiches. Bromearon, conversaron y gozaron de lo que vivían.

Llegaron al apartamento, carcajeándose por alguna tontería. De pronto, él la pegó a su cuerpo, pasando su nariz por ese cuello que lo embrutecía. Se sentía optimista, lleno de energía, con el pecho cálido, con su alma plena.

—Quiero verte bailar —pidió con tono ronco en su oreja, logrando que sus vellos se erizaran, que su piel cosquilleara. Se separó un poco mirándolo de reojo con picardía.

—¿No te bastó hace unas horas? —inquirió con coquetería. Él negó besando con delicada lentitud su lóbulo. Dios, adoraba a esa mujer.

—Hazlo para mí... Nada más —rogó enamorado. Ella lo tomó de la barbilla y lo miró directamente a esos ojos verdes tan fuertes como la milicia.

—Bien —aceptó y mordisqueó su labio inferior alejándose. El hombre, expectante, recargó el hombro sobre un muro y la observó. La chica se acercó hasta ese aparato de sonido que solía tener solo música clásica, colocó su móvil ahí, buscó en la memoria lo que deseaba y sin mirarle, se quitó la sudadera quedándose solo en top. Cristóbal cruzó los brazos sobre el pecho, consciente de ese martilleo constante pero asombrosamente veloz en su pecho. Kristián, prendió una lámpara que daba luz discreta, se acercó a él y apagó las luces del lugar.

La penumbra lo inundó todo y la expectación creció vertiginosa, escandalosa.

Una música suave, pero con ritmo sensual, sonó. Kristián comenzó a moverse conforme cada nota, su cadera, sus pies, su rostro, todo iba marcando el paso de aquella melodía que jamás había escuchado pero que no pudo evitar que accionara todos los interruptores de su ser. Se movía con maestría, los brazos, el cuello, un pie, el otro y ese vaivén de su cintura lo tenían idiotizado. No lo veía, simplemente se dejaba llevar por lo que sentía y era como si su cuerpo supiera exactamente qué hacer y cómo. Se fusionaba con la tonada, en la voz de ese hombre que cantaba de forma clara y fuerte. Sus palmas, sin buscar seducir, resbalaban por su esbelto cuerpo y sus dedos, como si fuesen parte del movimiento, marcaban camino discretamente. Sus muslos, su espalda. De repente, ella interceptó sus ojos, bajando la mirada, detrás de sus pestañas y con deliberada cadencia, fue acercándose, sonriendo con coquetería, de una forma imposiblemente genuina, única. Bailó a su lado, sin permitir que la tocara, disfrutando claramente de lo que hacía, rozando su cuerpo con el suyo, liberando sus sensaciones.

Con los puños apretados comenzó a respirar deprisa, intentando marcar un ritmo regular en su entrada de oxígeno. No podía, Kristián lo tenía al límite, jamás imaginó que un baile ingenuo, que no tenía como fin seducir, lo pusiera a mil. Sin más, la detuvo, la tomó por el cuello y la besó con demencia. La joven de un brinco enrolló sus piernas en torno a su cintura.

—No me hagas esperar, Cristo —ordenó cuando esos fuertes labios lamían su cuello. El hombre gruñó al tiempo que apresaba su boca nuevamente y avanzaba cuesta arriba.

—Jamás, Sirena.

La llevó hasta su habitación, la desvistió con anhelo, pero con urgencia, cuando la tuvo como deseaba la recostó sobre la cama y la probó sin restricción, Kristián aferró su cabeza jadeando ansiosa, su lengua se enterraba en aquel lugar húmedo, sus manos torturaban sus sensibles pechos y sin poder esperar gritó ante la potencia de ese cúmulo de sensaciones que él despertaba. Cristóbal sonriendo con malicia sin esperar a que cesaran los espasmos se adentró en ella, la mujer, temblorosa lo recibió gruñendo, sujetó su cabeza y lo besó con desquicio. Se entregaron al placer con descontrolada vehemencia, con necesidad, con ansiedad, entre gritos y rugidos, roces fieros, caricias llenas de calor. Experimentando lo que era vivir así sin más.

Cuando despertó por la mañana se sentía exhausta, pero exultante. Abrió los ojos quejándose, pero sonriendo por lo ocurrido la noche anterior. Él ya no estaba, pero en su lugar una caja blanca cerrada por un listón color turquesa cuidadosamente enrollado. Se sentó arrugando la frente. La tomó intrigada. Tenía una tarjeta encima.

«Sirena, no es Isi, pero sé que solo tú podrás darle una nueva vida. Cristo».

Temblando la abrió y dejó de respirar al ver lo que se encontraba en su interior. Una réplica de aquella muñeca que un día se alejó. Un sollozo escapó de su garganta, la tomó con cuidado poniéndola frente a sí, contemplándola. Las lágrimas empañaron su vista.

¿Cómo había logrado dar con ella, con una igual? Sorbió la nariz y se la llevó al pecho como cuando tenía aquella edad en la que esa muñeca fue su compañera leal. Los recuerdos llegaron como una cascada. Su casa, los olores, la sensación de seguridad que ella le proporcionaba si la llevaba consigo. Lo amó, mucho más por lo que implicaba para ella. Era como recuperar de alguna manera algo que perdió, algo que dejó ir sin remedio, le dio esperanza también.

Ansiosa y llorosa, se puso algo encima y salió en su búsqueda, entró con sigilo a su habitación, a lo lejos escuchó la ducha. Cerró la puerta tras ella, se quitó lo que la cubría y avanzó por el elegante lugar. Cristóbal, le daba la espalda, ancho, potente. Se dio un minuto para admirarlo y es que era impresionante, tenía las manos recargadas en el mosaico con la cabeza gacha dejando que el agua escurriera por ese asombroso cuerpo. Abrió con cuidado, el agua la salpicó y un segundo después ya se encontraba entre él y el muro, con sus grandes brazos a los lados de su cabeza. El hombre no se movió al verla, solo la penetró con la mirada, esa severa y única que poseía.

—Espero que entiendas lo que hiciste —habló muy cerca de su rostro, pues él continuaba agachado y no soltaba sus ojos, fascinado por tenerla ahí.

—¿Te gustó? —comprendió deleitado. Kristián sonrió sacudiendo la cabeza, ahí, frente a ella, con el agua chorreando por su rostro, con ese espectacular cuerpo, no podía pensar con claridad.

—Me devolviste algo importante.

—Tú a mí también, Sirena. Esto es lo justo —murmuró con la voz ahogada por el deseo y la besó. La mujer lo recibió como siempre, deseosa. Cuando no pudo más, alzó una de sus piernas y se hundió en ella con vigor. El agua, el vapor, todo jugaba a su favor y en medio de jadeos suaves se hicieron uno de nuevo. Ya nada tenía retorno y ambos lo sabían, ambos lo querían.

El jueves nuevamente Cristóbal se ausentó gran parte de la tarde. Los abogados, a base de muchas artimañas estaban logrando que su petición fuera revocada. Debían debatir los elementos, por lo que se abrieron expedientes casi de inmediato. Sin embargo, la burocracia llevaba sus días, aunque gracias las influencias de Gregorio no los afectaba tanto, pero sí los detenía un poco, logrando que la liga de tensión se estirara de más.

Cristóbal, pese a todo, se mostraba ecuánime. El abogado lo observaba hablar con uno de sus asociados, especialista penal, eminencia en el país y que fue el que llevó la carga y responsabilidad mayor del caso contra Mayra hacía dos años. Lucía tenso, sí, pero con un semblante distinto, escuchaba, argumentaba, preguntaba, pero no hervía en ira ni en odio, al contrario. Gregorio estaba seguro de que se debía a Kristián, la joven estaba viviendo en su apartamento debido a aquellos anónimos, de los cuales, aún no sabían mucho, pero que, junto con Roberto, ya tenían una teoría que probarían y sí acertaban; tanto el hijo de él como esa bella chica, no tendrían que temer. Ahora solo faltaba que esa mujer proveniente del infierno no lograra dar ni un solo paso, de ese modo, todo volvería a su cauce y esta vez se aseguraría de que quedara más enterrada ahí que antes, un susto igual no volvería a ocurrir, ese par de muchachos ya habían pasado por demasiado y merecían tranquilidad.

Llegó exhausto. Kristián no estaba, se sentía ya su ausencia, sonrió al recordar su asalto por la mañana, conseguir aquella muñeca no fue tarea sencilla, pero gracias a Roberto lo había conseguido en tiempo récord. Quería verla sonreír, quería verla feliz. Se recostó en el sofá, cerró los ojos y sin poder evitarlo quedó profundamente dormido ahí, en medio de la sala. Lo cierto era que por mucho que todo su pasado doliera menos, aún le afectaba y el hecho de que aún no supieran quién le mandaba esas jodidas notas a Kristián, que, además, habían vuelto a llegar, lo mantenía si no rebasado de impotencia e ira, sí preocupado. No le gustaba eso en lo absoluto, deseaba saber ya quién carajos estaba tras ellos.

Entró y todo estaba apagado. Dejó su bolso en la entrada, aguzó la vista y lo vio. Estaba completamente dormido. Sonrió sacudiendo la cabeza. Era tan duro, tan fuerte y un niño cuando se trataba de enfrentar los sentimientos. Admiraba su bravura, sus ganas de no hundirse de ser, pese a todo, un hombre de bien, bueno, noble. Odiaba saber que se torturaba por lo vivido, pero lo entendía, no debía ser nada fácil cargar esa losa, existir con ella, sin embargo, estaba convencida de que debía buscar la manera de disolverla, de lograr así perdonarse, de comprender que...

ese era el pasado. Sería complicado, más aún si tenía en realidad muy poca información pues él no hablaba sobre ello.

Se duchó, preparó un par de emparedados y cuando estuvieron listos, se acercó. Con voz dulce comenzó a despertarlo. Lucía realmente agotado. Sonrió al verla.

—¡Ey! —solo dijo para después darle un delicado beso. Cristóbal sonrió relajándose al verla ahí, a su lado de nuevo. Merendaron juntos y minutos después lo arrastró prácticamente hasta la cama, cuando iba a alejarse para dirigirse a su habitación, él la detuvo frunciendo el ceño, de un movimiento la pegó a su pecho y dejó salir un suspiro.

—¿A dónde vas? Necesito tu olor —murmuró. La joven sonrió entrelazando sus dedos que se adherían a su abdomen.

—Debes estar agotado —susurró en la penumbra, sintiendo su cálido pecho pegado a su espalda.

—Mucho... —confirmó besando su cabello aspirando a su vez ese delicioso aroma—, pero este es tu lugar, Sirena —acotó. Kristián sonrió con las mejillas ardientes. Esos últimos días había olvidado todo, incluso por qué dormía ahí. Lo cierto era que le daba lo mismo, a su lado la calma llegaba, la seguridad de una extraña manera también y se sentía más plena que nunca. Se recostó a su lado, él la rodeó y suspiró con fuerza sobre su cabeza—. Buenas noches. —Lo escuchó decir.

—Buenas noches, Cristo —respondió cerrando los párpados, dejándose llevar por el ritmo de esa respiración que sabía ya estaba en la inconsciencia.

El viernes por la mañana lo despertó de nuevo aquella pesadilla, algo le oprimió el pecho. Kristián, desorientada, se alertó. Él se había erguido abruptamente, emitiendo un gruñido doloroso. Se incorporó frotándose los ojos. Cristóbal lucía pálido.

—¿Estás bien? —preguntó somnolienta y preocupada. Él negó tallándose la frente, la miró por varios segundos, pensativo, transpirando.

—Una pesadilla —le informó notando su semblante angustiado. La joven elevó una mano, midiendo su reacción, hasta su mejilla.

—Respira —lo instó con voz dulce—. Mi abuelo decía que las pesadillas sirven para, de una manera cruel, hacernos ver lo que sí tenemos y aprovecharlo —murmuró agobiada por su semblante y lo acarició con ternura. El hombre tomó su mano y la besó.

—Hay cosas que simplemente hubiera dado mi vida porque fueran producto de mi imaginación —concretó. Ella lo observó comprendiendo. Su pasado.

—Pero ya no son, Cristóbal, no creo que sea sano estar trayendo tu pasado al presente, es como llevar un grillete —musitó despacio. Él se recostó resoplando sobre las almohadas, atrayéndola a su pecho.

—Aún es muy temprano, duerme, no te preocupes por mí —le pidió. Kristián besó con ternura su pecho.

—Ya no lo puedo evitar —admitió bajito.

Al escucharla, cerró los ojos con fuerza. Esa maldita mujer apareció en su mente de una forma aberrantemente real y lo miraba con amenaza, de inmediato lo único en lo que pensó fue en Kristián, embarazada. La angustia casi lo ahoga. Desde que esa chica apareció en su vida la imagen que tenía de sí, cambio, y comprendió, al entender todo lo que por esa joven sentía, que lo que por Mayra experimentó nunca fue nada equiparable, nada siquiera cercano, eso, lentamente iba ayudando a que asimilara los motivos por los que permaneció unido a ella. Sin embargo, eso tampoco lo ayudaba, al contrario, pues la mantuvo a su lado por seguridad, por comodidad, porque... era lo más conveniente, porque se sentía en deuda con ella, porque... siempre estuvo con él.

Pero pensando en retrospectiva, hubo algo siempre que lo detuvo. Por ejemplo, jamás pensó en tener hijos, no con ella. Lo hablaron en muchas ocasiones y decidieron que no. Sin embargo, ahora que sabía que esa mujer a la que tenía recargada en su pecho llevaba su pequeño en el vientre, descubrió que sí, que eso era algo que anheló, pero no en ese acartonado, serio y sobrio estilo de vida que solía llevar y que con Kristián, era absolutamente imposible siquiera contemplarlo, situación que lo hacía sentir de nuevo... vivo. Sí, ella también le había devuelto algo muy importante.

El día laboral empezó como solía. Cristóbal tuvo que retrasar el viaje y aunque moría por desaparecer con ella unos días, no dejaría el país hasta que lo de aquella loca mujer no estuviera resuelto. En cuestión de meses su mundo dio un giro.

Esa mañana se concretó una venta que estuvieron preparando, varios millones iban de por medio y Kristián, con su agilidad, logró que incluso ofrecieran un poco más. Era impresionante y hacían una mancuerna efectiva, letal. Sin embargo, se sentía ansioso, alerta.

Llegaron de comer poco después de las cuatro, él se empecinó en ir a un sitio solo los dos a ingerir algo. La joven, desenfadada y claramente relajada, sonrió todo el tiempo. Cristóbal coqueteaba, se portaba atento, solícito y encantado con ella. No perdía oportunidad para demostrárselo, situación que la mantenía flotando. El sitio que el hombre eligió era neutral, uno al que jamás había ido pero que al pasar le pareció agradable y lo fue, sencillo, delicioso y nada ostentoso, perfecto.

Al regresar, la envergadura de ambos retornó. Cada vez era más complicado esconder lo que sentían, lo que había entre ellos, pero era lo mejor, más en ese momento.

Kristián se dirigió a los sanitarios, desde que estaba embarazada descubrió que debía hacer esas visitas con mayor frecuencia. El área gerencial era de toda una planta, enorme en realidad y las oficinas de dirección se hallaban del lado izquierdo, hasta el fondo. Por lo que ella decidió entrar en uno que se encontraba alejado de su sitio de trabajo, pero cerca del ascensor.

Al terminar, una joven del Departamento de Recursos Humanos estaba recargada en los lavamanos. Le sonrió como solía y se dirigió ahí para asearse. No sabía su nombre, pero la ubicaba muy bien, siempre estaba junto con otro par de chicas sentada en el comedor, seria, parecía enojada.

—Nunca dejas ese maldito gesto, ¿cierto? —habló su compañera. Kristián giró arrugando la frente, la tenía a menos de un metro.

—No sé a qué te refieres —admitió quitándose el jabón de sus palmas. La mujer rio. Y de pronto la tomó por detrás, le dobló un brazo y acercó una navaja de bolsillo a su garganta. Kristián, atónita, intentó zafarse. Su respiración se disparó y un sudor frío como hielo cubrió su cuerpo.

—¡¿Qué haces?! Suéltame, te meterás en problemas —exigió buscando quitar su brazo. Sentía el instrumento demasiado cerca de su rostro. ¿¡Qué era todo eso!?

—Si te hago una linda cicatriz en la cara, seguro dejarás de estar coqueteando por doquier, maldita golfa...

—¡Qué me sueltes! —rugió y con esa agilidad que la caracterizaba, logró hacerla a un lado. La mujer, rabiosa, fuera de sí, la tomó del cabello y la pegó a un muro.

—Mi hijo crecerá sin padre por tu jodida culpa, ¿qué les das? ¿Eh? Lorenzo, Cristóbal Garza —bramó fuera de sí. Kristián no entendía nada. La intentó hacer a un lado, pero no lograba alejarla. Con un puño, tal como le enseñaron, le dio de lleno en la mejilla, su reacción fue veloz y con la navaja rasgo profundamente la piel de su antebrazo. Kristián sintió de inmediato ardor y dolor. Observó lo que le había hecho sangre.

—Tú estabas mandando esas notas, ¿verdad? —comprendió sintiendo náuseas.

—El ahijado de Lorenzo sacará a la exesposa loca de Cristóbal de la cárcel y sabrás con quien te metiste, maldita zorra, esa vieja está demente. —Se iba a acercar nuevamente pese a que su nariz sangraba cuando Kristián corrió hasta la puerta, sintiendo la piel pegajosa, sudando, cubriendo su brazo que no dejaba de sangrar. Abrió como pudo, ella iba detrás y salió cerrando con fuerza.

—¡Ayuda! —gritó haciendo fuerza para que la puerta no se abriera. Lloraba, temblaba, la piel del brazo quemaba, pero la mujer hacía fuerza desde el otro lado, no podía soltarla o saldría de ahí.

De inmediato Roberto y mucha gente más se acercaron. El hombre, serio, tomó la puerta y dio órdenes con la mirada a sus empleados.

—¿Qué pasa? —preguntaban sus compañeros. Azorados, notando que sangraba.

—¡Roberto, está loca, no la dejes salir! —rogó descompuesta, asustada. No soltaba la manija mientras chillaba, fuera de sí.

—Suéltala, Kristián —pidió, pero ella negó aferrada mientras el hombre intentaba hacerse cargo de la situación—. Suéltala —ordenó nuevamente con voz serena.

—Está armada, ella fue, está embarazada —intentó explicar. El escolta soltó sus manos, la alejó pese a que se resistía, cubriéndola con su cuerpo y de inmediato la mujer abrió, enloquecida y con la navaja al frente. Enseguida su equipo actuó y la sometieron.

—¡Maldita golfa! —gritó llorando mientras se la llevaban. Kristián sintió que las piernas le fallaban. Roberto la rodeó al ver que perdía fuerzas. Todo era una revolución, los empleados estaban claramente alterados, jamás había ocurrido algo semejante ahí. El conglomerado era un sitio seguro.

—¿Puedes caminar? Tenemos que atender tu brazo y debes explicármelo todo —la instó agobiado. La chica asintió sujetando la herida con fuerza. El hombre se quitó la corbata y la amarró justo ahí. Lucía muy pálida, sabía que ella no debía tener esas impresiones. De pronto, Cristóbal apareció con el semblante absolutamente descompuesto. Abrió los ojos de par en par al verla así, sudorosa, despeinada... sangrando.

—¡¿Qué carajos?! —rugió. La joven notó su presencia y se pegó a él importándole nada donde se hallaban. La recibió llenó de angustia, de temor. Lloraba. Blanca le había dicho que algo ocurrió con ella, por eso salió corriendo, además de los gritos que lo alertaron. Muchos empleados aún estaban ahí, aturdidos, murmurando.

—Vuelvan a sus lugares, todo está controlado. En cuanto sepamos qué ocurrió se lo haremos saber, mientras tanto ni una palabra fuera de aquí —ordenó el jefe de seguridad con voz grave—. Señor, por favor, vayamos a su oficina, ya llamaron a un médico.

Kristián temblaba, sudaba y sollozaba. No lo resistió, la tomó en brazos llevándola hasta la seguridad de aquellas paredes importándole un comino que los estuvieran observando.

La acomodó en el sofá. Jimena y Blanca venían detrás. Gimieron asustadas al verla toda manchada, pálida. Cristóbal sintió el alma comprimida. No podía estar ocurriendo algo semejante.

—Señoritas, por favor salgan, guarden la calma afuera. Un médico vendrá, un escolta estará en la puerta, nadie puede pasar si no está autorizado por mí —anunció Roberto, mirando preocupado a Kristián que no soltaba a su jefe.

—¿Qué ocurrió? —quiso saber Cristóbal besando una y otra vez la cabellera de la joven. De pronto esta se levantó y corrió al baño. Roberto negó. ¡Cómo era que algo así había pasado frente a sus jodidas narices!, era un maldito error imperdonable.

Cristóbal salió tras ella, como imaginó, entró cerrando tras de sí. Kristián tenía un aspecto deplorable y devolvía todo lo que en su estómago había, una y otra vez. Frotó su espalda aguardando. Se sentía al borde de la preocupación, necesitaba saber qué pasó, pero la veía tan mal, herida, que no sabía qué hacer.

Cuando terminó, con sumo cuidado, lavó su rostro y sus manos. No tenía idea de con qué y cómo se había hecho esa herida que cubría aquella corbata, pero no daba crédito a lo que estaba ocurriendo, no a ella, no ahí. Humedeció su cuello y la secó como si fuese una muñequita.

—Necesito sentarme —anunció la joven mirándolo por el espejo, con los ojos lagrimosos. La rodeó asintiendo, dejando que sacara toda su angustia. Deseaba decirle que ya pasó, que estaría bien y no poder siquiera prometerlo, lo hizo enfurecer. Era su mujer, su hijo, ¿cómo algo así ocurrió?

Salieron unos minutos después. Roberto hablaba por el móvil, lucía descompuesto, molesto.

La recostó sobre el sillón con delicadeza.

—¡¿Qué mierdas pasó aquí?! —rugió girándose hacia él, con los puños apretados, desbordados de coraje.

—Ella... ella estaba con Lorenzo —habló Kristián desde su lugar, mirándolo fijamente. Roberto se acercó de inmediato—. Sabía de ti, de mí y dice que el ahijado de Lorenzo... Sacará a tu exesposa de la cárcel... No sé, creo que... estaba con ese hombre, que está embarazada de Lorenzo —logró explicar, pero le dolía la cabeza y las náuseas no se iban, además el brazo le punzaba—. Fue ella la de los anónimos, es de Recursos Humanos, tiene mis datos —musitó con la boca seca—. Me duele —se quejó haciendo una mueca, tocándose el brazo con cuidado. Cristóbal, claramente fuera de sí, se acercó, buscando serenarse y besó su frente.

—¿Dónde carajos está el médico, Roberto? Lo quiero aquí ahora —bramó con amenaza, ansiando que a ella no le doliera absolutamente nada.

—Ya entró al edificio, está subiendo —informó. Kristián acarició su rostro.

—No te enojes, no me gustas así —le pidió sonriendo con congoja. Quería golpear a alguien, deseaba que todo ese maldito infierno acabara y que esa mujer muriera de una jodida vez.

—No puedes pedirme que me controle cuando te veo así, cuando... —y giró hacia su escolta, furioso—, entró hasta aquí, armada, trabajaba en la empresa y te hizo daño. —Lo hizo virar con su delgada mano.

—Estamos bien, solo me lastimó el brazo, no moriré por ello... Por favor, escucha, esto debe tener una razón, confía... —le suplicó notando como se retraía, como se alejaba. Algo en su mirada felina se lo demostraba.

El doctor llegó, la revisó y tuvo que darle varios puntos ya que la herida era profunda. Roberto los dejó solos, con la información que tenía, por el momento era suficiente. Kristián aguantó todo con valentía, como solía. Cuando terminaron, ella ya lucía verdaderamente exhausta.

—No se preocupen, en ochos días los quitamos. Su bebé, en la medida que continúe así, tranquila, él lo estará... Fue un tremendo susto, así que aconsejo que descanse. Eso hará que recupere fuerzas y en cuanto pueda, coma algo, le daré un medicamento para evitar infección que no se contrapone con el embarazo, pero hable con su ginecólogo para corroborarlo, si eso la hace sentir más tranquila. —Ella asintió mientras Cristóbal la mantenía rodeada por la cadera, pero con gesto frío, ya estaba pensando a mil por hora, lo conocía, su expresión calculadora había retornado.

Una vez solos, Kristián tomó su barbilla con su dedo índice y lo hizo voltear.

—No te escondas de nuevo —le suplicó aún pálida. El hombre cerró los ojos y besó su frente con aprensión.

—Debes ir a descansar, Sirena, anda. —Se iba a levantar, lo detuvo.

—Escucha, esto no es tu culpa, ¿comprendes? No entiendo bien, pero ese hombre me odiaba a mí y no sé cómo supo que entre tú y yo había algo. Eso no te hace responsable, las mentes retorcidas existen. —Tenía huecos de información que necesitaba llenar, sin embargo, deseaba que no se endureciera nuevamente.

—Kris, ese hombre te odiaba porque yo de alguna manera también lo propicié, además, hay partes de esta historia que aún no cuadran. Por favor, vamos a que descanses, el bebé y tú son ahora lo primero y ya no soporto saberlos aquí por hoy, ¿sí? —suplicó contenido. Ella asintió derrotada, se sentía agotada y preocupada.

—Quiero saber lo que averigüen, tengo derecho —declaró de pie, junto a la puerta. Él asintió serio y abrió.

Llegaron al apartamento minutos después. Durante el trayecto la mantuvo abrazada, con su cabeza recargada en su hombro. Cada vez que veía el vendaje en su brazo rugía por dentro, pero ella no se quejó. Al detener el auto la ayudó a bajar con cuidado, seguía muy pálida. Ya dentro notó que iba muy lento, la tomó en brazos y la llevó hasta su habitación, sin que ella se opusiera. La bajó con cuidado mientras Kris solo lo observaba, atenta, cauta, triste. La ayudó con sumo cuidado a que se mudara de ropa por una limpia, la arropó con una frazada y besó sus labios de forma fugaz.

—Debo hablar con Roberto, cualquier cosa estoy abajo, trata de dormir... —pidió agobiado, pues ella lo miraba un tanto temerosa y recelosa.

—¿Prendes el televisor? No podré dormir con este silencio —admitió como si fuese una niña. Cristóbal hizo lo que pidió, se hincó frente a su rostro y acarició su cabello.

—Solo cuídate, ¿sí? Eso es lo más importante, no me iré de aquí, Sirena. —Besó nuevamente sus labios. Lo observó cerrar tras de sí, sintiendo una opresión molesta en el pecho.

—Te estás yendo —musitó sintiendo una lágrima rodar por su mejilla.

23
Estoy vacío

—Ahora sí, quiero una maldita explicación a todo esto, Roberto —exigió apretando la quijada, dejando ver una vena salida en la frente, con los puños apretados. El hombre asintió, serio.

—Ya tengo toda la información y debe saber que, pese a que desde ayer ya intuimos que Lorenzo estaba implicado en lo de la señora Mayra, no estábamos seguros, pero jamás sospechamos de Larisa, la empleada que lastimó a Kristián —informó. Cristóbal se sirvió un trago y lo bebió de un jalón, para luego cruzarse de brazos, impaciente.

—Habla, mi mujer fue herida, en la empresa por una empleada sin aparente razón... Así que quiero explicaciones. No es posible que eso sucediera ahí, frente a todos, que Kristián hubiese estado expuesta todo este tiempo.

—Lo comprendo, señor. Bien, armé todo, espero que no me falte nada, de ser así durante de la tarde le daré la información que por ahora no posea. Lorenzo se percató de que algo ocurría entre... ella y usted, antes de ser liquidado. Ese hombre la siguió al ático, supongo que así lo confirmó. —Sintió ganas de ir a golpear a ese gran hijo de perra—. Él solía tener aventuras secretas siempre lejos de la empresa, pero tal parece que rompió la regla con la señorita Larisa. Duraron poco tiempo, pues cuando fue despedido le confesó encontrarse atraído por Kristián. —Cristóbal endureció la mirada, azorado, completamente asombrado. Con razón tanta insistencia en fastidiarla—. Cosas sin sentido nos dijo la mujer hace un rato, que no tiene caso repetir. El problema es que ella ya estaba embarazada. La joven, por no perderlo, fingió darle igual, fue así como se enteró de que Lorenzo había contactado a un ahijado suyo, que hacía años no frecuentaba y que acababa de terminar su carrera en Leyes, especializado en lo penal, le ofreció el caso, le habló de la señora Mayra, le dijo que si era inteligente vería la manera de crear otra bomba mediática y se pondría en el candelero. El joven aceptó, como sabe, no tiene muchos elementos, pero Lorenzo, disfrazando cantidades, dejó a su disposición dinero para lo que requiriera. Creo que él sabía que no lograría nada, salvo... fastidiarlo, que era su objetivo en realidad. Hace un par de días dejó definitivamente a la señorita Larisa, con la que planeó lo de los anónimos fingiendo ser su exmujer. Ella los colocaba en la mensajería y daba un pequeño soborno para que llegara al día siguiente. Pero ahora que se vio sola, supongo que, por la situación hormonal o el miedo, no sé, perdió la cabeza y dice que cuando la vio pasar, solo pensó que ella era la responsable de lo que le ocurría. Por eso la atacó... ahora está sufriendo una crisis nerviosa. Tuve que pedir la llevaran a un hospital y la están vigilando. Kristián debe denunciar, mañana si es posible. no creo que dure mucho tiempo encerrada, sobre todo porque de verdad la mujer perdió la proporción de todo y no para de disculparse.

—¿Me estás diciendo que Lorenzo está detrás de todo este jodido infierno? —replicó rabioso.

—Sí, no se ha puesto en contacto con la señora Mayra—Con solo escuchar su nombre el estómago se le revolvía—, pero en base a cartas que destruían, se puso a su disposición a través de su sobrino...

—Maldito bastardo, lo peor es que no se le puede hacer nada... —comprendió. No podía estarle ocurriendo eso justamente en ese momento. Un enemigo más y ahora no lo pagaría solo, si no ella y su hijo que, pese a no conocer aún, ya lo sentía presente.

—Se equivoca —arrugó la frente.

—¿A qué te refieres?

—Kristián ya había levantado un acta aquella ocasión que la lastimó en la empresa, eso quedó registrado. Ahora, con esto, el caso se puede abrir sin problema.

—Pero no ganará salvo quizá unos años, o libertad bajo fianza.

—El señor Gregorio ya está viendo eso, supongo que por la mañana tendrá noticias.

—¡Mierda! —rugió aferrándose la cabeza, girando hacia la enorme ventana.

—Les quiero pedir que por hoy no salgan de aquí, son precauciones que debo tomar. Y lamento mucho lo ocurrido, fue una negligencia que sé que podría costar mi empleo —dijo. Cristóbal lo miró de reojo, soltando todo el aire contenido.

—No tenían manera de saberlo, pero eso no me hace sentir más tranquilo, al contrario. Haz lo que tengas que hacer, no pienso salir hoy con Kristián así... —habló de nuevo perdido en el exterior.

¿Hasta dónde la estaba arrastrando? ¿Hasta dónde llevaría las cosas con tal de tenerla, de vivir ese sueño que sabía que no era para él?

—Bien, lo mantendré informado —Cristóbal solo asintió perdido en sus pensamientos y en sus miedos. Todo se resumía a ella, a lo que sentía, a lo que los últimos días se había permitido experimentar a su lado.

Subió varios minutos después, la joven no había cerrado los ojos. Se irguió al verlo entrar.

—Creí que ya dormías —murmuró de pie, sintiendo el peso de lo que ocurría.

—¿No te acercarás? —preguntó con cautela y un dejo de desilusión. Cristóbal se llevó un par de dedos al puente de la nariz.

—Kristián... —musitó.

—No, ¿dónde está «Sirena»? No lo hagas, no ahora por favor. Cristo, se solucionará, lo que sea será así. No me hagas esto —le rogó. Su carita lucía afligida, tierna como nunca, y vulnerable. Podía sentir, sin proponérselo, su desazón, el miedo a que se retrajera. Sin pensarlo mucho se recostó a su lado y la pegó a su pecho.

—Mi alma está llena de espacios oscuros, Kristián, de...

—Miedo —completó ella girándose un poco para verlo. Él asintió, serio.

—Cuando se trata de ti, del bebé, es terror... Y eso me coloca en una posición más vulnerable que antes.

—¿Y eso es malo? —Él acarició su mejilla, reflexivo.

—Es nuevo, es... algo que no contemplaba... —admitió. La joven se volteó por completo y sin importarle mucho el brazo, se escondió en su pecho.

—No me iré, aquí estoy, a tu lado... Solo date cuenta —murmuró. Él acarició su melena besando su cabeza.

—¿No tienes sueño? —preguntó cambiando de tema, deleitado por su aroma que iba diluyendo, conforme entraba en su sistema, todos los fantasmas que volvían a crecer.

—Fue... tan aterrador —confesó sin separarse. Le narró todo tal cual mientras él la escuchaba, después la puso al tanto de lo que sabía. Al final, sin lograr que descansara, bajaron a que comiera algo. Merendaron en silencio. Cada uno sumergido en sus pensamientos, en sus temores.

El corazón de Kristián comenzaba a ralentizarse, sentía, sin dificultad como él se replegaba, como en esa mente potente, maquinaba algo. Ya no sabía qué hacer, estar a su lado era mágico, fantástico en realidad, mejor de lo que nunca creyó. Se sentía completa y pese a las pérdidas, alegre. Lo sentía en su piel, en su sistema, en su mente, pero vivía a la espera. Cristóbal era complejo, demasiado, y percibía cómo dudaba, nuevamente, de lo que fuera que existiera entre ambos.

No tenía idea de sus sentimientos, menos de sus planes o de lo que deseara y eso, eso comenzaba a hacer mella en su interior, en su seguridad. Lo quería, incluso sentía algo ya mucho más hondo por él, pero no era una mujer que pudiera vivir así, en el filo. De alguna manera, como todos, necesitaba certezas y ahí, a su lado, no había ni una. En un momento era inigualable, al siguiente, un glacial lejano que solo proyectaba frío.

Ya era tarde cuando el móvil de Cristóbal sonó, iban rumbo a la habitación dispuestos a dejar del lado ese espantoso día y descansar. Se detuvo, vio la pantalla y contestó serio, aún en la planta baja. Kristián ahora sí se sentía agotada, los párpados le pesaban y su cuerpo anhelaba recostarse. Se abrazó a sí misma aguardando, en silencio, pues él se lo pidió con la mirada. ¿Qué no haría ya por ese hombre? Pensó admirándolo. Fuerte, imponente y... tan lastimado.

—Buenas noches, Gregorio. —Lo escuchó. Kristián aguzó el oído y la vista. Ya ahí todo era penumbras.

—Lamento la hora, ¿cómo está Kristián? —preguntó el abogado.

—Bien. Íbamos a descansar, no ha dormido nada y mañana debe ir a declarar, pero no te preocupes. ¿Qué ocurre? —lo instó. La joven se recargó sobre el barandal de las escaleras, perdiendo su atención en las luces infinitas del exterior.

—Hijo, acabo de... me acaban de... No sé cómo decirlo —suspiró pesadamente al tiempo que Cristóbal desviaba la mirada hasta ella. Su pecho no dejaba de sentirse comprimido, ansioso, lucía tan vulnerable que lo hería—. Mayra se acaba de quitar la vida —dijo al fin. Dejó de mirar a Kristián, atónito. La sangre se detuvo, su corazón dejó de latir y sus pulmones ya no admitían oxígeno. No logró hablar por varios segundos, apretó el aparato sin saber qué pensar, qué sentir. Alivio hasta cierto punto y un monstruo por desearlo con tanta vehemencia. Pasó saliva, su piel cosquilleaba—. ¿Sigues ahí? —preguntó el hombre con cautela, comprendiendo lo que esa noticia implicaba para él, su familia y su vida.

—Gracias por informarme, Gregorio —soltó con voz críptica. Kristián giró de inmediato al oírlo hablar así, tan tenso. Al verlo, se paralizó. Lucía absolutamente descompuesto. Pestañeó arrugando el ceño.

—Hijo, date un respiro, por favor... Esto ya es demasiado y debes procesarlo. Te buscaré mañana, ¿de acuerdo? Solo deseaba que lo supieras. Por cierto, tengo noticias buenas sobre Lorenzo, pero creo que las podemos conversar después. Solo calma, Cristóbal, deja ir los fantasmas, comienza de nuevo —pidió. El hombre no lograba hilar un pensamiento.

—Nos vemos mañana, buenas noches —respondió con los ojos abiertos.

Los recuerdos se acumularon, lo golpearon como si una avalancha helada hubiera sido hecha simplemente para martirizarlo. Una década de situaciones, de aberraciones, la muerte de sus padres, los maltratos a su hermana, el odio infinito dedicado desde hacía dos años solo a ella, y a él, a lo que tuvieron. Un palacio de cristal salpicado de secretos, de momentos que solo le brindaron sentimientos de inconformidad.

—¿Qué pasa? —Esa voz, esa hermosa y delicada voz, cargada de esperanza, de fuerza, lo hizo girar.

Su mirada estaba llena de horror. Kristián no se movía, ladeó la cabeza y aguardó examinándolo. El hombre negó avanzando hasta los grandes ventanales, aún atónito.

Increíble que ya no existiera más y que el odio continuara, que fuera capaz de desear con toda su alma que una vida se perdiera y que así sucedería. Era abominable esa mujer y por lo mismo destapó en él un lado que aborrecía, ese lado maligno que deseaba la muerte, la desdicha, que imploraba cada día que ese ser desapareciera. Y ahora, que había sucedido, se sentía igual que antes, o peor, su lado oscuro, ese que toda la gente tiene pero que suele dominar, lo tenía consumido.

Lo deseó, lo consiguió. ¿Debía brincar de la alegría ante algo así? Sentía un alivio infinito. La seguridad de los suyos estaba al fin confirmada y esa etapa de su vida con su último aliento, se terminó, pero... ¿Y él? ¿Lo que hizo? ¿Lo que permitió? ¿Qué castigo tendría? ¿Cómo la vida se lo cobraría?

—Mayra, mi ex... esposa, se suicidó hoy —logró decir. Kristián abrió los ojos y la boca al mismo tiempo.

—Dios... —exclamó sorprendida. La observó negando.

—Él no tiene nada que ver en esto, Kristián —la corrigió. Su voz, ronca y su semblante intimidante, lejano, la alertaron más aún. Caminó hasta él lentamente.

—No sé qué decir —admitió a un metro de su imponente figura. Sus ojos parecían cargados de sentimientos que helaron su sangre.

—No hay nada qué decir. Ella terminó con su historia. —Mantenía sus puños apretados a los costados. La joven pestañeó sin comprender.

—¿Te... duele? —quiso saber un poco perdida. Cristóbal la evaluó como si hubiese enloquecido. ¿Cómo podía pensar semejante aberración?— Fue tu esposa, a lo mejor tú aún... —Terminó con la distancia que los separaba. La chica dio un respingo cuando la besó con dureza.

—¿No te has dado cuenta? —musitó rabioso, mirándola fijamente, aferrando su rostro. No supo qué contestar, no lo reconocía—. Te amo, Kristián, te amo como nunca amé... —confesó con vehemencia. Lágrimas acudieron a los ojos de ella. Sintió un enorme nudo en la garganta.

—¿Qué? —respondió aturdida. Él negó alejándose. Frotándose el cabello con desespero.

—Te amo, cómo no hacerlo. Eres un ser que atrapa, que con esa inigualable sonrisa doblega a cualquiera, que con esa mente somete al más fuerte, que regalas magia con tu sola presencia. ¿Qué otra cosa podría estar sintiendo por ti? —Le preguntó serio.

—Yo... No sé —tartamudeó. Cristóbal agachó el rostro entrelazando sus manos en la nuca.

—Todo lo que hago es por eso, porque no veo más allá de ti. Te metiste en mi alma, mujer, derribaste mis malditas defensas con una facilidad apabullante. Pero... —y la miró nuevamente—, no soy lo que mereces. Estoy lleno de demonios, vivo en un jodido infierno y no me perdonaría arrastrarte a él, a mi hijo... Creo que eso sería un acto absolutamente egoísta —admitió torturado. Sus palabras de inmediato la pusieron en tensión. Gesticuló con los ojos, negando levemente.

—No, no hagas esto, no me digas que me amas y que eso no cambia nada —susurró azorada, abatida. El hombre se dejó caer con las rodillas flexionadas, recargando la espalda sobre una de las grandes ventanas, cubriéndose el rostro.

—No soy mejor que ella —confesó con la voz quebrada—. Estuve ahí, ¿comprendes? —La joven, sin dar crédito de nada, se sentó sobre un sillón mirando sus pies con los ojos bien abiertos.

—No, no te comprendo. No te entiendo en lo absoluto y necesito hacerlo porque me estás enloqueciendo —admitió con lágrimas, observándolo ahora. Cristóbal se limpió con el antebrazo el líquido que emanaba de sus ojos. Lloraba también, comprendió ella. Su pecho dolía, pesaba, ardía. Lo tenía, pero no estaría a su lado. ¿Eso no era demasiado enrevesado?

—Lamento mucho arrastrarte a todo esto. Lamento no haberme podido resistir y llevar las cosas hasta aquí. No pensé que... ese deseo se transformaría en lo mejor de mis días, en que... serías lo más puro y genuino que jamás he tenido.

—Quiero saber la verdad, quiero entenderte, simplemente ya no puedo con esto... Sé que me lo advertiste, que me dijiste que no darías más.

Pero tampoco pude alejarme, me duele ver como te torturas, como luchas y no logras brincar todo lo que te consume. Te necesito constante, no perfecto. Sé que tienes tu carga, yo la mía, solo que no quieres compartirla, no quieres deshacerte de ella y no puedo hacer nada al respecto. Me está doliendo ya demasiado esto. Desde que esa mujer me hirió, noto como te vas alejando y me estás lastimando. Ya no podré seguir después de haber descubierto tu otra parte, esa que me hechiza, que me embruja, que me hace desear todo de ti. Por favor... Dímelo, necesito saber —le rogó con voz ahogada, limpiándose una y otra vez el rostro. Cristóbal la miró dolido, arrepentido, con temor, pero sabía que era el momento, así que lo haría, ella merecía saberlo todo.

—Yo... yo tenía una vida resuelta, era un joven que... nada le preocupaba y sabía que su futuro estaba más que asegurado. A los veinte años ya estudiaba la carrera, cuando acabara, haría una maestría en Londres y después, me iría involucrando en todo lo concerniente al conglomerado. Sonaba bien, ¿no? —Se burló de sí mismo con la atención centrada en un punto de aquel lujoso apartamento—. Pero, como en todas las malditas historias, algo ocurrió... Mis padres, esos que nos mimaban a mi hermana y a mí, que... nos complacían y nos cuidaban todo el tiempo, murieron en un accidente provocado por un infarto de mi padre. Cuando me enteré de lo ocurrido, simplemente no lo pude creer, ya sabes, no sientes que sea real. —Negó con la mano en la barbilla, serio, aún sin verla—. Andrea, mi hermana, apenas tenía diez años —murmuró con voz quebrada—. Era como si de pronto mi brújula, mi guía, hubiese desaparecido y no tuviera idea de qué dirección seguir. Un mundo de situaciones cayó sobre mí y... no estaba listo. De inmediato, pese al dolor que experimentaba, el terror, tuve que afrontar lo inminente. Tenía que hacerme cargo de mi hermana, de un conglomerado, y de mí. No me quejé, era lo que me correspondía, así que lo asumí. —Silenció por varios segundos.

—Tomé el control de la empresa sin tener idea de cómo. Gregorio estuvo a mi lado, así como... la nueva niñera de mi hermana. Ella entró meses antes de que mis padres murieran. Debía ayudar a Ana, la nana de Andrea, pero esta de pronto enfermó... —Rio de nuevo negando, recordando la razón—. Mayra, una mujer cuatro años mayor que yo, comenzó a volverse indispensable. Cuando ocurrió todo, ella... se aparecía donde yo estaba, me consolaba, me inyectaba ánimos, me hacía sentir capaz cuando creía que todo me consumiría. Se hacía cargo de mi hermana, y yo... yo se lo agradecía porque apenas si podía conmigo, con la universidad, la casa, la empresa... Fui un maldito imbécil. Esa mujer lo tenía todo planeado. Me odiaba y odiaba a mi familia. A los dos años, creyendo que era lo que debía, sintiendo una gratitud enorme por ella, convencido de que la quería por estar a mi lado cuando todo me ahogaba, le pedí matrimonio. Esa mujer, esa maldita arpía —soltó con fiereza—. Mató a mis padres, fue la responsable de aquel infarto. Maltrató, humilló, golpeó y casi hundió a mi hermana. Durante diez malditos años lo hizo. Y... yo estaba ahí, dormía con ella... La creía buena, una mujer noble por hacerse cargo de lo que no le correspondía, por lidiar con una niña que era imposible desde que se quedó huérfana. Fraguó cada maldito detalle. Todo. Me usó y yo lo permití sin sospecharlo. Me acomodé en esa maldita mentira en la que creía. Le permití llegar hasta donde quiso, y... jamás me lo perdonaré. Estaba muy ocupado en ser bueno en lo que debía. Mis estudios, luego la maestría aquí en la capital, crecer, madurar, aprender a defenderme, a atacar, no arriesgar lo que mis padres nos dejaron, madurar, que me respetaran pese a ser un niñato que lo había heredado todo y no tenía idea de nada.

Kristián continuó llorando en silencio. Observándolo, escuchándolo, sintiendo su historia en cada poro, imaginándolo en esos momentos. Lucía ahora tan fuerte, pero era una coraza para un corazón frágil, lleno de temor y de heridas.

—Ella, ella luchaba por pertenecer a la sociedad. Todo el tiempo decía que deseaba que me sintiera orgulloso y se mostraba vulnerable, desolada cuando Andrea la agredía. Mi hermana se fue consumiendo bajo mis narices y yo preferí creer que era parte de todo, del no querer enfrentar el hecho de la partida de mis padres, de ser una niña mimada que todo lo tenía, caprichosa, como me decía esa... Mayra. Supongo que me era más cómodo creer eso, consolarla y seguir. La empresa era todo. Ser el mejor y mantenerla en su posición, mi única meta, mi motivo. Ya había perdido parte de mi juventud ahí, debía hacer que valiera. Andrea y yo cada vez nos alejábamos más, discutíamos todo el tiempo. Yo ya no sabía qué hacer y cada día era peor. Mayra lloraba durante horas desolada y mi hermana se mostraba ausente, fría e indiferente. Creí que... se drogaba, que... Dios, no puedo repetirte todo aquello por lo que la juzgué y era mentira, una jodida y aberrante mentira que me tragué sin pensarlo a pesar de que era mi sangre, a pesar de que siempre fue mi adoración y yo la de ella cuando nada de eso había sucedido. Un día, Andrea se involucró en un asalto que tuvo como resultado un herido. Logré, con las influencias que ya tenía, que no la procesaran y que no la ficharan, pero debía irse a un sitio donde dejara esa mala conducta. Mi mejor amigo, tiene una hacienda en Veracruz y... la aceptó ahí por un año. —De nuevo no habló por unos segundos. Se frotó el rostro, limpiándose con rudeza los ojos y... la miró. Culpable, arrepentido, sintiéndose sucio, alguien marcado. Kristián sollozaba ahí, sentada en aquel sofá. Quería acercarse y acunarla, consolarla por lo que generaba en su interior con sus palabras, quería que riera y así lo contagiara de esa paz, de esa vitalidad, de esas ganas de vivir.

—Gracias a ese incidente se descubrió la verdad pues ellos comenzaron una relación, mi hermana se lo confesó todo, él... la creyó... —soltó con ironía—. Investigó a... esa mujer y no encontró nada, pero ella supo que lo hacían. Su poder creció tanto con el paso de los años gracias a las fuertes sumas que le daba para compensarla por todo lo que hacía, para hacerla sentir feliz pese a mi lejanía, pese a no estar con ella en todo momento, que... usó ese dinero para hacer daño, mucho. Un día descubrió que mi hermana había explicado todo, la amenazó con la integridad de su ahora esposo y, como vino haciendo durante años, con mi vida. —Kristián se tapó los labios, azorada—. Sí, así la mantuvo sometida, chantaje tras chantaje. Ella hizo que mi hermana, cuando mis padres salían de casa aquel día que murieron, le diera a mi padre una pastilla que le provocaría un infarto, cuando él tomaba una a diario para evitarlo. Cuando murieron... le confesó a Andrea qué era eso que le dio. Era una niña y ella la amenazó con meterla presa. Envenenó a su caballo cuando se opuso a nuestra boda, casi muere ella por eso. Y después, después de ver que no lograba doblegarla porque... —Sonrió mirándola con lágrimas en los ojos, en las mejillas —, era tan fuerte como tú, tan orgullosa como tú, tan... noble como tú... Y eso, eso lo usó, le dijo que me mataría. Andrea no tuvo más remedio que someterse y pese a ello luchó, y cada vez que lo hacía le provocaba una herida más. Eso... todo eso sucedió en mi casa, con mi hermana, ese monstruo era mi esposa. ¿Cómo perdonarme tanta aberración? Destruyó a mi familia, a ella, y... jamás me di cuenta, y eso... eso también es monstruoso, porque me convierte en corresponsable de todo, porque pese a que no era feliz, preferí la comodidad, elegí luchar por cosas que no tenían sentido, le abrí mi mundo para destruirlo por completo. ¿Comprendes?

—No es tu culpa, no es tu responsabilidad todo eso, Cristóbal —sollozó ella abrazándose a sí misma, impresionada por todo lo que ese hombre pasó, por lo que tuvo que vivir. No daba crédito a tanto dolor, tanto odio, ser víctima de tales aberraciones no podía ser cierto. Se meció sintiendo su congoja, con la piel erizada, con el corazón comprimido. Se acercó al no poder más, se sentó a su lado y lo abrazó sin pedir permiso. Cristóbal la rodeó escondiendo su rostro en el hueco de su cuello dejando salir lo que nunca se permitió.

—Fui débil, fui ciego, fui... fui un maldito imbécil. No sabes las veces que le grité, que la insulté. Era mi hermana y no la conocía. —La mujer lloró a su lado, sintiendo su pecho subir y bajar debido a la marea de sentimientos que emergía al fin—. No puedo perdonarme, no puedo, Kristián, no soy mejor que ella... Jamás lo seré —aseguró derramando ese líquido sobre su piel.

—Deja de hacerte esto, deja eso atrás... Vive, olvida, perdona... —le suplicó chillando. Él la separó, afligido. Tomó su rostro con ambas manos.

—¿Cómo? Ahora que te conocí, temo herirte, temo oscurecer tu alegría, tu luz. No estoy listo para ser lo que mereces. Deseé que muriera cada maldito día desde que supe lo que era, lo deseé con todas mis fuerzas, y... ocurrió. ¿En qué me convierte eso? ¿Cómo pagaré mi parte? —Ella negó sorbiendo el llanto, acercando una mano a su mejilla.

—Era lógico que lo quisieras, por favor compréndelo. No permitas que también termine con lo que tienes por delante. Ya destruyó tu pasado, tu familia, no dejes que lo haga con tu futuro. Por favor —suplicó. Cristóbal se mordió el labio observándola, besó su frente y se levantó.

—Ella terminó en prisión gracias a todo lo que hizo. Gran parte de mi personal y un accionista estuvieron involucrados de alguna forma, incluso la gente que laboraba en mi casa. Durante el proceso, descubrimos que es una sociópata y desde ese momento temimos que lo usara para apelar. Gracias al cielo, su soberbia, no le permitió usar su enfermedad para ayudar al ahijado de Lorenzo en este nuevo embate y... supongo que por eso se quitó la vida. No iba a salir jamás. Y... ¿Sabes qué siento? No siento nada, no siento alegría, no siento tristeza, no siento coraje —expuso. Ella se incorporó, buscó acercarse, él retrocedió.

—Cristóbal —rogó con tristeza.

—No, no... Estoy vacío, no me siento capaz de dar por ahora nada. —Su sangre se heló al escucharlo—. Necesito... necesito acomodar esto, Kristián, por favor, yo... solo... —Y anduvo hacia las escaleras, negando—. No permitas que te arrastre, por ahora no tengo nada bueno que dar, lo siento, pero no ensuciaré lo único bueno que he tenido, eso ya sería el colmo —aseguró consumido y subió dejándola sola ahí, en medio de la sala. La amaba, no era ningún estúpido, lo que sentía no podía ser otra cosa, por lo mismo se tenía que alejar.

La joven lo observó. Las lágrimas salían sin poder contenerlas. No podía estar sucediendo. Se tapó el rostro al escuchar la puerta de su habitación cerrarse. La amaba y de nada valía. Después de varios minutos donde su cuerpo no dejaba de hipear, subió desganada. Entró a su habitación y pese al cansancio comenzó a empacarlo todo.

Una hora después la cabeza le punzaba, debía dormir. Cerró los ojos recostada sobre la cama. No tenía ya nada qué hacer ahí, esa lucha era de él y no podía permitir que la arrastrara, menos ahora que debía velar por ese pequeño que absorbía su angustia. Si no peleaba contra sus demonios por ellos, entonces no podría hacer nada al respecto. Cada uno tenía sus batallas y pese a que la amaba, ahora lo comprendía, no le correspondía pelear esa guerra, no si él no lo quería así. Con el rostro húmedo, se entregó al sueño que, pese a todo, logró hacerle olvidar ese horrible y largo día.

24

PALPITACIONES

Cristóbal vio el sol salir perdido en sus recuerdos, en la memoria de cada momento, de cada detalle. Revivirlo todo lo tenía agotado, pero de alguna manera tenía que cerrar ese círculo. Necesitaba acabar con eso. Kristián lo merecía. Ella y su hijo debían estar a su lado. Quería hacerlo y para ello debía encontrarse de nuevo, escarbar en su pasado, desenterrar lo que solía desear, lo que solía querer, lo que solía ser. La amaba. La amaba demasiado pese al poco tiempo que hacía que la conocía. Eso que sentía no podía ser otra cosa, la prefería lejos que triste a su lado. Buscar conservar su sonrisa era lo más importante, su meta... y en ese instante se sentía incapaz de lograrlo, sin embargo, lucharía, pelearía, debía hacerlo porque pese a sentir que no era la mejor opción para alguien como esa sirena que lo embrujaba, la necesitaba. Era consciente de que no podría seguir si la tenía lejos, sin su olor, sin su sabor y mucho menos sin su mente vital, única. Pero en ese instante, no era la mejor compañía, debía acomodar sus ideas, sus sentimientos, alejar aquello con lo que convivió durante años. Ella merecía la mejor versión de sí mismo, la conseguiría y se lo mostraría.

Se frotó el rostro hundiéndolo entre sus piernas flexionadas. ¿Cómo se limpiaba el alma? Kristián debía estar ya en su habitación, seguramente dormida, herida nuevamente por no saber cómo enfrentar esa maldita realidad. Cuando estaba solo, era sencillo, no temía y podía vivir sumido en su inmundicia, pero ya nada era como debía, eso era aterrador y alentador al mismo tiempo y debía encontrar la manera de llegar hasta el centro de su ser, tirar al drenaje toda esa mierda y emerger.

Nadó un par de horas en la piscina. Había quedado con Gregorio por la mañana. Lo tranquilizaba saber que tendría buenas noticias respecto a Lorenzo, eso mantendría a salvo a Kristián y a ese bebé que ya vivía en sus pensamientos todo el tiempo y que ansiaba conocer.

Al salir, ya había amanecido. Ella descendía en silencio enfundada en un vestido azul eléctrico que la hacía ver sencillamente bellísima.

Lo vio con la toalla enredada en su torso y su bermuda húmeda. Se tragó todo lo que provocaba. No era el momento, ya no.

—Desayunaré algo —le informó sin detener sus ojos más tiempo del indispensable sobre su cuerpo—. Los abogados de Gregorio ya me esperan en la empresa —completó con tono gélido. Parecía tan lejana, tan fría y al mismo tiempo tan vulnerable. La observó verter jugo en un vaso y tomar una manzana. ¿No comería? Se sentía aún más sumido al verla, una herida más y no podría evitarlo.

—Bien —logró decir sin moverse. Comprendiendo su actitud, pese a que le dolía como si le estuviese ardiendo por dentro y por fuera.

—Mi equipaje está listo. Le pediré a uno de los chicos que lo baje, ¿te parece? —Se iba. Apretó los puños dimensionando lo que ahí ocurría. Ella se marchaba. No lo confrontaría, no le diría nada más. Era lo mejor.

—Kristián —la nombró despacio. La joven negó subiendo nuevamente las escaleras. Lo miró con los ojos vidriosos.

—No lo hagas de nuevo, ya no... Simplemente —observó el techo limpiándose la mejilla—. Debo irme, tú haz lo que debes hacer —declaró avanzando.

Minutos después bajó y salió colocando el dedo sobre el lector. No dijo nada, ni siquiera parecía percatarse de su presencia, de cómo la veía avanzar por el pasillo preso de una marea de ansiedad, perdido en la inmensidad de lo que por esa mujer sentía, temiendo no estar haciendo lo correcto. Si la perdía, sabía muy bien que no la recuperaría, no a ella, no con esa forma que tenía de ser. Kristián daba todo y retiraba todo.

Apretó los puños cerrando sus sensaciones. Ella merecía felicidad, él no se la podía dar, así de simple, así de fuerte.

Salió media hora después. Gregorio lo recibió serio, evaluándolo.

—Ya Kristián está denunciando —le informó cuando lo pasaba al desayunador. No tenía hambre, las palmas le sudaban y se sentía al límite de sus fuerzas, de su mente y de su alma.

—Lo sé —respondió. El hombre le sirvió café, examinándolo.

—¿Cómo te encuentras? —preguntó cauto. Cristóbal jugó un poco con el asa de su taza. Se encogió de hombros dejando vagar la vista por ese agradable jardín.

—Perdido, muy perdido —admitió por primera vez en su vida. Gregorio negó con pesar. Ni siquiera cuando sus padres murieron y el mundo se le vino encima, dijo tal cosa.

—¿Qué ha pasado con ella? —Sin mirarlo sacudió la cabeza de forma negativa.

—No me siento capaz de ser por ahora lo que merece —musitó ahogándose en su pesar.

—¿Qué sientes por esa muchacha, Cristóbal? —Ahora sí lo miró, entornando los ojos.

—Lo sabes bien. Jamás habría dado por nadie lo que he dado por ella… —reviró. Gregorio sonrió complacido, aliviado, a decir verdad, aunque sí, ya lo sabía. Cristóbal la miraba de una manera en la que jamás, ni de adolescente, notó mirase a nadie. La trataba con cuidado y buscaba su bienestar por todos los medios, no era solo su hijo lo que importaba, sino el hecho de que fuera de ella, de esa linda mujer—. Pero eso no cambia nada.

—¿Y ella? —lo cuestionó. La nostalgia y el miedo que leyó en sus ojos lo intrigó.

—Ella también, pero… —sacudió la cabeza— no sé cuánto tiempo más —admitió turbado.

—Cristóbal, ya basta, basta por favor. No te autodestruyas, esa mujer terminó con su vida y con ella, todo debe enterrarse. Suelta tu alma, libérala ya. Andrea, Matías y yo estamos preocupados por ti, siempre. Pasas los días, uno tras otro, así, sin vivir, sin motivo. No permitas que esto continúe. Ve nuevamente a una terapia, supera esto. Destierra ese pasado y construye algo nuevo. Ahora tendrás un hijo, hay una buena mujer que te quiere, ¿qué más quieres? —Lo cuestionó con fervor.

—Temo que no sea real, temo que no ser lo que ella cree, temo... no ser lo que ella merece. Ni siquiera siento conocerme a mí mismo. —Gregorio se frotó la frente.

—Escucha, una vez apostaste por un enorme error, eso es verdad, pero eras un chico. Por Dios, todavía te recuerdo completamente aturdido. Con el tiempo, te convertiste en un hombre fuerte, preparado, inteligente. Eres tenaz, eres perseverante. Todo ese mundo que debías conquistar te absorbió, era natural que no vieses lo que en realidad ocurría. Pero cuando lo supiste, rectificaste, lo enderezaste e hiciste lo que debías, como siempre. Eres frontal y jamás un cobarde. Enfrenta esto de una vez.

—Buscaré ayuda, Gregorio. Sé que es necesario —aceptó. El hombre sonrió genuinamente por primera vez en muchas horas.

—Y dile a esa linda joven que lo harás... Ella será la madre de tu hijo, hazla tu pareja, Cristóbal —lo observó reflexivo. Iría a las sesiones y vería cómo era la mejor manera de manejar todo, ya no quería herirla, no más. Deseaba y necesitaba hacer las cosas bien. Y a lo mejor podía invitarla a salir, mostrarle la parte que a nadie nunca mostró, la que tampoco tuvo oportunidad de vivir. Citas, flores, ir al cine como cualquier pareja, llevarla a cenar, cortejarla, hacerla sentir su eje, su motor y observarla reír todo el tiempo, deseaba entrelazar sus dedos y pasear por ahí, verla cumplir sus sueños, compartir sus anhelos, hacerla sentir lo único en su vida.

—Cambiemos de tema... Mejor dame las buenas noticias. Lo que ayer ocurrió me tiene aún furioso y ese imbécil de Lorenzo no lo quiero por ahí, tan campante. —De nuevo su fachada regia, seria, inaccesible, esa con la que se presentaba ante el mundo.

Gregorio, al saberlo todo, armó el rompecabezas por completo y logró comunicarse con ese hombre, Lorenzo. Le informó que al día siguiente se haría una denuncia contra Larisa y le hizo saber que estaría implicado, eso, aunado a lo que Kristián había asentado en un acta hacía meses, lo meterían en problemas legales serios, pues todo apuntaba a una venganza de su parte. Su nombre no saldría limpio, las repercusiones en su vida profesional y financiera serían terribles. Eso sin contar que haría todo para que la fianza fuera elevada o lograr por los menos un par de años entre rejas. Como buen cobarde, temió todo eso, así que Gregorio le ofreció salir del país y entrevistarse en Anchorage, Alaska, con una empresa que solicitaba gente con sus aptitudes, conocía al dueño y podía quedar ahí bien colocado. La única condición era que no regresara a México y que lo mantendría vigilado. El hombre se mostró alegre de poder escabullirse de lo que provocó, importándole muy poco la situación en la que dejó a Larisa. Gregorio no era feliz con eso, pero era una forma de mantener al enemigo cerca y asegurar de una maldita vez una vida tranquila para Cristóbal. La condición fue que debía mandar dinero para la manutención de ese bebé, pues después de que el día anterior estuvo siendo observada por médicos, se pudo corroborar que sí, estaba alterada y que el embarazo, aunado a su situación detonó un momento de estrés que la rebasó. Por lo mismo necesitaba terapia que Lorenzo tenía la obligación de pagar y él se encargaría de que no pisara ni un segundo la cárcel.

—¡Esto sí que fue un lío! —comprendió Cristóbal asombrado por los alcances y mente de su abogado.

—Lo fue, pero si no lo hago así, ella pasará varios años en la cárcel. El odio de él crecerá y lo alimentaremos. Al enemigo cerca, Cristóbal. Lo prefiero así —confirmó con suficiencia. El joven asintió serio. Ese tipo de asuntos solía dejarlos en sus manos y en ese momento, más que nunca.

—No estoy de acuerdo en gratificarlo después de tantas bajezas. En realidad, hubiera querido darle una golpiza por todo lo que generó. —Gregorio rio comprendiéndolo.

—Se la merecía, pero ahora debemos pensar más allá —le recordó. Cristóbal sabía a qué se refería, así que no dijo nada. La seguridad de ella y su hijo era lo primero y lo sería siempre.

Llegó a la empresa, antes que Kristián. Observó, sin detenerse, su lugar. No tenía ni idea de lo que sería regresar a ese apartamento sin su energía salpicándolo todo, pero estaba seguro de que no le agradaría.

—Señor —le habló Jimena desde su escritorio, lucía afligida—, ¿sabe cómo siguió Kristián? Ayer no respondió su celular y tampoco el teléfono de su casa —preguntó agobiada. Él sonrió asintiendo.

—Está bien, ahora está declarando y no tardará en llegar, lo podrán ver con sus propios ojos —afirmó. Las jóvenes sonrieron agradecidas, más tranquilas. Para ninguna pasó desapercibido su comportamiento el día anterior cuando todo aquello ocurrió, un león hubiese sido menos amenazante, prácticamente la cubrió y protegió con su piel sin permitir que nadie se acercara, eso sin contar su rostro completamente desencajado, descompuesto por la angustia, perdido en los rasgos ansiosos de su asistente.

—Gracias, otra cosa... La señorita Daria exigió esperarlo en su oficina, acaba de entrar hace cinco minutos —le informó inescrutable. Su semblante cambió. Odiaba que esa mujer fuera tan insistente y se tomara esas atribuciones. Tuvieron una aventura hacía más de un año, que duró tan solo dos semanas. Era absorbente, posesiva y le desesperaba su superficialidad. Asintió molesto.

—Avisa a seguridad que no puede volver a llegar a este piso, que me espere en la recepción general. ¿Entendido? —ordenó. Jimena asintió ocultando su alegría, no la soportaba.

—Blanca, pide los balances a finanzas y los dejas sobre el escritorio de Kristián —pidió y un segundo después llenó de aire sus pulmones y entró. No quería ver a esa mujer merodeando por ahí, no a esa, ni a ninguna otra. Solo aquella sirena tenía permiso para irrumpir en su vida como una tempestad, voltear su mundo de cabeza y seguir haciéndolo las veces que deseara, nadie más.

Kristián sentía en los hombros una pesadez. Le dolía el brazo y su cuerpo estaba tan agotado como su interior. El optimismo al que solía aferrarse no aparecía, todo dolía demasiado y lo único que la hacía sentir un poco mejor era saber que dentro de ella ese ser crecía. Debía estar tranquila, debía buscar la manera de enfrentar todo aquello con calma, ordenar su vida.

El tiempo volaba y cuando menos se diera cuenta estaría entre sus brazos, por lo que tenía que ser precavida, prepararlo todo. Confiaba en que la casa se vendiera pronto, buscaría un empleo que le diera lo que necesitaba para ambos, sabía que en cuanto a los gastos del pequeño no tendría que preocuparse, Cristóbal los tenía más que asumidos y ella no se negaría a ello, era responsabilidad de ambos.

Aun así, debía comenzar a mandar su currículo a empresas donde antes la habían buscado y decir la verdad, eso haría más complicado el proceso, pero si lo conseguía, garantizaría su tranquilidad económica. Después, con lo que ganase de la casa, debía comprar un sitio pequeño, algo cómodo donde el bebé y ella vivieran.

Sonrió por primera vez en el día imaginando su habitación. No se había pensado a sí misma como madre, no en esos momentos, pero saberlo ya tan próximo, la hacía sentir una onda cálida agradable. Sería la mejor y daría todo para que él o ella, se sintieran orgullosos. Dejaría las clases de danza en unos meses, tan pesada sería complicado y también después, no podía estarlo llevando y trayendo por todos lados sin más, salía demasiado tarde. Eso tampoco la entristeció, no como cuando supo que debía dejarlo definitivamente, esto tenía un motivo mucho más dulce, mucho más hermoso.

Llegó a su escritorio frotándose el cuello, en cuanto estuviera en casa comenzaría a planear y... debía descansar, sentía las palpitaciones de su corazón un poco más rápidas justo tras sus orejas. Tanta tensión podía perjudicarla y lo sabía, pese a que tentaba a veces de más al destino, ahora que el bebé se alimentaba de ella no podía hacerlo más. Debía relajarse como pudiera y descansar las próximas horas.

Sus compañeras no estaban, imaginó que fueron por un café, como solían, aunque le pareció extraño no verlas a las dos. Tomó los papeles que estaban sobre su escritorio. Seguramente Cristóbal los había pedido. Llenó de aire sus pulmones, no tenía idea de cómo manejaría ese mes que restaba, lo que sentía por él, lo que le dolía saber que la amaba y que no haría nada al respecto.

Abrió preparándose mentalmente, era una mujer madura, no una niña, podía...

Lo que vio hizo que sus palpitaciones se dispararan, que sus pulmones dolieran. Esa mujer, besándolo, ahí, en medio de la oficina. Cerró respirando con dificultad, aquel vértigo que no recordaba apareció, un sudor espesó entró por sus pies y viajó de forma enardecida por todo su cuerpo, se llevó la mano al pecho sintiendo un dolor en la caja torácica, con la otra se sujetó del escritorio y de pronto... la oscuridad la envolvió de tal forma que no se percató de como objetos caían, así como tampoco de que se daba un golpe en la cabeza.

Jimena y Blanca aparecieron con un café en la mano, tan solo habían ido al despachador un segundo, deseaban cuchichear un poco sobre esa mujer que ya no sería bienvenida. La primera fue la que notó ese cuerpo laxo sobre el frío piso.

Soltó su café, asustada y se acercó, mientras que la otra abría los ojos y dejaba la bebida sobre una superficie, papeles desparramados a su alrededor, así como algunos lápices y un adorno.

—¡Kristián! —la llamó arrodillándose a su lado, notando su palidez. De pronto la puerta se abrió. La mujer casi impacta con ellas.

—¡Muévanse! —rugió saliendo sin fijarse en nada salvo su ego herido ante el crudo y directo rechazo de Cristóbal.

El hombre asomó el rostro un segundo después. Al ver lo que ocurría, la sangre de su cuerpo se fugó. Se acercó rápidamente.

—¿Qué ocurrió? —quiso saber levantando con cuidado su torso. Estaba mortalmente pálida, su piel transpiraba, sus labios blancos y no reaccionaba.

—No sabemos, entramos y la vimos —chilló Blanca a un lado.

—Trae alcohol —ordenó levantándola de inmediato—. Tú trae algo dulce, ahora —y entró con ella entre sus brazos. La chica no reaccionaba, parecía completamente ajena. La recostó con sumo cuidado. ¿Qué habría sucedido? Seguramente el cansancio, estaba embarazada y lo último que tenía era esa jodida paz que merecía gracias a él. Hizo a un lado su flequillo y besó su frente—. Kris... Kris —la llamó, ella no daba señales de escucharlo. Sacudió su barbilla—. Kristián, abre los ojos —rogó. Las chicas llegaron, agitadas y con ellas por detrás, Roberto. Le dieron un algodón con alcohol, se lo pasó por la nariz varias veces. Ella no se movía.

—No despierta —musitó Jimena con las manos en los labios. De repente sus párpados comenzaron a aletear. Cristóbal sintió que su alma retornaba. Lucía mal, muy mal, unas profundas ojeras y su piel demasiado blanca, pese a su hermoso color apiñonado.

—¿Kristián? —la movió al ver que demoraba—. Kristián, abre los ojos —pidió preocupado. La chica, poco a poco lo hizo, hasta que al fin lo logró del todo. Tardó en comprender dónde estaba, enfocar las imágenes, pero al hacerlo, se removió abruptamente, levantándose sin más.

—¡Déjame! —ordenó dolida, todo bailó de nuevo y perdió las fuerzas. Cristóbal la logró sujetar antes de que cayera de lleno sobre el suelo nuevamente.

—¿Qué tiene? —preguntó Blanca, preocupada.

—Señor, perdone la intromisión, pero hay que llevarla al hospital, no debe demorar —apuntó. El hombre, sin comprender del todo sus palabras, asintió.

—Prepara el auto. Blanca, dale sus cosas a Roberto. Háganse cargo —ordenó. Y la elevó nuevamente cuidando su brazo herido. Sentía miedo, demasiado, pavor en realidad. No le gustaba en lo absoluto su semblante y rogaba porque nada malo les pasara, ni a ella ni al bebé, no lo resistiría. Salió de ahí sobrepasado de ansiedad. Ella comenzó a despertar cuando entraban en el auto.

Abrió los ojos, se sentía muy pesada, agotada.

—Vamos a que te revisen, tranquila —habló con suavidad. Lo hizo a un lado con dificultad. Cada movimiento era un triunfo, pero le importaba un comino, no lo quería cerca, ya no. Deseaba estar sola, llorar y sacarlo de una maldita vez de su sistema, de su vida, y aunque lo segundo sería ya imposible, se juró que lo primero lo lograría. No tenía ni idea de hasta dónde llegaría con tal de alejarla, con tal de enterrar eso que sentía por ella, pero no se quedaría para averiguarlo, si no pensaba luchar por lo que entre ambos existía, si no enfrentaría sus demonios y huiría, entonces no se quedaría para verlo, para que la lastimara más.

—No me toques —exigió con rabia. Cristóbal arrugó la frente sin entender del todo su comportamiento, no obstante, podía ser que ya no lo quisiera cerca, por la mañana se lo dijo.

—Estás muy pálida… —murmuró con cautela. Ella giró su rostro hacia el exterior, recostada en el respaldo.

—Ya me revisarán, tú ocúpate de lo tuyo —soltó sin mirarlo. Tanta indiferencia lo irritó, pero se la merecía y lo sabía.

—Tú eres mi responsabilidad. —La joven volteó, pese a su semblante carente de color, se veía claramente furiosa.

—No, yo no soy responsabilidad de nadie, y tuya, menos —declaró mirándolo fijamente. Por la mañana lucía triste, lejana, pero en ese instante parecía odiarlo y sentirlo en cada poro lo estaba aniquilando.

—Te equivocas, pero no lo discutiremos ahora, parece que en cualquier momento perderás el conocimiento de nuevo —soltó contenido, intentado darle su espacio, él la llevó hasta ahí y no discutiría en ese instante, no debía. La joven volteó nuevamente cerrando los ojos. La imagen se repetía una y otra vez y solo podía sentir que deseaba correr, correr tan lejos como pudiera. Lo odiaba por hacer eso, se odiaba por enamorarse de quien no debía, por no huir cuando se lo propuso.

Llegaron unos minutos después, intentó salir sola, pero al hacerlo, de nuevo el mareo. Sin pedir permiso él la tomó en brazos, bufando irritado.

—No te atrevas a quejarte aquí, no así —le advirtió al ver que abría la boca. La chica se tragó el orgullo, ciertamente se sentía algo preocupada y esperaba que nada se hubiera complicado. Al entrar Cristóbal la depositó en el suelo, la sentó sobre una silla de ruedas y solicitó que la atendieran.

Kristián le quitó su bolso y se dejó llevar por la enfermera al interior de Urgencias.

Cristóbal se sentó en una de las sillas azules, perdiendo la vista en el exterior. Deseaba verla salir de ahí sana, con sus mejillas sonrojadas. Se levantó media hora después en la que nadie salía para decirle algo. Al ver a la enfermera que la llevó, la detuvo.

—¿Cómo sigue la señorita? Nadie me ha informado sobre su estado.

—Están esperando a su cardiólogo, en cuanto llegue la examinarán, pero al parecer no es nada… Tranquilícese. —Cristóbal frunció el ceño sin comprender.

—¿Cardiólogo? —repitió confuso. La mujer lo miró arqueando una ceja.

—¿Es usted su pariente?

—Soy el padre del bebé —respondió. La enfermera relajó el gesto, temía haber sido indiscreta por un momento.

—Ambos están bien, están haciéndole un chequeo completo. Tome asiento, seguramente si ella lo necesita lo llamará —explicó sonriendo y se alejó.

Se pasó las manos por el cabello observando el vacío. ¿Cardiólogo? Sacó su celular del bolsillo del traje. A la mierda la ética.

De pronto Paloma, su amiga, entró un poco alterada. Al verlo se detuvo.

—¿Cómo está? Me pidió que viniera. ¿Qué pasó? —El hombre la evaluó inquisidor.

—Están esperando a que su cardiólogo llegue —apuntó serio. La joven abrió los ojos azorada.

—Dios… —Negó lamentándose.

—¿Por qué Kristián necesita un cardiólogo? —la interrogó con voz ahogada, conteniéndose, sintiendo como un sudor helado lo recorría sin cesar. La chica se mordió el labio mirando a su alrededor.

—No sé si debo hablar de esto… —admitió angustiada.

—Soy el padre de ese niño, creo que merezco saberlo, ¿no te parece? —Paloma lo tomó del codo y lo guio a un sitio con menos gente.

—¿Qué siente por ella? —cuestionó de repente. Cristóbal endureció el gesto.

—¿No te parece que eso no te corresponde preguntarlo a ti?

—Es mi hermana, crecimos juntas y necesito saberlo porque ella la ha pasado por mucho como para que lo que usted esté haciendo sea jugar con sus sentimientos. Ya tuvo una amarga experiencia, no deseo que vuelva a ocurrir, aunque usted sea el padre de ese bebito. —El fervor con el que habló, lo dejó sin muchas armas.

—Posee mi alma, ahora dime… ¿Qué sucede? ¿Por qué carajos pidieron un cardiólogo?

—Bueno, creo que sí tiene derecho a saberlo, si Tián se molesta, ni modo... —Cada segundo se sentía más ansioso, más desesperado, más preocupado—. Kris, cuando tenía quince años, un día, de la nada, perdió el conocimiento. Obvio todos nos preocupamos, así que sus abuelos decidieron llevarla a revisar... Descubrieron que las paredes de su corazón son un poco más gruesas de lo que deben, ella tiene miocardiopatía hipertrófica. —Pestañeando, aturdido, negó sin comprender.

—¿Corre peligro? ¿Qué diablos es eso? —preguntó al límite, respirando agitadamente.

—Yo no soy una experta en eso. Pero... cuando lo descubrieron cambió su vida. Ella quería dedicarse a bailar, ya sabe que le encanta y es buena, siempre lo ha sido, esta enfermedad no permite exceso de deporte, así que... tuvo que dejarlo.

No daba crédito de lo que escuchaba, no podía ser cierto.

—No corre peligro, no toma ni siquiera un tratamiento, solo asiste cada tanto a sus consultas. Yo la he acompañado, no se preocupe, siempre ha estado controlada, solo que... el médico siempre le aconsejaba no excederse en el ejercicio y que controlara el estrés. Supongo que con todo lo que está pasando de esas cartas y su abuela, la casa, el bebé, ha de estar intranquila... Esperemos que solo sea un susto y que descansando esté mejor.

Cristóbal negó haciendo un recuento de la última semana, de los últimos meses, de lo que era su vida desde que esa joven apareció. Reía, siempre reía, era optimista y valiente, amaba habitar este mundo, lo demostraba en cada paso, cada maldito momento, parecía agradecida con lo que tenía, con lo que el destino le había dado, jamás, ni por un momento sospechó todo lo que con el paso de las semanas fue descubriendo. No solo era fuerte, esa mujer era de acero. Era inaudito que esa fuera su realidad, cada cosa, cada pérdida y pese a ello afrontara todo sonriendo de esa manera única que tenía, que... jamás bajara la cara, esa impresionante capacidad de aceptar lo que viniera así, buscando el lado bueno de las cosas. Se sintió un jodido imbécil y es que ella siempre lograba que eso sucediera sin proponérselo.

—Mire, ya llegó el doctor —interrumpió Paloma sus pensamientos. Lo vio pasar y entrar casi de inmediato.

Un segundo después salió la enfermera de hacía un momento.

—Parientes de Kristián Navarro —llamó seria.

—¿Qué tiene mi amiga? —preguntó la chica, acercándose de inmediato. La mujer la observó asintiendo.

—¿Es usted Paloma? —Asintió—. Puede pasar, ella desea que entre. —La joven miró a Cristóbal a manera de disculpa—. La están ya revisando, seguramente saldrá en un momento. Todo está bien, no se preocupe.

Paloma giró asintiendo.

—Le avisaré de cualquier cosa... —Desde que le dijo lo que su amiga tenía, notó que su rostro se descompuso, que su semblante se ensombrecía más. Seguramente estaba muy preocupado por ella, lo que no entendía era por qué Kris no lo había llamado a él.

25

SU CAMINO

Una hora después salió junto con Paloma y ese médico. La joven conversaba con él, lucía aún exhausta.

—Solo descansa, todo va muy bien, pero no abuses, ¿estamos? —le pidió. Kristián sonrió apenas.

—Lo intentaré —aceptó desde la silla, con su calzado y bolso sobre su regazo. Cristóbal estaba a un par de metros. No daba crédito de lo que se acababa de enterar. Al desaparecer el médico, sus ojos se toparon.

—¿Así que el corazón? —soltó acercándose lentamente. Kristián torció la boca asintiendo. Lucía tan agotado, tan fuera de sí, ¿cómo era que ambos se habían sumergido en todo ese torbellino? ¿Cómo era que las cosas llegaron a ese punto en el que el camino por delante era tan incierto, y el de atrás, tan intensamente rápido?

—Debo ir a descansar, espero que no te importe que no regrese al trabajo por hoy —anunció. El hombre tenía ganas de tomarla entre sus brazos y encerrarla en su apartamento hasta asegurarse de que estuviera bien, su rostro aún se hallaba mortalmente demacrado.

—Te llevaré —zanjó con decisión. Ella sonrió negando con ironía. De ninguna manera, menos en ese momento que sentía que era capaz de arañarle el rostro. Observó su boca por unos segundos, el estómago mandó jugos gástricos hasta su esófago, la posesividad que experimentaba cuando se trataba de él era tan desconocida, tan... dolorosa. La ira retornó, mortal, certera, aniquiladora.

—Tú ocúpate de lo tuyo, este no es tu problema y si no te molesta, debo irme —expuso. Paloma los miraba interactuar, nerviosa. No tenía ni la menor idea de lo que ahí ocurría, pero conocía a Kristián y estaba conteniéndose para no llorar y darle un buen golpe y él, él parecía querer huir con ella a cuestas.

—Se trata de ti, además es mi hijo —respondió rabioso por esa actitud tan hiriente, tan fría.

—Él está bien, no te preocupes y respecto a mí, ya te lo dije, no soy tu responsabilidad.

—No se trata de responsabilidad... —reviró apretando los puños—, lo sabes. Debiste decirme que tenías esa afección —rugió por lo bajo. Kristián desvió la mirada negando con tristeza. Que la viera de otra manera, jamás. Por primera vez en su vida no tenía idea de lo que seguiría y la aflicción la tenía por completo en sus garras. Era inaudito que ella misma se hubiera colocado en esa situación y pese a todo, no pudiera arrepentirse, no solo por su bebé, sino porque de no haberlo conocido no habría aprendido lo impresionante que podía ser sentir el amor en cada fibra, en cada poro. Aun así, eso no bastaba, no en ese momento.

—No somos, y nunca hemos sido nada... ¿Lo recuerdas? Quiero irme. Paloma, vamos a que pague —suplicó con un nudo gigante en la garganta.

El balde de agua fría que soltó sobre él, lo congeló por varios segundos. El día anterior por la noche le pidió tiempo y ella se comportaba como si hubiese hecho una bajeza, algo terrible. ¿Acaso no entendía que no la haría feliz en ese momento de su vida, qué estaba buscando evitarle dolor, pena? Lo cierto era que la amaba, la quería para él, pero su mundo estallaba frente a sus narices en menos de veinticuatro horas y era evidente que ninguno de los dos estaba en condiciones de hacer más, de pasar por más. Lo primero era su salud, así que se hizo a un lado dejándolas pasar.

—Ya lo hice —habló. La joven asintió seria, aferrando con mayor fuerza su bolso, haciendo un esfuerzo enorme para no llorar frente a él, como deseaba hacer hasta quedar sin lágrimas.

—Gracias —solo dijo. Hundido en esa cantidad de sensaciones contradictorias, permaneció de pie, con las manos dentro de los bolsillos de su pantalón, comprendiendo que el tiempo avanzaba y definitivamente no estaba de su lado, no cuando se trataba de ella.

—¿Qué diablos fue eso? —preguntó Paloma conduciendo con pericia.

—Mi auto lo dejé en la empresa, ahí está mi maleta, ¿me llevas por ella? —pidió cerrando los ojos, abrazándose a sí misma, sintiendo como sus mejillas se humedecían sin remedio. Su corazón estaba bien, el bebé también, pero la fatiga y estrés no jugaron a su favor, debía dormir, lo cierto era que no tenía idea de cómo lo lograría. De solo pensar en sus labios sobre los de alguien más deseaba golpear algo hasta que sus fuerzas se agotaran. Celos, muchos celos e impotencia, pues sabía el porqué de ese acto que la estaba consumiendo.

—Por supuesto que no, iremos a mi casa. Mamá ya te espera y seguro que ya hasta está preparando tu pastel de chocolate. Le diré a mi hermano que vaya por él junto con Andrés. Tú tienes que descansar, asunto terminado. —Kristián resopló negando.

—No es necesario, déjame en mi casa, estaré bien. —Paloma se burló con ganas.

—¿Estás de broma? Ni loca. Te conozco, irás a la mía, dormirás y punto. No eres una mujer muy consciente, ya lo sabes. Esa energía tuya nunca ha jugado a tu favor. Y ahora, dime qué carajos pasó ahí. El día que te fuiste a su apartamento no se hablaban, te vuelvo a ver y flotabas, luego cuando te acompañó a El Centro, parecían dos tórtolos, y hoy, hoy casi lo desuellas vivo. Eso sin contar lo que traes en el brazo. Tián. Explícame porque estoy bien perdida —le suplicó. La joven suspiró, limpiándose con la yema de sus dedos las lágrimas que resbalaban por su rostro.

—Más tarde, ahora no quiero hablar —murmuró despacio, cerrando los ojos. Su amiga la observó de reojo, lloraba. Jamás la había visto tan agotada, tan destruida, pero desde que su Aby murió, la notaba en una montaña rusa, evidentemente, ahí estaban las consecuencias.

—Bien, solo promete que después lo harás.
—Te lo prometo.

En cuanto cruzaron el umbral de esa casa que conocía tan bien, las sonrisas y palabras cargadas de cariño, la recibieron. La madre de su amiga prácticamente le arrancó su ropa, la enfundó en un piyama de Paloma y la metió en la cama. Kristián sonrió agradecida.
—A dormir, jovencita, cuando despiertes tu pastel estará listo... Aquí nadie te molestará. Te quiero, diablilla —le dijo con dulzura y besó su frente aquella señora que conocía de siempre. Casi suelta el llanto, ya eso era demasiado, los recuerdos la golpearon uno a uno sin piedad.
—Yo también, Cony, gracias.
Una vez sola dejó salir las lágrimas y se acurrucó evocándolo. Dolía como los mil demonios todo lo que estaba ocurriendo entre ambos. En meses ese hombre adusto, duro, lleno de sentimientos lúgubres, se coló en su corazón como nunca nadie lo había hecho. Ese maldito juego la quemó, como él se lo advirtió y estaba viviendo las consecuencias de esa estúpida decisión. Se lo dijo, la avisó, no le creyó y ahora entendía sus palabras. Ya la había herido y sentía que, si no se alejaba por un tiempo, la destruiría. Lo comprendía, cómo no hacerlo, pero el que así fuera, no la hacía sentir mejor, al contrario, se sentía una tonta por creer que a ella no le ocurriría, que exageraba con sus palabras, que... saldría ilesa de aquello que comenzó hacía cuatro meses, que... sería suficiente. Cristóbal estaba atormentado y su deseo siempre estuvo marcado.
El sueño llegó sin aviso y la arrastró hasta la inconsciencia sin más.

Ese maldito apartamento se sentía como una tumba sin su presencia. En la habitación donde se alojó, todo olía a ella, se sentó sobre el colchón apretándose la cabeza. La sentía tan revuelta, tan agitada, tan enrevesada, que incluso dolía como si un martillo lo hubiera golpeado varias veces sobre la nuca, en la sien. Se dejó caer cerrando los ojos, soltando el aire contenido por horas. Todos esos muros que construyó en ese par de años se habían venido abajo y era hora de reacomodar su vida, de ser algo diferente, de emerger y luchar. Sin percatarse quedó profundamente dormido, junto a su aroma, junto a los momentos que ahí habían compartido a lo largo de la semana.

Casi a las ocho, se estacionó frente a su casa. Debían hablar. Se encontraba más tranquilo y ella seguramente ya habría descansado un poco. No deseaba alejarla, solo que fueran con tiento, despacio, que... le diera tiempo para hacer las cosas bien. Tocó varias veces, pero la casa estaba en penumbras pese a que su auto ahí se encontraba. Recargó la cabeza en la herrería algo desgastada.

—No está ahí —escuchó esa voz familiar en la penumbra de la calle. Giró intrigado.

—Buenas noches —saludó cortés. La chica sonrió asintiendo.

—Buenas noches... Tián está en mi casa, mamá se empeñó en cuidarla. Ya sabe, es inquieta y ahí no hay nadie que la vigile. —El hombre observó por un segundo la casa, comprendiendo.

—Necesito hablar con ella —musitó. Su voz era honda, demasiado masculina, mezclada con ese porte y figura, dejaban a cualquiera con la boca abierta. Sacudió la cabeza concentrándose en lo que debía.

—Ha estado dormitando toda la tarde, no creo que sea el momento, la verdad no está lista aún —declaró apenada con él. Lucía ansioso, preocupado, asombrosamente triste—. Hagamos algo, deme su número de teléfono y prometo que cualquier cosa que suceda, le marco. Ni siquiera hemos podido conversar. Pero está bien, aquí la cuidaremos y no tendrá sobresaltos —aseguró. Miró la calle asintiendo, no tenía más remedio.

—Sí, te agradeceré que me informes y cualquier cosa, lo que sea, me llames.—Le dictó su número mientras ella lo anotaba en su aparato.

—No se preocupe, no sé qué sucede entre ustedes, pero dele tiempo. Ha sido un mes demasiado duro; su abuela, el bebé, esos... anónimos. Creo que debe desconectar un poco. Es fuerte, seguro que pronto estará por ahí riendo como siempre —le guiñó un ojo buscando infundirle confianza.

Cristóbal sintió el pecho aún más oprimido, ciertamente era demasiado para un lapso tan corto y su sirena no había tenido tiempo de asimilar nada, aunado a todo lo ocurrido entre ambos, lo del día anterior. Era una locura. Él mismo necesitaba tiempo fuera. No lograba decidir su proceder, qué y cómo hacer las cosas, lo justo era dejarla seguir su camino por el momento, de otra forma, la heriría más y cada vez que lo hacía, una nueva llaga aparecía en su interior, ya no lo soportaba.

Al día siguiente, lo primero que hizo al despertar, fue llamarla. Inundado de pesadillas absurdamente diferentes a las que solía y que le generaban verdadero terror, pasó la maldita noche. Por supuesto no contestó. Llenando de aire sus pulmones, le mandó un mensaje instantáneo.

«Confío en que te encuentres mejor. Lo que necesiten solo debes pedirlo». Esperó con el teléfono en la mano. Un minuto después llegó la respuesta.

«Todo bien» respondió. Cerró los párpados negando. No podía continuar ahí, así.

—Ahora sí, nada de que tengo sueño, quiero saberlo todo, Kristián, y no omitas ni un detalle —demandó. La joven rodó los ojos al verla sobre la cama, lista para hablar. La ducha la había relajado un poco, por otro lado, el buen descanso ya la tenía más tranquila, menos ansiosa, aunque sí deseando gritarle a Cristóbal varias cosas. No conseguía quitarse esa maldita imagen de la mente, de su memoria. Se desenredó el cabello asintiendo.

—¿Qué quieres saber, Palomita? —preguntó acercándose al colchón.

—Todo, y cuando digo todo...

—Sí, lo sé, quieres los detalles. Bien. Solo te diré que no estoy de mucho ánimo para profundizar, tal vez más adelante, ahora me siento... confundida —admitió luchando con un nudo sin mucho éxito.

—Kris, si no estás lista... —comenzó. La joven negó y con gesto perdido le narró todo lo ocurrido. Paloma no pudo cerrar la boca durante todo el relato. ¿Era en serio? ¿Su casi hermana podía estar pasando por todo aquello? ¿Ese hombre sucumbió ante ella, pero no haría nada al respecto? ¿La hirieron por esa estupidez? Y, además, lo vio besándose con esa mujer.

Kristián terminó con la voz rota, limpiándose una lágrima con el dedo índice. Paloma la abrazó de inmediato. Todo aquello era una absoluta locura.

—Solo no me digas «te lo dije» —le rogó bajito, llorando sin control.

—No lo haré, pero... tampoco sé qué consejo darte. Él es el padre de tu hijo, no podrás hacerlo a un lado tan fácilmente, menos si está tan decidido a velar por su bienestar. Sin embargo, sí, eso sería lo más sano, poner distancia —confirmó. Kristián se alejó negando, limpiando nuevamente sus mejillas.

—Tengo ahora mismo la cabeza hecha un lío, no puedo pensar con claridad, solo siento que lo amo demasiado y que estaba besando a esa mujer. No logro sacar esa imagen de mi mente, no con todo lo que ha ocurrido. —Paloma resopló perdiendo la vista en el piso.

—Pero... ¿crees que esté con ella, que él la besaba pese a que la noche anterior te dijo que te amaba? Eso estaría muy enfermo. —Su amiga se encogió de hombros, sacudiendo la cabeza.

—No, sé que no está con ella, ni con nadie y también sé que me ama, me ama de verdad. Pero su cabeza es... complicada, él tiene una extraña manera de proteger, de cuidar y yo por ahora no puedo con ello. ¿Sabes? Siento que lo hace para alejarme de su mente, que hará todo para que salga de su vida, por lo menos en ese plano y así no podrá hundirnos a mí y al bebé en su mundo. —Volteó para verla, hipeando, con la mirada completamente empañada—. Cree que no me merece, que es... alguien que me hará daño, que... Dios, dice que no me quiere arrastrar a su infierno.

Paloma resopló, estupefacta.

—Kris, seamos sinceras, pero desde que lo conociste nada ha ido bien, y ahora... date cuenta... —La aludida negó con firmeza poniéndose de pie. Limpiándose el rostro con desespero.

—No, no es él, así es la vida, las cosas suceden, los destinos y circunstancias se entrelazan y no hay nada que pueda evitarlo. Yo estoy aquí porque lo decidí, porque lo elegí, no soy una maldita víctima. Debe de dejar eso, debe comprender que no es el responsable de todo lo jodidamente torcido del mundo —sollozó.

—Bien, veo que no cambiarás de opinión, y que... estás rebasada, te entiendo, pero... ¿Qué harás? —preguntó. Kristián se recargó en un librero soltando el aire, intentando pensar con frialdad.

—No tengo ni idea. Por ahora no lo quiero ver, necesito estar sola y tranquila. Y... supongo que seguiré con lo trazado. Terminaré mi tiempo ahí, mientras tanto buscaré un empleo, sé que todo irá bien, de alguna manera se acomodarán las cosas y podré sentirme más clara, más yo.

—¿No lo confortarás? —quiso saber, curiosa. Su amiga la miró, seria.

—Ahora mismo lo que deseo es golpearlo, Paloma, gritarle hasta quedarme sin aire. Pero con Cristóbal eso no funcionará, él está acostumbrado al odio, a la ira, al rencor, así que no generaría nada, solo alimentaría lo que ya se cree que es. Pondré distancia, nada más. Es lo más sano para ambos. Él tiene sus miedos, sus demonios, vive sumergido en ese horrible mundo, y yo, yo tengo que luchar y salir adelante por mi bebé, por mí —apuntó sonriendo con tristeza acunando su vientre. Paloma asintió observándola.

—Eres muy fuerte, ¿sabes? —Kristián negó sonriendo.

—No me dejaré caer, Paloma, menos ahora —dijo con decisión. Eso lo sabía de sobra su amiga, si alguien tenía temple, esa era ella.

Las llamadas de él en el celular la hacían temblar. Lo observaba con el corazón contraído, la respiración lenta. No, no respondería. Ya con ese mensaje tuvo suficiente. Las lágrimas acudían cada tanto sin poder mantenerlas enjauladas. Escuchaba el bullicio en aquella casa, pero no se sentía lista para participar de él como solía hacer. Lo que en realidad quería era correr, correr y reinventarse una vida donde todo fuera mejor. De pronto sonó su celular, desganada respondió. Era Carolina.

—Hola, Caro —la saludó, serena.

—¿Cómo estás?, Blanca y Jimena me han dicho lo que está pasando, es una locura... —Kristián torció la boca acurrucada.

—Sí, lo ha sido duro, pero todo está bien, yo ya descansé y me siento mejor —zanjó con la vista perdida.

—Quisiera verte, Kris, tal vez el siguiente sábado que estés mejor, te invito a comer, ¿qué dices? —soltó la rubia sin más. La chica arrugó la frente.

—¿Segura? Si es por todo esto, no te preocupes, yo estoy bien, te lo juro.

—Llevo demasiado tiempo desconectada, no me digas que no, anda...

—Bien, claro que ahí estaré —aceptó y continuaron conversando sobre su maternidad, tema que ahora lo encontraba más que interesante, y tonterías de la empresa.

El domingo ya se sentía enfermo, sin embargo, comprendía que ella requería su espacio y sabía por las respuestas a sus mensajes, que todo estaba bien... Pasó la mañana inmerso en sus pensamientos, buscando trabajar un poco, distraerse otro tanto. Tenía varias invitaciones para comer, todas las declinó puesto que no tenía ánimos y por otro lado la muerte de Mayra ya circulaba por los medios, así que evitaría aparecer. Lo último que deseaba era hablar sobre esa mujer, recordar todo lo que estaba intentando borrar, por lo que en un arrebato le pidió a Roberto el expediente de Kristián. Lo leyó con atención.

Su historia era de admirar, una chica decidida, fuerte, talentosa y muy inteligente. Le conmovió mucho la creación de El Centro y saber cómo logró que se llevara esa idea a cabo cuando apenas cursaba su segundo año de facultad. Era brillante de verdad. Después, comenzó a indagar en la web sobre el mismo y encontró a los responsables legales, una cuenta y demás. Ayudaría a ese lugar, sonriendo, guardó los datos para realizar una transferencia más tarde y poder contactar con ellos. Después decidió indagar más sobre la afección que le aquejaba, incluso habló con un cardiólogo y programó una cita para la siguiente semana para que le explicara mejor todo. Sin embargo, se quedó más tranquilo, ella estaba bien atendida por lo que notó... pero quería ahondar más y así conocer todo lo referente a eso, debía hacerlo.

Inmerso en ello, una idea surgió. No se sentía capaz de proporcionarle felicidad en ese momento, pero sí podía hacer otras cosas. Ahora que el permiso de maternidad de Caro terminaba, sabía que no querría permanecer más tiempo en el conglomerado y pensarla pidiendo trabajo con el bebé, el cansancio, todo, le pareció imposible, incluso lo llenaba de furia. Pero si le daba esa opción, si lo creaba y lo dejaba en sus manos, ella lo sabría manejar, estaría en su elemento y podría seguir haciéndose cargo de El Centro. Sí, una academia de baile podría gustarle. Sin pensarlo se sumergió en ello el resto del día sintiéndose más tranquilo, apenas si tenía tiempo pues Kristián ya debía estar pensando en su siguiente paso, lo sabía, olvidando todo lo que hasta el día anterior lo aquejaba, fue armando la idea.

La joven limpiaba un poco el frigorífico, debía ir de compras, recordó quejosa. Esas labores no eran lo suyo, sin embargo, cuando ya se hallaba en el supermercado, se encontraba disfrutando y tardando más de la cuenta pues todo curioseaba, situación que obviamente repercutía a la hora de pagar, pues iba llenando el carrito de cosas sin sentido y otras que sí venían en la lista que solía llevar para, según ella, no comprar de más. Sabía que no funcionaba eso, pero tenía fe que algún día al fin diera el resultado deseado. Tomó un trozo de chocolate mientras anotaba en la libreta lo que debía comprar.

Por la mañana regresó a casa y se lo tomó todo con calma. Cristóbal ya le había mandado un mensaje, el cual respondió con diplomacia y cortesía, pero nada más.

De pronto escuchó que la puerta de la entrada se abría. Con el corazón desbocado corrió hasta allá, Paloma no podía ser porque había ido a comprar algunas cosas que necesitaban para el apartamento nuevo. Cuando la vio ahí, de pie, con una maleta, se quedó pasmada.

—Hola... —saludó Ileana, examinándola con atención. Kristián le dio otra mordida a su chocolate, avanzando hasta ella, con el entrecejo arrugado.

—Hola, ¿qué haces aquí? —Le preguntó a un metro de ella. Ileana la miraba con suma atención, examinándola sin limitarse.

—¿Cómo sigues? —quiso saber. Kristián alzó una ceja, extrañada.

—¿Yo? Bien —respondió con simpleza. La mujer tomó su brazo con delicadeza y luego elevó un poco su barbilla.

—Te hirieron, ayer estuviste en el hospital, recibiste anónimos, ¿eso es estar bien, Kristián? —refutó. La chica desvió la vista comiendo más de su dulce.

—Bueno, han pasado algunas cosas..., pero... ¿Cómo supiste? —la cuestionó intrigada.

—Cony, ella siempre me informa sobre ti... Dejaré mi equipaje si no te molesta en una de las habitaciones. —Kristián asintió desconcertada.

—¿Vi-viniste por mí? —se atrevió a preguntar. La mujer la miró de reojo asintiendo.

—Y no me iré hasta saber que todo va mejor, no me importa que tú desees lo contrario, tienes en tu vientre a mi nieto, aquí es mi lugar.

—No es necesario, estoy bien... —se defendió sin saber cómo acomodar aquello. Ileana siguió avanzando.

—Tus ojeras no dicen lo mismo —reviró y desapareció por las escaleras.

Una vez sola se dejó caer sobre el sillón de aquel vestíbulo que su abuela siempre mantenía impecable. ¿Alguna locura más ocurriría? ¿Era en serio? Resopló logrando así que su flequillo se despeinara más. Con la vista perdida en las fotografías de aquel lugar, continúo comiendo su chocolate.

Nada era como solía y tal parecía que debía acostumbrarse. Suspiró cerrando los ojos, si Ileana deseaba quedarse ahí, que lo hiciera, no le veía mucho caso, pero tampoco se lo impediría.

El timbre sonó justo en ese momento. Fastidiada se levantó, asomó el rostro por una de las ventanas laterales que daban a la calle y cuando vio quién estaba afuera, se paralizó.

—¿No abrirás? —preguntó la mujer acercándose a ella. No había tardado nada—. ¿Quién es? —quiso saber intrigada por la reacción de su hija.

—¿Qué otra cosa sucederá este fin de semana? —soltó de pronto, abriendo.

Ileana la observó salir con ese desgarbo y decisión que la caracterizaban. Se veía algo decaída, decididamente agotada, y pese a que entendía que no tenía derecho a intervenir en su vida, en cuanto Cony le dijo todo lo que pasaba, no lo dudó, avisó a César de que debía estar con ella y que no sabía cuándo regresaría. Kristián nunca más se vería sola, no si lograba evitarlo. Pagar sus culpas jamás podría, pero sí haría lo que estuviera en sus manos para que esa joven no se sintiera sola del todo.

Se detuvo frente a la reja, sin abrir. Entornó los ojos torciendo la boca. ¿Qué carajos hacía ahí?

—Kristián... —suspiró aquel hombre. Lucía mayor, pese a que no debía pasar los treinta. Seguía siendo apuesto, pero su debilidad y cobardía olía, se veía. No comprendió cómo era que alguna vez creyó sentir algo, no después de saber lo que era sentir con intensidad, con deseo, con bravura. Al lado de Cristóbal, Gerardo, su exnovio, se veía patético.

—¿Se te perdió algo? Porque de otra forma no puedo concebir que estés aquí —soltó cruzándose de brazos, arqueando una ceja. El hombre la contempló sin hablar durante unos segundos. Siempre tuvo un efecto potente sobre él y en todo ese tiempo no se la había logrado quitar de la cabeza, tanto que ya se había divorciado e intentado reconstruir su vida, pero no pasaba un maldito día en que su mirada vivaz, su cuerpo maravilloso y sus palabras cargadas de inteligencia, aparecieran. Por eso estaba ahí, pese a que la conocía y sabía que podía agarrar una manguera y mojarlo hasta que se largara.

—Hablemos, por favor —rogó con el corazón desbocado. La joven rio negando.

—¿Es en serio? —quiso saber verdaderamente asombrada—. Me dejas después de creer que estoy embarazada, me entero de que estás casado y... ahora apareces así, tan fresco. ¿Deseas que me arroje a tus brazos o que te dé una buena paliza? Porque la verdad no entiendo a qué vienes después de tanto tiempo, Gerardo.

Aquellos fueron momentos realmente humillantes. Todo debido a un desajuste hormonal que tenía, simplemente sospechó, ni siquiera se había hecho un análisis o prueba, pero lo adoraba, o eso creía, así que le dijo que no llegaba su menstruación. Luego todo fue un caos, desapareció por tres días y una mañana, al salir de casa, la madre de él apareció y le informó que estaba casado, su abuelo se hallaba a su lado.

Fue realmente espantoso, lloró durante días, él se limitó a mandarle un mensaje después de que ella le dejara una grabación donde lo insultaba hasta hartarse. Cuando su periodo no llegó y se hizo una prueba que resultó negativa, fue al ginecólogo, ahí se dieron cuenta de que debía medicarse. Siempre fueron muy cuidadosos, pero los accidentes sucedían y, pese a que no era muy probable, ella se sintió asustada. Sus abuelos la apoyaron y acompañaron al igual que Paloma y Andrés durante aquel doloroso proceso. Al tiempo, por *mail* le informó de que no estaba embarazada. Acto seguido lo sacó por completo de su vida sin mirar jamás atrás, desterrándolo por completo.

—Sé que no merezco ni siquiera que me escuches, pero por favor, serán solo unos minutos. Me divorcié, no paraba de pensar en ti... —explicó ansioso.

—Vete, Gerardo, no seas cínico. Yo a ti ya hasta te había olvidado, no veo de qué podríamos hablar tú y yo... —declaró. Ileana observaba la situación desde la entrada. Supo lo que ese tipo le hizo y aunque deseaba salir para gritarle un par de cosas, aguardó.

—Ya pasó mucho tiempo, vamos a un café, lo que quieras —rogó. Kristián miró al techo desesperada. ¿Qué otras cosas ocurrirían?

—Escucha, no tengo ganas, ni tiempo. Ahora mismo debo ir de compras y verte la cara es como cerrar un fin de semana de terror con broche de oro... Así que haznos un favorcito, sube a tu auto, conduce bien rápido y piérdete en el tránsito de la ciudad... Yo no tengo por qué hablar nada contigo. Todo quedó muy claro —argumentó. El hombre al ver que se alejaría metió una mano por la reja y la tocó.

—Un café, por favor, permite que te explique, solo hablaremos... No dejaré de insistir —le hizo ver. Kristián se zafó molesta.

—Tú puedes hacer de tu vida un carnaval. Eso sí, te advierto que si me fastidias no me quedaré de brazos cruzados —rugió. Gerardo resopló asintiendo.

—Eres la mujer que amo y sé que sentiste mucho por mí, haré lo que sea para recuperarte —advirtió serio.

—Espera —intervino ella comprendiendo lo que haría—. Apuesto a que puedo hacerte desistir de esa estúpida idea... —El hombre sonrió negando.

—Nada de lo que hagas lo logrará.

—¿Te apuestas algo?—Lo desafió torciendo la boca.

—No lo lograrás.

—Estoy embarazada, y esta vez es muy real —le informó. Gerardo no se movió durante un instante, luego entornó los ojos.

—No es verdad —aseguró conociéndola. La chica se carcajeó sintiendo que le ganaba.

—Oh, sí que lo es... puedo probártelo. Llevo dos meses de embarazo y su padre es un hombre de verdad, no una caricatura, como tú. Así que ahora... *Bye* —lo despidió y se giró mordiendo de nuevo su chocolate.

—Sigues viviendo aquí, por lo que «el padre» no está presente, así que... no me importa, puedo con eso —argumentó. Kristián se paralizó pestañeando, mirando a Ileana que abría los ojos, atónita—. Eres una mujer que vale la pena, me importa poco lo demás —aseguró. La chica volteó, seria. Esa verdad dolió abriendo de nuevo las heridas que buscaba serenar.

—Ni lo nombres, porque puede barrer la calle con tu boca sin agotarse, créeme. Escucha, solo, vete —exigió negando, encaminándose de nuevo adentro.

—Me importa poco, regresaré, Kris —advirtió sin más. No giró.

—Debo ir a comprar comida —anunció pasando al lado de Ileana. La mujer la siguió después de cerrar la puerta.

—Te acompaño —dijo. Kristián asintió sin remedio. Ciertamente no tenía ánimos para estar sola.

Al regresar Ileana acomodó todo mientras ella se daba una ducha y, agotada, se iba a dormir, pues era evidente que lo necesitaba.

La mujer la observó desde el marco de la puerta, parecía tan ajena a todo. ¿Por qué estaba ocurriéndole eso justo a ella? Negó suspirando, acongojada, cerró tras ella y se acercó a una de las fotos donde salía su madre. La tomó con las manos temblorosas pegándola a su pecho.

—Dame la inteligencia para ser la madre que tú fuiste, para ser la madre que Kristián merece. Te juro que esta vez sabré hacer las cosas... Solo ayúdala a salir de todo esto, las dos queremos que encuentre la felicidad, que la vida le muestre su camino, que ella sepa seguirlo.

26

DESQUEBRAJANDO

Por la mañana, al bajar, el desayuno estaba servido. Ileana regaba las plantas de la casa y la radio se encontraba prendida. Pestañeó sin comprender. Se sentó y comenzó a comer con apetito mientras la mujer la observaba y parloteaba sobre tonterías. Era tan raro tenerla ahí.

—Gracias por el desayuno, pero no te molestes, como cualquier cosa... —declaró desconcertada, pasando a su lado para ir a lavar su plato.

—Lo sé, pero «cualquier cosa» no es lo que ni tú, ni mi nieto necesitan... —argumentó y le quitó el plato con delicadeza. Kristián, con los nervios un tanto alterados, pues en una hora lo vería, la observó negando.

—¿Qué pretendes, Ileana? —La cuestionó sin rodeos. La mujer se recargó en una superficie y la encaró. ¿Por qué sentía que lo construido en años los últimos meses se iba resquebrajando sin poder controlarlo?

—No te estorbaré ni me entrometeré, pero no me alejaré, Kristián, te guste o no, eres mi hija, aunque yo para ti no sea tu madre y no busco que eso cambie porque tengo muy claro que no lo merezco. Quiero y debo estar aquí, sé que me necesitas, aunque nunca lo reconozcas, así que haz tu vida como sueles, cuéntame lo que quieras que sepa y dime en qué puedo ayudar. Por lo pronto la venta de la casa será mi prioridad y desde ya te digo que no permitiré que sueltes un peso del dinero que te darán por este sitio... Así que anda, ve a hacer lo que debas —dicho esto se giró y abrió el grifo dejándola atónita.

—Gracias, Ileana —agradeció desconcertada. Lo cierto era que despertar con movimiento, saberse acompañada, había logrado que ese momento de tensión fuera menos fuerte, menos angustiante.

No tenía mucha idea de cómo actuar a su alrededor, casi no convivían, tampoco deseaba dejarse llevar. Sabía que pronto algo más sería su prioridad, pero mientras durara, lo agradecería. Eso era lo que había aprendido a hacer; vivir el instante, no adelantarse y la única vez que deseó vislumbrar un futuro, la vida le mostró que no era lo mejor, que las expectativas dolían y que, si no lo podía controlar, seguro que la podría lastimar.

Condujo con el corazón en la palma de su mano. No tenía idea de cómo actuaría cuando lo viera, pero debía mantenerse imperturbable y rogar, con muchas ganas, que los días pasaran rápidamente.

Al llegar, justo antes de los elevadores, Luis aguardaba con un pequeño arreglo de flores y una cajita. Cerró los ojos aspirando, le sonrió intentando mostrarse relajada. En cuanto la vio, se acercó a paso veloz. La gente entraba, así que se hicieron a un lado para no obstaculizar la circulación.

—Hola... ¿Cómo sigues? —preguntó el chico claramente interesado. Kristián torció la boca pasándose una mano por la frente para acomodarse el flequillo. Ese hombre siempre era tan dulce que no soportaba verlo entusiasmado por algo que jamás pasaría.

—Bien, mejor, solo estaba agotada y con lo de Larisa, ya sabes, quedé un poco alterada —le guiñó un ojo pretendiendo irse. Luis la detuvo con delicadeza.

—Espera, te traje esto... —dijo y le tendió las cosas. Kristián cerró los ojos, de pronto, sin comprender por qué, sintió ganas de llorar, la rabia e impotencia se mezclaban, así como una marea de sentimientos que no lograba, por mucho que intentaba, acomodar. Negó humedeciéndose los labios. El chico no pudo esconder su desilusión. La miraba fijamente—. Tú y el señor Garza, ¿cierto? —se aventuró a decir. Kristián lo encaró abriendo los ojos con asombro—. Estos días resultó más que evidente, pero creí que podía ser otra cosa. Qué estúpido, ¿no? En qué mundo yo podría competir contra un hombre como él —soltó con un poco de rabia. Kristián se abrazó a sí misma negando de nuevo.

—Eres genial, inteligente, divertido, cualquiera desearía estar a tu lado... No digas eso, créeme, no tienes nada que envidiarle —lo corrigió. Luis rio sacudiendo la cabeza.

—A ti, te tiene a ti, ¿cómo no envidiarlo? —murmuró. Kristián bajó la vista hasta sus pies.

—No es así, pero tampoco estoy en posición de alentarte, no puedo recibir lo que traes para mí —se disculpó. El chico alzó su barbilla con un dedo, acercándose. Ella dejó de respirar al notar su cercanía.

—Son tuyos, no confundiré las cosas. Solo... solo no pierdas tu sonrisa, por nada ni por nadie... nunca. Me gustas, Kris, me gustas mucho y no soy un chiquillo como para jugar al flirteo, así que entiendo bien lo que me dices. Amigos, entonces, con eso me conformaré —acotó. Le dio la cajita y se alejó. Kristián dejó salir un sollozo. ¿Cómo reír en esos momentos? ¿Cómo si sentía que se quemaba por dentro, que ardía incluso respirar?

Cristóbal observó lo ocurrido desde su posición. Su respiración iba a toda velocidad, la quijada estaba tensa y quiso aventar a ese maldito chico a través de las enormes ventanas. En cuanto ese tipo se marchó, anduvo hasta ella. Le daba la espalda. Deseó besarla, tocarla, deseó pegarla a su cuerpo y que no saliera jamás de ahí.

—Creí que no vendrías —habló importándole un carajo estar en el *lobby* del conglomerado, sabiéndose observado. Kristián se irguió y volteó. Sus ojos se encontraron, las chispas emanaron, intercambiaron las sensaciones en silencio, permitiendo que sus almas se abrieran, que las partículas que solo ellos en sus desenfrenados sentimientos lograban concebir pues estaban hechas de la simple atracción que circulaba por su torrente emergiendo en diminutas motas que lo pringaban todo.

—Debo trabajar, tengo un contrato que cumplir —atajó cuando la cordura regresó. Esos estanques verdosos la consumían con tan solo posarse en los suyos. Tenía una potencia avasallante, una energía llena de dureza que la fulminaba y lucía agotado. La escena del sábado regresó. No permitió que le dijera nada más, lo esquivó dejándolo ahí, de pie, solo.

Cristóbal apretó los puños con la impotencia circulando como una ráfaga de aire ardiente que lo quema todo, que pretende incendiar su árido interior. Cerró los ojos, alzó la barbilla. Debía recuperarse a sí mismo, lo antes posible o la perdería y eso era mucho más de lo que estaba dispuesto a vivir en esa existencia lamentable que había tenido que transitar por tanto tiempo. Kristián era esa sensación de llegar a la meta, ese fin que jamás buscó, pero que al tenerla frente a sí por fin comprendió, de alguna manera, que la vida estaba llena de situaciones torcidas y lamentables porque cada evento tenía como motivo el cruce de sus caminos, la mezcla de sus esencias, destino, redención, perdón.

Sería lo que ella merecía, lo que necesitaba y más valía darse prisa porque su alma se estaba oscureciendo nuevamente con cada segundo alejado de ese ser lleno de color.

Durante la junta no lo miró a los ojos, evitó deliberadamente cualquier contacto y una vez solos, se apresuró a dar pormenores, para unos minutos después lograr desaparecer.

—¿Saldrás con él? —quiso saber con los celos consumiéndolo, justo cuando ella pretendía abrir la puerta. La joven se detuvo, aspiró profundamente y giró.

—Eso, señor Garza, queda fuera de todo contexto y a usted, no debe importarle —respondió colérica. Cristóbal se levantó con la furia filtrándose por sus neuronas, no era el mejor hombre y evidentemente su petición de «tiempo» la lastimaba, pero a qué se debían esas contestaciones tan cargadas de ira.

—Todo lo concerniente a ti y mi hijo, me importa —rugió. Kristián alzó la barbilla, evocando sus labios pegados a los de esa monumental mujer. Caminó hasta su escritorio, recargó ambas manos y lo miró con intensidad.

—No vuelvas a decir eso cuando lo único que haces es ocultarte. El día que enfrentes y asumas el riesgo de vivir, volveré a creerte, mientras tanto, señor, aléjese de mí —advirtió y caminó hasta la salida sin más.

Aventó varias carpetas invadido por la impotencia, por el dolor, por la ansiedad de sentirse todo el tiempo así; a medias. ¡Pero cómo arrastrarla a su inmundicia, cómo! Se perdió en el trabajo. A media tarde salió y no regresó.

Esa fue la dinámica de los siguientes días.

Sus compañeras la miraban con intriga, mientras en la comida no se hablaba de nada salvo lo ocurrido aquella tarde de viernes. En casa, con Ileana, las cosas iban tranquilas, la mujer no interfería, pero se notaba su presencia en todo el lugar. Era agradable regresar después de esos desoladores días y toparse con un sitio habitado, con el olor a comida recién hecha, con el murmullo del televisor en alguno de los cuartos. Entre las dos, un par de noches, terminaron de empacar lo de su abuela. Entre risas, lágrimas y recuerdos, compartieron esos momentos. Por las noches poco dormía, la cabeza no cesaba, sus pensamientos parecían disparados, su alma la sentía pesada.

El jueves por la mañana, al llegar a su escritorio, un enorme arreglo de flores la esperaba. Jimena, que ya había llegado, lo observaba intrigada.

—¿Y eso? —preguntó dejando su bolso sobre la silla. La chica se encogió de hombros, sonriendo con picardía.

—Tiene una tarjeta, ¿por qué no la lees y me dices? —la instó enseñando los dientes con desgarbo. La tomó intrigada, Luis no podía ser, al parecer había comprendido cómo estaban las cosas y se mantenía como solía; agradable pero fraternal.

Abrió el sobrecito intrigada, un tanto nerviosa también. Cristóbal lo descartaba por completo.

«Un café, solo uno, mañana, en donde solíamos vernos, a las nueve. Por favor, Kris, hablemos».

Rodó los ojos con hastío. Era un completo patán.

—¿Y bien? —preguntó la joven, que ya estaba de pie, parpadeando ansiosa.

—Nada importante, un cobarde que se cree la gran cosa. Las tiraré —solo dijo y tomó el arreglo. Cristóbal apareció de pronto. Al verla se detuvo abruptamente, su semblante, que desde hacía días lucía oscuro, se tornó amenazante, no escondía la rabia. Jimena de inmediato se puso nerviosa, era evidente que entre ellos había mucho más que una relación laboral, eso ya estaba en boca de todos.

—No se permiten ese tipo de cosas aquí —gruñó con ira. Jimena se las quitó comprendiendo que no eran de él.

—Yo las llevaré —intervino y salió rápido. Roberto los dejó solos unos segundos. Kristián lo miró, sin moverse.

—¿De quién eran? —quiso saber. Su voz era lúgubre, cargada de contención.

—Buenos días, señor Garza —respondió a cambio esquivándolo y yendo a su escritorio. La tomó de la muñeca haciéndola girar. El puro tacto la hizo respirar más rápido. Se soltó penetrándolo con los ojos.

—¿Quién te las mandó?

—Deja esto, déjalo ya. Ya entendí que no estás dispuesto a luchar, ¿qué más quieres de mí? —le preguntó con las lágrimas pujando por salir. Cristóbal apretó los puños contemplándola. ¿Hacía cuántos días que no la veía reír?

—Nunca dije eso —se defendió. Ella rio, negando con tristeza.

—Me amas y estás ahí, de pie, sin hacer nada al respecto. Yo no puedo con eso. Te aviso de que en cuanto Carolina regrese me iré, buscaré otro empleo. Podrás ver al bebé cuando nazca, nos pondremos de acuerdo en su momento. —Él intentó acercarse, pero ella retrocedió, llorosa, suplicante—. ¿Por qué lo haces tan complicado, Cristo? Me estás lastimando y debes saber que no tienes que hacer nada para convencerme de que no estarás a mi lado. Solo déjame seguir, por favor —imploró. Blanca apareció de pronto. Notó la tensión.

—Pasa a la oficina —le pidió serio. Kristián asintió sin remedio, de todas maneras, tendría que hacerlo para organizar el día.

Una vez solos, él anduvo hasta las ventanas y perdió la vista en el exterior, lamentando cada palabra dicha, sintiendo una impotencia desconocida.

—Jamás deseé lastimarte —admitió con un tono ahogado.

—Y no lo has hecho hasta ahora. No eres lo que deseas ser... No te temo —anunció con firmeza. Él negó girando para encararla.

—Créeme cuando te digo que estoy haciendo cosas al respecto, lo cierto es que ya no sonríes, he complicado tu vida... Te dije que era destrucción, que devastaba, que huyeras, que nada bueno podría salir de mí. ¿Por qué te empeñaste en verlo de otra manera? —La cuestionó sufriendo por no poder rozar sus labios, por no poder oler su aliento. La joven torció la boca evaluándolo—. Justo está sucediendo lo que sabía que ocurriría si no ponía el freno a tiempo.

—Cristóbal, lamentarte de lo que fue, ¿te sirve de algo? Porque hasta ahora no veo en qué cambie eso lo que ocurre u ocurrirá, no si quisieras realmente enterrarlo y dejar de vivir en el pasado, o en lo que ha sucedido. ¿Sabes qué? Ya no deseo hablar... Realicemos la junta y acabemos con este absurdo. —Se acomodó en la silla leyendo algo en la *tablet*.

—¿Quién te mandó esas flores, Kristián? —Temía, moría de ansiedad, de incertidumbre. La chica se tensó, pero no alzó el rostro.

—Mi exnovio —soltó como si fuera cualquier cosa. El hombre apretó la quijada. La perdería si no hacía algo pronto.

—No puedo dejarte ir... —declaró con su rostro altivo, lleno de seguridad. Kristián dejó de hacer lo que hacía y lo miró, seria.

—¿No puedes? Eso es control, y no es lo que busco en ti... No es lo que necesitamos.

—Por ahora no tengo nada más que ofrecer... —argumentó. Ella bajó la vista sonriendo con tristeza.

—Para perdonar se necesita coraje, para olvidar... valentía.

—No soy un cobarde.

—No. —avaló entornando los ojos con la garganta seca, admirando su férrea determinación de mantenerla a salvo de él mismo—. Eres el resultado de tu odio, de tu rencor, de todo eso que te carcome. Espero que cargar la balanza de ese lado te esté dando el castigo que crees merecer, que esté siendo lo suficientemente doloroso. Porque mientras tú decides sancionarte eternamente por lo que ya no puedes cambiar, los demás viviremos, gozaremos y veremos salir cada mañana el sol comprendiendo que tenemos una nueva oportunidad. Ahora —apretó los labios un segundo—, te acabo de mandar el estado del mes —le informó levantándose y abrió la puerta sin darle oportunidad de nada. Roberto ya estaba ahí—. Adelante. —Sonrió con parsimonia.

Cristóbal sentía cristales abriéndole la piel con cada movimiento. Su respiración iba de forma dispareja, sus palmas sudaban y era evidente que ya no tenía respuestas para todo lo que en su cabeza ocurría. Esperaba que su disposición y lo que estaba haciendo ayudara de verdad porque estar sumergido en el fango, deseando emerger con todo su anhelo y no lograrlo de una maldita vez, lo estaba llenando de desespero.

La mañana pasó así, él contenido, ella indiferente. Ambos parecían ollas de presión y eso era evidente. Cristóbal volvió a irse antes de lo que solía sin decir más.

El sábado, después de tener todo el proyecto de la academia organizado, decidió ir a casa de Kristián. Intentaría hablar con ella frontalmente. Le diría que estaba yendo a terapias, que si deseaba podía comprar ese negocio para que lo manejara, que no tenía que vender esa propiedad si no lo deseaba, que el dinero no le faltaría y lograr así que por lo menos sintiera la certeza en eso que sí podía otorgarle sin problema, sin ponerla en riesgo y que más adelante, cuando sus horas invertidas en aquel consultorio dieran frutos, podría ofrecerle su vida, su ser en vías de recuperación.

Al acercarse con el auto, de inmediato reconoció a Luis. Apretó el volante. Los celos lo azotaron como si dos gigantes de piedra lo hubiesen confrontado sin pensar que él era un simple humano y que no tenía la menor posibilidad de sobrevivir a su impacto. Estacionó el auto, harto, cansado, lleno de rabia.

Kristián, en cuanto lo vio, se cruzó de brazos, desde aquel día que le dijo todo lo que pensaba y que fue un tanto hiriente, pero sincera, no la había buscado en ningún sentido. Su gesto oscuro, su andar plagado de seguridad, de prepotencia, la puso un tanto nerviosa. ¿Qué hacía ahí?

Se humedeció los labios al notar que se aproximaba. Iba enfundado en esos *jeans* y camisa casual, derramaba poder, fuerza y hombría ahí por donde andaba, imposible resistirse, imposible no sentir que el estómago le daba un vuelco tan brutal que seguramente había perdido su lugar dentro de su ser.

Luis siguió su mirada, intrigado. Al verlo ahí, comprendió que la visita amistosa que realizó había terminado.

—Buenas tardes —saludó Cristóbal con gélida educación. Kristián asintió con la cabeza, era obvio que le molestaba su presencia, aun así, Luis decidió que lo mejor era irse.

—Buenas tardes, señor... —respondió su empleado sonriendo amigablemente—. Te veo luego, Kris —se despidió y se acercó para darle un beso en la mejilla. Cristóbal no lo resistió. Ella respondió el gesto con una dulce sonrisa de disculpa que lo cabreó aún más.

—Espero que mi hijo y tú se encuentren bien, pero debemos hablar —soltó tenso. Al escucharlo, Luis abrió los ojos de par en par, mientras Kristián lo miraba con franco odio. No le molestaba que ese chico supiera lo de su bebé, pero sabía bien por qué lo decía de ese modo, justo frente a él, importándole poco las consecuencias de su comentario.

—Yo... Ya me iba —anunció nervioso, sin saber qué más hacer salvo caminar hasta su auto. Kristián apretó los puños contenida.

—¿Qué? ¿No lo sabía? Son amigos y no tiene ni idea de que esperas un hijo mío —rugió. La mujer, rebasada por la indignación, por el coraje, alzó la mano y le dio una bofetada que incluso lo hizo moverse de su sitio.

—Eres un maldito imbécil, eso es lo que eres. Lárgate de aquí, sal de mi vida de una jodida vez, ya no sé qué carajos quieres de mí —bramó herida y entró a su casa azotando la puerta sin voltear.

Cristóbal apretó los puños comprendiendo lo que acababa de hacer. El saber a ese chico sin problemas ahí, al pendiente de todos sus movimientos lo consumió. Estaba harto, agotado de sentir que luchaba todo el tiempo, que maniobraba una embarcación primitiva en medio de una tempestad cuyo único objetivo era derrumbarlo. No estaban juntos, no eran una pareja, sin embargo, estaba intentando tomar las decisiones más inteligentes, las más seguras para los tres, para crear un futuro sólido, tal como merecía esa mujer que amaba, y su hijo, pero ella... ella ya parecía odiarlo.

Kristián temblaba, la palma le ardía, pero no se arrepentía de lo que acababa de hacer. ¿Cómo se atrevía? ¡Imbécil, mil veces imbécil! ¿A qué estaba jugando? ¡¿A qué?!

Una hora antes había llegado de la casa de Carolina. En cuanto aquella rubia la vio de pie en su umbral, la abrazó con fuerza.

—Ven, pasa —la invitó cálida. Kristián la siguió, sonriente. El lugar era iluminado, agradable.

—¿Y el bebé? —preguntó un tanto avergonzada, hacía unas semanas que se había estrenado como madre y no deseaba importunar.

—Bien dormido, mi marido está con él, tranquila. Ayúdame a despejarme un poco que, entre tanto pañal, créeme, lo necesito. —Le guiñó un ojo con complicidad. El olor a bebé viajaba por toda la casa. La condujo a una pequeña terraza llena de plantas. Ya una limonada y fruta picada se encontraban dispuestas sobre la mesa.

—Y dime, ¿cómo va todo? —quiso saber tendiéndole un vaso. Lucía agotada, pero alegre.

—Bien, he aprendido mucho —admitió tomando un poco de su bebida.

—Y... de Larisa, ¿qué se ha sabido? Aún sigo en *shock* por ella, por lo que hizo, jamás la creí capaz, siempre fue tan tranquila —dijo asombrada. Kristián torció la boca suspirando.

—No la conocía, sinceramente. Pero supe que sus padres se la quieren llevar a Sonora, nada más... Gregorio se está ocupando de todo. —La rubia asintió evaluándola.

—¿Y él? —se aventuró a preguntar. Kristián pestañeó sin comprender. Carolina sonrió sacudiendo la cabeza—. Ya sé que soy directa, es solo que ya no puedo más con esto... Lo detecté casi desde que me incapacité.

—¿A qué te refieres? —La cuestionó, algo nerviosa.

—A Cristóbal, Kristián, ¿qué ha sucedido entre ustedes? Sé que a lo mejor soy indiscreta, pero siento que tengo la obligación de hablar contigo sobre él, sobre su vida durante los últimos años —justificó. Kristián se acomodó el flequillo, turbada. Se sentía cansada de fingir que nada ocurría, que no se estaba consumiendo por dentro cada vez que lo veía, que lo olía, que lo escuchaba con esa gruesa y varonil voz.

—Estoy embarazada, Caro, es su hijo —soltó de pronto. La mujer dejó de respirar, abrió la boca y no se movió por varios segundos.

—Madre mía... —musitó. La joven asintió llevándose una fresa a la boca, con semblante ausente.

—Todo ha sido una locura, no tiene sentido.

—¿Él lo sabe? —deseó saber bebiendo un poco más de su agua, lo necesitaba. Kristián resopló asintiendo.

—Ese no es el problema, en ese sentido se ha portado como debe.

—Cristóbal es un hombre recto, de principios muy fuertes, a veces demasiado —admitió notando su turbación.

—Debí alejarme, no lo hice y no me arrepiento del bebé, te lo juro, pero...

—Kris, él no está bien, pasará mucho tiempo hasta que lo esté —buscó explicarle. La chica asintió con tristeza.

—Todo es tan complicado —comenzó, sin saber muy bien por qué, a narrarle todo lo sucedido desde el inicio. Caro la escuchó con atención, sin interrumpirla mientras ella se desahogaba. Al terminar, se limpió una lágrima negando—. Tiene mucho miedo y yo no puedo con eso, no puedo enfrentarlo por él —murmuró. La mujer colocó una mano sobre la suya, comprendiendo.

—Kris, escucha. Ese hombre creció en un pestañeo, ser fuerte, de hierro, ha sido lo que le ha funcionado siempre. Me alegra mucho que te confesara sus sentimientos, que... al fin esté enamorado. Tú eres la persona ideal para él, estoy segura, pero... en serio está muy lastimado. Odia demasiado y no a los demás, porque eso sería más sencillo, sino a sí mismo. Se siente tan responsable, vivir a su lado aquel capítulo fue muy duro, increíble, y él sacaba la cabeza una y otra vez para no permitir hundirse. Fue letal, fraguó todo un plan para desenmascarar a esa mujer mientras tenía que compartir el techo con ella sabiéndola capaz de todo, incluso de la muerte de sus padres. Son muchas situaciones torcidas para una sola vida, para una sola cabeza. El problema aquí es que Cristóbal no se victimiza, no es esa clase de hombre, sino que se siente responsable y eso lo consume cada día más. Pero por lo que dices, por lo que veo, volteaste al fin su mundo... Daria hace mucho que no está con él, te puedo apostar que no hay nada ahí. Debes tranquilizarte, dale tiempo, sé que no te dejará ir, que buscará luchar a su manera, pero no es un hombre típico, Cristóbal está buscándose, eso te lo aseguro.

—No sé, no lo sé. Lo veo tan distante y sé que quiere, pero se detiene, es muy frustrante. Yo no puedo entrar en eso, simplemente me rehusó. Deseo ayudarlo, sé que podríamos juntos, sé que es fuerte, que es capaz de escribir nuevamente su historia, pero vive de lo que ocurrió y lo peor es que no puedo culparlo, ¿quién podría? —Derramó más lágrimas—. Si supiera lo que me lastima verlo así.

—Te aseguro que lo sabe, sin embargo, cree que te lastimará más estando a tu lado por ahora, ¿comprendes? —La chica asintió dejando salir un suspiro.

—Buscaré otro empleo, debo alejarme, mi hijo necesita mi paz. Estas semanas han sido una locura —manifestó más tranquila. Caro sonrió comprendiendo.

—Solo no le guardes rencor, es un buen hombre, mejor que muchos que conozco. Amar así es difícil, las cosas que me cuentas sobre él, lo que hace cuando está contigo, bueno, es como si me hablaras de otra persona... A Cristóbal nunca lo he visto ser realmente feliz, entregarse a la vida sin más, reír, dejar su envergadura ruda, fría, contenido, y parece que al fin encontró a alguien que le muestre cómo hacerlo... Sé que has pasado por mucho, más últimamente. Solo dense un respiro, permitan que esto se enfríe; tu abuela, el bebé, esa mujer, Lorenzo, la muerte de Mayra, lo de la demanda, los anónimos, Kris, es demasiado hasta para el más cuerdo...

Conversar con alguien que pudiera darle un norte sobre ese hombre que amaba, le agradaba, por otro lado, era neutral y eso la hacía sentir que existía una posibilidad, que tenía razón, quizá con el paso de los días ambos se irían serenando y podrían hablar, ir lentamente.

No obstante, todas esas ideas se vinieron abajo cuando hizo eso, cuando se comportó de aquella manera infantil. Sentía odiarlo, sentía...

Ya no sabía que sentía, pero dolía como el infierno tenerlo cerca pues gracias a esa indefinición, a esa necedad de sentirse un ser maldito, de verdad estaba logrando herirla una y otra vez.

Ileana la vio pasar corriendo, para un segundo después encerrarse en su habitación. Cerró los ojos negando. Kristián parecía estar montada en una montaña rusa sin poder descender. Su tranquilidad había sido hurtada, su sonrisa despreocupada también. ¿Qué carajos estaba ocurriendo? Tomó su celular y le marcó a Paloma, era momento de intervenir.

Inmerso en su ansiedad, mientras conducía rumbo a aquella cena, su teléfono sonó. Era la amiga de Kristián, de inmediato respondió.

—Buenas noches. —Las terminaciones nerviosas se esponjaron, esperaba que nada malo hubiese pasado.

—Hola, ¿está ocupado? —Entornó los ojos.

—¿Qué sucede?

—Me gustaría que conversáramos —Le pareció muy extraño que le llamase, pero sabía bien la relación que tenían. Para Kristián esa joven era como su hermana, así se expresaba de ella.

—¿Cuándo y dónde?

—Mañana, a las once, en un café que está cerca de aquí, le mando la ubicación.

—Bien, hasta mañana.

La noche transcurrió gris. Mil veces estuvo tentado en regresar para rogar que lo escuchara, que merecía esa bofetada por su comportamiento infantil, pero y ¿después? En las terapias las cosas iban bien, lo cierto era que resultaba duro. Mucho de su interior se estaba abriendo aún más, las heridas sangraban por primera vez, a diferencia de las ocasiones anteriores en las que apenas si las reconocía y todo tenía que ver, según el psicólogo, con sus ganas de al fin enfrentar su infierno. Se sentía más expuesto que nunca, más irritable, más vulnerable. El huracán que en ese momento manejaba sus pensamientos no le permitía dilucidar nada pues era una revoltura absoluta; sin embargo, esta vez confiaba en que, tras ese telón gris oscuro que genera el aire al estar tan furioso, la luz apareciera y pudiera aferrarse a ella para poder vivir, vivir de verdad.

27
NO HAY GARANTÍA

Llegó puntual, el sitio contaba solo con algunas mesas ocupadas, caminó entre ellas al verla. La chica tecleaba algo en su móvil con un capuchino enfrente.

—Buenos días, Paloma —saludó. La joven alzó la mirada de inmediato. El hombre era intimidante, asintió pasando saliva, intentando sonreír.

—Buenos días, Cristóbal —lo tuteó ya sin más. Él se sentó con gesto serio. Paloma se recordó respirar, pero era difícil, unos segundos después lo consiguió. Estaba ahí por Kris y no se iría hasta que el futuro de su amiga quedara claro. Ya estaba cansada de verla así, sin lograr pasar hoja, sufrir cuando ella no solía ser de esa forma. Una camarera se acercó, tomó su orden y se alejó.

—¿Qué sucede? —preguntó recargando su enorme espalda en el respaldo. Paloma resopló jugando un poco con su celular. Ahí iba.

—Supe lo que ocurrió ayer con Kris, lo que ha venido ocurriendo desde la semana anterior, y antes... —Él asintió sin hablar, atento—. No me gusta entrometerme, pero ella ya luce rebasada con todo esto y... es como mi hermana, no me agrada verla así.

La camarera llegó con su café, sonriendo coquetamente. Paloma notó que él ni siquiera la miraba, era gélidamente indiferente. Demasiadas facetas ya le conocía y en definitiva con su amiga era todo lo contrario.

—Escucho —musitó con su voz gruesa. Atento. Paloma sonrió sacudiendo la cabeza.

—Debes saber que eres un hombre impresionante, intimidas —confesó tomando su capuchino. Cristóbal sonrió al ver que lo decía con sinceridad y sin doble mensaje—. En fin, mira... Seré sincera y espero no lo tomes a mal, después de todo ustedes harán los que se les venga en gana, pero mi sobrino está en medio de todo esto y siento que debo hacerlo.

Al escucharla hablar de su pequeño sintió ese vuelco que lo matizaba todo, ese ser, que aún no conocía, ya lo llenaba de ternura, de ansiedad y tanto **él** como la madre, ya eran sus pilares, por lo que estaba luchando. Paloma continuó:

—Todo esto que... Ya sabes, pasó entre ustedes, bueno, sabía que no terminaría bien. Kristián es una chica que lo da todo, nada a medias, ese... «juego» no lo podría llevar a cabo, y como ya notaste, no erré. Ella está enamorada de ti, tú lo sabes, tú de ella. Eso podría ser lo mejor, pero lamentablemente no lo es. Kristián siempre ha sido optimista, una mujer que ve el lado bueno de la vida, pero también ha sufrido cosas, trae su carga. ¿Comprendes? Ella también conoció a un hombre que le hizo daño, ya hace varios años, el muy imbécil le hizo creer que era soltero, nada más falso y además la dejó pensando que estaba embarazada. No era así, mi amiga tenía desajustes hormonales, pero el tipo huyó sin siquiera saber si era verdad... a los días se enteró de que tenía esposa gracias a la madre de él. Humillante, ¿no? —Cristóbal la escuchaba asombrado. Qué clase de hombre era ese—. Después de eso ella no volvió a abrir su corazón a nadie y antes de él, tampoco. Hasta que... apareciste. Mira, sé que son sus problemas, sin embargo, lo de ayer no ayuda, no debiste. Kristián te vio la semana pasada besando a una mujer en tu oficina y no te lo reclamó, ni lo hará jamás —expuso agobiada. Cristóbal casi escupe el café, hizo a un lado la taza arrugando la frente.

—¿De qué hablas? —inquirió turbado. Paloma volcó los ojos negando.

—Del sábado pasado, por eso estaba que echaba lumbre... Te vio besándote con una chica, según ella, despampanante con la que tuviste amoríos, en tu oficina... —explicó. El hombre recargó ambos codos sobre la mesa, francamente interesado.

—¿Ella vio eso?

—Sí, y déjame decirte que nunca había visto a Kris celosa, Dios, dale gracias al cielo que estuviera agotada, porque seguramente te hubiera dejado el puño bien marcado en la quijada, sabe hacerlo sin problemas —le dijo. Cristóbal se dejó caer sobre el respaldo comprendiendo aún mejor su actitud, sus palabras. No dejaba de ser un jodido imbécil.

—Paloma, yo no juego con Kristián, ella y mi hijo son lo que más me importa en la vida, eso que vio fue una confusión, jamás haría algo tan bajo, tan estúpido, ya bastantes cosas tengo que resolver como para prestarme a esas tonterías —apuntó frustrado. La chica asintió seria.

—¿Qué has arriesgado tú? —lo cuestionó con interés, de pronto. El hombre no respondió—. Porque ella lo ha hecho una y otra vez desde que apareciste; su trabajo, su estabilidad económica, su... corazón, ahora incluso está embarazada. Su vida cambió por completo. Por eso te pregunto: ¿Tú que has arriesgado por ella?

Perdió la vista en la calle, sopesando la respuesta. Jamás se permitió dar de más, cuando lo hizo, se replegó y... ciertamente no le había demostrado hasta qué punto estaba dispuesto a llegar por ella, y aunque él sabía que al que fuera, tanto que ya estaba modificando todo su entorno por tenerla a su lado, Kristián desconocía eso, sus planes y el día anterior que pensaba decírselo, lo estropeó todo.

—Cristóbal, siento que debes saber algo; ella es determinante, es una chica que pese a ser apabullantemente segura, de alguna forma tiende a dar lo mejor de sí por temor a no ser suficiente, conoces su historia, su pasado, comprendes por qué te lo digo. —La miró con el gesto contenido, tenso—. No permitas que te saque de su vida porque no tendrá reversibilidad, ni siquiera por ese hijo que los une.

—No permitiré que eso suceda —zanjó con decisión.

—Me alegra, pero con tus actitudes es justo lo que estás generando —enfatizó. Recordar a Luis ahí, las flores del jueves, el lunes verla hablar con su empleado, ya lo tenían cegado.

—Lo sé —acotó. No daba más respuestas, no se justificaba y era tan complicado leerlo, descifrarlo. Qué extraño era entablar una conversación con él.

Al salir de ese lugar, Cristóbal, divagó por las calles importándole poco cualquier cosa. Su cabeza era una revoltura. Las palabras de esa joven, aunque no muchas, calaron hondo. Sentía que Kristián se le escurría entre las manos y lo peor era saber que él tenía el poder de detener eso. Tenían que hablar, debía ofrecerle una disculpa, necesitaba que lo escuchara, pero ¿querría? Ya demasiadas palabras dichas, acciones que habían herido y él sintiendo que no la merecía. Aun así, tenía razón Paloma y no la perdería, no a ella, no amándola de esa manera. Debía encontrar la forma de hacer las cosas bien, de arriesgarlo todo ahora él, esa mujer lo valía, se lo había demostrado. Quizá con paciencia, tiempo, podrían tener esa familia que jamás soñó tener. Vivir en un hogar lleno de risas, de armonía, de momentos únicos. Eso parecía un sueño, pero creía que a su lado podría hacerse realidad. Y aunque se sentía plagado de oscuridad, se enfrentaría a su propio odio, lo haría ya.

Kristián salió a comer con Ileana, esta insistió en ir a dar una vuelta para que se despejara. La tarde fue agradable, algo que jamás creyó pudiese ocurrir con ella. Conversaron sobre el embarazo, los achaques, *tips* y demás, incluso terminaron en una tienda de ropa para bebés donde su madre no pudo resistir comprar un mameluco de ositos verdes. Kristián lo tomó, mirándola con los ojos empañados. En toda esa locura no había podido sentirlo tan real como en ese momento. Lo observó comprendiendo un poco lo que vendría.

—No estarás sola, Kris, si me lo permites, te ayudaré... —La joven no dejaba de ver la prenda, imaginando al cuerpecito que lo llenaría mientras Ileana rodeaba sus hombros.

—Quisiera que mi Aby lo conociera, que... las cosas fueran diferentes —murmuró con la voz quebrada. La mujer se ubicó frente a ella, alzó su barbilla con su dedo y la miró fijamente.

—Mi madre lo conocerá, lo sabes. Y de ti depende que todo vaya bien. Eres fuerte, muy inteligente, sé que serás la madre que yo no supe ser contigo... Asustarse es normal, pero tú lo enfrentarás, lo sé. —Por primera vez se permitió claudicar y la rodeó sacando el llanto contenido sobre su hombro mientras su madre acariciaba su espalda en plena tienda. Por minutos permaneció así.

—Gracias, Ileana, gracias por estar aquí —sollozó. La mujer limpió su rostro con dulzura.

—No hay otro sitio donde deba y desee estar ahora... —admitió bajito. Kristián sonrió de forma especial.

—Quisiera un chocolate —dijo rompiendo el momento sin poder controlar sus ganas. La mujer rio asintiendo.

Cristóbal, desanimado, al no encontrar a nadie en casa de Kristián, regresó a su apartamento. Decidió perderse en la piscina un rato. El celular por supuesto que no lo contestaba, ni siquiera sus mensajes matutinos en los que le preguntaba cómo amanecía y para lo que deseaba decirle no le mandaría uno, debían hablar personalmente. No tenía idea de dónde estaría, pero confiaba en que estuviese bien y distrayéndose un poco después de todo lo que la había hecho pasar los últimos días.

Jamás imaginó que hubiese presenciado ese desagradable momento con Daria que aún recordaba con asco. Eso provocó que colapsara, comprendió al recordar el desmayo. Más coraje bullía en su interior. Si no hubiese sido por Paloma quien sabe cuándo se habría enterado y las miles de cosas que ella debía haber imaginado le dolían incluso a él.

Sí, todo comenzó con un juego, pero ahora era el color de su mundo y pese a que su conciencia intentaba castigarlo alejándolo de ella, ya no lo permitiría, no más.

El lunes por la mañana, una vez solos, la miró fijamente, esperando que le dijera algo referente a lo ocurrido el sábado. Nada. Era como comenzar nuevamente. La indiferencia se le daba bien pues siempre la manejaba sin problema y el que jamás había podido con ella, ni podría, era él.

—Me gustaría hablar contigo más tarde... ¿Puedes por la noche? —preguntó con suavidad. La joven se puso rígida, sin alzar el rostro. Se veía hermosísima esa mañana y pese a su frialdad lo único que pudo desear con desespero era tener su imagen al despertar cada día de su maldita existencia.

—Debo ir a El Centro —repuso con voz cortante.

—Sé que estás molesta por lo ocurrido —apuntó conciliador. Kristián alzó el rostro al tiempo que lo fulminaba con la mirada.

—Necesito que te alejes de mí, no puedo ni quiero tenerte cerca —exigió sin previo aviso. Sus palabras, la forma en la que las dijo, lo consumieron, sin embargo, no se amedrentó, aún veía en sus ojos almendra eso que lo enloquecía, había fuego y la chispa vital que la recorría. No, esa mujer estaría a su lado pese a convertirse por ello en el ser más egoísta del jodido planeta, ya no importaba.

—Jamás, eso no ocurrirá, Kristián —advirtió sin moverse, fingiendo estar relajado. La joven resopló harta.

—No te escucharé, no me interesa nada que pueda venir de tu boca. Tú y tus malditos demonios se pueden ir al infierno —gruñó. La pasión con la que hablaba lo desbordó. Se levantó sin importarle ya nada, rodeó la mesa, tomó su cuello y la besó sin poder contenerse otro segundo.

Al sentirlo sobre sí, eso que siempre despertaba retornó de forma desenfrenada, enardecida. Su olor masculino, sus labios firmes, moviéndose como ya sabía que le gustaba, la invasión con su lengua, sus palmas rodeando su cintura, pegándola a su pecho con ansiedad. Cada partícula del cuerpo, hasta ese momento en pausa, despertó de forma frenética haciéndole ver el porqué de sus sentimientos hacia ese hombre; no solo era su cabeza, que pese a sus lúgubres espacios, admiraba, sino eso que generaba con tan solo sentir su aliento mezclándose con el suyo como si fuese la unión entre un gran río y el mar donde ambos convergen y pese a ser diferentes su estado líquido los hace ser compatibles y era justo eso lo que los fundía.

—Yo y mis malditos demonios llegamos a una resolución —habló casi sobre sus labios, deleitado por ese sabor natural que tenía, por su suave piel moldeándose a la propia—. Así que te buscaré después de los ensayos —zanjó. Ella se alejó respirando agitadamente, la tensaba como siempre, la hacía vibrar como jamás nada, nadie, ni siquiera el baile. Su mirada verde se tornó oscura, decidida. No supo qué hacer.

—No quiero escucharte, ya te lo dije —soltó temblando aún por su contacto—. Y no quiero que vuelvas a besarme sin mi consentimiento —murmuró descompuesta. Él rio negando, de aquella manera sensual que siempre la hipnotizó.

—Siempre he tomado la iniciativa, Kristián, pero tu cuerpo jamás se ha negado —le recordó notando como la turbaba.

Saberla celosa debido a aquella mujer y furiosa por su metedura de pata del sábado con Luis, de pronto no le pareció tan terrible, sino algo terrenal, un asunto que se aclararía. Esa noche hablarían, como diera lugar. Ir lento era seguro, ambos se acostumbrarían, podrían ir enfrentando poco a poco lo que sucediera. Para tenerla a su lado, como deseaba, primero debía tenerse a sí mismo, lo tenía muy claro, pero no permitiría que se alejara mientras eso sucedía. Solo esperaba que para ella fuera suficiente.

—Eres un soberbio, un prepotente, un... —Sus mejillas teñidas de rojo lo tenían atolondrado. Prefería a esa Kristián que a la de últimamente. La contempló complacido.

—Me amas —le recordó con simpleza, cruzándose de brazos. La joven entornó los ojos, estaba más que rabiosa.

—Y tú también, y qué más da. Lo arrogante nadie te lo quita. Y no te aparezcas por ahí esta noche, Cristóbal, te lo advierto —dijo elevando un dedo retadora. El hombre tomó su muñeca y con cuidado la acercó nuevamente. La extrañaba tanto.

—Y tú eres absolutamente orgullosa. Iré y hablaremos, acabaremos con este desquicio de una maldita vez, te guste o no —declaró. Temblaba tanto como él, ansiando lo mismo que él, deseando las mismas cosas que él.

—Ponme a prueba —exclamó soltándose. Después de todo lo acontecido la última semana de verdad sentía que podía brincar sobre su cuerpo del coraje.

La observó cerrar la puerta. Eso ya era ridículamente insostenible y no lo perpetuaría más, ni por ella, ni por el bebé, ni por él, ni por nada más. Decirle lo que creía, llegar a acuerdos, rogarle un tiempo, eso era lo que debía quedar claro, lo que necesitaba que hablaran, pero no más distancia, solo ir pausadamente.

Por la noche Kristián terminó los ensayos unos minutos antes, no permitiría que la interceptara ahí. No haría las cosas a su modo. Se creía todo un autoritario en potencia a pesar de haberse besuqueado con esa mujer, no, no y no. No tenía ganas, ¡no quería y punto!

Paloma le mostró los dientes al verla salir. Volcó los ojos comprendiendo a qué venía esa expresión.

—Te está esperando afuera —soltó recargando sus codos sobre el mostrador. Se colocó la sudadera renegando.

—Es un maldito terco —se quejó al tiempo que subía la cremallera.

—Escúchalo, Kris, no pierdes nada —pidió. Su amiga negó decidida.

—No ahora, todo tiene que ser cuando él diga. No más —declaró desafiante. Paloma rio negando.

—Pareces una adolescente, amiga, en serio —manifestó divertida. Por lo menos no lucía triste, sino molesta, entrando en su juego. Eso era un avance. Kristián se acercó y la miró fijamente.

—Si cree que, porque lo amo, cederé siempre, está en un error —bramó y caminó rumbo a la salida. La joven rio, sabía que esa resolución no duraría nada, la conocía y al final hablarían, confiaba en que eso solucionara todo de una vez entre ambos.

En cuanto salió, lo vio. Estaba recargado en un auto, justo frente a la puerta del lugar. Tan impresionante como siempre, tan atractivo como solo él podía ser. Molesta por sus pensamientos, por su boca seca al contemplarlo, lo rodeó pretendiendo cruzar la calle, para llegar a donde su coche estaba aparcado. Cristóbal la detuvo con suavidad tomándola del brazo. No tuvo más remedio que encararlo.

—Creo que nadie te explicó lo que significa la palabra «no» —espetó seria.

—Te equivocas, esa es la palabra que ha reinado en mi vida y ya no soporto escucharla —refutó. Kristián respiró hondo, observándolo, parecía muy tranquilo, pero también suplicante—. Solo escúchame, unos minutos —pidió. Dejó vagar la vista en lo que a su alrededor sucedía. A esas horas aún había movimiento, así era la ciudad, aunque decididamente menos.

—Te vi besando a esa mujer el fin de semana anterior... —soltó de pronto dejándolo perplejo. Metió las manos en los bolsillos del pantalón, avergonzado, suspirando molesto.

—Me giré y al hacerlo choqué con su boca, de inmediato me la quité de encima, sin miramientos. Sabes que soy muy directo. No tengo nada con ella, esa fue la última vez que podrá siquiera subir a gerencia y acercarse a mí, se lo dejé muy claro. Solo me interesa en mi vida una mujer, esa eres tú, lo sabes —declaró con firmeza. Sus ojos no mentían. Por otro lado, la intensidad de su mirada extrañamente limpia y serena, decía demasiado.

—Creí que pretendías retomar tu vida puesto que yo no tengo cabida en la tuya —argumentó. Él rio negando asombrado de que pudiese siquiera pensar algo como eso.

—¿De dónde sacas eso, mujer? —La cuestionó arrugando la frente. La dejaba sin aliento, sentía como cada hormona, cada neurona lo reclamaban, lo ansiaban. De pronto no se sentía tan segura de su postura, de su molestia. Ladeó la cabeza observándolo, confundida.

—De ti, de tus palabras...

—Sé que yo soy el responsable de esos torcidos pensamientos. Hablemos en otro sitio —propuso. Negó, no quería estar a solas con él, no creía que su cuerpo pudiese dominarse.

—Dime lo que deseas, ahora —le exigió. Cristóbal llenó de aire sus pulmones asintiendo sin remedio. Sabía que no la movería de esa determinación.

—Estoy asistiendo a terapia... Llevo unas cuantas sesiones —confesó serio. Ella se mostró sorprendida, una esperanza creció y el enojo se esfumó.

—Me alegra, de verdad —admitió con ternura. Eso era mucho más de lo que esperaba oír de sus labios. Se acercó un poco y posó una mano sobre su mejilla, se sentía tan bien al tocarlo, sentir su piel caliente sobre la suya, su fuerza—. Sé que lo superarás, lo haremos juntos, verás que puedes y... —Él tomó su palma y la besó con algo de nostalgia.

—Kris, ahora mismo no creo que estar preparado para que vivamos lo que sentimos —explicó. Una ola cargada de hielo hubiese sido mejor, el frío la permeó de inmediato. Se alejó un paso frunciendo las cejas—. Herirte no es mi opción, solo necesito que me des tiempo, sé que iré superándolo todo... Vamos despacio, poco a poco, solo...

—¿No quieres que esté a tu lado? —conjeturó. Cristóbal negó con calma, estaba ahí para arreglar de una vez su futuro. Sin embargo, el cómo lo decía se escuchaba peor de lo que pensaba, más aún con sus ojos cargados de desilusión, de tristeza. No tenía planeado que las cosas sucedieran así. Kristián parecía no comprenderlo—. ¿Entonces? No te entiendo... por mucho que lo intento no puedo. Desear recuperarte es... bueno, te felicito, es una decisión valiente, pero ¿y yo? ¿Qué papel juego en esto? ¿En qué cambian las cosas para mí? Te alejas y me alejas, y duele más cada vez que lo haces. —Quiso acercarse, ella lo evitó—. Solo dime. Prefiero que seas honesto, que no me des falsas esperanzas —le suplicó llorosa. Sintiéndose una estúpida por creer que la dejaría entrar al fin.

—No sé cuánto llevará, no deseo arrastrarte a esto, menos en este momento donde debes tener paz, risas... No quiero que mi oscuridad opaque tus sonrisas, no me lo perdonaría. Pero no te pongas así, escucha lo que trato de proponerte, lo que deseo que sepas. —Intentó tocarla, no se lo permitió. Parecía un gatito asustado, dolido, herido. Sabía que lo comprendía, pero eso no implicaba nada.

—Intento armar el rompecabezas que es tu cabeza, pero sigues pensando en negativo. ¿Por qué no puedes pensar que mi alegría ganará a tu oscuridad?

—Porque no hay garantía de ello y mientras así sea, no puedo permitirme el lujo de tenerlos para experimentar, no tan cerca.

—Cristo, podemos hacerlo juntos, sé quién eres, lo que vales, lo que hay dentro de ti. Solo permite que te acompañe en este proceso, no me excluyas, ya no... —le pidió con un enorme nudo en la garganta, ladeando el rostro, ansiando su abrazo de una maldita vez.

—Por favor, solo dame tiempo, estoy queriendo hacer las cosas bien. —La joven cerró los ojos afligida, sintiendo de nuevo ese maldito dolor que proporciona la impotencia, la frustración.

—Yo... te necesito a mi lado, mi vida también está por cambiar.

—No estarás sola, eso jamás, solo no me pidas ser egoísta contigo, no quiero... no debo. Solo permite que te explique —le suplicó ansioso, no le gustaba nada por donde iba la conversación, solamente quería ir con calma, salir, pasear, planear lo que vendría, dejar que las cosas se dieran poco a poco, de una forma natural, que pudiera mostrarle otra cara de sí mismo, que la hiciera reír, que... fueran a un paso lento pero seguro. Sin embargo, ella dio otro paso hacia atrás.

—Haz lo que debas, Cristóbal, no te juzgo. —Limpiándose el rostro comenzó a cruzar la calle. Su mente la sentía ya suspendida y aunque lo comprendía, dolía mucho que le estuviera pidiendo que estuvieran separados. El embarazo avanzaba y tenía que hacerse a la idea de que lo viviría sola, de que por mucho que lo amara no era suficiente para permanecer a su lado. Él estaba concentrado en sus necesidades, ella debía concretarse en lo que vendría. No tenía más.

Todo ocurrió demasiado rápido, ese auto a toda velocidad, el tipo iba leyendo algo en el celular. Kristián en pleno pavimento abrazándose a sí misma después de escuchar la mitad de lo que pretendía decirle. No lo pensó, corrió con el pánico atascado en la garganta, sintiendo la energía que brota del miedo al consumirlo todo. Con la certeza de que no podría existir jamás en un mundo donde ellos no estuvieran, pues sabía que eso sí lo aniquilaría. La amaba más que a nada en el mundo, a su pequeño también, ni él ni nadie nunca les harían daño, no si podía evitarlo, una existencia sin su sonrisa definitivamente no valdría la pena.

—¡Kristián! —gritó al tiempo que alcanzaba su delgado cuerpo y lo aventaba con todas sus fuerzas hacia adelante. Sintió el impacto mientras escuchaba como dentro de su cuerpo varios órganos se rompían generando un dolor agudo. Luego se vio a sí mismo salir proyectado, solo esperaba que ella estuviera bien, un segundo después se perdió en el negro de su cabeza que todo lo invadió.

28

NOCHE PROFUNDA

Pegó de lleno contra la puerta de aquel auto aparcado. Con el corazón desbocado y el brazo lastimado debido al fuerte golpe, giró sintiendo ácido quemar su esófago. Hubiera dado su vida por no presenciar el instante en el que él salía proyectado y caía golpeando fuertemente con su cabeza el asfalto. Horrorizada no pensó en nada más.

—¡No! —bramó corriendo hasta él mientras la gente se acercaba. Su cuerpo, su rostro, todo era sangre. Temblando se hincó a su lado—. No, Cristo, ¡tú no! —rogó bajando el torso para tomar entre sus manos su hermosa cara clavada en la inconsciencia.

—No lo muevas, Kristián —le ordenaron. No reconocía la voz, no reconocía nada salvo el enorme vacío y dolor que le provocaba pensar que podía estar muriendo o, peor aún, muerto.

Paloma corrió hasta ella. Al escuchar los gritos todos salieron alarmados. Impactada por lo que estaba aconteciendo, se acercó con la respiración agitada, e intentó rodearla por los hombros. Kristián no se lo permitió y la hizo a un lado negando con desespero sin poder quitar los ojos de ese rostro que parecía ya no estar en este planeta. Temblaba de forma convulsa, sus manos se movían sin ilación.

—M-me sal-vó. No puede morir, lo amo, no puede dejarme. —Lloró desbordada, acercando su rostro al de él, besando sus labios con desespero, sacudiendo su cabeza levemente—. No me dejes, no nos dejes —suplicó contra su boca. Paloma se limpió las lágrimas. Los escoltas de Cristóbal ya realizaban llamadas, una ambulancia se escuchaba a lo lejos y la sirena de la policía también. El chico que lo atropelló estaba lívido, custodiado por algunos jóvenes de El Centro que no le permitirían irse.

Pronto su rostro trigueño quedó manchado de sangre. No paraba de besarlo, de rogarle que abriera los ojos, pero él no se movía, lucía muy lastimado.

—Mírame, mírame, Cristo, lo lamento, toma el tiempo que quieras, solo no me dejes, por favor... —suplicaba llorando. Paloma alzó la vista, el escolta observaba todo con gesto adusto, no podía esconder su preocupación, Cristóbal lucía verdaderamente mal.

—Kris, no lo muevas —le suplicaba su amiga notando que no estaba bien, que su mente no le permitía tomar el control a la parte cuerda. No le hizo caso. Sentía que su mundo colapsaba que todo perdía el sentido de pronto, que sin él nada sería lo mismo, que se ahogaría en ese mar de dolor que la aquejaba al verlo así, inerte, lastimado.

La ambulancia llegó, de inmediato la hicieron a un lado. Paloma y Andrés la cobijaron con sus cuerpos. Parecía ida, no paraba de llorar y de mirar atenta cómo lo subían a la camilla. Sangraba mucho y no reaccionaba.

—Iremos tras ellos. ¿Sí? —le hizo ver su amiga tomando su barbilla para que la mirara a los ojos. Manchada de carmesí por todo el rostro asintió aún en *shock*. Le dolía el brazo, sentía unas náuseas enormes, pero no quería separarse de él. Notó como Roberto se subía a la ambulancia y daba instrucciones a su equipo. Uno de los hombres se acercó a ella, serio.

—Los guiaremos —dijo y se alejó hasta la camioneta donde solían estar. Kristián entró en la parte trasera del auto ya sin moverse, solo con su vista perdida, sudorosa. Era devastador comprender que la vida puede cambiar en un pestañeo que lo que fue, podía ya nunca ser.

En cuanto llegaron, ella bajó sin esperar nada. Corrió prácticamente hasta emergencias. Roberto la detuvo con suavidad.

—Tranquila —susurró, tensó. Ella quiso zafarse, no pudo. Deseaba entrar, verlo, estar a su lado.

—¿Dónde está? Quiero estar con él, déjame ir —le pidió llorando de nuevo. El hombre negó con firmeza.

—Ya está dentro, solo queda esperar. —Negó con vehemencia.

—Por favor —le rogó entre sollozos, retorciéndose para que la soltara.

—Deben revisarte, te diste un golpe muy fuerte y el bebé, Kristián. —La tomó por la barbilla para que lo mirara a los ojos—. No hay nada que puedas hacer, debes velar por tu hijo y por ti ahora, eso es lo importante.

—Creo lo mismo, es más, pediré un médico —intervino Paloma tras ellos.

—Ya lo solicité, ahora viene —informó el hombre. Kristián parecía tan débil, tan agotada, tan triste. Su amiga se acercó y la cobijo con sus brazos.

—Todo irá bien, estará bien, ya verás... Tranquila, Kris, debes calmarte. —Temblaba mucho. Un hombre joven, pero con expresión profesional, se acercó.

—¿Quién es la paciente? —A regañadientes lo acompañó con Paloma aferrada de su mano. La revisaron a conciencia mientras no dejaba de derramar lágrimas. Limpiaron su rostro, sus manos. El bebé estaba bien, su brazo solo un poco lastimado, pero salvo eso, todo lo encontraron en orden.

—Debe calmarse —le pidió el médico observándola—, en su estado no es lo recomendable darle algo para que lo haga. —Kristián se limpió las mejillas por enésima vez con el papel que le dieron.

—Necesito saber que está bien —murmuró con un hilo de voz, evocando su mirada, la manera en la que esa noche la buscó, sus palabras, distintas a todas las dichas hasta ese momento. Él estaba dispuesto a comenzar, no de la forma que ella deseaba, pero sí a su lado... lentamente y... no lo dejó hablar, no le permitió decir todo lo que quería.

—Aún no sale nadie, Kris, debes tener paciencia. —Volvió a decir su amiga. Cada minuto la mandaba a ver si tenía noticias.

—Esto no está en sus manos, pero su salud y la de su bebé, sí, por favor busque mantener la calma, sé que su esposo está ahí, pero... en estos casos tardan en dar noticias y usted debe sosegarse un poco.

«Su esposo». Casi rio de forma histérica ante esas palabras, sin embargo, asintió comprendiendo que tenía razón.

La noche dio paso a la madrugada, fría y sin nada nuevo salvo que Gregorio llegó poco después de aquel desastre, desencajado. Alcanzó a escuchar que le decía a Roberto que la hermana de Cristóbal y su esposo estaban en camino. La escena se reproducía en su mente una y otra vez. Sus palabras, sus ojos, su grito, su cuerpo golpeándose con violencia. Derramaba lágrimas ya sin percatarse, absorta en sus pensamientos, en lo que estaba ocurriendo, en que podía haber sido la última vez que hablase con él, que podía jamás volver a escuchar su gruesa voz, verlo intentar salir de su profunda noche para complacerla.

—Kris... debes comer algo, descansar. —Negó sin tener la menor idea de quién le hablaba. Nadie salía, solo supo por murmullos que lo estaban operando, Gregorio se había hecho responsable de todo y debían aguardar. La espera consumía su cordura. Estaba yendo a terapia, deseaba salir realmente de todo eso... Hubiese querido ser suficiente motivo como para hacerlo emerger de una vez de ese laberinto lleno de consumición donde mantenía escondida su alma.

Casi amanecía cuando pasos se escucharon por el pasillo.

—¿Cómo está? —preguntó una mujer de hermoso cabello largo, la reconoció de inmediato, era la hermana de Cristóbal, en su apartamento vio un par de imágenes de ella con su bebé. Era más alta de lo que imaginó y poseía una belleza natural que debía notarse. Un hombre asombrosamente apuesto e igual de alto que Cristóbal, venía detrás, lucía desencajado también. Gregorio la recibió en sus brazos absorbiendo su llanto. La chica sollozaba aferrada al abogado, negando una y otra vez. Sus palmas sudaron, su corazón era tan pesado como el plomo.

—Tranquila, Andrea, lo están operando, aún no sabemos nada —le dijo con suavidad. La joven se separó temblando, sus ojos enrojecidos delataban su llanto de horas atrás.

—¿Cómo fue? No entiendo, no puede estar pasando por esto, Gregorio, no lo soporto —chilló abatida. Matías la tomó por la cintura y la pegó a su pecho de una manera protectora, envolviéndola con su cuerpo como si ella encajara perfectamente ahí. Besó su frente mientras miraba al abogado con los ojos vidriosos, era muy evidente su dolor por lo ocurrido.

—Belleza, calma, no te pongas así, ya te lo dije... Debemos esperar, tu hermano es muy fuerte —le recordó con confianza. La joven asintió perdiéndose en su pecho. Gregorio sacudió la cabeza al tiempo que desviaba la vista hasta Kristián que lagrimeaba de nuevo.

¿Cómo le diría que todo fue su responsabilidad, que de haberse fijado y no estar perdida en sus pensamientos, Cristóbal no estaría pasando por eso? Paloma apretó su rodilla infundiéndole ánimos. Ella giró seria, sin poder siquiera hablar. En la vida muchas cosas le habían ocurrido, pero en ninguna se había sentido directamente responsable. Eran situaciones que por azares del destino le tenían que ocurrir, que estaban escritas, sin embargo, ahí, en ese momento, sintió lo que era hacer sufrir a alguien sin pretenderlo y, aun así, ser la... culpable.

Media hora después las puertas al fin se abrieron. Todos se acercaron al médico que salía, ella no se movió. Gregorio la tomó de la mano con firmeza y la hizo andar hasta ahí.

Andrea observó lo que ese hombre, que conocía de toda la vida, acababa de hacer. Esa chica de cuerpo atlético llevaba sangre en su ropa, su mirada estaba ojerosa, líneas rojizas adornaban sus ojos, no era tan alta, pero la seguridad que proyectaba más ese lindo rostro, la hacían notar. ¿Quién era?

—¿Son parientes del señor Garza? —preguntó con cansancio el doctor.

—Soy su hermana, ¿cómo está? Por favor, dígame que estará bien —suplicó. Matías mantenía rodeada su cintura pues su mujer se encontraba, como era lógico, desbordada, además, él también deseaba saber.

—La operación salió bien, demoramos porque el paciente mostró hemorragias internas y encontrar qué las producía era lo primordial. Hasta ahora el hígado y el intestino fueron los responsables, no obstante, hay que esperar cuarenta y ocho horas, en estos casos puede aparecer otra herida que debido a la cantidad de sangre no se manifestara. Le están haciendo una transfusión de sangre y... le inducimos el coma, serán dos o tres días debido a un edema cerebral, eso dará tiempo a que se desinflame ya que no encontramos sangrado en el área.

—Oh, mi Dios —murmuró Kristián tapándose los labios, sintiendo que se ahogaba. Andrea lloró negando nuevamente—. ¿Está fuera de peligro? —intervino ansiosa. El hombre la miró, reflexivo.

—Está en periodo de observación, es pronto para decir algo así, sin embargo, si todo es como pensamos, mejorará. De lo contrario... bueno, ya se revisará en su momento, aunque ya estamos preparados —expuso.

Dejó salir un suspiro cargado de dolor. Gregorio tomó su mano con dulzura, tranquilizándola.

—Gracias, doctor... —respondió. El hombre asintió con gentileza.

—No me iré para estar al pendiente, pero les aconsejo que vayan a descansar, por ahora no puede recibir visitas, está en terapia intensiva y las próximas horas serán vitales.

—Solo quiero hacerle saber que estoy aquí, déjeme verlo un minuto, se lo suplico —rogó Andrea sintiendo que no podría pasar una hora más sin cerciorarse de que estaba vivo.

Cuando recibió la noticia, Matías y ella al fin habían logrado dormir a Fabiano, se disponían a cenar, se sentía tranquila de haber conversado con su hermano horas atrás. Esa llamada, la mirada de su esposo. Supo de inmediato que algo había ocurrido.

Semanas atrás se enteró del suicidio de Mayra y comprendió, cuando su esposo le contó lo que venía ocurriendo, su actitud un tanto ausente y tensa. Discutieron en el estudio, después de conocer la verdad.

—¡No pueden ocultarme esas cosas! —chilló molesta. Matías la observó serio.

—Sí puedo, se trata de lo único que me importa en este mundo, carajo, tú y mi hijo. No había necesidad.

—¿Entonces callarte y afrontarlo tú es la solución? ¡Somos una familia! —le dijo llorosa. Todo aquello le había abierto heridas añejas, él lo entendía, Andrea no era así, al contrario, aunque necia y de ideas fijas, solía estar alegre y relajada.

—Estás alimentando a Fabiano. No tenía sentido y ya ves, murió. No ocurrió nada de lo que imaginamos y te hubieses alterado en vano.

—Ahora mismo estoy alterada —declaró junto a la ventana, cruzada de brazos. Matías se acercó, pero ella se hizo a un lado. Sonrió entristecido porque sabía todo lo que estaba ocurriendo en el interior de su mujer—. Fueron años, años de sentirla ahí, constante, presente. Fue una sombra constante. Y ya no está... ella eligió irse y sigo sintiendo de alguna manera que no pagó lo suficiente. Me siento vil por ello, pero no puedo evitar pensarlo. Qué fácil, ¿no? —sollozó. Su esposo la hizo girar para que lo mirara, sabía que eso ocurriría. Limpió sus lágrimas con ternura. Odiaba, por sobre todas las cosas, verla llorar y no había ocurrido salvo en el parto de Fabiano al verlo salir de su ser, pero eso era distinto.

—Escucha, Belleza, esa mujer vivió su propio infierno. Las cosas que la orillaron en prisión para hacer algo así, debieron ser muchas. Gregorio dice que por eso al final decidió apelar, no lo estaba pasando bien y aunado a esa enfermedad... Bueno, creo que tuvo el final que eligió, el que cierra su círculo y el nuestro. Lo cierto es que no importa cómo, o por qué, el hecho es que se terminó... ¿Comprendes? Esto verdaderamente se acabó y debemos enterrarlo para siempre, debes hacerlo por ti, por nuestro hijo, por nosotros.

—Y por mi hermano —agregó llorosa. Matías asintió conmovido, pero aliviado si era sincero.

—Sí, por todos.

—Retomaré las terapias, creo que las necesitaré de nuevo —admitió perdiéndose en sus ojos, esos que le hacían sentir tanto, todo. El hombre la tomó por la cintura y rodeó con sus brazos.

—Si eso crees que es lo mejor, entonces hazlo —respondió. Andrea rodeó su cuello y buscó sus labios. Enseguida Matías acortó la distancia y la besó con cuidado primero, para un segundo después sentir que el deseo lo sometía.

—Gracias por estar a mi lado —murmuró ella contra su boca, acalorada.

—No tengo otro lugar donde estar —declaró cargándola para tumbarla sobre el sillón. Ella rio aún con lágrimas.

—¿Crees que superaremos esto algún día? —preguntó acariciando su cabello castaño.

—Lo harán. Es horrible, pero ahora ya no hay salvo avanzar.

—¿Soy mezquina por haber deseado durante tanto tiempo que ocurriera? —preguntó agobiada. Él pasó una mano por su mejilla.

—Eso nos convertiría a todos en eso, créeme.

—Cristóbal debe estar muy mal. Sé que lo deseó cada segundo desde que lo supo todo.

—Cerrar duele, Belleza —murmuró contemplándola. Ella sonrió comprendiéndolo.

—Lo sé, a veces el proceso lleva su tiempo, pero sé que lo logrará —susurró acercándolo por el cuello, observando solo su boca.

—Lo hará, debe hacerlo.

Después de aquella noche retornó a sus sesiones y se sentía mejor cada día, pero todo se vino abajo en aquel momento. Negó frenética cuando Matías, con tacto, le informó de lo ocurrido. Empacaron en un santiamén, María se ofreció a acompañarlos para ayudar con Fabiano y salieron para la Ciudad de México en mitad de la noche. Al llegar dejaron al niño con sus suegros que estaban desencajados a la par que enamorados de su nieto y salieron rumbo al hospital. No, no podía estarle pasando eso justo cuando ya todo había acabado. Cuando el grillete que lo detenía había dejado de existir, pensó Andrea ahí, escuchando al doctor dar su parte.

—Señorita, por ahora es imposible —declaró con firmeza el responsable de Cristóbal.

—Soy su hermana —buscó convencerlo. El hombre asintió mientras Matías la pegaba de nuevo a él. No había dejado de llorar en todo el camino.

—Lo entiendo, le prometo que en unas horas más lo evaluaremos... Solo tenga paciencia, hacemos todo lo que podemos por su hermano —pidió con elocuencia. La joven asintió sin remedio, vencida, desolada.

Kristián, comprendiendo que no tenía ninguna posición ahí, ya se había sentado en la silla que ocupaba, perdiendo la vista en un punto lejano del pasillo. Un par de familias más ahí se encontraban, dormitaban y parecía que ya estaban acostumbradas a ver pasar las malas noticias. Recordó a su abuela y comprendió el porqué de no querer verse en esa situación. Apretó su vientre con ansiedad. La vida quitaba y daba, pero ella ya no quería perder, ya no. Dejó que de nuevo las lágrimas rodaran por sus mejillas.

—En cuanto pueda recibir visitas, haré que lo veas —murmuró Gregorio sentándose a su lado. Ella giró, dolida.

—No sé qué papel juego en su vida —admitió más para sí, sintiéndose tan fuera de lugar ahí. Él la comprendió mirándola con fijeza.

—El más importante, Kristián, no lo dudes, lograste lo que nadie había logrado. Por favor, mantén la calma.

—Discutimos, yo no me fijé al cruzar, él me salvó —sollozó con voz apenas audible. El abogado sonrió notando su culpabilidad.

—Tú lo salvaste a él. Cristóbal es muy fuerte y ahora que le diste motivos no dejará de pelear, te lo aseguro, saldrá de esta. Ya verás —aseguró.

Andrea, observadora como solía ser, no quitó la vista de lo que en ese par de asientos ocurría.

—¿Qué sucede, Belleza? —le preguntó su marido mientras acariciaba su mano. Recibir la noticia casi la desquicia. Andrea vivía en paz, sonriente, pero Cristóbal y lo ocurrido en aquella casa, tantos años atrás, parecía que los perseguiría por siempre, pues, aunque prácticamente curada y a un poco más de un año de recuperarla, a veces se ensimismaba y le confesaba estar demasiado preocupada por su hermano, admitiendo que ese pasado pese a que ya no la dominaba, sí lo llevaría por siempre como una cicatriz que, al verla, hace recordar su origen. El problema era que el propio Cristóbal se creía a sí mismo esa cicatriz.

—Esa chica, Matías, la que está con Gregorio —susurró. Sabía de quién hablaba. Una joven de facciones finas, armoniosas, menuda, que lucía asombrosamente demacrada con lo ocurrido, pero que era imposible no notar debido a esa indudable seguridad. Asintió buscando la mirada de su esposa, al encontrarla, acarició su barbilla. Cómo la amaba, y no soportaba saber que la tristeza de nuevo la empañaba. Sin embargo, algo le decía que su casi hermano saldría de esta y pronto todo cambiaría de una maldita vez para todos—. ¿Tendrá algo que ver con Cristo? —preguntó llorosa.

—Supongo, si está aquí, así, y Gregorio la trata con tanta consideración, debe ser…

—¿Y por qué no nos dijo nada Cristóbal? —buscó entender. Andrea necesitaba con urgencia que Cristóbal se perdonara y así, en algún punto, ambos caminar de la mano sonriendo, satisfechos de lo que su vida era, tranquilos al fin.

—Sus motivos debe tener, pero te lo dirá, ahora que salga de todo esto, te lo contará… Sabes que te confía todo —le recordó. Ella sonrió con dulzura, en medio de esa espeluznante noche, Matías se portaba como solía; dulce, atento, amoroso. Él era su pilar, su todo, junto con Fabiano y desde que habían unido sus vidas, no cesó de sentirse realmente viva.

La luz se filtraba por los pasillos del hospital, nadie se movía. Paloma buscó que comiese algo, Kristián no parecía desear nada salvo verlo.

—¿Sabes? Hablé con él —le confesó serena, eso captó de inmediato su atención. Se limpió el rostro con manos trémulas.

—¿Tú? —murmuró incrédula.

—Sí, fuimos a un café, pero te lo contaré solo si hablas con Ileana, que debe estar enloquecida, y comes algo, una fruta por lo menos, Kris. —La joven entornó los ojos notando el chantaje—. No tienes que moverte de aquí, solo compláceme y alimenta a mi sobrino —le recordó con ternura. Asintió sin remedio. Tomó el móvil, tecleó un mensaje y lo mandó. Luego aguardó a que apareciera nuevamente su amiga, mientras notaba la mirada de Andrea clavada cada cierto tiempo sobre ella. Se sentía nerviosa y sin saber muy bien cómo comportarse. Pese a ello, no se iría, necesitaba permanecer ahí, no estaría tranquila en otro sitio. La espalda le dolía, se levantó moviendo el cuello, frotándoselo con la palma de su mano, olvidando por completo la promesa de Paloma.

—¡Kris! —Era Caro, corría hacia ella con el rostro descompuesto, pálida—, me acabo de enterar —exclamó y la abrazó fuertemente. La joven correspondió al gesto dejando salir de nuevo algunas lágrimas. La rubia se separó tomando sus manos, se hallaban frías y la chica por demás demacrada, eso sin contar con la sangre que tenía en la sudadera—. ¿Cómo está? ¿Qué pasó? —Kristián agachó la mirada, turbada.

—Un auto, todo fue muy rápido —articuló con la voz quebrada, sin poder mirarla a los ojos. Caro sacudió la cabeza al notar que recordarlo la torturaba—. Está en observación y lo indujeron a un coma, debemos esperar —musitó al fin alzando la vista.

—Es fuerte —susurró como intentando calmarla, pero sus ojos mostraban un poco de su asombroso dolor, de su ansiedad, de lo perdida que se encontraba.

—No puedo imaginar este mundo sin él —admitió bajito. Caro sonrió con ternura.

—Saldrá de esta, lo conozco... ¿Por qué no te vas a descansar, a tomar una ducha? Yo te aviso de cualquier cosa.

—Perdona. —Ambas giraron. Caro abrió los ojos de par en par al notar a Andrea ahí.

—Lamento mucho lo que está ocurriendo, Andrea —habló la rubia colocando su mano sobre su brazo. La hermana de Cristóbal asintió con tristeza.

—Lo sé, esto es como... otra pesadilla —murmuró agobiada, ojerosa, dándole un beso en la mejilla a manera de saludo—. Supe que ya nació tu bebé, muchas felicidades —dijo con voz suave. Kristián no se movía, pero sabía que esa mujer deseaba hablar con ella y por eso se acercó. De pronto sus sospechas se corroboraron, Andrea volteó evaluándola con curiosidad, no la amedrentó, su mirada pues era tierna, inspiraba confianza, sin embargo, no supo qué hacer—. ¿Tú estabas en el accidente? ¿Sabes qué ocurrió? ¿De dónde se conocen? —Tantas preguntas la aturdieron.

—Es Kristián, ella me suplió con todo lo que ocurrió —explicó Carolina. Andrea sonrió tendiéndole la mano, gesto que la joven correspondió.

—Mucho gusto, soy Andrea, la hermana de Cristóbal... —se presentó. Kristián asintió buscando serenarse—. ¿Tú estabas cuando pasó... esto? —quiso saber con el semblante de pronto ensombrecido, evaluándola.

—Sí, conversábamos. —No quería dar detalle. Andrea se frotó la frente negando, de pronto sus ojos se tornaron acuosos.

—No puedo creer que esté aquí, por esto, hablé con él por la mañana, sonaba tan diferente... —lo decía más para sí que para ellas. Kristián deseaba desaparecer, si algo peor ocurriese no podría cargar con la responsabilidad, con la culpa. Eso sin contar que no podía imaginar un mundo sin ese hombre cargado de demonios que definitivamente también amaba, sí, los amaba porque eran quienes lo habían transformado en ese ser que despertaba cada molécula, cada célula y neurona con tan solo una mirada.

Andrea volvió a examinarla, había escuchado con esfuerzo las palabras intercambiadas entre ambas, pero no sabía si debía abordarla, indagar pese a la curiosidad. Ansiaba saber. Desde que terminó la llamada con su hermano había quedado con una sensación extraña. Cristóbal, pese a su tono triste, presente con más claridad a últimas fechas, lo percibió más sereno, más claro, eso sin contar que le dejó ver algo que la desconcertó... Estaba recibiendo ayuda y le habló de una decisión, de colores, de emerger. Por supuesto escuchar eso le agradó más que nada, deseaba que sonriera como cuando era adolescente, necesitaba verlo salir de todo aquello que los hundió, y parecía que, al fin, por alguna extraña razón, lo había decidido.

—Lamento esta pregunta y no debes responderla si no lo deseas, pero... ¿Tú y mi hermano... están juntos? —indagó. Kristián palideció, no respiraba y su pulso se desbocó. ¿Cuál era la respuesta a eso? Un nudo en la garganta se atascó y no lograba articular palabra—. Lo siento, no tienes que decir nada, fui imprudente —se disculpó.

Matías la observaba a unos metros, escuchando cada cosa. La respuesta a esa pregunta quedó más que clara para él, pero sabía que para su mujer no, ella era tan literal y hacía demasiado caso a las palabras. Su pasado la había marcado de esa manera. A veces parecía demasiado ingenua pese a todo lo que vivió y la adoraba por ello. Torció la boca asintiendo, así que esa era la razón por la que su amigo al fin se escuchaba distinto.

—No se preocupe, yo... —Paloma apareció interrumpiendo la charla.

—Kris, debes comer —le recordó, las tres mujeres la miraron.

—Tú también, Belleza, vayamos por algo y llamemos a mis padres para ver cómo van con Fabiano —sugirió Matías. La joven de cabellos largos asintió sin remedio, mordiéndose el interior del labio, necesitaba saber.

—¿Quién es ella? —preguntó su amiga notando el ambiente extraño.

—La hermana de Cristóbal —intervino Caro observando fijamente a Kristián, la chica parecía estar completamente sumergida en las sombras, era evidente su dolor, la pena que la aquejaba, por la que pasaba. Paloma silbó alzando las cejas con asombro.

—Se parecen, es hermosa —admitió tomando a su amiga del brazo para que se sentara e ingiriera el pequeño plato de frutas que le llevaba. La joven comenzó a comer perdida en sus pensamientos.

Unas horas después, todos continuaban esperando. Se sabía que seguía estable, Caro tuvo que irse y el resto parecían ser presos del silencio ensordecedor que regala esos momentos de ansiedad al no tener idea de lo que vendrá.

—Familiares de Cristóbal Garza —escucharon al fin. Andrea se levantó con el pecho oprimido, casi corriendo. Kristián se acercó a paso tranquilo, abrazándose a sí misma—. No hay cambios y eso es bueno, el doctor autorizó una o dos pequeñas visitas, no más de cinco minutos cada una.

—¡Gracias! ¡Quiero entrar! —soltó la joven desesperada por verlo, sonriendo levemente.

—Bien, deje su identificación en la ventanilla, al igual que la siguiente que ingrese y síganme —pidió. Gregorio dio un pequeño empujón a Kristián por la espalda alentándola.

—Yo también iré —anunció de pronto con firmeza. El abogado sonrió al ver de nuevo su bravura. Andrea sonrió asintiendo, nerviosa. Ambas siguieron a la enfermera sin decir nada.

—Aquí sucede algo grande —musitó Matías cuando Gregorio y él se encontraron solos.

—Demasiado y si ese cabezota de tu cuñado logra aceptarlo, todo cambiará. —Matías sonrió con tristeza, negando.

—Es tan terco... ¿Quién es esa chica? —se aventuró. Gregorio le dio una palmada en el hombro.

—No me corresponde a mí hablar de ello, pero presiento que es cuestión de días, ese muchacho saldrá de ahí y se enfrentará de una vez a eso que lo atormenta.

—Eso espero, vivir así no es vivir. Andrea y yo, ya no sabemos cómo hacerlo reaccionar, aunque últimamente, algo ha cambiado y no es la muerte de esa mujer, hay algo más.

—Cada uno tiene su tiempo, hijo, correr en estos casos solo fatiga y no modifica nada. —Matías sonrió abiertamente por primera vez en las últimas horas.

—Creo que tú y María se llevarían bien —bromeó. Era la mujer encargada de todo en la hacienda y cómplice eterna de su esposa, así como una especie de madre para ambos.

—Tenemos nuestros puntos en común —admitió recordando lo mucho que hablaron en la boda de aquellos chicos hacía poco más de un año—. Por cierto, tus padres, cómo están.

—Preocupados, pero con Fabiano ahí, ya sabes, se distraen.

—Me alegra ver la familia que ahora son... —admiró con orgullo.

—Sin tu ayuda no sé si hubiera sido posible. —Ninguno de los dos dijo más, los recuerdos de todo aquello eran tan difíciles de olvidar que ambos podían entender por lo que Cristóbal atravesaba.

Andrea iba a entrar, de pronto se detuvo. Giró y se acercó a Kristián ladeando la cabeza, intrigada.

—No me respondiste hace unas horas, desearía saber —interrumpió el momento con súplica en la mirada casi tan parecida a la de él, solo que más tierna, más suave. Kristián apretó los puños llenando de aire sus pulmones, no se amedrentaría, no tenía motivos, se recordó.

—Lo amo —soltó sin más dejando pasmada a Andrea, con la boca abierta. La forma en la que lo dijo, la luz que emanó vertiginosa de su iris, toda su actitud en conjunto le dejó saber que era cierto, eso aunado a lo que venía observando la hizo reflexionar.

La enfermera esperó un poco más a su lado notando la tensión del momento.

—¿Y... él a ti? —preguntó cauta. Kristián asintió, todo eso era real, por lo que no titubeó— Bien, pasa tú primero, yo aquí espero mi turno —dijo y tomó su mano con tierna sinceridad—. Si eres lo que he esperado para él, tendrás mi cariño y apoyo incondicional.

—Yo... gracias —musitó con la voz rota. Andrea negó sin quitarle atención.

—Si es verdad que ustedes se quieren, comprenderás algo importante para nosotros, Kristián, algo que ha sido complicado: cuando el miedo vive en ti tanto tiempo, se vuelve una costumbre tenerlo de compañía. Lo sé porque me sucedió, y él... él ha convivido con eso tanto tiempo que temo no sepa dejarlo atrás... Si por ti lo logra, serás una hermana, alguien importante —declaró con firmeza.

La manera en la que esa joven se expresaba la envolvió, la sacó de órbita. Era real, demasiado real, y ella muy necia por no ver más allá, por cegarse y no hablar, no arroparlo, no impulsarlo, no alentarlo. Ambos habían cometido errores, pero últimamente, Cristóbal lo único que había hecho era intentar salir de su mundo lúgubre por ella, por ellos. De repente todo caía sobre su ser sin poder esquivarlo.

No pudo decir nada, con todas las terminaciones nerviosas disparadas pasó saliva y abrió la puerta que daba a terapia intensiva. Una vez dentro olvidó esa extraña y conmovedora conversación, la ansiedad por verlo la recorrió desde los pies hasta el cabello, la necesidad de disculparse, de tocarlo, de saberlo vivo, aunque no fuera estar a su lado.

Lo vio a través de los cristales, su pulso se detuvo. Estaba conectado a muchas máquinas, su torso descubierto, sus ojos hinchados, cerrados, un respirador justo sobre su nariz y su boca. Dejó salir un gemido lastimero, con los ojos nuevamente lagrimosos.

—Pase. Cinco minutos, no puede oírla, ahora regreso —informó la mujer.

Kristián se detuvo frente a la cama, se tapó la boca absorbiendo el llanto. Tocó temblorosa su pie a través de la sábana blanca que lo cubría y fue recorriendo su cuerpo con suma delicadeza hasta llegar a su mano inmóvil a un lado de su cadera. Aparatos pitaban, el suero y medicinas entraban por su otro brazo. Tenía heridas en el rostro, pequeñas, pero en las que aún se asomaba sangre, varias cosas conectadas a su pecho, ese que tantas veces había visto, en el que se había refugiado después de esos momentos de absoluta entrega. La garganta le ardía, el miedo de no volver a ver sus ojos clavados en los suyos la carcomía.

—Perdóname, perdóname por no entender tu tiempo, por presionarte. Solo te amo, solo eso y quiero que luches, nuestro hijo te necesita vivo, lucha, Cristo, te lo suplico. No me dejes tú también, no podré con eso... —Se acercó a su mejilla, rozándolo con su nariz sin soltar su mano—. Mereces ser feliz, mereces ser amado, mereces vivir, solo créelo, amor, solo debes creerlo. —Besó su piel con delicadeza, las lágrimas brotaban, no le importaba, estaba ahí, lo escuchaba respirar pese a que las máquinas lo ayudaban. Había posibilidades, debía ser optimista, necesitaba una mínima certeza de que él saldría de eso. Besó su frente y descansó ahí la suya por un momento, acariciando su cabello—. Te amo tanto, tanto...

—Es cuestión de tiempo —habló la misma mujer que la llevó hasta ahí. Asintió sorbiendo el llanto—. Si sigue así saldrá pronto de aquí, hasta ahora todo va positivamente —la alentó la enfermera al verla tan acongojada.

—Gracias —solo dijo y volvió la atención a ese asombroso hombre que tenía frente a sí, tan apacible, tan herido en su interior como en su exterior. Qué difícil camino le había tocado vivir. Besó nuevamente su frente.

—No me iré de aquí hasta que abras los ojos —susurró y salió un segundo después limpiándose el rostro. Andrea ya aguardaba su turno.

Ambas se miraron por un momento para después cada una seguir su camino.

Al salir, todos la observaron. Gregorio fue el primero que habló.

—¿Cómo lo viste? —Ella sonrió notoriamente menos alterada que al entrar.

—Lastimado, pero dicen que tiene muchas posibilidades, si sigue así, creo que lo logrará —confió. El hombre elevó la comisura de sus labios asombrado por su nueva actitud, esa que sabía había enamorado a Cristóbal.

—Yo también lo creo, Kristián —avaló. Ileana apareció de repente en su campo de visión. Al verla ahí, con su preocupación tatuada en el rostro, se acercó y la abrazó perdiéndose en esa extraña seguridad que su presencia le otorgaba.

—Kris, mi amor, lo lamento —susurró. Ella asintió sobre su hombro. Un momento después se separaron—. Traje un cambio de ropa, un poco de comida, tus vitaminas, no debes descuidarte... lo sabes —le recordó acariciando su pálido rostro una y otra vez. Deseaba llorar por ella, por lo que le estaba tocando vivir, por no poder hacer más.

—Gracias... —Ileana la condujo hasta una silla, Paloma ya no estaba. Algo le había dicho sobre ir a El Centro a verificar unas cosas.

—Ve a dormir un poco, anda... no es sano que permanezcas aquí, recuerda que no estás sola —rogó. Negó con firmeza.

—No me iré hasta que despierte —determinó. Gregorio se acercó después de haber estado hablando con Roberto.

—Buenas tardes, señora. Kristián, hay un cuarto disponible, lo alquilamos, cuando Cristóbal salga de ahí, será el que ocupará... Puedes usarlo, lo ponemos a tu disposición, puedes ducharte, descansar... —propuso. Ileana sonrió, agradecida.

—No quisiera abusar —soltó sin más, seria.

—Eres quien eres y eso también te corresponde. Te pido que lo uses, él no querría algo diferente y lo sabes. Debes asearte por lo menos —pidió. Kristián miró su ropa comprendiendo que tenía razón y deseando hacerlo de verdad, además era cierto, Cristóbal, si algo le había demostrado, era que ellos le importaban mucho más que incluso él mismo, ahora quedaba tan claro, y no precisamente por ese... accidente, sino porque desde el inicio, desde que todo comenzó la intentó proteger de sus actitudes, de su situación interna que no lograba manejar. Cristo era consciente de la depresión que lo envolvía, el problema era que no había deseado salir de ella por autocastigarse hasta un punto absurdo; sin embargo, al fin había decidido dejarla atrás, superarla y todo por lo que sentía por ellos. Se sentía tan afligida, tan confundida y lo único claro era que, si ese hombre salía bien de todo aquello, sabría acompañarlo, iría a su paso, le daría su mano porque tenía total certeza que él con ella haría lo mismo—. Roberto, condúcelas hasta la habitación —Nadie se hallaba por ahí, salvo Matías que hablaba por el celular a lo lejos.

—Gracias —susurró serena. El hombre le guiñó un ojo, al tiempo que su teléfono sonaba.

—El conglomerado —soltó volcando los ojos—. Sin ustedes ahí, es una locura. —De repente recordó eso, ni siquiera lo había pensado.

—Puedo hacerme cargo desde aquí —sugirió. El hombre sonrió asintiendo. Se lo imaginaba y pese a que se veía demasiado fatigada, creía que era lo mejor, su mente en ese momento necesitaba estar ocupada, asumiendo el control de algo que sí manejaba sin problemas.

—Lo sé, pero primero haz lo que debes. Yo puedo encargarme, entre los dos será más sencillo... Regresaré dentro de unas horas, ya saben dónde encontrarme —y contestó la llamada alejándose.

29
EL ÚNICO DEMONIO

Después del baño se sentía decididamente menos decaída, incluso con ánimos y optimista. Comió en una terraza del hospital lo que Ileana le llevó, sin hablar mucho. Regresó a la sala de espera, tomó el celular y la *tablet* a las cinco de la tarde y se perdió en ello durante horas. Llamada tras llamada, organizándolo todo, discutiendo otras cosas, llenando informes, revisando correos, analizando lo que debía. Paloma, que apareció poco después de las seis, solo la observaba moverse; con ese conjunto deportivo, sin maquillaje y esa coleta alta, lucía demasiado joven, andando de un lado a otro, evidentemente, manejaba con un dedo miles de cosas que ni siquiera comprendía. Ya no parecía tan aturdida, de alguna manera había encontrado de nuevo la manera para ver las cosas de una forma optimista, sin derrotarse, sin dejarse llevar por el dolor.

Andrea la observaba cada tanto, era de admirar la seguridad que proyectaba, la forma en la que se desenvolvía. Solo una chica así podía imaginar al lado de su hermano, de alguna manera podía visualizarlos juntos, era fácil pensarlos en un mismo espacio, en una misma dirección. Un par de veces fueron a entregarle documentos que revisaba atentamente para después regresarlos firmados dando órdenes con cordialidad y firmeza.

Gregorio apareció más tarde, la falta de noticias era buena, indicaba que él iba bien.

Resopló evocando ese momento que estuvo a su lado en aquella habitación donde se encontraba completamente inconsciente. Al verlo ahí, tan herido, sintió que se ahogaba, acarició su frente durante el tiempo que se le permitió.

—Te amo, Cristo, Fabiano necesita a su tío, yo a mi hermano. Sal de ese lugar donde te escondes, busca los motivos para estar de nuevo entre nosotros... Por favor, no te rindas. Si amas a esa chica, entonces demuéstraselo, hazlo. Perdónate, te lo suplico. Las pesadillas es probable que nunca te abandonen, debo admitirlo, pero te juro que, si le das la oportunidad a un sentimiento puro y limpio, despertar de ellas será la mejor parte de todo, solo hazlo. Despierta y vive, te lo ruego...

Adoraba a su hermano, era vital que se recuperara, pero, sobre todo, que viviera de verdad. Después de pasar unos minutos a su lado, fue a ver a Fabiano, ese niño que lo iluminaba todo y que era el más hermoso regalo que el amor que compartía con Matías le dio, eso ayudó a tranquilizar su ansiedad y preocupación.

Por la noche Ileana decidió quedarse con Kristián, por lo que su amiga se fue. El doctor que lo atendió salió. Andrea se acercó, junto con su marido, al igual que ella.

—Va muy bien, no hemos observado ninguna anomalía, al parecer las únicas hemorragias que sufrió son las que detectamos, su cerebro se desinflama, así que espero que mañana a estas horas podamos sacarlo del coma. No cantamos victoria, pero son buenas noticias —señaló.

Kristián sonrió agradecida.

La noche fue difícil, se sentía exhausta y aunque dormitaba, era imposible en la silla. Andrea, por insistencia de su esposo, había ido a dormir a la *suite*, mientras él permanecía aguardando.

Adolorida por la mañana, fue a dar una vuelta por los pasillos. Ingirió algo al lado de Ileana, que por mucho que le insistía, no la dejaba sola. En la sala de espera, nuevamente se sumergió en el trabajo, por lo que su madre decidió dejarla por algunas horas para ir a dormir un poco y cocinarle algo de calidad, además de llevarle una muda más. Kristián no parecía tener cabeza para nada salvo ese hombre que evidentemente adoraba y evadirse en la empresa.

El día transcurrió en medio de muchos asuntos pendientes que le ayudaron a sobrellevar las horas.

—Dominas muy bien el conglomerado —expresó Andrea una vez que se encontraron solas, Matías había ido a ver a Fabiano, Gregorio tenía junta con los accionistas pues deseaban saber el estado de salud de Cristóbal, la prudencia no les daba para ir en esos momentos a importunar. Kristián giró con el teléfono en la mano, acababa de colgar con Jimena. Sonrió asintiendo.

—Me gusta todo lo que ahí se hace —admitió con simpleza, de manera amigable, sonriendo.

—A mí nunca me agradó, aunque me gustan los números, no sé, prefiero el aire libre... las flores... —susurró soñadora, dejando salir un suspiro lleno de ternura. Lucía cansada, con el cabello sujeto por una coleta suelta, *jeans* y una camiseta cualquiera. Se veía muy joven, quizá eran de la misma edad, conjeturó.

—Eso suena atractivo también —murmuró interesada. Andrea sonrió asintiendo. Y sin más, se encontró describiéndole la hacienda, lo que hacía y su vida ahí—. Parece ser un sitio hermoso, tantos animales, flores, el olor a campo...

—Sí, amo ese lugar, cambió mi mundo y deseo estar ahí por siempre. Pero, ahora cuéntame de ti. ¿Esto es tu pasión? —quiso saber señalando su *tablet*. La joven sacudió la cabeza y sin saber por qué, le narró parte de su vida. Andrea la escuchó con atención. La afinidad entre ellas surgió casi de inmediato, el ambiente entre ambas se tornó relajado al fin, tanto que cuando llegaron los demás ambas continuaron conversando, incluso riendo, una frente a la otra, como dos jóvenes que tenían demasiados anhelos y muchos sueños.

Matías y Gregorio las observaban mientras bebían cada uno sus respectivos cafés.

—Esto era justo lo que imaginé que sucedería —musitó el abogado de pie, a varios metros de ellas.

—No sé por qué, pero yo también. Solo que... ¿Están seguros de ella?

—Créeme que si no supiera quién es y lo que es... No estaría sentada al lado de tu mujer, Matías. Los años no pasan en vano, ya debes saberlo —declaró con voz pausada.

—Y tampoco las experiencias, la desconfianza no es sencilla de erradicar —confesó soltando un suspiro. Pasarían años hasta que se borrara por completo la huella de todo aquello en su mujer, también en su cuñado, en él mismo.

—El mundo es enorme y si no estuviera seguro de que hay más gente que vale la pena de la que no, viviría en un sitio donde no pudiera mantener contacto con nadie. Lo que sucedió hace unas semanas sé que lo abrió de nuevo todo, pero tanto tú como ese par —se refería a los hermanos Garza— deben dejarlo ir. Tú y Andrea sigan construyendo sobre tierra firme, así es como debe ser y en cuanto a Cristóbal, espero que también comprenda que el pasado, aunque determina nuestro actuar en el futuro, también te hace más fuerte y te prepara para lo que vendrá.

La noche fue larga, saber que las horas cruciales terminaban los mantenía aún más alerta. Andrea y Kristián, conversaron por largas horas, mientras Matías fue a dormir un rato a la habitación e Ileana se acurrucaba en alguna de las sillas para más tarde irse después de que Kristián se lo rogara. En la madrugada ambas cayeron rendidas sobre las sillas después de haberse conocido bastante, compartir sus aficiones, sus gustos y disgustos, hablando como dos jóvenes que tienen en común el amor a la vida, las ganas de entrar en ella y tomar todo lo que esta pueda ofrecer. Sin embargo, no se habló ni de Cristóbal, ni del tortuoso pasado de Andrea, era como si ambas supieran que esos temas estaban de más.

Una amistad crecía y ninguna puso trabas para ello.

Muy temprano el médico apareció. Todos se acercaron, el hombre sonreía. Ese paciente era «un toro», como solía decirles a aquellas personas que no se rendían por nada y que salían adelante gracias a su fortaleza. Dar buenas noticias siempre era la parte inigualable de su trabajo.

—Ya lo estamos despertando... —anunció optimista. Andrea se cubrió la boca asombrada, feliz. Mientras los ojos de Kristián se empañaban y se abrazaba a sí misma sintiendo que el mundo volvía a girar—. Será cuestión de unas horas. Si todo va como espero, por la noche lo trasladaremos a la habitación. Su mejoría no será instantánea, probablemente una o dos semanas permanecerá internado, no correremos riesgos, pero puedo decirles que el pronóstico ya es muy favorable —explicó. Matías rodeó el cuerpo de su mujer sintiéndose aliviado, alegre, a decir verdad.

—¿Podemos verlo? —preguntó Kristián, importándole poco la ansiedad que reflejaba su voz.

—Sí, por hoy todavía estarán restringidas las visitas, pero sí... En unas horas les avisaré para que pasen.

—Gracias —dijo. El médico sonrió sacudiendo la cabeza.

—Es un hombre fuerte, un accidente como ese en otra persona no hubiera tenido las mismas consecuencias —apuntó confiado.

Kristián desvió la mirada, no soportaba pensar que era su responsabilidad el que estuviera ahí, así. La culpabilidad aún la tenía un tanto sometida y fue justo en ese instante que comprendió algo; él vivía con ese sentimiento, cada día, cada instante, lo respiraba, lo veía a diario... Cristóbal, pese a todo, intentaba seguir en pie y ya entendía al fin el esfuerzo que eso le implicaba, los demonios que lo aniquilaban.

Ella no tendría daños que lamentar por siempre, él jamás podría cambiar lo que pasó.

El corazón pesó tanto como una lápida de mármol. No veía cómo ese hombre le diera la vuelta a aquello salvo con el tiempo, ese tiempo que le pedía. No se trataba de él, se trataba de lo que sentía por ella, de lo que entre ambos existía, de no desear ensuciarlo con eso que lo hacía sentir un mal ser humano. Esa realidad dolió como ninguna, pues con lo que sentía, que sabía era nada a comparación de lo que Cristóbal vivía, le costaba trabajo incluso respirar, olvidarlo y sacarlo de su cabeza. ¿Cómo él podría comenzar de nuevo, cómo?

Unas horas después ya ella había desayunado algo pues Ileana y Paloma la obligaron a ir a la cafetería, esperaban que les avisaran y así fue. Una señorita de gesto amable salió anunciando que podía entrar. Kristián y Andrea se miraron. Nadie dijo nada.

—Ve tú... Yo espero —la alentó Andrea, un tanto ansiosa, rodeando su mano, mirándola con la esperanza dibujada en cada una de sus bellas facciones.

—Eres su hermana —declaró temblorosa, desesperada por perderse en sus pozos verdes, esos que la embrujaron desde el primer instante.

—Presiento que verte le hará bien, no pasa nada... —y la instó sonriendo. Kristián asintió nerviosa.

Recorrió la misma distancia que el día anterior, cubrió de nuevo su rostro con el tapabocas, se colocó aquella bata azul y se desinfectó las manos. Entró con temor, sin saber muy bien qué le diría, cómo se darían las cosas, pero no podría estar ni un minuto más sin verlo.

Se colocó a los pies de la cama, sujetándose de la piecera, observándolo. Tenía más color y llevaba menos aparatos conectados, además, ya solo contaba con una manguera pequeña dentro de las fosas de su nariz. Parecía tan tranquilo. Dio gracias al cielo por haberlo salvado, porque estuviera bien, vivo.

Los párpados de Cristóbal aletearon. De inmediato se tensó, se sentía tan extraña. Moría por abrazarlo, besarlo, pero no se sentía con el derecho de acercarse más en ese momento. Sintió sus vellos erizarse cuando al fin esos verdes ojos se desvelaron. El corazón le dio un brinco. Él movió su rostro lentamente como si supiera que ahí se encontraba. Su férrea mirada la atrapó, la encadenó y la atravesó. Por varios segundos esa corriente que emanaban sus esencias fue lo único que ocurrió en esa habitación. Ambos inmóviles, observándose profundamente, envolviendo sus almas.

—Ca-cásate... conmigo, Si-sirena. —Sus palabras la dejaron noqueada, ni siquiera pudo pestañear, menos aún reaccionar.

Al notarla tan distante, sin dar acuse de recibido, con su gesto congelado, se removió acomodándose para poder hablar mejor. La saliva la sentía tan espesa, el cuerpo pesaba y dolía, pero eso no importaba. Pensar que la pudo haber perdido en ese accidente le hizo comprender que el verdadero infierno sería no tenerla, que a su lado los demonios sí vivían, pero se hacían menos fuertes, que su presencia lo hacía sentir capaz de atacarlos y quizá, con esmero, acabar con ellos de una maldita vez. Se daría una oportunidad, no por él, sino por ella, por lo que implicaba en su mundo, porque lo único que pudo ver mientras permaneció inconsciente, fue esa sonrisa que le daba paz y gracias a la cual supo debía tomar la vida con bravura, alzar la cabeza y pelear, Kristián lo valía, su hijo también.

—Di... di que sí —le pidió alzando con esfuerzo una mano. Dolía cada movimiento, no le importaba.

La joven reaccionó y un torrente de lágrimas apareció sin poder contenerlas. Rodeó la cama, tomó su mano con ansiedad y refugió el rostro en el hueco de cuello sollozando.

—Te amo... lo lamento, lo lamento tanto... —sollozó. Al olerla y sentir como su aroma femenino ingresaba hasta instalarse nuevamente en sus pulmones, supo que el mundo volvía a girar. Besó con esfuerzo su cabello.

—Tran-tranquila, mujer, to-do está... bien —musitó con la voz gruesa, pastosa. Ella se separó sonriendo, solo podía ver sus ojos, pero las comisuras de estos le indicaban ese gesto que amaba más que a nada—. Da-dame un be-so, Kris... —le pidió acariciando con el pulgar su mano. Los ojos de la chica brillaron, así como tanto deseaba, como adoraba—. Por... por favor —rogó. Kristián elevó una mano hasta su barbilla, adornada por esa barba incipiente que aún convaleciente lo hacía ver peligroso, mortalmente atractivo. Se quitó el tapabocas un poco y rozó sus labios de forma suave, delicada, temblando.

—No debí reaccionar así —habló sobre su boca mientras él sonreía aliviado. Era mejor de lo que recordaba.

—Tú puedes —y se quejó. De inmediato ella se preocupó—. Tranquila, estoy bi-en, estaré bien... Tú puedes... ha-cer lo que de-sees conmi-go. No me iré de tu vida, Kristián, no te... dejaré, te lo juro

—prometió. Lo miró fijamente, entornando los ojos, desconcertada, pestañeando.

—¿Me-me escuchaste? —comprendió asombrada. Él pestañeó turbado, su palidez era aún marcada, no obstante, sus ojos destilaban fuerza y determinación.

—¿Lo dijis-te? —reviró despacio. La joven asintió de nuevo con las lágrimas humedeciendo sus mejillas. Cristóbal pasó su lengua por sus labios secos—. Te amo, Sirena... mi mun-do es... para ti... —afirmó limpiando con esfuerzo su llanto.

—Te daré el tiempo que necesites, eres valiente, sé que saldrás de eso como de esto —habló muy cerca, agobiada. Cristóbal volvió a moverse con dificultad. Ella lo ayudó con cuidado. Lucía asombrosamente mejor de lo que esperaba.

—Sé que no es... el momen-to... pero... No me respon-diste... —le recordó arrugando la frente debido a una molestia en el abdomen.

—No te muevas... —le rogó ansiosa. Ya iba a ir por ayuda, la detuvo.

—Luego... hablamos, pero... promé-teme algo... —pidió. Ella asintió llorosa, limpiándose el rostro con las manos trémulas. No podía creer que estuviera bien, que hubiera podido besarlo de nuevo, tocarlo, sentir sus ojos verdes sobre sí. La vida le daba otra oportunidad y esta vez no permitiría que se la quitara, no más.

—Ve... a dormir, no podré ocupar-me de... mí, si me preocupo por ustedes... Estás pá-lida, Sirena.

—No quiero dejarte aquí... —se excusó fatigada. Él sonrió negando. Jalando su mano con poca fuerza para que se acercara.

—No puedo me-mejorar si los sé mal... Por fa-vor —susurró con firmeza. No le gustaba nada su semblante—. Tú y nues-tro hijo lo necesitan, anda... —pidió de nuevo. Asintió desganada. Un segundo después volvió a besarlo.

—¿Estarás bien?

—Solo si tú lo estás —contratacó. Sonrió más tranquila y fue por la enfermera sin esperar más, él lucía adolorido.

Lo examinaron frente a ella, Cristóbal no le quitaba la mirada de encima, Kristián tampoco. Miles de mensajes intercambiaban, millones de sentimientos los embargaban. Y el color entraba de una manera única en aquella blanca habitación. Anhelos rotos, momentos oscuros, palabras hirientes, acciones contradictorias y todo mezclado por aquello que los cubrió casi desde el instante que sus ojos se toparon por primera vez. La energía burbujeante que regala la química, la antelación mágica que otorga el desafío, la conquista de la seducción, para comprender que, aunque amar no era parte del juego, ese sentimiento fue el que terminó dirigiendo cada movimiento, cada pensamiento, cada sueño y al fin... ganaba aquella lucha encarnizada.

—Todo va bien, solo recuerde que despertó hace unas horas. Tómelo con calma o no permitiremos visitas —sentenció el médico que entró junto a las dos enfermeras. El paciente asintió obediente mientras tomaba agua a sorbos.

Una vez solos, continuaron observándose.

—¿Te revisaron... después... del accidente? —Indagó él sonriendo al verla tan infantil ahí, lejos, pestañeando nada más. Esa era la mujer que su fantasía había vuelto realidad y que comandaba el futuro de su existir.

—Sí, él y yo estamos bien... —Bajó la vista de pronto, temblando—. Siento mucha culpa, Cristo —admitió al fin de nuevo, llorosa.

—Ven aquí, no... entiendo esa... necedad de no acercarte... Sabes que no me agrada tu... lejanía —reviró. La joven hizo caso al tiempo que limpiaba una de sus lágrimas con los dedos—. Más cerca, Sirena —le pidió. Ella se agachó y quedó a un par de centímetros, aún con lágrimas brotando de sus ojos—. Un mundo sin tu... presencia, sin la de nuestro... hijo, ya no es una opción para mí... Lo que hice, Kristián, lo volvería a hacer un millón de veces más. ¿Comprendes? —murmuró. La chica besó sus labios resecos.

—Te amo tanto... —susurró sin poder contener sus emociones. De pronto recordó a Andrea. Se despegó unos centímetros—. Tu hermana quiere verte —interrumpió. Su rostro, permeado de una extraña paz, asintió.

—Ve a descansar, te veré... más tarde... —musitó deleitado por sus ojos almendrados, enrojecidos por el llanto.

La joven iba a cruzar el umbral cuando se detuvo, pensativa. Volteó, soñadora, contemplándolo como solía hacer en su apartamento aquella semana, o durante ese tiempo en el que creyeron estar jugando y no se percataron de que estaban intercambiando almas.

—Deseo darte el tiempo que necesitas —declaró en voz baja pero firme, sonriendo, con la mirada chispeante. Cristóbal dejó salir un suspiro, admirado por lo que su sola presencia generaba en sus hormonas, neuronas, en su pecho, aún convaleciente y todo su cuerpo adolorido. Por esa mujer ya había decido que se enfrentaría lo que fuera, hasta a su lado más oscuro. Ella lo valía, lo supo desde hacía tanto tiempo, pero las palabras entre ambos siempre eran de doble filo y el miedo demasiado grande. Sin embargo, de alguna manera este ya no era quien dirigía su actuar, no después de sentir uno aún más fuerte al pensarla fuera de este mundo. Se aclaró la garganta, no más malentendidos, ya no lo soportaba.

—Y yo deseo... luchar a tu lado —reveló. Kristián ladeó la cabeza torciendo la boca.

Eso casi logra que se levante y la bese con ansiedad, adoraba ese gesto, casi tanto como su sonrisa, o su mirada única, llena de vitalidad.

—Comprendo lo que sientes, al fin. No quiero ser egoísta —admitió con dulzura.

—Yo sí, solo si tú estás... dispuesta a amarme con... todo mi infierno —murmuró con decisión.

—Te amo a ti, y eso incluye a tus demonios, Cristóbal —afirmó segura. Él sonrió moviéndose un poco.

—Sé que muchos de ellos se irán... haré que se vayan... Pero... no sé si logre que se marchen todos —admitió con algo de culpa, nervioso de que eso la hiciera cambiar de opinión. Salir de ese pozo llamado «depresión» no sucedería por arte de magia, serían meses de trabajo que estaba dispuesto a enfrentar, sin embargo, Kris no tenía necesidad.

—Tienes agallas, ¿sabes? Y no te preocupes, que son parte de ti, lograremos que se cambien de bando. No te quiero perfecto, te quiero valiente, capaz de enfrentar tu pasado, escribir nuevamente —y guiñó un ojo con picardía—. Quiero verte sonreír —terminó diciendo al tiempo que se acercaba rápidamente e invadía su boca con avidez. Cristóbal la recibió con ansiedad.

—Eres la única diablesa que deseo que habite en mi mente, en mi alma —determinó asombrado por el asalto. Ella sonrió negando.

—Y tú serás el único demonio que vivirá por siempre en mi ser, los demás, señor Garza, los ahuyentaremos... Ya verás... —declaró optimista. Él, con esfuerzo, tomó de nuevo su rostro y la besó.

—Gracias por llegar a mi vida, Kristián, por hacerme reaccionar —musitó embelesado.

—Gracias por darme motivos, Cristóbal, por ser uno de ellos.

Minutos después logró entrar Andrea, al ver el rostro de Kristián ruborizado, lleno de ilusión, supo que su hermano estaba mucho mejor y que... además, todo había cambiado ahí.

—¿Se puede? —preguntó al verlo tan perdido en sus pensamientos, sonriendo como hacía años que no lo veía, de una forma genuina, real. Él giró lentamente. Verla ahí acabó de hacerlo sentir cálido, aunque no le agradaba preocuparla y sabía que eso justamente había ocurrido.

—Pulga, lamento... esto —se disculpó mostrando los dientes un poco, gimiendo al moverse debido al dolor. La chica negó sonriendo con ternura. Verlo así le devolvió la paz. Se acercó y besó su frente.

—Eres mi familia, Cristo, por favor, solo toma esta nueva oportunidad que tienes frente a ti —susurró besando nuevamente su frente con aprensión. Alegre de que estuviera a salvo.

—Eso vengo haciendo des... de hace unos días, lo lograré, Andrea, lo juro. —Ella sonrió complacida.

—¿Es por Kristián? —De inmediato su mirada se iluminó y por primera vez no necesitó las palabras para conocer la respuesta—. Me agrada, mucho, es inteligente, alegre y muy bonita —admitió acomodándose a su lado.

—Es todo para mí, Andrea —le confesó con determinación.

—Eso suena bien, comprendo a lo que te refieres. ¿Sabes? No se ha ido ni un minuto desde que ingresaste —le dijo. Él asintió.

—Espero que... al salir tú, ya no esté —expuso. La chica arrugó la frente, torciendo la boca.

—¿Qué hiciste, Cristóbal Garza? Ella...

—Ella me hará padre, debe descansar... —soltó sin más. Andrea se cubrió la boca abriendo los ojos. Se levantó de la cama negando, sin poder evitar que una lágrima se escapara.

—No bromeas, ¿verdad? —quiso saber aturdida. Él negó con orgullo. Hubiera querido darle esa noticia de otra manera, pero no podía mantener esa existencia más tiempo dentro de su mente, ya era su realidad, añoraba conocerlo.

—No, sabes que no soy así. Le acabo de pedir matrimonio, quiero... formar una familia a su lado, saldré de esto... y seré lo que mi hijo y ella merecen. Enfrentaré esta culpa, por la gente que amo. Lamento no haberlo hecho antes... Tú te llevas-te la peor parte y eso es justo lo que me ha mantenido sometido —confesó afligido. La joven se acercó, acarició su cabello sonriendo desconcertada, demasiadas noticias en una misma oración.

—Casarte... Eso es perfecto. Ser tía... Qué puedo decirte, amo la idea. En cuanto a lo otro, desde que comencé las terapias supe que tú vivirías las cosas de esta manera, era tan difícil que fuera de otra forma. Has sido un tema de conversación con mi psicóloga en tantas ocasiones y ella siempre me dijo que tu proceso sería de años, que no desesperara, que... tu voluntad debía estar tan lastimada, como tu autoimagen, tu credibilidad en ti, en los demás —susurró. Cristóbal aferró su mano con fuerza, dejando salir una lágrima ante lo que conversaban—. Y hay algo que debí decirte hace meses, hermano, no te considero responsable y jamás he pensado que fue tu culpa todo lo que ocurrió esos años pese a que en mi locura te lo dije.

—Fui ciego, Andrea, fui cobarde.

—Fuiste un hombre que buscó sacar a flote lo que mis padres nos dejaron, que creía hacer lo mejor por su hermana diez años menor que, pese a sus errores, se ha enfrentado a cada uno de ellos y que si de alguien aprendí a no dejarme caer, fue de ti, de ese ejemplo que me diste cuando ellos se fueron. Aún recuerdo como agarraste mi mano en su funeral, te agachaste y me dijiste al tiempo que acariciabas mi cabello: Pulga, eres fuerte, valiente y sé que jamás nada te derrumbará, esto lo superaremos, confía. Y así fue... y así deseo que sea contigo ahora.

—Lo lamento tanto, tanto, Pulga. —Se abrazaron con alegría, con nostalgia, con ilusión. Ya nada sería como fue y eso era lo que ambos deseaban, lo que desde un inicio necesitaban.

—Las heridas sanarán solo si se curan correctamente, Cristo, solo si tú decides que así sea.

Los días pasaron, ambos lucían radiantes pese a todo lo ocurrido. Kristián insistió en dormir ahí cada noche, era tan obstinada que no hubo forma de que fuera diferente. Durante el día iba a la empresa unas horas y por la tarde regresaba. Esos momentos la relevaba Andrea con Matías y en otras ocasiones sola. Las visitas iban y venían, y aunque la recuperación estaba siendo lenta, se sentía optimista, ansioso por salir y comenzar a vivir la vida.

Planeaban antes de dormir lo que harían, ella a escondidas de las enfermeras se subía a su cama, él la recibía rodeándola y conversaban sobre sus vidas. Él le hablaba de las terapias que ya había tomado, e incluso le confesó la adquisición de la academia, cosa que generó asombro y lágrimas en esos ojos titilantes de Kristián. Ella deseaba continuar en la empresa hasta que Caro llegara, ya estaba a poco de regresar, se sentía vital y lista. Después quería vender la casa de su abuela, decidieron que se mudaría con él al apartamento y una vez que naciera el bebé, se haría la boda religiosa.

Cristóbal, cuatro noches después de estar ya en habitación normal dentro de ese hospital, le rogó que se casaran al civil lo antes posible. La cena la acaban de retirar y con ella, los padres de Matías que iban a verlo por segunda vez.

—No hay prisa, podemos esperar a que todo se asiente y...

La acalló colocando un dedo sobre esos labios que acababa de besar, al fin estaban solos, cosa que en ese sitio era casi imposible. Se encontraba adolorido, pero decididamente mejor y con ella pululando con su sonrisa gran parte del tiempo, se sentía incluso alegre, el miedo continuaba, pero ya no le temía, tampoco lo escuchaba.

—Necesito protegerte, protegerlo... Por favor, concédeme eso, sé que una boda aquí no es lo que deseas, pero... —Ella lo besó mordisqueando su labio con dulzura, acariciando su rostro, aún magullado, con adoración. Esos días, pese a todo estaban resultando maravillosos y él, mucho mejor de lo que creyó podía llegar a ser.

—Yo deseo estar a tu lado, Cristo... Es solo que no comprendo tu urgencia.

—Que seas mi mujer ante la ley y ante todos, es lo que más deseo, ¿puedes concedérmelo? —pidió cariñoso. Kristián fingió pensarlo—. Sirena, conoces mi posición y quiero que quede muy clara la tuya en mi vida... —explicó. La joven sonrió negando.

—Bien, si estás seguro, entonces yo también —aceptó. Él sonrió sujetando su barbilla con ternura.

—Mi matrimonio contigo sé que será la mejor decisión que he tomado jamás, e invitarte a ese juego, lo más inteligente que se me ha ocurrido nunca. —Las mejillas de la joven se sonrojaron, se hallaba casi sobre él, mirándolo a los ojos fijamente. Quien entrara en ese momento seguro pensaría que era inoportuno.

—Fuiste insistente —musitó sobre su rostro, atolondrada por lo que siempre le generaba.

—Eres mi debilidad —admitió con picardía. Ambos se carcajearon de forma ligera.

Se casaron unos días después.

Cuando Andrea se enteró de la noticia, no escondió su asombro, al igual que Matías, con el que, pese a que aún no había conversado mucho, ya se sentía relajada cuando estaban en el mismo espacio pues era bromista, sereno y asombrosamente cariñoso con su esposa. Verlos interactuar era algo que disfrutaba. Ellos tres eran como hermanos, algo así como Paloma, Andrés y ella, por lo que de inmediato comprendió su relación.

Aquella tarde, unas horas antes de que sus destinos terminaran de unirse, Kris llegó después de haber pasado unas cuantas horas en una reunión con el área Financiera, todo iba bien, pero el balance resultó con algunos fallos que no podía dejar de lado. Cristóbal hablaba por el celular cuando apareció mientras Matías, que también estaba ahí, la saludaba sonriendo con la mano para también continuar atendiendo un asunto por su teléfono.

El convaleciente, en cuanto la vio entrar, cortó la llamada pues ella notó que no era amistosa, sino de negocios y ya le había dicho que mientras estuviera hospitalizado no debía atender nada sobre la empresa. Rodó los ojos sonriendo, no tenía remedio. Él le extendió la mano al tiempo que su amigo escapaba de ahí notando la ansiedad de intimidad que ambos no lograban ocultar.

—¿Se puede saber con quién hablabas? Quedamos que... —La jaló y besó con ansiedad. Kristián soltó una risita, negando. Era imposible.

—No volverá a ocurrir, lo prometo. —Extendió su mano libre con solemnidad, su fingida docilidad solo lograba que se carcajeara.

—Más te vale, sabes que aún falta para que estés del todo bien, Cristo —musitó rozando de nuevo sus labios—, no quiero verte mal de nuevo. —Su mirada se ensombreció. El hombre acarició su mejilla con ternura.

—Tranquila, todo seguirá bien. ¿Podrías abrir el cajón del buró, Sirena? —Ella lo hizo sin prestar atención. Una caja de chocolates se hallaba ahí. Arrugó la frente sonriendo.

—¿Son para mí?

—Por ahora no puedo comer nada fuera de la dieta que aquí determinan, además, ya sabes que no me gustan, no si no están en tu boca —le guiñó un ojo recordando aquella vez que lo saboreó en sus labios, ya varios meses atrás. La joven los sacó sin poder esconder su asombro—. Anda pruébalo, sé que te gustarán y olvidarás mi pequeña falta —la alentó. Kristián sacudió la cabeza notando el chantaje, pero por supuesto que no lo dudó, abrió la caja sintiendo en sus papilas ya el sabor de aquel dulce que amaba. Cristóbal la observó con deleite, cuando de pronto aquellos ojos avellana se abrieron de par en par, sin poder esconder el asombro.

—¿Es... mío? —preguntó con la voz rota. Él sonrió con ternura.

—No existe otra mujer en el mundo con la que desee compartirlo todo, Kristián —habló serio. La chica le tendió la caja sin saber qué hacer, como si tuviese miedo de tocarla.

—¿No te gustó? —quiso saber Cristóbal sosteniéndola sin poder comprender su reacción, desconcertado.

—Yo... no sé qué decir —susurró sonriendo, con lágrimas en los ojos. Cristóbal sacó el anillo que había elegido el día anterior por la mañana, cuando Gregorio le había llevado a ese joyero de su confianza y diseñador de piezas maravillosas y le pidió su mano con un gesto galante. Se podía mover poco, aun así, quería que el momento fuese especial para ella. La joven se la tendió, temblando con tan solo ese gesto. Irradiaba felicidad, pero también incredulidad.

—Solo júrame que serás quien eres y que me enseñarás a sonreír como tú lo haces por siempre, Sirena. —En medio de esas palabras él acomodó el anillo en su dedo, deleitado por sus reacciones.

—Te juro que iré a tu lado y tomaremos juntos lo que la vida nos dé —prometió y se acercó a su rostro, lagrimeando.

—Kris, te amo y es mi hora de construir.

Un par de meses más tarde, el helicóptero volaba sobre aquel maravilloso lugar. Kristián ya mostraba una pequeña barriga que aumentaba de tamaño por las noches, notaron poco después de que lo dieran de alta. Él andaba por la planta alta dentro de la habitación, hablando por teléfono con el gerente del área contable cuando la vio salir del baño directo al vestidor con tan solo sus bragas y el cabello húmedo. Había llegado hacía una hora de la empresa y después de conversar, se había metido a la ducha.

Esos días a su lado habían sido absolutamente fáciles. Lo primero que sintió fue a su cuerpo reaccionar y ya tenía permiso para, con cuidado, hacerla suya así que no lo habían dudado. Sin embargo, aún estaba en casa e intentaba no abusar, lo cierto es que su mejoría iba rápido. Se alejó el celular de la oreja y se acercó hasta el marco de la puerta, silencioso, la contempló excitado, cuando de pronto notó ese pequeño bulto en su vientre bajo, nada fue más dulce que aquella sensación. Colgó un segundo después sin decir nada. Ella se estiraba en el vestidor para sacar algo, se colocó a su lado y sin esfuerzo se lo dio, era un camisón para dormir. La joven sonrió agradecida.

—Todo es tan alto aquí —se quejó. El hombre asintió con la pupila dilatada, pasó una mano por su brazo y bajó despacio hasta su vientre hinchado. Sonrió maravillado. La siguiente semana tendrían cita con el médico para saber cómo iba todo, lo cierto era que sabían que su salud era la óptima a pesar de todo lo ocurrido.

Los vellos de Kristián se erizaron al notar el gesto, cómo la tocaba.

—Empieza a notarse por las noches, es como si sintiera mi cansancio —expresó serena. El hombre, con cuidado, se agachó logrando ponerse de rodillas. Kristián respiró cada vez más rápido, que la tocara siempre la enloquecía, pero luego eso... Se sintió nerviosa.

Cristóbal besó su vientre varias veces agradecido infinitamente con la vida por darle la oportunidad de vivir eso, y luego, con el dedo índice le dio dos toquecitos.

—¿Sabes?, bebé, haces ver a tu mamá más hermosa de lo que ya es —dijo con dulzura, la joven acarició su cabello, maravillada—. Es la mujer de mi vida, y junto a ti mi amor más grande. Dale guerra porque ella es incasable, yo los cuidaré a ambos, no te preocupes —prometió besando de nuevo su piel. Kris sintió una lágrima emerger, últimamente lo hacía con más facilidad.

Cristóbal se levantó, rodeó su cintura y bajo su mirada atenta la besó.

—Te ves preciosa, Sirena, más de lo que imaginé —admitió mordisqueando sus labios.

De nuevo en el aire, ella observaba todo asombrada, con su marido a un lado. El bautizo de Fabiano sería esa mañana, ahí, en su hacienda, por lo que Andrea y Matías insistieron en que pasaran ahí la noche, en aquel paraje tan asombroso.

—Estamos llegando —le dijo él por medio de los auriculares, con la mano en su pierna, mientras su mujer mantenía la vista perdida en el aire, excitada.

—¿Todo eso es de ellos? —preguntó impresionada, viendo las hectáreas y hectáreas de tierra trabajada.

—Sí, es una hacienda importante en la zona y en el país. Exporta mucho.

—Dios, ¿quiénes son ustedes? —dijo aturdida. Él apretó tomó su mano, llevándosela a los labios, Kristián giró enseguida.

—Dos hombres que aman que encontraron el motivo de su existencia, eso es todo —murmuró mirándola a los ojos. Ella sonrió y acarició su mejilla. Ya había retomado su vida unos días atrás, así que ir a Las Santas fue una idea que no pudieron dejar ir, menos porque para él era importante que su hermana y su esposa, se conocieran más.

Aterrizaron ahí minutos después, su familia ya los esperaba. Kristián sonreía acariciando su vientre, ese que tenía en su interior a su hija, supieron en una de las visitas. La casa donde se mudarían estaba prácticamente lista, nada podía ir mejor.

—¡Bienvenidos! —Los saludó Andrea, alegre. Estaba dulcemente arreglada. Sería muy íntimo, poco formal por lo que parecía relajada y feliz de verlos.

Juntos entraron a la casa principal, mientras Cristóbal notaba como su mujer no perdía detalle. María salió a recibirlos, en cuanto vio a la esposa de Cristóbal y esta le sonrió con frescura, la tomó de las manos y le devolvió el gesto. Esa era la clase de mujer para él, lo supo en cuanto sus ojos marrones la se detuvieron en ella.

—Un gusto conocer a la esposa de este jovencito —dijo ligera hablando de él como si fuese apenas si un niño—. Es justo como la pensé —susurró María con esa voz dura, pero que a Kristián no amedrentó.

—Háblame de tú, por favor y Cristóbal también me ha contado mucho de ti, es una lástima que no pueda probar tu café por ahora —respondió frotándose el vientre ya más notorio. La mujer sonrió sacudiendo la cabeza, evocando aquel tiempo cuando Andrea llegó a Las Santas y le pidió exactamente lo mismo; almas cortadas por el mismo cuchillo, comprendió satisfecha.

—¿Puedo? —quiso saber acercando su mano, Kris, despreocupada y radiante por lo bien que se sentía, se la tomó y la colocó sobre él. La mujer asintió despacio, seria, para un segundo después alzar la vista y encarar a la comitiva.

—Es así como los círculos se cierran, espero que lo estén notando, muchachos —dijo mirando a Matías, a Andrea y a Cristóbal, que observaban la escena. Kristián comprendió a qué se refería—. De ahora en adelante todo está en sus manos. Hagan que valga.

Los tres asintieron, reflexivos.

—Anda, no solo sé hacer café —se quejó alentándolos a todos para que la siguieran, soltando a la joven que le estaba mostrando cómo vivir a Cristóbal.

Más tarde, cuando el festejo estaba en su punto más calmado y todos conversaban tranquilos, Cristóbal se alejó un poco para pasear por el lugar, con las manos en los bolsillos caminó a paso tranquilo, disfrutando del aire, de la calma, de eso que hasta ahora no había conocido y valoraba como nada. Su mujer conversaba con Gregorio y María sobre la historia de aquel lugar, se había integrado y adaptado enseguida como si los conociera de siempre. Se sentía pleno, feliz, satisfecho, aunque había días que no era tan fácil, ya no lo dominaban.

—¡Ey! —escuchó la voz con la que creció. Giró sonriendo. Andrea se acercaba, sonriendo.

—Ey —respondió deteniéndose, devolviendo el gesto. La joven lo alcanzó envuelta en ese lindo vestido claro y zapatos de piso, delicados. Estiró la mano y este se la tomó, se abrazaron por unos minutos absorbiendo lo bello que el campo les regalaba. A lo lejos el sol estaba todavía bañando los árboles y se veía la claridad del horizonte.

—¿Crees que saben lo mucho que los extrañamos? —preguntó ella, soñadora, admirando lo mismo que él. Enseguida supo que se refería a sus padres.

—Creo que lo sabrán siempre, Pulga —musitó soltándola para mirarla a los ojos. Andrea se ubicó a su lado y recargó la cabeza en su hombro aferrada a su brazo, perdida en lo que sus ojos alcanzan a ver, sintiendo la paz circular por todo su cuerpo más clara que nunca.

—No fue fácil nuestro camino... —expresó en susurros. Cristóbal negó sin girar, atento a lo que veía, pero pensativo.

—No, no lo fue.

—Pero al final nos regresó todo lo que nos quitó —apuntó ella. El hombre asintió.

—Alguien me enseñó que cuando la vida quita, da —murmuró evocando a su sirena, a eso que vivía y disfrutaba cada día.

—Ese alguien es muy inteligente, me alegra que sea la mujer que amas —reviró serena. Cristóbal bajó la vista hasta ella, intrigado, Andrea era tan literal que era difícil que pescara esas formas de hablar. Ella sonrió—. No me mires así, sé que es Kristián de quien hablas, he crecido, ¿sabes? —apuntó. Su hermano asintió sonriendo.

—Me muestra la vida de una forma tan diferente.

—Es solo que decidiste entrar en ella, Cristo.

—Nunca olvidaremos todo aquello... pero estoy decidido a que no me comande más. A ser feliz.

—Nunca lo olvidaremos, pero nos enseñó que la vida aún tiene mucho que dar, que el miedo existe solo para enseñarnos qué somos capaces de enfrentar.

—Te quiero, Pulga.

—Te quiero, Cristo.

La paz había llegado, los errores y atrocidades del pasado al fin podrían liberarse, los demonios buscarían otro ser al que atormentar, y el peso de las malas decisiones se haría a un lado gracias a esa confluencia de personalidades, a ese momento crucial donde algunos deciden replegarse y ellos decidieron avanzar. Equivocarse, puede pasar, perdonarse, es la única manera de no volver a fallar.

Epílogo

Objetivo cotidiano

Velas van desde el enorme pasillo revestido de duela[4], hasta donde mi vista se extravía. Sonrío torciendo la boca. Dejo mis cosas, el saco e incluso la corbata en una de las sillas del recibidor de esta casa que tantos recuerdos increíbles me ha dejado. Todo está en penumbra, mis palmas sudan como siempre que adivino sus «juegos». Sé lo que sucederá y eso me enardece.

Kristián, mi esposa, es la única mujer que despierta en mí cada célula de mi ser, así ha sido desde que posé mis ojos en su menudo cuerpo hace ya varios años. Y es que nunca olvidaré cada movimiento suyo el día que nos presentaron, ni los subsecuentes, cuando Carolina, mi asistente, tuvo que dejar el trabajo por un tiempo para cuidar su embarazo. Tantas cosas han pasado, tantos momentos he guardado, pero, sobre todo, he construido, cada día, cada hora, cada segundo desde que abrí los ojos en aquella habitación después de ese accidente que logró hacerme ver con mayor claridad todo.

Kristián cumplió años hace un mes, adora las reuniones con pastel, sus amigos, y colgar globos por doquier para festejar. Ella es algarabía, una niña muchas más veces de las que recuerdo, eso me fascina. Y yo, bueno, simplemente me detengo en un punto de la casa y la observo ir de aquí para allá, riendo, con nuestras hijas por detrás siguiéndole el paso,

---

4 Cada una de las tablas estrechas de un piso.

bastante divertidas, eso sin contar el par de perros de raza dudosa que poseemos y que no la pierden de vista.

Mi mujer disfrutó como suele aquel día, yo hago todo para hacerlo aún más especial. Así que en esta ocasión organicé algo que sé que ella amaría: Un crucero por el Caribe con toda la familia, como a Kris le gusta. La sorprendí, pues en varias ocasiones la he secuestrado para tenerla solo para mí, sin embargo, sabía que esa idea la haría también muy feliz, total, tiempo a su lado era mi objetivo cotidiano, así que luego planearé otra escapada. Lo cierto es que me tiene hecho un verdadero y absoluto idiota. A esa mujer, hace un tiempo, descubrí que la amo con el alma porque esta no tiene tiempo, ni muros que la contenga, el alma es libre, ilimitada, habita en todo por siempre, así la amo.

Cinco años atrás, no todo fue tan simple. Mi convalecencia duró un mes más después de salir del hospital, era molesto depender tanto de las personas, pero intenté manejarlo por ella, porque Kristián no necesitaba más complicaciones o momentos amargos. Al final no resultó tan mal. Acostumbrarme a tenerla cada noche a mi lado, cada mañana al abrir los ojos, fue la mejor parte. Varias veces simplemente despertaba y sin hacer ruido, pues es de sueño ligero, la observaba perdiéndome en sus facciones perfectas.

Llevar sus cosas a nuestro apartamento le llevó un tiempo, pues esas semanas asumió prácticamente por completo el control de la empresa y cuando fue el momento, me fui integrando con su ayuda para casi de inmediato regresar de lleno. Sin embargo, el trabajo ya no era mi prioridad, sino ella y ese ser que crecía cada día en ese vientre que aún no se le notaba salvo por las noches y que disfrutaba tocar todo el tiempo.

Cuando ella iba por los seis meses de embarazo vendió la casa que era de su abuela, y depositó en partes iguales lo recibido a sus tíos, su madre y en su cuenta personal. El dinero para Kristián es algo con tan poco valor, que desprenderse de él le da igual. Yo no intervine, era su propiedad y a mi lado jamás le faltaría nada, qué más daba lo que hiciera, si eso la hacía sentir tranquila, que lo hiciera. Sabe bien que tiene mi apoyo en todas sus ocurrencias, que no son pocas, pero que me encantan.

Una tarde, mientras yo empacaba cosas de la cocina en la casa donde creció, sí, lo hice yo, con ayuda de sus amigos, y chicos muy agradables de El Centro. —Debo admitir que me opuse rotundamente a que ella moviera absolutamente nada, ya demasiado había pasado como para que además nuestra pequeña, esa que esperábamos conocer con desquicio, se pusiera en peligro. Y qué decir de mi sirena, no. Lo cierto es que no chistó tanto como esperé, pero era una jefa exigente, así que nos dirigió durante esas semanas sin contemplación, aunque siempre riendo, ya saben, eso es inherente a Kristián—. El timbre sonó, no se encontraba nadie más, ella había ido a la casa de Paloma a dejarle algo a su madre. Abrí relajado, no sin antes ver por la ventana. No reconocí al hombre, sin embargo, mis escoltas estaban afuera, nada grave podría ser, seguro era alguien de El Centro.

—Buenas tardes... —saludó el hombre evaluándome con suma atención. Un cosquilleo en mi nuca me hizo sentir incómodo. Me acerqué intrigado.

—¿Sí? —dije entornando los ojos.

—¿Se encuentra Kristián? —preguntó. Enarqué una ceja cruzándome de brazos.

—¿Quién la busca? —quise saber. Se veía demasiado formal, decidido. Lo observé con atención, una alerta sonó en mi interior.

—Gerardo, necesito verla... dígale que salga, por favor.

¡Imbécil! Me ordenaba el muy hijo de puta. Reí con sarcasmo, abrí la reja y me puse justo frente a él, no era tan alto como yo y, sí, mi idea era amedrentarlo. Tener el maldito cinismo de pararse ahí, tan fresco. Definitivamente era un idiota. Kristián, una noche en el hospital me contó sobre él más a detalle y supe de su boca todo lo ocurrido. Ya iba a responderle como se merecía cuando mi mujer apareció.

—¿Qué carajos haces aquí? —gruñó mirándome sin poder esconder su molestia y preocupación por mi postura. Me conoce tan bien que sabía que iba a atacar. Llené de aire mis pulmones y callé, esa era su pelea, no mía, sin embargo, ahí me quedé. El tipo se acercó a ella de inmediato. Apreté la quijada y metí mis manos, que cosquilleaban, dentro de los bolsillos de los *jeans*. Debía contenerme, después de todo tanto control en mi persona por años sí tenía su lado amable. Kristián dio un paso hacia atrás negando, notando mi actitud.

—Te he buscado como un loco, ¿dónde has estado? Creí que te había pasado algo, que...

—Eres increíble. Vete, en serio, vete y no vuelvas más —exigió rodeándolo, se acercó a mí y la recibí sin dudar, envolviéndola con dulzura. El hombre nos observó lívido.

—Yo... —musitó atónito.

—¿Gerardo? ¿Así te llamas, cierto? —intervine. Solo asintió con los ojos bien abiertos, cobarde—. Bien, no puedo decir que es un gusto conocerte porque sé lo ocurrido con ella hace unos años. Lo cierto es que agradezco tu estupidez porque por ello ahora esta mujer es mi esposa, lleva un hijo mío en su vientre, como ya sabes, y te pido, de la manera más educada, que jamás vuelvas acercarte a buscarla o lo que sea... —exigí con cortesía. El hombre elevó el mentón fingiendo hombría.

—¿Temes que logre hacerla dudar? —se atrevió a decir. Solté una carcajada mientras Kristián gruñía hastiada. Quería partirle la cara en veinte pedazos al muy imbécil, pero no soy así, y menos con mi sirena delante, sé lo que me quiere, ningún estúpido hará que lo dude, menos ese.

—¡Mejor lárgate! —rugió mi mujer. Sí, ella no tiene ese autocontrol, es digamos... más impulsiva.

—Estoy siendo educado, no por ti, sino por ella, pero créeme cuando te digo que, si no haces caso a su petición, bueno, me conocerás de una forma... no tan agradable. Pero confío en que sabes escuchar, que darás la vuelta, te subirás a tu auto y no haremos una escena aquí... —advertí acercándome un poco. Retrocedió de inmediato, reí—. Somos adultos —musité en voz baja, disfrutando del asombro de Kristián y mucho más de las reacciones de ese tipo. No, ya no estaba molesto, digo, no era grato que estuviera hostigándola, sin embargo, no lo haría más.

—Bien, veo que esto no tiene sentido —continuó. Kristián bufó exasperada al escucharlo. Apreté su mano guiñándole un ojo.

—Tenemos cosas que hacer.

—Kris, si algún día te falla... —Mi mujer le dio una bofetada que logró voltearle el rostro, incluso Roberto, que se hallaba no tan lejos abrió los ojos al tiempo que los otros dos custodios, reían con disimulo.

—Él es civilizado —dijo y me miró de reojo sin dar crédito de mi actuar—, pero yo no y ya me hartaste. Humillarte solo hace que te tenga más asco, en serio te lo advierto, ni un mensaje más, ni una llamada más, ni un arreglo de flores más —amenazó. Alcé las cejas asombrado por eso último, ¡¿cómo que flores?!, de qué hablaba—. Ve y piérdete donde jamás, ni por equivocación, vuelvas a saber de mí y no te quiero por ahí averiguando de mi vida o...

—O te parto la cara, creo que ya es claro, ¿no? —Completé acercándome a él de un solo paso. Alzó las manos rindiéndose, ese tipo era duro de pelar. Miró a los lados reflexivo, dio media vuelta y se fue rumbo a su auto. Kristián me observó un segundo después con esos ojos color almendra en los que me pierdo todo el tiempo, esperando mi reacción. Llené de aire mis pulmones estudiándola. Acaricié su rostro con ternura para un segundo después acercarla y rozar sus deliciosos labios.

—Encontré unas cosas en la cocina que no sé lo que deseas hacer con ellas —hablé como si nada. Sonrió dejando salir el aire, para un segundo después abrazarme como solo ella sabe.

—Lo lamento —murmuró. Me encogí de hombros, rodeándola también, comenzando a sacudir su cuerpo en modo juguetón.

—Yo no, fue divertido... aunque lo de las flores no lo sabía —expresé achicando los ojos. Ella se alejó, alzó su cabeza y me mostró sus dientes.

—Bueno...

—No te conoce, es demasiado imbécil, —solté tomando su mano y caminando al interior de la casa —, los chocolates son lo tuyo —dije con arrogancia. Me propinó un empujón riendo. No soy el más bromista, pero a su lado sale sin poder evitarlo, además, ya no deseaba más momentos lúgubres, no, si podía eludirlos.

—Espero que en la cocina tenga algunos guardados —se quejó. Saqué uno del bolsillo de los *jeans* guiñando de nuevo un ojo.

—Toma, Sirena, acabemos con esto para que vayas a descansar —pedí. Lo agarró sin dudar al tiempo que bajaba mi cabeza sujetando mi nuca y me miraba fijamente.

—No sé cuándo dejarás de tomarme por sorpresa —farfulló. Mordí levemente su labio.

—Espero que nunca.

Cuando lo de aquella casa terminó y los últimos detalles de la academia estuvieron listos, se la mostré. No pudo cerrar la boca por horas y yo... no pude dejar de verla. Su vientre, de siete meses ya se notaba más, sin exagerar, se veía hermosísima. Derramó varias lágrimas y permaneció pegada a mi pecho casi una hora sin reaccionar, incrédula. Fue inigualable ese día, su reacción.

Ella, durante esos meses estuvo a cargo del área de Estrategias, pero cuando le di ese presente comenzó a no ir a diario ya que lentamente se fue adueñando de ese espacio que aún ama con locura, ese que ahora ha crecido tanto que se encuentra en un edificio donde ya no solo se imparten clases de baile, sino de otras artes, tal como mi sirena soñaba. Lo cierto es que no puedo negar que juntos éramos letales, tan solo estudiábamos los casos, los discutíamos, hablábamos con los empleados a su cargo, ideábamos la estrategia y después los dos íbamos al ataque sin perder prácticamente nunca, así que su ausencia tuvo que ser cuidadosamente cubierta por un hombre que ambos elegimos pues el parto se acercaba y esa área es importante para el conglomerado. Todo en aquella época fue una locura. Ambos, muy enamorados, logramos sortear esos primeros meses llenos de cambios.

Por mi parte iba a terapias por la tarde, a veces regresaba y lo único que deseaba era abrazarla en silencio, sin hablar, perderme en su calidez y cambiar las ideas que en mi mente había, no era fácil pues a veces las heridas se abrían tanto que dolían. Otras, le daba un beso en la frente y me perdía por horas en la piscina. Al salir, ya era el que solía a su lado; vital, alegre y con ganas de vivir. Muchas más, le narraba lo que trabajé en la sesión mientras Kristián me escuchaba con suma atención. Los demonios ahí estaban, pero con el paso del tiempo iban perdiendo fuerza dentro de mí. Dos años duró aquel proceso que me regresó, junto con ella y mi hija, la vida que me había arrebatado.

Valentina, así decidimos llamar a nuestra primera hija, crecía saludable dentro del vientre de su madre, tomamos cursos psicoprofilácticos y estuvimos muy al pendiente de la salud de ambas. Lo cierto es que lo de su corazón siempre ha sido algo que, pese a saber que no es grave si vive de manera responsable, me tiene alerta y eso logra que algo dentro de mí se torne un tanto más protector. Kristián bulle en energía, a veces demasiado, por lo mismo hay que frenarla cuando se excede, sin embargo, gracias a las niñas no puede llevar su cuerpo a un extremo pues para ella lo primordial siempre son ellas, estar a su lado y jamás perderse ningún detalle de su vida. Qué puedo decir, es una madre formidable. Juntos hemos creado esa familia que nunca imaginamos podríamos tener.

Nueve meses después de aquel encuentro en el sanitario de mi oficina, Kristián tuvo una labor de parto relativamente rápida. Cuando las contracciones comenzaron en la madrugada, comenzamos a contar los minutos y hacer todo lo que se nos había dicho. Por la mañana la llevé al hospital y poniendo en práctica lo aprendido, lo logró. Mi mujer es guerrera. Por supuesto hubo un momento en el que se puso nerviosa y comenzó a dudar, lloró incluso y no podré olvidar jamás su carita de preocupación. Es fuerte ver sufrir a quien más amas, no obstante, tuve que resistir, aferré su mano, la guie con su seguridad e intenté que mi mirada la tranquilizara, al final, obviamente, todo salió bien y fue así como conocí al otro amor de mi vida. De igual forma ocurrió con Marina, que llegó poco menos de tres años después que la otra pequeña.

Ambas niñas son mis luces, aunado a mi esposa, la energía vital de mis días. La casa, esa que le di como regalo de bodas y a la que nos mudamos cuando Valentina cumplió tres meses, es una locura todo el tiempo. Y cuando Andrea llega con Fabiano y Victoria, que tiene la misma edad que Marina, todo es aún peor.

Nos casamos cuando nuestra primera hija tuvo seis meses. La boda se realizó en las afueras de la ciudad y fue uno de los días más perfectos de mi existencia. Ella, aquella capilla, ese vestido color perla que cubría ese cuerpo que deseo con desquicio y que la hacía ver aún más bella, su sonrisa y toda aquella gente que es importante en nuestra vida, qué más podía pedir.

Kristián al principio no estuvo muy convencida de realizarla, para ella todo era perfecto, y no es que no lo fuera para mí, pero sentía una necesidad arrebatada de que esa fantasía se cumpliera, como dije, nuestra vida era una locura y mi mujer creía que nos llevaría mucho tiempo preparar todo. Sin embargo, después de extorsionarla en uno de nuestros juegos donde la pasión y lujuria nos dominan, accedió no sin antes prometerle que sería tal como ella lo deseara. Y así fue como llegamos a ese momento casi mágico en el que volvimos a decir que «sí» sin dudarlo, para un momento después besarnos sin dejar de vernos a los ojos, sin evitar transmitirnos todo aquello que seguía creciendo en nuestra alma día tras día.

Por otro lado, Andrea y Kristián, sin comprender bien en qué momento, se convirtieron en amigas entrañables y con los chicos, van y vienen a Veracruz, o a la Ciudad de México, arrastrándonos a Matías y a mí, casi siempre. Ambos somos dóciles en sus manos, esa es la única verdad.

Ileana. Bien, ese es un tema que aún pesa. Con el tiempo y mucha dedicación, debo reconocer, fue ganándose un lugar importante en la vida de su hija. Aún no le dice «mamá», no frente a ella, aunque sí cuando estamos solos. Kristián va lentamente midiendo su entrega, parece que no, pero es cauta a la hora de entregar sus verdaderos sentimientos. Con el paso de los años, después de conversar muchas noches en nuestra habitación, descubrió, no sin derramar lágrimas, que su abandono la marcó en muchas más maneras de las que imaginó y que por lo mismo, temía volver a entregarse y perder.

La entendí, no imagino estar en esa situación, pues el problema no era el perdón, sino la confianza en su madre, esa tendría que irse fortaleciendo con actos constantes por parte de ella. Sin embargo, para mí es mi suegra, y para las niñas es su abuela, y adoran estar con ella, pues cada dos o tres meses viene a visitarlas por dos semanas en las que se dedica a no despegarse de mis chicas; y lo cierto es que mi sirena, al verla, está más alegre y comparte a su lado mucho más que el juego con nuestras hijas. Seguramente no falta mucho para que la doblegue y logre confiar en su actuar, no obstante, es su decisión y yo, como desde que unimos nuestras vidas, la acompaño, no la presiono.

¿Qué puedo decir? Vivir un infierno como en el que me sumergí ya es parte del pasado, de algo enterrado que me ayuda a valorar cada instante de lo construido, de lo que tengo a mi lado. Ellas son todo y mucho más de lo que algún día imaginé merecer.

Regreso al presente gracias a ese aroma familiar. La música de fondo me envuelve. Mientras avanzo aparece un cosquilleo de antelación. Una tarjetita blanca justo al finalizar el corredor me detiene. La tomo sonriendo de nuevo, mirando la planta alta de la casa, donde sé, está mi fuego cotidiano y ella es bien consciente de ello.

«Juguemos».

Valentina se había quedado a dormir con Andrea y Matías en su casa de la ciudad, pues el día anterior habían llegado para comenzar el viaje juntos. Ella y Fabiano son inseparables, también incontenibles. Y Marina seguramente se hallaba con Ileana que había llegado por la mañana, pues también nos acompañaría y supe que la vieron por la tarde.

Subo despacio, observando las velas, el acomodo. La puerta de nuestra habitación se encuentra abierta, me rasco la nuca ardiendo en deseo, ese animal que solo esa mujer despierta comienza a rugir y cuando lo hace es imposible dominarlo. Así ha sido desde el primer momento, me hace su esclavo y pierdo cualquier atisbo de cordura. Despacio avanzo y aparezco en el marco de la puerta. Dejo de respirar.

Kristián, mirándose en el espejo de cuerpo completo, me ve con lánguida sensualidad por el reflejo. Nunca lograré superarla, comprendo sin culpa.

Un vestidito negro de encaje, que deja todo y nada a la imaginación, enmarca su figura de forma delicada, su piel, sus senos medio expuestos y que se asoman sin dificultad bajo la tela, con esas bragas negras que cubren su feminidad. ¿Quién podría resistirse a algo semejante? Yo no, mi autocontrol en ese tema jamás ha funcionado, lo admito y lo agradezco porque de lo contrario no viviría a mi lado. Paso saliva atontado, recorriéndola de abajo hasta arriba; sus pies sin calzado y su cabello suelto, como adoro, con apenas un poco de maquillaje, como suele usar, observándome con atención desde su posición, torciendo sus labios como es su costumbre. ¡Dios!

—Llega tarde, señor Garza —dice ligera. Alzo la tarjeta avanzando como un felino al acecho hasta ese cuerpo que me envenena, que me endiosa.

—No sabía que quería jugar con fuego, señorita Navarro —repongo. Kristián me detiene con un ademán de su mano.

—Le garantizo que yo no saldré quemada, señor —murmura. Se acerca con movimientos delicados hasta su celular y de pronto, aquella melodía que bailó en mi apartamento, años atrás, retorna. Paso saliva con dificultad, la miro expectante, atontado. Suele bailarme, sabe muy bien que me aniquila verla contonearse de ese modo, pero jamás había vuelto a emplear esa canción que activa, junto con su presencia, todo de un solo golpe.

—Con usted hasta el infierno —suelto embrujado deteniéndome ante la indicación de su dulce dedo que ordena que no avance. La observo con abierta lujuria, con indolencia, ansioso.

Sus movimientos comienzan al ritmo de esa voz masculina, su cadera va con el vaivén de la sensual música, me acerco a uno de los sofás, me siento con las piernas temblorosas y continúo observándola embelesado.

Kristián me mira sonriendo con pasión, con un dejo de coquetería que sabe me asesina lentamente. Pasa las palmas de sus manos de forma sugerente por su cadera, por su cintura hasta llegar a su pecho y desordena de forma decadente su cabello. ¡Diablos! Flota y de lo único que soy consciente es de mi mirada incisiva, llena de aprobación, de adoración, esa potente fuerza que siempre emerge y cruza ese puente que nos une para llegar hasta su piel en forma de descarga eléctrica que nos revitaliza sin obstáculos.

Se acerca poco a poco, disfrutando de ese sonido que invade su ser y genera que se mueva como si sus extremidades fueran comandadas por ese ritmo sugerente. Juega con el pequeño pedazo de tela que lleva encima, confiada de su anatomía, controlando cada uno de sus movimientos, deslizándose, girando, elevando los brazos para después acompasarlos a su cuerpo, jugando con sus hombros de forma femenina, incitadora, mirándome fijamente, para después hacerlo solo de reojo, humedeciendo sus labios y complacida por mi gesto desorbitado. Seguro parezco estar viendo una diosa en pleno movimiento, y bueno, en realidad lo es. Sé que siente el calor, ese que emanan nuestros cuerpos con tan solo verse.

No pude más, al carajo todo. Extiendo mi brazo y de un movimiento la alcanzo, la canción está por terminar.

—¿Qué pretendes, Sirena? Me estoy consumiendo —murmuró con voz ronca. Ella sonríe pegando su rostro al mío sentándose a horcajadas sobre mis piernas. Siento su calor, su aroma, su piel. Sí, esa mujer es la diablesa, yo su demonio y juntos nos perdemos en nuestro adorable infierno.

—Demuéstramelo —me desafía con un dejo sutil, lamiendo mi oreja. Gruño devastado por la ansiedad. Sin más invado su boca tomando con fuerza su nuca. Nos entregamos al deseo que aquella seducción genera.

—No debiste decirlo, y lo sabes. —Me levanto con ella a cuestas, sin dejar de besarla. La deposito sobre la cama para que quede de pie sobre el colchón, ahora es mi turno. Sin más tomo su cadera y pego su pecho a mis labios. Sobre la tela la pruebo y torturo mientras ella se arquea aferrándose a mi cabello, sudorosa, gimiendo.

—Cristo —musita pasando la lengua por su preciosa boca, atrapada en esa marea que provoca mi lengua sobre su piel. Mis manos viajan por debajo de aquel atuendo, con una me adueño de su cintura, y con la otra bajo aquel tirante desde adentro para dejar al descubierto parte de su cuerpo. Estoy ardiendo por dentro, como la primera vez, como siempre desde que la conozco, ese efecto surte Kristián en mí, me consume, me quema, me reinventa, me hace sentir vivo, demasiado.

—Me enloqueces, Sirena, de verdad lo haces —rujo. Un segundo después ambos caemos sobre el colchón. Mi ropa estorba, es una barrera abominable para lo que estamos compartiendo. Pensando lo mismo, ella, con manos hábiles me la quita en medio de miradas, de mi tacto viajando por su cadera, apresando su pecho, contorneando su piel. Cuando estuve completamente expuesto su mirada pícara me arranca una sonrisa, niego alzando las cejas—. No, jovencita, ahora pagarás la provocación —le informo. Ella pestañea atónita, acalorada. Apreso sus muñecas con gesto decidido—. Veamos a qué sabe hoy esta delicada piel —murmuro y acto seguido con mi lengua emprendo el viaje desde su cuello, paso por sus senos, sus costillas, su ombligo. Ahí me detengo y alzo la mirada de forma lujuriosa. Kristián se remueve ansiosa, deseosa, gimiendo sin cesar. Sonrío complacido—. «Juguemos» —ahora digo yo con voz imposiblemente gruesa y continúo mi adorable labor hasta llegar a su centro.

Kristián jadea retorciéndose al sentir mis labios explorándola. Minutos o tal vez horas, pero solo soy consciente de su sabor, de esas reacciones que me encienden aún más. No me detengo a pesar de sus quejidos, a pesar de sus gritos ahogados, a pesar de que Kristián parecía estar en otro mundo. La hago mía y la llevo al límite de esa dulce manera, logrando así que sus terminaciones nerviosas explotaran todas a la vez, y sus convulsiones provocaran lágrimas de excitación. Al verla laxa, jadeante, azorada, tal como me gusta, la cargo con facilidad y la siento sobre mi imposible deseo. Lánguida sonríe y me besa al tiempo que me hundo en su interior con fuerza. Nada en toda mi existencia se puede comparar con perderme en su calidez ardiente, desde la primera vez que me sometió sin saberlo, me dominó y jamás pude manejarlo.

Dejamos salir suspiros de alivio al sentirnos unidos, mientras sus labios continúan sobre los míos. Kris se separa tomándome por sorpresa y lentamente se deja caer mientras yo la sostengo con abierta lujuria, enamorado hasta la médula. Los besos continúan, nos giramos sobre el colchón, y la invado esta vez con mayor vehemencia. ¡Dios, esto es el jodido cielo! Voy y vengo sin contenerme, con ansiedad, tomando todo de ella, sintiendo sus pliegues envolviéndome de esa forma única que adoro, consciente de sus piernas rodeándome. Su pequeño cuerpo se arquea mientras la beso.

Cada vez más fuerte, cada vez más rápido, ya sin poder pensar en nada, ambos sabemos el momento exacto en que debemos soltar las alas y dejarnos caer sin más, y lo hacemos sin contenernos, gritando, gruñendo, gimiendo.

—Dios, te amo, Cristo —la escucho. Saco mi rostro de la curva de su cuello, la beso nuevamente sonriendo acalorado.

—Un día me vas a matar, Kristián —respondo agitado. Sé que por algún motivo adora cómo pronuncio su nombre, aunque también sé que «Sirena» la hipnotiza.

—Hoy se cumplen cinco años que tomé el puesto de Caro —susurra acariciando mi barbilla. La observo con detenimiento. Me levanto dejándola sola en la cama. Desnudo, camino hasta el sitio donde mi pantalón quedó. Meto las manos en uno de los bolsillos y de ahí saco una caja de terciopelo negra. Se sienta en la orilla de la cama observándome intrigada. Yo me acerco y se la tiendo poniéndome en cuclillas frente a ella. Kristián la toma extrañada.

—Ese día mi vida cambió, Sirena, cómo podría olvidarlo —apunto. Mi esposa sonríe al tiempo que me da un beso fugaz—. Ábrelo —le pido. Es un colgante redondo de oro blanco donde viene cuidadosamente tallado el perfil de una sirena. Sus ojos chispean llenos de emoción. Lo tomo con cuidado y lo hago girar para que viera lo que hay detrás. «Robaste mi alma», ella sonríe con los ojos rasados, cuánto la amo—. ¿Te gusta? —Le pregunto encantado con sus reacciones, esas que desde siempre me embrujaron.

—Nunca te la devolveré —advierte contra mis labios mientras rodea mi cuello con una de sus delicadas manos.

—Eso espero —Unos minutos después ambos descansamos sobre aquella cama revuelta, saciados, perdidos en ese colgante que ella examina sin soltarlo.

—Cuántas cosas han cambiado desde entonces —expresa sobre mi pecho. Puedo sentir su suave piel adherida a la mía, su textura perfecta bajo mi mano que rodea su cintura con posesividad.

—Tu presencia lo logró —digo. Ella alza el rostro, recarga sus palmas en mi pecho y su barbilla en ellas.

—Tu fuerza me hizo perder toda la proporción desde el primer momento... —admite. Sonrío acariciando con dulzura su mejilla.

—Sabes que tu sonrisa fue mi perdición, y es el color de cada uno de mis días... —le recuerdo aquello que le digo cada vez que tengo ocasión. Desde que decidí estar a su lado y enfrentarlo todo, pese a mis momentos oscuros, que no fueron tantos desde la percepción de mi mujer, la paz y amor fue lo que rigió en nuestras vidas.

Los años juntos han sido casi mágicos, inigualablemente imperfectos, pues con nuestros caracteres tan fuertes evidentemente chocamos de vez en cuando, pero nada que un gesto, una caricia, una mirada cargada de devoción, no calme. A su lado la vida ha cobrado un sentido único, especial y el amor, un tinte irrepetible, lleno de olor familiar, de llamas cargadas de eterna complicidad.

—Junto con las de las niñas —completa con ese gesto tan suyo, torciendo su boca. Beso su frente asintiendo.

—Sabes que ustedes son todo para mí, mujer —repongo y le guiño un ojo, relajado. Esas pequeñas son un motor tan potente, tan especial. Adoro jugar a su lado, perseguirlas por toda la casa, verlas pasear por doquier sonriendo, como ella, que aparezcan en nuestra habitación sin más y a veces terminen entre ambos acurrucadas dormidas pues el sueño las venció. Son sencillamente perfectas.

—¿Quieres saber cuál es mi sorpresa? —Me provoca alzando las cejas con gesto infantil. Frunzo el ceño sin comprender, no la sigo.

—Creí que fue ese baile que casi logra que te coma entera —repongo. Las mejillas de Kris se tiñen de forma adorable.

—Me comiste, señor —me recuerda besándome sugerentemente. La hago girar de un movimiento riendo, por lo que deja salir un grito de asombro.

—Y lo haría miles de veces más, Sirena, más aún en este momento en el que solo estamos en casa tú y yo... —Doy por sentado después de su forma despreocupada de gritar hacía unos minutos. Me mira fijamente.

—En eso te equivocas —me corrige. Se hace a un lado entornando los ojos. ¿Qué traía entre manos? Claro que era así, los empleados de la casa ya no entran a esas horas, no cuando las luces están apagadas.

—¿Adoptaste a otro perro? —pregunto estirando la mano y le hago cosquillas en el abdomen. Gracias a esa manera que tiene de ser ya contamos, como mencioné, con dos perros que no tenían una raza definida y es que en cuanto los vio en la calle extraviados, hizo que los llevaran a un centro veterinario. Uno estaba lesionado de una pata, el otro necesitaba cuidados pues estaba mal alimentado. Un día después de la llegada de cada uno, ambos canes aparecieron limpios ahí, en nuestro jardín, y Valentina, que tenía ya dos años, los quiso de inmediato, por lo que ahora eran las mascotas de la casa. Así es ella... Después de aquello tuve que encontrar un centro de adopción para animales y le ofrecí ayudar con fondos de la empresa a esa causa, con la condición de que no llevase más por no tener esos animales a donde ir. Con la tortuga, los canarios, los peces y ellos, es suficiente.

Ella rio negando. Todavía recuerdo su gesto infantil al verme abrir los ojos de forma desmesurada al advertir la presencia de los nuevos integrantes. Lo cierto es que en cuanto me narró todo, la besé sacudiendo la cabeza.

—No tienes remedio, mujer, te gustan las causas perdidas —repuse. Kristián sonrió pegándose más a mí.

—Solo las que valen la pena —expresó mordisqueando mi labio y así de sencillo fue como ganó en aquel instante, así es como gana en realidad, con una sonrisa, un beso, con su sola presencia.

Ella se endereza y aleja mi mano para que deje de molestarla, como me gusta hacer cuando tengo oportunidad, sí, a su lado y al de mis hijas, soy como un chiquillo inquieto, bullo de energía, y la verdad es que suelo estar jugando, incluso también con esos perros que tienen un sitio especial en nuestro hogar.

—No, de nuevo te equivocas. —Se hinca frente a mí, despeinada, desnuda, sabiéndose observada. Humedezco mis labios ante la extraordinaria visión.

—Deberás decírmelo antes de que vuelva a saltar sobre ti —la apresuro intentado besarla, pero me evade.

—Aquí, en esta habitación, somos tres, señor Garza —asegura. Enarco una ceja y de pronto comprendo, abro los ojos sin poder esconder el asombro.

—¿En serio? —exclamo. Kristián asiente torciendo la boca.

—Muy en serio, hoy me hice la prueba y hace unas horas me la entregaron... Seremos padres, otra vez —dice. Suelto una carcajada llena de euforia al escuchar tan asombrosa noticia de sus labios, la tomo de la cintura, me pongo de pie y la elevo haciéndola girar. Un segundo después la dejo sobre el suelo riendo, sintiendo la alegría recorrer todo mi torrente sanguíneo.

—Con Marina no fue tan rápido —le recuerdo, apenas si habíamos dejado de cuidarnos ese mes. Kris se encoge de hombros sonriendo ante mi reacción.

—Parece que esta vez tuvimos la suerte de Valentina —admite feliz.

—Este es un regalo que no podré jamás igualar, Sirena —admito y la beso con ardor mientras ella se engancha ansiosa.

—Me has regalado una familia, Cristo, no deseo nada más —susurra mirándome fijamente, aferrada a mi rostro mientras yo la tengo bien rodeada con mis brazos.

—Y tú una nueva vida, Kristián, y tampoco deseo nada más —reviro perdido en sus ojos almendrados—. Ahora, gracias a ti, comprendo que la vida me quitó porque todo esto me iba a dar... y a veces es necesario desalojar para volver a ocupar...

—Me siento tan feliz —confiesa con voz apaciguada.

—Eso quiere decir que sigo cumpliendo mis objetivos, y que no he tenido fallos, Kris —y la beso con renovado deseo.

«Y es así como de ese inconsciente sentimiento, que nació cuando seduciendo al deseo creyeron que no darían más, que amar no era lo que buscaban alcanzar, que jugar era la parte medular, que esconderse de sí mismos era lo vital, y, de ese modo, los demonios no los pudieran atacar y volver a aniquilar, encontraron que la vida cuando quita, da, que puede dar una segunda oportunidad, que hay que tener coraje para olvidar, valentía para perdonar y que por mucho que del destino te escondas, este te alcanzará. Que los demonios siempre existirán y que si se desea, se pueden exterminar».

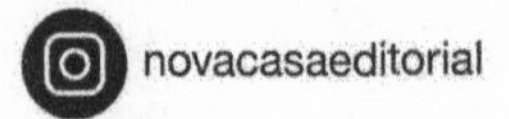

#novacasaeditorial #leyendoaNova